# História
## do novo
## sobrenome

**Índice geral da obra**

Volume 1
*A amiga genial*

Volume 2
*História do novo sobrenome*

Volume 3
*História de quem foge e de quem fica*

Volume 4
*História da menina perdida*

# Elena Ferrante

# História do novo sobrenome

JUVENTUDE

Tradução e posfácio
Maurício Santana Dias

BIBLIOTECA AZUL

Copyright © Edizioni E/O 2011
Publicado em acordo com The Ella Sher Literary Agency
Copyright da tradução © 2023 by Editora Globo S.A.

Todos os direitos reservados. Nenhuma parte desta edição pode ser utilizada ou reproduzida – em qualquer meio ou forma, seja mecânico ou eletrônico, fotocópia, gravação etc. – nem apropriada ou estocada em sistema de banco de dados sem a expressa autorização da editora.

Texto fixado conforme as regras do novo Acordo Ortográfico da Língua Portuguesa (Decreto Legislativo nº 54, de 1995).

Título original: *Storia del nuovo cognome*

Editor responsável: Lucas de Sena
Editor assistente: Jaciara Lima
Diagramação: Jussara Fino e Carolinne de Oliveira
Capa: Mayumi Okuyama
Imagem de capa: Stella Gemella/Moment Open/Getty Images

CIP-BRASIL. CATALOGAÇÃO-NA-FONTE
SINDICATO NACIONAL DOS EDITORES DE LIVROS, RJ

F423a
Ferrante, Elena
História do novo sobrenome : juventude / Elena Ferrante ; tradução Maurício Santana Dias. – 2. ed. – Rio de Janeiro : Biblioteca Azul, 2023.
480 p.; 21 cm.        (Tetralogia napolitana ; 2)

"Edição especial"
Tradução de: *Storia del nuovo cognome*
ISBN 978-65-5830-193-6

1. Romance italiano. I. Dias, Maurício Santana. II. Título. III. Série.

23-86644                                    CDD: 853
                                       CDU: 82-31(450)

1ª edição, 2016
2ª edição, 2023 — 4ª reimpressão, 2025

Direitos exclusivos de edição em língua portuguesa, para o Brasil, adquiridos por EDITORA GLOBO S.A.
Rua Marquês de Pombal, 25
20230-240 - Rio de Janeiro/RJ
www.globolivros.com.br

# LISTA DOS PERSONAGENS

**A família Cerullo (família do sapateiro):**
*Fernando Cerullo*, sapateiro, pai de Lila. Interrompeu os estudos da filha após a escola fundamental.
*Nunzia Cerullo*, mãe de Lila. Embora apoie a filha, não tem autoridade suficiente para defendê-la contra o pai.
*Raffaella Cerullo*, chamada de Lina ou Lila. Nasceu em agosto de 1944. Aos 66 anos, desapareceu de Nápoles sem deixar vestígios. Aluna brilhante, escreve aos dez anos uma novela intitulada *A fada azul*. Abandona a escola após completar o ensino fundamental e aprende o ofício de sapateiro.
*Rino Cerullo*, irmão mais velho de Lila, também sapateiro. Com o pai, e graças a Lila e ao dinheiro de Stefano Carracci, abre a fábrica de calçados Cerullo. Torna-se noivo da irmã de Stefano, Pinuccia Carracci. O primeiro filho de Lila traz o nome dele, Rino.
*Outros filhos.*

**A família Greco (família do contínuo):**
*Elena Greco*, chamada de *Lenuccia* ou *Lenu*. Nascida em agosto de 1944, é a autora da longa história que estamos lendo. Elena começa a escrevê-la no momento em que recebe a notícia de que sua amiga de infância, Lina Cerullo, chamada de Lila apenas por ela, desapareceu. Depois da escola fundamental, Elena continua a estudar

com êxito crescente. Apaixona-se desde a primeira infância por Nino Sarratore, mas cultiva seu amor em segredo.

*Peppe, Gianni* e *Elisa*, irmãos mais novos de Elena.

O *pai* trabalha como contínuo na prefeitura.

A *mãe*, dona de casa. Seu andar manco perturba Elena.

## A família Carracci (família de dom Achille):

*Dom Achille Carracci*, o ogro das fábulas, contrabandista e agiota. Foi assassinado.

*Maria Carracci*, mulher de dom Achille, mãe de Stefano, Pinuccia e Alfonso. Trabalha na charcutaria da família.

*Stefano Carracci*, filho do falecido dom Achille, marido de Lila. Administra os bens acumulados pelo pai e é proprietário, com a irmã Pinuccia, Alfonso e a mãe, de uma lucrativa charcutaria.

*Pinuccia*, filha de dom Achille. Trabalha na charcutaria. É namorada do irmão de Lila, Rino.

*Alfonso*, filho de dom Achille. É colega de escola e divide o mesmo banco com Elena. É namorado de Marisa Sarratore.

## A família Peluso (família do marceneiro):

*Alfredo Peluso*, marceneiro. Comunista. Acusado de ter assassinado dom Achille, foi condenado e está na prisão.

*Giuseppina Peluso*, mulher de Alfredo. Operária da fábrica de tabaco, se dedica aos filhos e ao marido preso.

*Pasquale Peluso*, filho de Alfredo e Giuseppina, pedreiro, militante comunista. Foi o primeiro a perceber a beleza de Lila e a declarar-lhe seu amor. Detesta os Solara. É namorado de Ada Cappuccio.

*Carmela Peluso*, também conhecida como *Carmen*. Irmã de Pasquale, era vendedora em um armarinho até ser contratada por Lila na nova charcutaria de Stefano. Está noiva de Enzo Scanno.

*Outros filhos.*

**A família Cappuccio (família da viúva louca):**
*Melina*, parente de Nunzia Cerullo, viúva. Lava as escadas dos prédios do bairro velho. Foi amante de Donato Sarratore, o pai de Nino. Os Sarratore deixaram o bairro justamente por causa dessa relação, e Melina quase enlouqueceu.
O *marido* de Melina descarregava caixas no mercado de hortifrúti e morreu em circunstâncias obscuras.
*Ada Cappuccio*, filha de Melina. Desde menina ajudava a mãe a lavar as escadas. Graças a Lila, é contratada como vendedora na charcutaria do bairro velho. É namorada de Pasquale Peluso.
*Antonio Cappuccio*, irmão dela, mecânico. É namorado de Elena e tem muitos ciúmes de Nino Sarratore.
*Outros filhos.*

**A família Sarratore (família do ferroviário-poeta):**
*Donato Sarratore*, ferroviário, poeta, jornalista. Grande mulherengo, foi amante de Melina Cappuccio. Quando Elena vai passar férias em Ischia e se hospeda na mesma casa onde os Sarratore passam a temporada de verão, é forçada a deixar a ilha às pressas para escapar ao assédio sexual de Donato.
*Lidia Sarratore*, mulher de Donato.
*Nino Sarratore*, o mais velho dos cinco filhos de Donato e Lidia. Odeia o pai. É um aluno brilhante.
*Marisa Sarratore*, irmã de Nino. Frequenta sem grande sucesso um curso de secretariado. É namorada de Alfonso Carracci.
*Pino, Clelia* e *Ciro Sarratore*, os filhos mais novos de Donato e Lidia.

**A família Scanno (família do verdureiro):**
*Nicola Scanno*, verdureiro.
*Assunta Scanno*, mulher de Nicola.
*Enzo Scanno*, filho de Nicola e Assunta, também verdureiro. Desde a infância Lila tem simpatia por ele. Suas relações começaram quando

Enzo, durante uma disputa na escola, revelou uma insuspeitada habilidade em matemática. Enzo está noivo de Carmen Peluso.
*Outros filhos.*

## A família Solara (família do dono do bar-confeitaria de mesmo nome):

*Silvio Solara*, proprietário do bar-confeitaria, monarquista e fascista, camorrista ligado aos negócios ilícitos do bairro. Foi contra a abertura da fábrica de calçados Cerullo.

*Manuela Solara*, mulher de Silvio, agiota: todos do bairro temem seu caderno vermelho.

*Marcello* e *Michele Solara*, filhos de Silvio e Manuela. Fanfarrões, prepotentes, mesmo assim são amados pelas jovens do bairro, afora naturalmente Lila. *Marcello* se apaixona por Lila, mas ela o rejeita.

*Michele*, pouco mais novo que Marcello, é mais frio, mais inteligente, mais violento. Está noivo de Gigliola, a filha do confeiteiro.

## A família Spagnuolo (família do confeiteiro):

*Seu Spagnuolo*, confeiteiro do bar-confeitaria Solara.

*Rosa Spagnuolo*, mulher do confeiteiro.

*Gigliola Spagnuolo*, filha do confeiteiro, noiva de Michele Solara.

*Outros filhos.*

## A família Airota:

*Airota*, professor de literatura grega.

*Adele*, sua mulher.

*Mariarosa Airota*, a filha mais velha, professora de história da arte em Milão.

*Pietro Airota*, estudante.

**Os professores:**
*Ferraro*, professor e bibliotecário. Premiou Lila e Elena quando pequenas por serem leitoras assíduas.
*Oliviero*, professora. Foi a primeira a se dar conta das potencialidades de Lila e Elena. Aos dez anos de idade, Lila escreveu um conto intitulado *A fada azul*. Elena gostou tanto da história que a deu para Oliviero. Mas a professora, zangada porque os pais de Lila decidiram não mandar a filha para o ensino médio, nunca se pronunciou sobre o conto. Ao contrário, deixou de preocupar-se com Lila e se concentrou apenas no bom êxito de Elena.
*Gerace*, professor do ginásio.
*Galiani*, professora do liceu. É muito culta, comunista. Fica imediatamente encantada com a inteligência de Elena. Empresta livros a ela e a protege nos embates com o professor de religião.

**Outros personagens:**
*Gino*, filho do farmacêutico. É o primeiro namorado de Elena.
*Nella Incardo*, prima da professora Oliviero. Mora em Barano de Ischia e hospedou Elena durante suas férias na praia.
*Armando*, estudante de medicina, filho da professora Galiani.
*Nadia*, estudante, filha da professora Galiani.
*Bruno Soccavo*, amigo de Nino Sarratore e filho de um rico industrial de San Giovanni em Teduccio.
*Franco Mari*, estudante.

# JUVENTUDE

### 1.

Na primavera de 1966, em um estado de grande agitação, Lila me confiou uma caixa de metal que continha oito cadernos. Disse que não podia mais guardá-los em casa, temia que o marido pudesse lê-los. Levei a caixa comigo sem fazer comentários, afora uma menção irônica ao excesso de barbante com que o atara. Naquela fase, nossas relações estavam péssimas, mas parecia que essa impressão era apenas minha. Ela, nas raras vezes em que nos víamos, não manifestava nenhum embaraço, era afetuosa, jamais deixava escapar uma palavra hostil. Quando me pediu para jurar que nunca abriria aquela caixa, por motivo nenhum, jurei. Mas assim que me vi no trem, desatei o barbante, tirei os cadernos da caixa e comecei a ler. Não era um diário, embora ali figurassem relatos minuciosos de fatos de sua vida a partir do final da escola fundamental. Mais parecia o rastro de uma teimosa autodisciplina de escrita. As descrições abundavam: um galho de árvore, os pântanos, uma pedra, uma folha de nervuras brancas, as panelas de casa, as várias peças da maquininha de café, o braseiro, o carvão e o atiçador, um mapa detalhadíssimo do pátio, o estradão, o esqueleto de metal enferrujado além dos pântanos, os jardinzinhos e a igreja, o corte da vegetação à beira da ferrovia, os edifícios novos, a casa dos pais, os instrumentos que o pai e o irmão usavam para consertar sapatos, seus gestos quando trabalhavam, sobretudo as cores, as cores de cada coisa em diversas fases do dia. Mas não havia apenas frases descritivas. Aqui e ali surgiam palavras isoladas em napolitano e italiano, às vezes contornadas por um círculo, sem comentário. E exercícios de tradução do latim e do grego. E trechos inteiros em inglês sobre as lojas do bairro, as mercadorias, o carreto lotado de frutas e verduras que Enzo Scanno levava de rua em rua todos os dias, puxando o burro pelo cabresto. E vários raciocínios sobre os livros que lia, sobre os filmes que via na sala do padre. E muitas das ideias que defendera nas discussões com Pasquale, nas conversas que tínhamos uma com a outra. Claro, o andamento era descontínuo, mas qualquer coisa que Lila aprisionasse na escritura adquiria relevo, tanto que mesmo nas páginas escritas aos onze ou doze anos não achei uma só linha que soasse infantil.

Frequentemente as frases eram de extrema precisão, a pontuação muito cuidada, a grafia elegante como a que nos ensinara a professora Oliviero. Mas às vezes, como se uma droga lhe inundasse as veias, Lila parecia não suportar a ordem que se impusera. Tudo então se tornava árduo, as frases assumiam um ritmo sobressaltado, a pontuação desaparecia. Em geral, lhe bastava pouco para retomar o andamento largo e claro. Mas também acontecia de interromper-se bruscamente e preencher o resto da página com desenhinhos de árvores retorcidas, montanhas corcundas e fumegantes, caras assustadoras. Fui tomada tanto pela ordem quanto pela desordem, e quanto mais lia, mais me sentia enganada. Esse exercício estava por trás da carta que me enviara a Ischia anos antes: por isso era tão bem escrita. Recoloquei tudo na caixa prometendo a mim mesma que não mexeria mais naquilo.

Mas logo cedi de novo, os cadernos desprendiam a força de sedução que emanava de Lila desde pequena. Tinha tratado do bairro, dos parentes, dos Solara, de Stefano, de cada pessoa ou coisa com uma precisão implacável. E o que dizer da liberdade que se concedera quanto a mim, com o que eu dizia, com o que pensava, com as pessoas que eu amava, até com meu aspecto físico. Tinha fixado momentos decisivos para ela, sem se preocupar com nada nem com ninguém. Lá estava, nitidíssimo, o prazer que sentira quando aos dez anos escreveu aquele conto, *A fada azul*. Ali estava, com igual exatidão, o quanto havia sofrido porque nossa professora Oliviero não se dignara a dizer uma só palavra sobre aquele conto, aliás, o ignorara. Ali estava o sofrimento e a fúria por eu ter passado à escola média sem me preocupar com ela, abandonando-a. Lá estava o entusiasmo com que aprendera o ofício de sapateiro, e o sentimento de revanche que a induzira a desenhar sapatos novos, e o prazer de produzir um primeiro par com seu irmão Rino. Lá estava a dor quando Fernando, seu pai, dissera que os sapatos não eram bem-feitos. Havia de tudo naquelas páginas, mas especialmente o ódio pelos irmãos Solara, a determinação feroz com que rejeitara o amor do mais velho, Marcello, e o momento em que decidira ficar noiva do afável Stefano Carracci, o salsicheiro, que por amor quisera comprar o primeiro par de sapatos feito por ela, jurando que o guardaria para sempre. Ah, os belos momentos em que, aos quinze anos, se sentira uma mocinha rica e elegante, de braço dado com o futuro esposo que, só porque a amava, investira muito dinheiro na fábrica de calçados do pai e do irmão, a fábrica Cerullo. E que satisfação ela experimentara: os sapatos de sua fantasia em grande parte realizados, uma casa no bairro novo, o casamento aos dezesseis anos. E que deslumbrante festa de núpcias se seguira, como estava feliz. Depois Marcello Solara, acompanhado do irmão Michele, aparecera no meio dos festejos trazendo nos pés justamente os sapatos que seu marido dissera apreciar tanto. Seu marido. Com que tipo de homem se casara? Agora, fato consumado, arrancaria a falsa cara e mostraria a outra, horrivelmente verdadeira? Indagações, e os fatos sem truques de nossa miséria. Dediquei-me muito àquelas páginas, por dias, semanas. Estudei-as, acabei aprendendo de cor as passagens de que mais gostava, as que me exaltavam, as que me hipnotizavam, as que me humilhavam. Por trás de sua naturalidade havia com certeza um artifício, mas não soube descobrir qual. Por fim, numa noite de novembro, exasperada, saí levando a caixa comigo. Não aguentava mais sentir Lila acima e dentro de mim, mesmo agora que eu era muito estimada, mesmo agora que tinha uma vida fora de Nápoles. Parei na ponte Solferino olhando as luzes filtradas por uma neblina gélida. Apoiei a caixa no parapeito, empurrei-a devagar, devagar, um pouco a cada vez, até que caiu no rio quase como se fosse ela, Lila em pessoa, a se precipitar, com seus pensamentos, suas palavras, a maldade com que restituía golpe após golpe a cada um, seu modo de apropriar-se de mim como fazia com qualquer pessoa ou coisa ou evento ou sabedoria que se aproximasse: os livros e os sapatos, a doçura e a violência, o casamento e a primeira noite de núpcias, o retorno ao bairro no novo papel de senhora Raffaella Carracci.

## 2.

Eu não conseguia acreditar que Stefano, tão gentil, tão apaixonado, tivesse presenteado Marcello Solara com um sinal da Lila criança, a marca de seus esforços nos sapatos que tinha inventado.

Esqueci Alfonso e Marisa conversando entre si com os olhos brilhantes, sentados à mesa. Não dei mais atenção às risadas bêbadas de minha mãe. A música murchou, a voz do cantor, os casais que dançavam, Antonio, que saíra ao terraço e, vencido pelo ciúme, parava além da vidraça, fixando a cidade violácea, o mar. Até a imagem de Nino desbotou enquanto saía da sala como um arcanjo sem anunciação. Agora eu via apenas Lila falando ansiosamente ao ouvido de Stefano, ela palidíssima no vestido de noiva, ele sem um sorriso, uma mancha esbranquiçada de incômodo que descia da fronte aos olhos como uma máscara de Carnaval sobre o rosto aceso. O que estava acontecendo? O que teria ocorrido? Minha amiga puxava para si o braço do marido com ambas as mãos. Puxava com força, e eu, que a conhecia a fundo, sentia que, se tivesse podido, ela o teria arrancado de seu corpo e atravessado o salão carregando-o acima da cabeça, gotas de sangue sobre a cauda, e se serviria dele como de uma clava ou mandíbula de asno para arrebentar a cara de Marcello com um golpe certeiro. Ah, sim, ela teria feito isso, e só de pensar meu coração batia furioso, a garganta ressecava. Depois extrairia os olhos dos dois homens, descolaria suas carnes dos ossos da face, os morderia. Sim, sim, eu senti que queria, queria que acontecesse. Fim do amor e daquela festa insuportável, nada de afagos numa cama de Amalfi. Arrasar imediatamente qualquer coisa ou pessoa do bairro, fazer um massacre, escaparmos eu e Lila, ir embora para longe, descendo juntas com alegre desperdício todos os degraus da abjeção, sozinhas, em cidades desconhecidas. Pareceu-me o justo resultado daquele dia. Se nada podia nos salvar, nem o dinheiro, nem um corpo masculino, nem os estudos, tanto melhor destruir tudo de uma vez. Em meu peito cresceu a raiva que era dela, uma força minha e alheia que me encheu do prazer de perder-me. Desejei que aquela força se expandisse. Mas me dei conta de que também estava amedrontada. Só em seguida compreendi estar condenada a ser quietamente infeliz porque sou incapaz de reações violentas, porque as temo, prefiro ficar imóvel cultivando o rancor. Lila, não. Quando deixou seu lugar, ergueu-se com tal decisão que fez a mesa tremer, os talheres nos pratos sujos, derrubando uma taça. Enquanto Stefano se apressava mecanicamente em deter a língua de vinho que corria para o vestido da senhora Solara, ela saiu a passos rápidos por uma porta secundária, puxando a cauda toda vez que se enroscava.

Pensei em correr atrás dela, segurar sua mão, sussurrar-lhe vamos, vamos embora daqui. Mas não me movi. Quem se moveu foi

Stefano, que, após um instante de incerteza, a alcançou passando entre os casais que dançavam.

Olhei ao redor. Todos tinham notado que algo contrariara a esposa. Mas Marcello continuava conversando de modo cúmplice com Rino, como se fosse normal estar calçando aqueles sapatos. Os brindes cada vez mais grosseiros do comerciante de metais prosseguiam. Quem se sentia no fundo da hierarquia das mesas e dos convidados continuava tentando fazer cara de paisagem. Enfim, ninguém, exceto eu, parecia perceber que o casamento apenas celebrado — e que provavelmente duraria até a morte dos cônjuges, entre muitos filhos, numerosíssimos netos, alegrias e dores, bodas de prata, bodas de ouro —, para Lila, não importa o que o marido fizesse para obter seu perdão, já estava acabado.

## 3.

Os fatos no fim das contas me decepcionaram. Sentei-me ao lado de Alfonso e Marisa, sem dar atenção a suas conversas. Esperei sinais de revolta, mas nada aconteceu. Estar dentro da cabeça de Lila era, como sempre, muito difícil: não a ouvi gritar, não a ouvi ameaçar. Stefano reapareceu meia hora depois, muito cordial. Trocara de roupa, a mancha esbranquiçada entre a fronte e os olhos desaparecera. Circulou entre parentes e amigos esperando que a esposa chegasse e, quando ela retornou ao salão não mais vestida de noiva, mas em roupa de viagem, um *tailleur* azul pastel, com botões claríssimos e um chapeuzinho azul, foi logo ao seu encontro. Lila distribuiu os docinhos entre as crianças pegando-os com uma colher de prata de um recipiente de cristal, depois passou pelas mesas oferecendo as lembranças de casamento primeiro a seus parentes e em seguida aos parentes de Stefano. Ignorou toda a família Solara e até seu irmão Rino, que lhe perguntou com um sorrisinho ansioso: não gosta mais de mim? Ela não respondeu e passou as lembranças a Pinuccia. Tinha o olhar ausente, as maçãs do rosto mais marcadas que de costume. Quando chegou minha vez, me ofereceu distraída, sem sequer um sorriso cúmplice, o cestinho de cerâmica cheio de bem--casados envolvidos no tule branco.

Enquanto isso os Solara se irritaram com a descortesia, mas Stefano remediou abraçando-os um a um com uma bela expressão pacífica, murmurando:

"Está cansada, é preciso ter paciência".

Deu até dois beijos em Rino, o cunhado fez uma expressão descontente, e o ouvi dizer:

"Não é cansaço, Sté, essa aí nasceu torta, e lamento por você".

Stefano respondeu sério:

"As coisas tortas se endireitam".

Depois o vi correr atrás da esposa que já estava na porta, enquanto a orquestra difundia sons embriagados e muitos se aglomeravam para os últimos cumprimentos.

Portanto nada de rupturas, não escaparíamos juntas pelas estradas do mundo. Imaginei os noivos, bonitos, elegantes, entrando no conversível. Dali a pouco chegariam à costa amalfitana, a um hotel de luxo, e toda ofensa sangrenta se transmutaria num beicinho fácil de ser apagado. Nenhuma reviravolta. Lila se afastara de mim definitivamente e — me pareceu de repente — a distância era de fato maior do que eu tinha imaginado. Não havia *apenas* se casado, não se limitaria a dormir com um homem todas as noites para cumprir as obrigações conjugais. Havia algo que eu não tinha entendido e que naquele momento me pareceu flagrante. Dobrando-se à evidência de que seu marido e Marcello Solara tinham selado sabe-se lá que acordo em torno de sua obra de infância, Lila admitira que gostava mais dele que de qualquer outra pessoa ou coisa. Se ela *já* se rendera, se *já* tinha digerido aquela afronta, a ligação com Stefano devia ser realmente forte. Ela o amava, o amava como as meninas das fotonovelas. Durante o resto da vida lhe sacrificaria todas as suas qualidades, e ele nem sequer se daria conta do sacrifício, teria em torno de si a riqueza de sentimentos, de inteligência e de fantasia que a caracterizava sem saber o que fazer com isso, simplesmente a esgotaria. Eu — pensei — não sou capaz de amar ninguém assim, nem mesmo Nino, só sei passar o tempo sobre os livros. E por uma fração de segundo me vi idêntica a uma tigela amassada com a qual minha irmã Elisa dera de comer a um gatinho até que ele desapareceu e a tigela ficou vazia e empoeirada no patamar da escada. Foi naquela altura que, com uma forte sensação de angústia, me convenci de ter avançado muito além do que devia. Preciso voltar atrás, disse a mim mesma, devo fazer como Carmela, Ada, Gigliola, a própria Lila. Aceitar o bairro, expulsar aquela arrogância, castigar a presunção, parar de humilhar quem me ama. Quando Alfonso e Marisa saíram a tempo de chegar para o encontro com Nino, dei uma grande volta para evitar minha mãe e alcancei meu namorado no terraço.

Meu vestido era muito leve, o sol tinha ido embora, começava a fazer frio. Assim que me viu, Antonio acendeu um cigarro e se virou, fingindo que olhava o mar.

"Vamos embora", eu disse.

"Vá com o filho de Sarratore."

"Quero ir com você."

"Você é uma mentirosa."

"Por quê?"

"Porque, se aquele sujeito a quisesse, você me deixaria aqui sem nem dizer tchau."

Era verdade, mas fiquei aborrecida por ele me dizer aquilo tão abertamente, sem estar atento às palavras. Sibilei:

"Se você não entende que estou aqui correndo o risco de que a qualquer momento minha mãe apareça e me encha de tapas por culpa sua, então quer dizer que só pensa em você, que não se importa nem um pouco comigo".

Ele sentiu em minha voz pouco dialeto, notou a frase longa, os subjuntivos, e perdeu a calma. Jogou fora o cigarro, agarrou-me pelo pulso com uma força cada vez mais descontrolada e gritou — um grito apertado na garganta — que ele estava ali por mim, só por mim, e que eu mesma lhe pedira que ficasse a seu lado o tempo todo, na igreja, na festa, eu, sim, e ainda me fez jurar, estertorou, jure, você disse, que nunca vai me deixar sozinha, e então mandei fazer o terno e estou cheio de dívidas com a senhora Solara, e só para lhe agradar, para fazer como você disse, não estive nem um minuto com minha mãe e meus irmãos; mas a recompensa qual é, a recompensa é que você me tratou feito um merda, só conversou com o filho do poeta e me humilhou na frente de todos os amigos, me fez bancar o otário, porque para você eu não sou ninguém, porque você é muito instruída e eu não, porque eu não entendo as coisas que diz, e é verdade, verdade verdadeira que não compreendo, caralho, Lenu, olhe pra mim, olhe pra mim: você acha que pode mandar em mim com uma varinha, acha que não sou capaz de dizer chega, mas se engana, você sabe tudo, mas não sabe que se agora você sair comigo por aquela porta, e se eu lhe disser tudo bem então vamos, mas depois descubro que você se encontra na escola ou quem sabe onde com aquele escroto do Nino Sarratore, eu te mato, Lenu, por isso pense bem, me deixe aqui no meu canto, se desesperou, me deixe que é melhor pra você, e enquanto isso me fixava com os olhos vermelhos e enormes, pronunciando as palavras com a boca escancarada e gritando sem gritar, com as narinas abertas, escuríssimas, e tanto sofrimento na cara que eu pensei talvez esteja se ferindo por dentro, porque as frases, gritadas assim na garganta, no peito, mas sem explodir no ar, são como estilhaços de ferro cortante a lhe ferir os pulmões e a faringe.

Eu sentia confusamente a necessidade daquela agressão. O aperto no pulso, o medo de que me espancasse, aquele rio de palavras dolentes acabou me consolando, tive a impressão de que pelo menos ele gostava muito de mim.

"Você está me machucando", murmurei.

Aos poucos ele afrouxou a pegada, mas ficou me olhando de boca aberta. Dar-lhe peso e autoridade, ancorar-me nele, a pele do pulso estava ficando roxa.

"E então?", me perguntou.

"Quero ficar com você", respondi, mas amuada.

Fechou a boca, os olhos se encheram de lágrimas, olhou na direção do mar para ter tempo de engoli-las.

Logo depois já estávamos na rua. Não esperamos Pasquale, Enzo, as meninas, saímos sem nos despedir de ninguém. O mais importante era que minha mãe não me visse, por isso fomos embora a pé, no escuro. No início caminhamos um ao lado do outro sem nos tocar, depois Antonio envolveu meu ombro com o braço num gesto indeciso. Queria me mostrar que esperava ser perdoado, quase como se o culpado fosse ele. Como me amava, tinha decidido considerar as horas que eu passara sob seus olhos com Nino, num jogo de sedução, como um lapso de alucinações.

"Ficou roxo?", me perguntou, tentando pegar meu pulso.

Não respondi. Apertou-me o ombro com a mão larga, e tive um impulso de irritação que o levou imediatamente a afrouxar os dedos. Esperou, esperei. Quando tentou mais uma vez me lançar um sinal de rendição, passei o braço em torno de sua cintura.

4.

Nos beijamos sem parar, atrás de uma árvore, no portão de um prédio, em ruelas escuras. Depois pegamos um ônibus, mais outro, e chegamos à estação. Seguimos rumo aos pântanos a pé, continuando a nos beijar pela rua pouco frequentada que margeava a ferrovia.

Eu sentia calor, embora meu vestido fosse leve e o frio da noite cortasse a tepidez da pele com repentinos arrepios. De vez em quando

Antonio colava em mim na sombra e me abraçava com tanto ardor que me machucava. Seus lábios queimavam, o calor de sua boca me acendia os pensamentos e a imaginação. Talvez Lila e Stefano, eu me dizia, já estejam no hotel. Talvez estejam jantando. Talvez já tenham se preparado para a noite. Ah, dormir agarrada a um homem, não sentir mais frio. Eu sentia a língua de Antonio se agitando em minha boca e, enquanto me apertava os seios por cima do vestido, eu roçava seu sexo através do bolso da calça. O céu negro estava manchado de nuvenzinhas iluminadas de estrelas. O cheiro de musgo e terra apodrecida dos pântanos estava cedendo aos odores adocicados da primavera. O capim estava molhado e a água soltava repentinos soluços, como se nela caíssem um fruto, uma pedra, uma rã. Percorremos uma trilha que conhecíamos bem, rumo a um grupo de árvores secas, de troncos finos e galhos quebrados. A poucos metros estava a velha fábrica de conservas, um edifício com o teto desabado, um amontoado de traves de ferro e chapas de metal. Senti em mim uma urgente necessidade de prazer, algo que me puxava desde dentro como uma tira de veludo retesada. Queria que o desejo encontrasse uma satisfação violentíssima, capaz de mandar pelos ares todo aquele dia. Percebia o roçar que acariciava e mordia prazerosamente o fundo do ventre, mais forte que das outras vezes. Antonio me dizia palavras de amor em dialeto, as dizia na boca, no pescoço, com ânsia. Eu me calava, nunca dizia nada naqueles encontros, apenas suspirava.

"Diga que me ama", suplicou a certa altura.

"Sim."

"Diga."

"Sim."

Não acrescentei mais nada, abracei-o, apertei-o com toda a força que eu tinha. Queria ser acariciada e beijada em cada dobra do corpo, sentia a necessidade de ser triturada, mordida, queria perder o fôlego. Ele me afastou um pouco de si e insinuou uma mão no sutiã, continuando a me beijar. Mas não me bastou, naquela noite era muito pouco. Todos os contatos que tínhamos tido até aquele momento, que ele me impusera com cautela e eu aceitara com a mesma prudência, agora me pareciam insuficientes, incômodos, rápidos demais. Mas eu não sabia como lhe dizer que queria mais, não achava as palavras. Em cada um de nossos encontros secretos celebrávamos um ritual silencioso, passo a passo. Ele me acariciava o seio, levantava minha saia, me tocava entre as coxas, e enquanto isso, como um sinal, me impelia contra a convulsão de pele macia, cartilagens, veias e sangue que vibravam dentro de sua calça. Mas naquela ocasião eu demorei a tirar seu sexo para fora, sabia que assim que o fizesse ele se esqueceria de mim, pararia de me tocar. Os seios, os flancos, o traseiro, o púbis já não o manteriam ocupado, ele se concentraria exclusivamente em minha mão, ou melhor, imediatamente a envolveria na sua para encorajar-me a movê-la no ritmo certo. Depois tiraria o lenço e o deixaria pronto para o momento em que lhe sairia da boca um grunhido abafado e, de seu pau, o líquido perigoso. Então ele se retrairia um tanto atônito, talvez envergonhado, e voltaríamos para casa. Um final costumeiro, mas que agora eu tinha confusamente a urgência de mudar: não me importava ficar grávida sem ter me casado, não me importava com o pecado, com os guardiões divinos aninhados no cosmo acima de nós, com o Espírito Santo ou quem mais fosse, e Antonio sentiu isso e ficou desorientado. Enquanto me beijava com crescente agitação, tentou várias vezes puxar minha mão para baixo, mas eu me esquivei, pressionei o púbis contra os dedos que me tocavam, empurrei mais forte e repetidamente, com suspiros fundos. Então ele tirou a mão e tentou desabotoar as calças.

"Espere", eu disse.

Arrastei-o para o esqueleto da velha fábrica de conservas. Ali era mais escuro, mais abrigado, mas cheio de ratos, senti seus movimentos ariscos, a correria. Meu coração começou a bater muito forte, eu tinha medo do lugar, de mim, da ânsia que me tomara de apagar de meus modos e de minha voz a sensação de estranhamento que eu descobrira em mim poucas horas antes. Queria voltar a submergir no bairro, ser como tinha sido. Queria acabar com os estudos, com os cadernos cheios de exercícios. De resto, exercitar-me para quê? O que eu podia me tornar fora da sombra de Lila não contava nada. O que eu era diante dela vestida de noiva, dela no conversível, o chapeuzinho azul e o *tailleur* pastel? O que eu era aqui, com Antonio, às escondidas, entre destroços enferrujados, o rumor dos ratos, a saia erguida sobre as ancas, a calcinha arriada, ansiosa, angustiada e em culpa, enquanto ela se dava nua com lânguido abandono, entre lençóis de linho, num hotel com vista para o mar, e deixava que Stefano a violasse, entrasse dentro dela até o fundo, lhe desse seu sêmen, a engravidasse legitimamente e sem medos? O que eu era enquanto Antonio se debatia entre as calças e me ajeitava entre as pernas, em contato com meu sexo nu, a carne grossa de macho, e me apertava a bunda esfregando-se contra mim, movendo-se para frente e para trás, arquejando. Eu não sabia. Só sabia que não era o que eu queria naquele momento. Não me bastava ser esfregada. Queria ser penetrada, queria dizer a Lila quando voltasse: também não sou mais virgem, o que você faz eu também faço, não vai conseguir me deixar pra trás. Por isso estreitei os braços em volta do pescoço de Antonio e o beijei, pus-me na ponta dos pés, busquei com meu sexo o sexo dele, sem dizer uma palavra, em seguidas tentativas. Ele percebeu e ajudou com uma mão, senti dentro uma ponta procurando entrar, estremeci de medo e curiosidade. Mas também senti o esforço que ele estava fazendo para parar, para impedir-se de empurrar com toda a violência que nutrira durante toda a tarde e que certamente ainda nutria. Está prestes a desistir, me dei conta, e me apertei a ele para convencê-lo a prosseguir. Porém, com um suspiro longo, Antonio me afastou de si e disse em dialeto:

"Não, Lenu, só quero fazer isso como se faz com uma esposa, não assim".

Agarrou minha mão direita, levou-a ao sexo com uma espécie de soluço abafado, e me resignei a masturbá-lo.

Depois, enquanto saíamos da área dos pântanos, disse constrangido que me respeitava e não queria me fazer algo de que mais tarde eu me arrependesse, não naquele lugar, não daquele modo sujo e apressado. Falou como se ele é que tivesse ousado demais, e talvez acreditasse mesmo nisso. Não pronunciei uma só palavra durante todo o percurso e me despedi dele com alívio. Quando bati na porta de casa, minha mãe abriu e, inutilmente detida por meus irmãos, sem gritar, sem sequer ensaiar uma reprimenda, me encheu de tapas. Meus óculos voaram pelo pavimento e imediatamente lhe gritei com uma alegria áspera, sem sombra de dialeto:

"Está vendo o que você fez? Quebrou meus óculos e agora, por culpa sua, não posso mais estudar, não vou mais ao colégio".

Minha mãe gelou, até a mão com que me batera ficou imóvel no ar, como a lâmina de um machado. Elisa, minha irmã caçula, recolheu os óculos e disse baixinho:

"Tome, Lenu, eles não quebraram".

**5.**

Caí numa prostração que, por mais que eu tentasse repousar, não queria ir embora. Pela primeira vez cabulei a escola. Acho que me isolei por uns quinze dias, e nem a Antonio eu disse que não aguentava mais os estudos, que estava pensando em desistir. Saía na hora de sempre, perambulava a manhã inteira pela cidade. Aprendi muito de Nápoles naquele período. Vasculhava os livros usados das banquinhas de Port'Alba, assimilava involuntariamente títulos, nomes de autores, prosseguia rumo a Toledo e o mar. Subia ao Vomero pela Via Salvator Rosa, chegava a San Martino, descia pelo Petraio. Ou explorava a Doganella, alcançava o cemitério, vagava pelas alamedas silenciosas, lia os nomes dos mortos. Às vezes jovens desocupados, velhos babacas e até senhores distintos me abordavam com propostas obscenas. Eu apertava o passo olhando para baixo, escapava sentindo o perigo, mas não desistia. Aliás, quanto mais eu evitava o colégio, mais aquelas longas manhãs de vagabundagem alargavam o rasgo na rede de obrigações escolares que me aprisionava desde que eu tinha seis anos. Na hora prevista eu voltava para casa e ninguém suspeitava que eu, logo eu, não tivesse ido ao colégio. Passava a tarde lendo romances, depois corria aos pântanos com Antonio, que estava contentíssimo com minha disponibilidade. Ele queria me perguntar se eu tinha visto o filho de Sarratore. Eu lia a indagação em seus olhos, mas ele não ousava formulá-la, temia a discussão, temia que eu ficasse com raiva e lhe negasse os poucos minutos de prazer. Então me abraçava para me sentir solícita contra seu corpo e expulsar qualquer dúvida. Naqueles momentos, excluía que eu fosse capaz de lhe fazer a afronta de encontrar o outro.

Errava: na realidade, mesmo me sentindo culpada, eu só fazia pensar em Nino. Desejava muito encontrá-lo, conversar com ele, mas por outro lado morria de medo. Temia que me humilhasse com sua superioridade. Temia que de algum modo voltasse aos motivos pelos quais o artigo sobre meu confronto com o professor de religião não tinha sido publicado. Temia que me relatasse o parecer cruel da redação. Eu não suportaria isso. Seja enquanto vagava pela cidade, seja à noite na cama, quando o sono não vinha e eu notava nitidíssima minha insuficiência, preferia acreditar que meu texto tinha sido descartado por pura e simples falta de espaço. Atenuar, deixar que se apagasse. Mas era difícil. Eu não estivera à altura de Nino, portanto não podia estar ao lado dele, pretender que me ouvisse, dizer-lhe meus pensamentos. Mas que pensamentos, se eu não tinha nenhum? Melhor me autoexcluir, chega de livros, de notas e de elogios. Esperava esquecer tudo aos poucos: as noções que me abarrotavam a cabeça, as línguas vivas e mortas, o próprio italiano que se insurgia em minha boca até com meus irmãos. É culpa de Lila, eu pensava, se tomei esse caminho, preciso esquecê-la também: Lila sempre soube o que queria e o conseguiu; eu não quero nada, eu sou feita de nada. Esperava acordar de manhã sem desejos. Uma vez esvaziada — calculava —, o afeto de Antonio e meu afeto por ele bastarão.

Depois, um dia, voltando para casa, topei com Pinuccia, a irmã de Stefano. Soube por ela que Lila voltara da viagem de núpcias e que fizera um banquete para festejar o noivado da cunhada com o irmão dela.

"Você e Rino estão noivos?", perguntei me fazendo de surpresa.

"Estamos", respondeu radiante, me mostrando a aliança que ele lhe dera.

Lembro que, enquanto Pinuccia falava, eu tive um único pensamento tortuoso: Lila fez uma festa na casa nova e não me convidou, mas melhor assim, estou contente, chega de me confrontar com ela, não quero mais vê-la. Somente quando cada detalhe do noivado foi passado em revista, perguntei cautelosamente sobre minha amiga. Pinuccia deu um risinho pérfido e respondeu com uma fórmula dialetal: *tá aprendendo*. Não perguntei o quê. Quando cheguei em casa, dormi a tarde inteira.

No dia seguinte saí como sempre às sete da manhã para ir ao colégio, ou melhor, para fazer de conta que ia. Tinha acabado de atravessar o estradão quando vi Lila sair do conversível e entrar direto em nosso pátio, sem nem sequer se virar para se despedir de Stefano, que estava ao volante. Estava vestida com esmero, usava grandes óculos escuros mesmo sem fazer sol. Chamou-me a atenção uma echarpe de véu azul escuro, ajeitada de modo a lhe cobrir até a boca. Pensei com rancor que fosse um novo estilo dela, não mais *a la* Jacqueline Kennedy, mas mais para a senhora tenebrosa que desde pequenas imaginávamos nos tornar. Segui em frente sem me dirigir a ela.

No entanto, após alguns passos, voltei atrás, mas não com um propósito claro, apenas porque não pude agir de outro modo. Meu coração batia forte, os sentimentos eram confusos. Talvez a intenção fosse lhe pedir que me dissesse na cara que nossa amizade tinha terminado. Talvez quisesse lhe gritar na cara que eu decidira parar de estudar e também me casar, ir viver na casa de Antonio com a mãe dele e os irmãos, lavar as escadas como Melina, a louca. Atravessei o pátio a passos rápidos e a vi entrando pelo portão onde a sogra morava. Subi as escadas, as mesmas que tínhamos enfrentado juntas na infância quando fomos pedir a dom Achille que nos devolvesse nossas bonecas. Eu chamei, ela se virou.

"Você voltou", eu disse.

"Sim."

"E por que não me procurou?"

"Não queria que me visse."

"Os outros podem vê-la e eu não?"

"Não me importo com os outros, com você, sim."

Então a examinei, indecisa. O que eu não devia ver? Subi os degraus que nos separavam e afastei com delicadeza a echarpe, levantei seus óculos.


## 6.

Faço isso de novo agora, com a imaginação, enquanto começo a contar sua viagem de núpcias não só como ela me relatou ali, no patamar da escada, mas como mais tarde li em seus cadernos. Eu tinha sido injusta com ela, preferi acreditar em uma fácil capitulação de sua parte para poder degradá-la, assim como eu me sentira degradada quando Nino deixara o salão de festa, quis diminuí-la para não sentir sua perda. Mas, encerrada a recepção, lá estava ela dentro do conversível, o chapeuzinho azul, o *tailleur* pastel. Estava com os olhos queimando de ódio e, assim que o carro deu a partida, atacou Stefano com palavras e frases as mais insuportáveis para um homem do nosso bairro.

Ele engoliu os insultos segundo seu costume, com um sorriso manso, sem dar um pio, e ela por fim se calou. Lila voltou à carga com calma, apenas um pouco ansiosa. Disse que não queria estar naquele carro nem mais um minuto, que lhe dava nojo respirar o mesmo ar que ele, que queria descer imediatamente. Stefano realmente viu o asco em seu rosto, mas continuou dirigindo sem dizer nada, tanto que ela tornou a erguer a voz para obrigá-lo a parar. Então ele parou no acostamento e, quando Lila de fato tentou abrir a porta, agarrou seu braço com firmeza.

"Agora me escute bem", disse devagar, "há razões sérias para o que aconteceu."Então lhe explicou pacatamente como as coisas se deram. Para evitar que a fábrica de calçados fechasse antes mesmo de abrir as portas para valer, fora necessário fazer uma sociedade com Silvio Solara e filhos, os únicos capazes de garantir não só a colocação dos calçados nas melhores lojas da cidade, mas inclusive a abertura na Piazza dei Martiri, até o outono, de uma loja exclusiva de sapatos Cerullo.

"Mas que se fodam suas necessidades", o interrompeu Lila, desvencilhando-se dele.

"Minhas necessidades são as suas, você é minha esposa."

"Eu? Eu não sou mais nada para você, nem você para mim. Largue meu braço."

Stefano soltou seu braço.

"Também seu pai e seu irmão não contam nada?"

"Lave a boca quando falar deles, você não é digno nem de nomeá-los."

Mas Stefano disse seus nomes. Disse que o acordo com Silvio Solara tinha sido aceito pelo próprio Fernando, em pessoa. Disse que o maior obstáculo tinha sido Marcello, furioso com Lila, com toda a família Cerullo e especialmente com Pasquale, Antonio e Enzo, que arrebentaram seu carro e lhe deram uma tremenda surra. Disse que foi Rino quem o apaziguou, que foi preciso muita paciência e que, no fim das contas, quando Marcello lhe disse: então quero os sapatos que Lila fez, Rino respondeu tudo bem, pode ficar com os sapatos.

Foi um momento terrível, Lila sentiu uma pontada no peito. Mas mesmo assim gritou:

"E você fez o quê?"

Stefano vacilou por um instante.

"E o que eu podia fazer? Brigar com seu irmão, arruinar sua família, deixar que começassem uma guerra contra seus amigos, perder todo o dinheiro que investi?"

Em cada palavra, pelo tom e pelo que era dito, Lila ia percebendo uma admissão hipócrita de culpa. Não o deixou sequer terminar e começou a golpeá-lo no ombro com os punhos, gritando:

"Então você também disse tudo bem, foi buscar os sapatos e os deu de presente a ele".

Stefano a deixou falar e só quando ela tentou mais uma vez abrir a porta e fugir, ele lhe disse, frio: se acalme. Lila se virou bruscamente: se acalmar depois de ter jogado a culpa em seu pai e seu irmão, se acalmar quando os três a trataram como um pano de chão, um trapo? Não quero me acalmar, gritou, seu bosta, me leve agora para minha casa, o que você me disse agora vai ter que repetir na frente daqueles dois homens de merda. E só quando pronunciou aquela expressão em dialeto, *uommen'e mmerd,* se deu conta de que havia rompido a barreira dos tons comedidos de seu marido. Um instante depois, Stefano lhe bateu na cara com a mão pesada, um tapa violentíssimo, que lhe pareceu uma explosão de verdade. Ela estremeceu, surpresa, com uma dolorosa ardência na bochecha. Olhou para ele incrédula, enquanto o marido arrancava com o carro e dizia, com uma voz que pela primeira vez se mostrava agitada e trêmula desde que começara a seduzi-la:

"Viu o que você me obrigou a fazer? Não percebe que está exagerando?"

"Nós erramos tudo", murmurou ela.

Mas Stefano negou decidido, como se não quisesse considerar aquela possibilidade, e fez um longo discurso, entre o ameaçador, o didático e o patético. *Grosso modo* falou o seguinte:

"Nós não erramos nada, Lina, só precisamos esclarecer algumas coisas. Você não se chama mais Cerullo. Você é a senhora Carracci e deve fazer o que eu lhe digo. Entendo, você não tem prática, não sabe o que é o comércio, acha que dinheiro dá em árvore. Mas não é assim. Preciso cuidar do dinheiro todos os dias, colocá-lo onde ele possa render. Você desenhou os sapatos, seu pai e seu irmão são bons trabalhadores, mas vocês três juntos não são capazes de fazer o dinheiro render frutos. Os Solara, sim, e então — me escute bem — não estou nem aí se você não gosta dessa gente. Marcello também me dá nojo, e quando ele olha para você, mesmo de viés, quando penso nas coisas que disse a seu respeito, tenho vontade de meter uma faca na barriga dele. Mas, se ele me for útil para fazer o dinheiro render, então se torna automaticamente meu melhor amigo. E sabe por quê? Porque, se o dinheiro não cresce, já não podemos ter este carro, não posso mais comprar esse seu vestido, perdemos até a casa com tudo o que está dentro e, no fim das contas, você não vai poder bancar a senhorinha, e nossos filhos vão crescer como mendigos. Portanto ouse só mais uma vez me dizer as coisas que me falou esta noite e eu arrebento esse seu rostinho bonito, de modo que você não vai poder nem mais sair de casa. Estamos entendidos? Responda."

Lila fez seus olhos de fenda. Uma face já estava roxa, mas de resto estava palidíssima. Não respondeu.

# 7.

Chegaram a Amalfi à noite. Nenhum dos dois jamais estivera em um hotel, e se comportaram de modo muito desajeitado. Especialmente Stefano se viu intimidado pelo tom vagamente irônico do funcionário da recepção, assumindo sem querer atitudes de subordinado. Quando se deu conta disso, disfarçou o embaraço com maneiras bruscas, as orelhas ardendo ao simples pedido de mostrar os documentos. Enquanto isso apareceu o carregador de malas, um homem de seus cinquenta anos e bigodinhos finos, mas ele o rechaçou como se fosse um ladrão, depois voltou atrás e, com desprezo, lhe deu uma farta gorjeta, mesmo não usufruindo do serviço. Lila o acompanhou carregado de malas pelas escadas e — me contou —, a cada degrau, teve pela primeira vez a impressão de ter perdido no caminho o rapaz com quem se casara de manhã, de estar sendo acompanhada por um desconhecido. Stefano era mesmo assim tão largo, as pernas curtas e gordas, os braços compridos, as juntas brancas? A quem ela se ligara para sempre? A raiva que a tomara durante a viagem cedeu espaço à ansiedade.

Uma vez no quarto, ele tentou ser afetuoso de novo, mas estava cansado e ainda nervoso pela bofetada que fora forçado a dar. Assumiu um tom artificial. Elogiou o quarto muito espaçoso, abriu a janela, foi à varanda, lhe disse vem, olha que ar perfumado, veja o mar como está brilhando. Mas ela buscava uma maneira de fugir daquela armadilha e fez um sinal distraído de não, estava com frio. Stefano fechou imediatamente a janela, falou que se quisessem passear um pouco e jantar fora seria melhor vestir algo mais quente e disse: para mim, basta você me passar um colete, como se vivessem juntos há muitos anos e ela soubesse mexer com competência nas malas e achar um colete para ele exatamente como encontraria um agasalho para si. Lila pareceu aquiescer, mas de fato não abriu as malas nem pegou agasalhos ou coletes. Foi logo saindo para o corredor, não queria ficar naquele quarto nem um minuto a mais. Ele a seguiu resmungando: posso até sair vestido assim, mas me preocupo por você, vai pegar um resfriado.

Perambularam por Amalfi, foram até a catedral subindo pela escadaria, depois até o chafariz. Agora Stefano se esforçava para diverti-la, mas ser divertido nunca foi seu forte, saía-se melhor nos tons patéticos, ou em frases sentenciosas de homem feito que sabe o que quer. Lila quase não respondeu e por fim o marido se limitou a apontar isso e aquilo, exclamando: olha só. Mas ela, que antigamente teria dado peso a cada pedra, agora não se interessava nem pela beleza das vielas, nem pelos perfumes dos jardins, nem pela arte e a história de Amalfi; mas sobretudo não se interessava pela voz dele, que falava sem parar, irritantemente: lindo, não é?

Não demorou muito, Lila começou a tremer, mas não porque fizesse particularmente frio, era nervoso. Ele percebeu e lhe propôs voltar ao hotel, arriscando até uma frase do tipo: assim nos abraçamos e ficamos aquecidos. Mas ela ainda quis passear, passear até que, vencida pelo cansaço, mesmo sem ter um pingo de fome, entrou sem consultá-lo em um restaurante. Stefano a acompanhou com paciência.

Pediram de tudo, não comeram quase nada, beberam muito vinho. A certa altura ele não conseguiu mais se conter e lhe perguntou se ainda estava chateada. Lila fez sinal que não, e era verdade. Ao ouvir aquela pergunta, ela mesma se espantara de não sentir dentro de si nenhum rancor em relação aos Solara, a seu pai e seu irmão, a Stefano. Tudo mudara rapidamente em sua cabeça. De repente, já não dava a mínima para a história dos sapatos, aliás, não conseguia sequer entender por que se incomodara tanto ao vê-los nos pés de Marcello. Agora, ao contrário, o que a aterrorizava e causava sofrimento era a grossa aliança que brilhava em seu anular. Repassou incrédula as cenas do dia: a igreja, a cerimônia religiosa, a festa. O que é que eu fiz, pensou aturdida pelo vinho, e o que é esse círculo de ouro, esse zero reluzente em que pus meu dedo. Stefano também tinha um, que brilhava entre os pelos pretíssimos, dedos velosos, como se dizia nos livros. Lembrou-se dele em calção de banho, como o tinha visto na praia. Tórax largo, patelas grossas que nem tigelas emborcadas. Não havia sequer um mínimo detalhe dele que, uma vez evocado, lhe revelasse algum encanto. Agora era um ser com quem se sentia incapaz de compartilhar o que quer que fosse, mas que no entanto estava ali, de paletó e gravata, movendo os lábios túrgidos e coçando um lóbulo da orelha carnuda, enquanto às vezes estendia o garfo para provar do prato dela. Não tinha nada ou muito pouco do vendedor de embutidos que a atraíra, do jovem ambicioso e muito seguro de si, de boas maneiras, do noivo daquela manhã na igreja. Exibia mandíbulas muito brancas, uma língua bem vermelha no oco escuro da boca, algo nele e em torno dele se rompera. Naquela mesa, no vaivém dos garçons, tudo o que a tinha levado até ali, a Amalfi, lhe pareceu esvaziado de qualquer coerência lógica e mesmo assim era insuportavelmente real. Por isso, enquanto naquele ser irreconhecível o olhar se acendia à ideia de que a tempestade passara, de que ela entendera suas razões, de que as aceitara, de que podia finalmente expor seus grandes projetos, ela teve o lampejo de surrupiar da mesa uma faca para enfiá-la em sua garganta quando, no quarto, ele tentasse tocá-la.

Por fim não o fez. Já que naquele restaurante, àquela mesa, tonta pelo vinho, todo o casamento, do vestido de noiva à aliança, lhe pareceu algo sem nenhum sentido, teve a impressão de que qualquer avanço sexual por parte de Stefano pareceria insensato sobretudo a ele. Por isso, em um primeiro momento, estudou o modo de furtar a faca (cobriu-a com o guardanapo que tirara dos joelhos, apoiou ambos no colo, preparou-se para pegar a bolsa e deixá-la cair ali dentro, devolvendo o guardanapo à mesa), mas depois desistiu. Os laços que mantinham firmes sua nova condição de esposa, o restaurante, Amalfi lhe pareceram tão afrouxados que, ao final do jantar, a voz de Stefano já nem lhe chegava mais, em seus ouvidos havia apenas um clamor de coisas, seres vivos e pensamentos, sem nenhuma definição.

HISTÓRIA DO NOVO SOBRENOME 33

No caminho, ele voltou a falar do lado bom dos Solara. Eles conheciam, ele disse, gente importante na cidade, estavam associados aos monarquistas do Estrela e Coroa, à gente do Movimento Social Italiano. Ele gostava de falar como se de fato entendesse alguma coisa das manobras dos Solara, adotou o tom de um homem esperto, sublinhou: a política é feia, mas é importante para fazer dinheiro. Lila se recordou das discussões que tivera com Pasquale tempos atrás, e também das conversas que tivera com ele durante o noivado, o projeto de distanciar-se completamente dos pais, dos abusos, hipocrisias e crueldades do passado. Dizia que sim, pensou, dizia que estava de acordo, mas na verdade nem me ouvia. Com quem eu falava? Não conheço essa pessoa, não sei quem é.

Entretanto, quando ele pegou sua mão e lhe disse no ouvido que a amava, não se retraiu. Talvez tenha planejado fazê-lo acreditar que estava tudo em ordem, que os dois eram recém-casados em viagem de núpcias, para feri-lo mais profundamente quando lhe dissesse todo o asco que sentia no estômago: entrar numa cama com o carregador do hotel ou com você — ambos com os dedos amarelos de cigarro — é para mim a mesma coisa repugnante. Ou quem sabe — e esta, a meu ver, é a hipótese mais provável — ela estivesse perturbada demais, e agora tendesse a adiar qualquer reação.

Assim que chegaram ao quarto, ele tentou beijá-la, ela se esquivou. Séria, abriu as malas, tirou de lá a camisola e estendeu o pijama ao marido, que lhe deu um sorriso contente por aquela atenção e tentou mais uma vez abraçá-la. Mas ela se trancou no banheiro.

Uma vez sozinha, enxaguou o rosto demoradamente para lavar a tontura do vinho, a impressão de um mundo sem contornos. Não conseguiu. Ao contrário, cresceu-lhe a sensação de que seus próprios sentimentos eram descoordenados. O que vou fazer?, pensou. Ficar trancada aqui a noite toda. Mas e depois?

Arrependeu-se de não ter pegado a faca; aliás, por um instante achou que a tivesse trazido na bolsa, mas depois se convenceu de que não o fizera. Sentou na borda da banheira, comparou-a admirada com a da casa nova, concluiu que a sua era mais bonita. Até suas toalhas eram de qualidade superior. Sua, suas? A quem pertenciam de fato as toalhas, a banheira, tudo? Irritou-se ao pensar que a propriedade das coisas belas e novas fosse garantida pelo sobrenome daquele indivíduo específico que a esperava do lado de fora. Coisa dos Carracci, até ela era coisa dos Carracci. Stefano bateu à porta.

"Oi, está se sentindo bem?"

Não respondeu.

O marido aguardou mais um pouco e bateu outra vez. Como nada aconteceu, girou a maçaneta com nervosismo, dizendo em falso tom brincalhão:

"Será que devo arrombar a porta?"

Lila não duvidou de que ele fosse capaz disso, o estranho que a esperava lá fora era capaz de tudo. Eu também, pensou, sou capaz de tudo. Despiu-se, lavou-se, vestiu a camisola desprezando-se pelo cuidado com que a escolhera meses antes. Stefano — um puro nome que já não coincidia com os hábitos e os afetos de poucas horas atrás — estava sentado na beira da cama, de pijama, e deu um pulo assim que ela apareceu.

"Você demorou um bocado."

"O tempo necessário."

"Como você está linda."

"Estou exausta, quero dormir."

"Vamos dormir depois."

"Agora. Você do seu lado, eu do meu."

"Tudo bem, venha cá."

"Estou falando sério."

"Eu também."

Stefano deu um risinho, tentou segurá-la pela mão. Ela se esquivou, ele se aborreceu. "O que é que há?"

Lila hesitou. Procurou a expressão mais adequada, disse devagar. "Não te amo."

Stefano balançou a cabeça, indeciso, como se as três palavras estivessem numa língua estrangeira. Murmurou que esperava por aquele instante há muito tempo, noite e dia. Por favor, lhe disse persuasivo, e fez um gesto quase de desconforto, apontou o calção bordô do pijama, murmurou com um sorriso oblíquo: veja só como eu fico só de olhar para você. Ela olhou sem querer e fez um gesto de desgosto, desviando imediatamente a vista.

Àquela altura Stefano entendeu que ela estava a ponto de trancar-se de novo no banheiro e, com um salto de fera, agarrou-a pela cintura, levantou-a no ar e jogou-a na cama. O que estava acontecendo? Era evidente que ele não queria compreender. Achava que tivessem feito as pazes no restaurante e agora se perguntava: por que Lina está agindo assim, é novinha demais. E se pôs por cima dela, rindo e tentando acalmá-la.

"É uma coisa boa", disse, "não precisa ter medo. Eu te amo mais que a minha mãe e minha irmã."Mas nada, ela já saía de baixo para escapar. Como é difícil acompanhar essa menina: ora diz sim, e é não; ora diz não, e é sim. Stefano murmurou: agora chega de caprichos, e a imobilizou de novo, montando sobre ela e segurando seus pulsos contra a colcha da cama.

"Você disse que tínhamos de esperar, e nós esperamos", disse, "mesmo tendo sido terrível e doloroso estar a seu lado sem poder tocá-la. Mas agora estamos casados, fique tranquila, não se preocupe."

Inclinou-se para beijar-lhe a boca, mas ela o evitou virando a cabeça para a direita e a esquerda, com força, se desvencilhando, se retorcendo e repetindo:

"Me deixe em paz, eu não te amo, não te amo, não te amo".

Naquele ponto, quase contra sua vontade, a voz de Stefano subiu de tom:

"Mas você está enchendo o saco, Lina."

Repetiu a frase umas duas ou três vezes, cada vez mais alto, como para assimilar uma ordem que lhe chegava de muito, muito longe, talvez até de antes de ter nascido. A ordem era: você é homem, Sté; ou você dobra essa fêmea agora, ou não dobra nunca mais; é preciso que sua esposa aprenda logo que ela é a mulher e você o homem, e que por isso lhe deve obediência. E ao ouvi-lo — você está enchendo o saco, você está enchendo o saco, você está enchendo o saco —, ao vê-lo, largo, pesado sobre seus frágeis quadris, o sexo rijo esticando o tecido do pijama como o suporte de uma barraca, lembrou-se de quando anos antes ele quis puxar sua língua com os dedos e espetá-la com uma agulha porque ela se permitira humilhar Alfonso numa disputa de escola. Nunca foi Stefano, teve a repentina sensação de descobrir, sempre foi o filho mais velho de dom Achille. E aquele pensamento, como uma golfada, trouxe imediatamente para o rosto do jovem marido traços que até então se mantiveram ocultos no sangue por prudência, mas que estavam ali desde sempre, à espera de seu momento. Oh, sim, para agradar ao bairro, para agradar a ela, Stefano se esforçara para ser um outro: suas feições se atenuaram com a cortesia, o olhar se adaptara à brandura, a voz se modelara em tons de mediação, os dedos, as mãos, todo o corpo tinha aprendido a conter a força. Mas agora as linhas de contorno que por muito tempo ele a si mesmo impusera estavam prestes a ceder, e Lila foi tomada de um terror infantil, maior do que quando tínhamos descido ao subsolo para recuperar nossas bonecas. Dom Achille estava ressurgindo da lama do bairro e se nutrindo da matéria viva de seu filho. O pai estava rachando sua pele, modificando seu olhar, explodindo de dentro do corpo. E de fato lá estava ele, rasgando sua camisola na altura do peito, desnudando o seio, apertando-o com fúria e se inclinando para morder-lhe o mamilo. E quando ela, como se acostumara a fazer desde sempre, reprimiu o horror e tentou tirá-lo de cima, puxando seus cabelos e torcendo a boca para mordê-lo até sair sangue, ele a bloqueou sob as grossas pernas dobradas e lhe disse, com desprezo: o que é, fique quieta, você é menos que nada, se eu quiser te arrebentar te arrebento. Mas Lila não sossegou, tornou a morder o ar, arqueou-se para furtar-se ao peso dele. Inútil. Agora ele estava com as mãos livres e, debruçado sobre ela, lhe dava pequenos tapas com a ponta dos dedos e lhe dizia repetidamente, provocando-a: quer ver como é grande, né, diz que sim, diz que sim, diz que sim, até que sacou do pijama o pau grosso que, avançando sobre ela, pareceu-lhe um boneco sem braços e sem pernas, congestionado por vagidos mudos, ansioso por arrancar-se daquele outro boneco maior, que dizia rouco: agora você vai ver, Lina, olha como é lindo, um desses ninguém tem. E, como ela continuava se agitando, esbofeteou-a duas vezes, primeiro com a palma da mão, depois com o dorso, e a força era tanta que ela compreendeu que caso insistisse em resistir ele certamente a mataria — ou pelo menos dom Achille o faria, e ele metia medo em todo o bairro justamente porque sabiam que com sua força era capaz de abater uma parede ou uma árvore —, então desistiu de qualquer resistência e se abandonou a um terror sem som, enquanto ele recuava, tirava sua camisola e lhe murmurava no ouvido: você não se dá conta de quanto eu te amo, mas vai perceber, e já amanhã você mesma vai pedir por meu amor como agora, e mais ainda, vai implorar de joelhos, e eu vou lhe dizer tudo bem, mas só se você for obediente, e você vai ser obediente.

Quando, depois de algumas tentativas desajeitadas, ele rasgou sua carne com uma brutalidade exultante, Lila estava ausente. A noite, o quarto, a cama, os beijos dele, as mãos sobre seu corpo e toda sensibilidade tinham sido absorvidos por um único sentimento: odiava Stefano Carracci, odiava sua força, odiava seu peso sobre ela, odiava seu nome e sobrenome.

# 8.

Voltaram ao bairro quatro dias depois. Na mesma noite Stefano convidou os sogros e o cunhado para a casa nova. Com um ar mais humilde que o habitual, pediu a Fernando que dissesse a Lila como as coisas tinham se passado com Silvio Solara. Numa fala entrecortada e cheia de lamentos, Fernando confirmou diante da filha a versão de Stefano. Já a Rino, Carracci pediu logo em seguida que dissesse por que — de comum acordo, mas com grande pesar — ambos afinal decidiram dar a Marcello os sapatos que ele queria. Com um ar de homem muito experiente, Rino sentenciou: há situações em que as escolhas são obrigatórias, e passou a atacar a situação arriscada em que Pasquale, Antonio e Enzo tinham se metido quando espancaram os irmãos Solara e destruíram seu carro.

"Sabe quem se arriscou mais nessa história?", disse inclinando-se sobre a irmã e aumentando progressivamente de tom. "Eles, seus amigos, os paladinos de França. Marcello os reconheceu e se convenceu de que eles tinham agido incitados por você. Como eu e Stefano devíamos nos comportar? Queria que aqueles três tapados levassem o triplo de bordoadas que deram? Queria acabar com eles? E afinal por quê? Por um par de sapatos número quarenta e um que seu marido não pode calçar porque são apertados e assim que chove entra água? No fim apaziguamos tudo e, já que Marcello queria tanto aqueles sapatos, os demos a ele."

Palavras: com elas se faz e se desfaz como se quer. Lila sempre fora exímia com as palavras, mas, contrariamente às expectativas, naquela ocasião não abriu a boca. Aliviado, Rino fez questão de recordar em tom azedo que fora ela quem, desde pequena, o pressionara dizendo que era preciso ficar rico. Pois então, disse rindo, nos faça ficar ricos sem nos atrapalhar a vida, que já é bem complicada.

Naquela altura — uma surpresa para a dona da casa, para os outros certamente não — bateram à porta, e eram Pinuccia, Alfonso e a mãe, Maria, com uma travessa cheia de doces recém-feitos por Spagnuolo, o confeiteiro dos Solara.

Num primeiro momento, pareceu uma iniciativa para festejar a volta dos esposos da viagem de núpcias, tanto é que Stefano fez circular as fotografias do casamento recém-retiradas do fotógrafo (quanto aos filmes, claro, era preciso esperar um pouco mais). Mas logo ficou claro que o casamento de Stefano e Lila já era coisa do passado, os doces estavam sendo servidos para celebrar uma nova alegria: o noivado de Rino e Pinuccia. Todas as tensões foram deixadas de lado. Rino passou da entonação violenta de poucos minutos antes a modulações dialetais carinhosas, declarações de amor altissonantes, a ideia de fazer na bela casa de sua irmã, imediatamente, a festa de noivado. Depois, com gestos teatrais, extraiu do bolso um pequeno embrulho que, uma vez desembrulhado, revelou uma caixinha bojuda; e a caixinha bojuda, uma vez aberta, revelou um anel de brilhantes.

Lila notou que não era muito diferente do que ela trazia no dedo com a aliança e se perguntou onde seu irmão tinha conseguido o dinheiro. Houve abraços e beijos. Falou-se muito do futuro. Fizeram conjeturas sobre quem cuidaria da loja de sapatos Cerullo na Piazza dei Martiri, quando os Solara a abrissem no outono. Rino argumentou que Pinuccia poderia ficar à frente da loja, talvez sozinha, ou quem sabe com Gigliola Spagnuolo, que estava oficialmente noiva de Michele e por isso tinha seus interesses. A reunião de família ficou mais animada e cheia de esperanças.

Lila permaneceu quase todo o tempo de pé, ficar sentada lhe fazia mal. Ninguém, nem mesmo sua mãe, que se manteve calada durante todo o tempo, pareceu se dar conta de que ela estava com o olho direito inchado e escuro, o lábio inferior rachado, hematomas nos braços.

# 9.

Ela ainda estava naquele estado quando, ali, nas escadas que levavam à casa da sogra, tirei seus óculos e afastei sua echarpe. A pele em volta do olho tinha uma cor amarelada, e o lábio inferior era uma mancha roxa com estrias de um vermelho vivo. A parentes e amigos, dizia que tinha caído nos recifes de Amalfi numa bela manhã de sol, quando ela e o marido tinham ido de barco até uma praia bem embaixo de um paredão amarelo. Durante o almoço de noivado de seu irmão e Pinuccia, ao contar aquela mentira, ela tinha adotado um tom irônico, e todos acreditaram nela com ironia, especialmente as mulheres, que sabiam desde sempre o que se devia dizer quando os homens que as amavam e que elas amavam lhes davam uma coça de jeito. Além disso, não havia pessoa no bairro, especialmente do sexo feminino, que não achasse que ela estava precisando há tempos de uma bela sova. Por isso as bordoadas não tinham causado escândalo, ao contrário, só cresceram o respeito e a simpatia em torno de Stefano, aí estava um cara que sabia agir como homem.

Quanto a mim, ao vê-la tão maltratada, meu coração subiu à garganta e a abracei. Quando disse que não me procurara porque não queria que a visse naquele estado, meus olhos se encheram de lágrimas. O relato de sua lua de mel, como se dizia nas fotonovelas, embora lacônico, quase gélido, me causou raiva e sofrimento. No entanto, devo admitir, também experimentei um prazer sutil. Fiquei contente ao descobrir que Lila agora precisava de ajuda, talvez até de proteção, e me emocionou aquela admissão de fragilidade não em relação ao bairro, mas a mim. Senti que inesperadamente as distâncias tinham voltado a se encurtar e estive a ponto de lhe dizer ali mesmo que eu decidira parar de estudar, que estudar era inútil, que eu não tinha as qualidades para isso. Achei que aquela notícia lhe daria algum conforto.

Mas a sogra apareceu no parapeito do último andar e a chamou. Lila encerrou a história com poucas frases apressadas, disse que Stefano a enganara, que era idêntico ao pai.

"Lembra que em vez das bonecas dom Achille nos deu dinheiro?", me perguntou.

"Lembro."

"Não devíamos ter aceitado."

"Compramos *Mulherzinhas*."

"Fizemos mal: a partir daquele momento, sempre errei em tudo."

Não estava agitada, estava triste. Recolocou os óculos, reajustou a echarpe. Senti prazer com aquele *nós* (*nós* não devíamos ter aceitado, *nós* fizemos mal), mas a brusca passagem ao eu me irritou: *eu* sempre errei em tudo. *Nós*, me veio o desejo de corrigi-la, *sempre nós*, mas não o fiz. Pareceu-me que ela estivesse tentando compreender sua nova condição, que tivesse urgência de entender a que poderia agarrar-se para enfrentá-la. Antes de subir as escadas, me perguntou:

"Quer vir estudar lá em casa?"

"Quando?"

"Hoje à tarde, amanhã, todos os dias."

"Stefano não vai gostar."

"Se ele é o dono, eu sou a mulher do dono."

"Não sei, Lila."

"Eu lhe dou um quarto, você se fecha lá dentro."

"Mas para quê?"

Ela encolheu os ombros.

"Para saber que você está lá."

Não lhe disse nem sim, nem não. Fui embora, passeei pela cidade como sempre. Lila estava certa de que eu nunca deixaria os estudos. Me atribuíra aquela figura da amiga de óculos cheia de espinhas, sempre debruçada nos livros, excelente na escola, e não podia sequer imaginar que eu pudesse mudar. Mas eu queria sair daquele papel. Tinha a impressão de ter compreendido, graças à humilhação do artigo não publicado, toda a minha inadequação. Mesmo tendo nascido e crescido como eu e Lila no perímetro miserável do bairro, Nino sabia fazer uso dos estudos com inteligência — eu, não. Portanto chega de ilusões, chega de cansaço. Era preciso aceitar a sorte, assim como há tempos tinham feito Carmela, Ada, Gigliola e, a seu modo, a própria Lila. Não fui à casa dela nem naquela tarde, nem nos dias seguintes, e continuei cabulando a escola, me atormentando.

Certa manhã não me afastei muito do liceu e fiquei vagando pela Veterinária, atrás do Jardim Botânico. Pensei nas conversas que tivera com Antonio recentemente: ele esperava escapar do serviço militar sendo filho de mãe viúva, único arrimo da família; queria pedir um aumento na oficina e fazer uma poupança até conseguir arrendar a bomba de gasolina do estradão; depois nos casaríamos e eu lhe daria uma mão no serviço. Uma escolha de vida simples, minha mãe teria aprovado. "Não posso fazer sempre as vontades de Lila", disse a mim mesma. Mas como era difícil tirar da cabeça as ambições induzidas pelo estudo. No horário em que as aulas terminavam, quase sem querer, fui para as bandas do colégio e fiquei perambulando em torno dele. Temia ser vista pelos professores e no entanto, notei, desejava que eles me vissem. Queria ser marcada de modo irremediável como estudante não mais modelo; ou ser recapturada pelo tempo escolar, me dobrar ao dever de recomeçar.

Apareceram os primeiros grupos de estudantes. Senti alguém me chamar, era Alfonso. Estava esperando Marisa, que se atrasara.

"Vocês estão juntos?", perguntei debochada.

"Não, ela é que meteu isso na cabeça."

"Mentiroso."

"Mentirosa é você, que me fez acreditar que estava doente, e olha aí: está ótima. Galiani sempre pergunta por você, eu disse a ela que você estava com uma febre terrível."

"E de fato estou."

"Claro, está se vendo."

Levava debaixo do braço os livros atados com um elástico, tinha o rosto cansado pela tensão das horas de aula. Será que Alfonso também escondia no peito dom Achille, seu pai, apesar do jeito delicado? Será possível que os pais não morram nunca, que todo filho os carregue dentro de si inevitavelmente? Então de dentro de mim realmente brotaria minha mãe, seu andar trôpego, como um destino?

Perguntei a ele:

"Viu o que seu irmão fez com Lina?"

Alfonso se embaraçou.

"Vi."

"E você não diz nada a ele?"

"É preciso saber o que Lina fez com ele."

"Você seria capaz de se comportar da mesma maneira com Marisa?"

Esboçou um risinho tímido.

"Não."

"Tem certeza?"

"Tenho."

"Por quê?"

"Porque conheço você, porque conversamos, porque vamos à escola juntos."

No momento não entendi: o que significava conheço você, conversamos, vamos à escola juntos? Avistei Marisa ao fundo da rua, correndo porque estava atrasada.

"Sua namorada está chegando."

Ele não se virou, deu de ombros, murmurou:

"Volte para a escola, por favor."

"Estou mal", insisti, e me afastei.

Não queria nem mesmo trocar um cumprimento com a irmã de Nino, qualquer sinal que o evocasse me dava ânsia. Mas me fizeram bem as palavras nebulosas de Alfonso, fiquei revirando-as na cabeça pela rua. Ele tinha dito que nunca imporia sua autoridade a uma eventual esposa na base da porrada porque me conhecia, porque conversávamos, nos sentávamos no mesmo banco escolar. Expressara-se com uma sinceridade indefesa, sem o temor de me atribuir, ainda que de modo confuso, a capacidade de influir sobre ele, um homem, modificando seu comportamento. Fiquei agradecida a ele por aquela mensagem truncada, que me consolou e articulou em mim uma mediação interna. Uma convicção já frágil precisa de pouco para enfraquecer-se até ceder. No dia seguinte falsifiquei a assinatura de minha mãe e voltei ao colégio. À noite, nos pântanos, prometi a Antonio agarrada a ele para me proteger do frio: termino o ano letivo e nos casamos.

**10.**

Foi difícil recuperar o terreno perdido, especialmente nas matérias científicas, e penei para reduzir os encontros com Antonio a fim de me concentrar nos livros. Nas vezes em que faltava a um encontro porque tinha de estudar, ele se preocupava e me perguntava alarmado:

"Há algum problema?"

"Estou cheia de tarefas na escola."

"Como é que de repente as tarefas aumentaram?"

"Sempre foram muitas."

"Nos últimos tempos você não tinha nenhuma."

"Foi um acaso."

"O que você está me escondendo, Lenu?"

"Nada."

"Você ainda gosta de mim?"

Eu o tranquilizava, mas enquanto isso o tempo corria depressa e eu voltava para casa furiosa comigo mesma pelo tanto que ainda tinha a estudar.

A ideia fixa de Antonio era sempre a mesma: o filho de Sarratore. Temia que eu conversasse com ele, ou que apenas o visse. Naturalmente, para não lhe causar sofrimento, omitia que encontrava Nino na entrada, na saída, pelos corredores. Nunca havia nada de especial, no máximo nos cumprimentávamos de longe e prosseguíamos: eu poderia ter falado sobre isso com meu namorado sem problemas, se ele fosse uma pessoa razoável. Mas Antonio não era uma pessoa razoável e, na verdade, tampouco eu. Embora Nino não me desse corda, só o fato de vê-lo me deixava com a cabeça nas nuvens durante as aulas. Sua presença algumas salas mais à frente, real, vivo, mais culto que os docentes, corajoso e rebelde, esvaziava de sentido a fala de meus professores, as linhas dos livros, os planos de casamento, a bomba de gasolina do estradão.

Eu não conseguia estudar nem mesmo em casa. Aos pensamentos confusos sobre Antonio, sobre Nino, sobre o futuro, se juntava a neurastenia de minha mãe, que gritava comigo para que eu fizesse isso e aquilo, se juntavam meus irmãos, que vinham em procissão submeter-me suas tarefas. Aquele incômodo permanente não era uma novidade, eu sempre tinha estudado em meio à desordem. Mas agora é como se estivesse exaurida a velha determinação que me permitia dar o melhor de mim mesmo naquelas condições, eu não sabia ou não conseguia mais conciliar o colégio com as exigências de todos. Por isso eu deixava a tarde passar ajudando minha mãe, cuidando dos exercícios de meus irmãos, estudando pouco ou quase nada minhas coisas. E se antigamente eu sacrificava o sono aos livros, agora, já que continuava me sentindo esgotada e dormir me parecia uma trégua, à noite eu deixava as tarefas de lado e ia para a cama.

Foi assim que comecei a me apresentar nas aulas não só dispersa, mas despreparada, vivendo na ansiedade de que os professores me perguntassem algo. Coisa que logo ocorreu. Uma vez, em um mesmo dia, tirei dois em química, quatro em história da arte, três em filosofia, e fiquei em tal estado de nervos que logo após a última

46   ELENA FERRANTE

nota ruim desandei a chorar diante de todos. Foi um momento terrível, experimentei o horror e o prazer de me perder, o assombro e o orgulho do descarrilamento.

Na saída do colégio, Alfonso me falou que sua cunhada lhe pedira que me dissesse que fosse encontrá-la. Vá lá, me incentivou preocupado, com certeza você vai estudar melhor ali que em sua casa. Assim, naquela mesma tarde, me decidi e tomei o rumo do bairro novo. Mas não fui à casa de Lila em busca de uma solução para meus problemas no colégio, dava por certo que conversaríamos o tempo todo, e que minha condição de ex-estudante exemplar se agravaria ainda mais. No entanto pensei: melhor me perder em conversas com Lila do que entre os gritos de minha mãe, os pedidos petulantes de meus irmãos, as agonias pelo filho de Sarratore, as recriminações de Antonio; pelo menos aprenderia alguma coisa sobre a vida de casada que eu logo logo — agora já dava por certo — teria de enfrentar.

Lila me recebeu com evidente prazer. O olho desinchara, o lábio estava sarando. Andava pelo apartamento bem vestida, bem penteada, batom nos lábios, como se sua própria casa lhe parecesse estranha e ela mesma se sentisse em visita. Na entrada ainda estavam amontoados os presentes de casamento, os cômodos tinham um cheiro de cal e tinta fresca misturado ao odor vagamente alcoólico que emanava dos móveis novíssimos da sala de jantar, a mesa, o bufê com o espelho emoldurado por um floreado de madeira escura, a cristaleira cheia de prataria, louças, taças e garrafas com licores coloridos.

Lila preparou o café; foi divertido me acomodar com ela na cozinha ampla e brincar de senhoras ricas, como fazíamos na infância diante do respiradouro do porão. É relaxante, pensei, foi um erro não ter vindo antes. Eu tinha uma amiga da minha idade com uma casa que era dela, cheia de coisas caras, reluzentes. Aquela amiga, que não tinha o que fazer durante todo o dia, parecia feliz com minha companhia. Embora estivéssemos mudadas, e as mudanças ainda estivessem em curso, o afeto entre nós continuava intacto. Por que então não me abandonar? Pela primeira vez desde o dia do casamento consegui me sentir à vontade.

"Como vão as coisas com Stefano?", indaguei.

"Tudo bem."

"Vocês se entenderam?"

Sorriu divertida.

"Sim, está tudo entendido."

"E então?"

"Um nojo."

"O mesmo de Amalfi?"

"Sim."

"Continua batendo em você?"

Tocou o próprio rosto.

"Não. Isto é coisa antiga."

"E o que é?"

"É a humilhação."

"E você?"

"Faço o que ele quer."

Pensei um instante e perguntei, alusiva:

"Mas pelo menos é bom quando dormem juntos?"

Fez uma expressão de incômodo, ficou séria. Disparou a falar do marido com uma espécie de aceitação repulsiva. Não era hostilidade, não era desejo de revanche, não era nem mesmo desgosto, mas um desprezo tranquilo, um desapreço que atingia toda a pessoa de Stefano como água infecta na terra.

Fiquei ouvindo, entendendo e não entendendo. Tempos atrás ela havia ameaçado Marcello com o trinchete só porque ele ousara agarrar meu pulso, quebrando o bracelete. A partir daquele episódio, tinha me convencido de que, se Marcello a tivesse apenas tocado, ela teria acabado com ele. Mas agora, com Stefano, não manifestava nenhuma agressividade explícita. Claro, a explicação era simples:

tínhamos visto nossos pais baterem em nossas mães desde a infância. Tínhamos crescido pensando que um estranho não podia sequer nos tocar, mas que o pai, o noivo e o marido podiam nos encher de tapas quando quisessem, por amor, para nos educar, para nos reeducar. Consequentemente, como Stefano não era o odioso Marcello, mas o jovem a quem ela dissera amar muitíssimo, aquele com quem tinha se casado e com o qual decidira viver para sempre, eis que se submetia até o fundo à responsabilidade da própria escolha. Mas nem tudo se encaixava. Aos meus olhos Lila era Lila, e não qualquer mulher do bairro. Nossas mães, depois de um tabefe do marido, não assumiam aquela expressão de calmo desprezo. Se desesperavam, choravam, enfrentavam seus homens de cara fechada, os criticavam pelas costas e, no entanto, umas mais, outras menos, continuavam a ter estima por eles (minha mãe, por exemplo, admirava sem meios-termos a esperteza sem escrúpulos de meu pai). Já Lila exibia uma aquiescência sem respeito. Disse a ela:

"Eu estou bem com Antonio, apesar de não o amar."

E esperei que, segundo nossos velhos costumes, ela soubesse colher naquela afirmação uma série de perguntas ocultas. Embora eu ame Nino — é o que eu estava dizendo sem dizer —, me sinto prazerosamente excitada só de pensar em Antonio, nos beijos, em nossa agarração e esfregação nos pântanos. O amor em meu caso não é indispensável ao prazer, nem sequer o afeto. Então será possível que *o nojo* e *a humilhação* comecem *depois*, quando um macho a submete e violenta a seu bel-prazer pelo único fato de que agora você lhe pertence, com ou sem amor, com ou sem afeto? O que ocorre quando se está em uma cama, subjugada por um homem? Ela experimentara isso, e eu gostaria que me falasse a respeito. Em vez disso, se limitou a dizer irônica: melhor para você se está bem com ele, e me guiou até um quartinho que dava para os trilhos da ferrovia. Era um ambiente despojado, havia apenas uma escrivaninha, uma cadeira, uma cama de campanha, nada nas paredes.

"Você gosta daqui?"

"Gosto."

"Então estude."

E saiu fechando a porta atrás de si.

O cômodo cheirava a muro úmido, mais que o resto da casa. Olhei pela janela, preferia ter continuado conversando. No entanto, logo me dei conta de que Alfonso lhe falara de minhas ausências no colégio, talvez até de minhas péssimas notas, e que ela queria restituir-me, mesmo de modo impositivo, a sabedoria que sempre me atribuíra. Melhor assim. Senti que ela se movia pela casa, dava um telefonema. Fiquei surpresa ao constatar que não dizia *alô, aqui é Lina*, ou, sei lá, *aqui é Lina Cerullo*, mas *alô, aqui é a senhora Carracci*. Sentei-me à escrivaninha, abri o livro de história e me forcei a estudar.

## 11.

Aquele resto de ano letivo foi bastante infeliz. O edifício que sediava o liceu estava deteriorado, chovia nas salas, depois de um forte temporal uma rua a poucos metros de nós alagou. Seguiu-se um período em que fomos ao colégio em dias alternados, as tarefas de casa começaram a contar mais que as lições normais, os professores nos sobrecarregaram até o insuportável. Entre os protestos de minha mãe, depois da escola passei a seguir diretamente para a casa de Lila.

Chegava às duas da tarde, deixava os livros em algum canto. Ela me preparava um sanduíche com presunto, queijo, salame, tudo o que eu quisesse. Nunca tinha visto tal abundância na casa de meus pais: como era bom o cheiro do pão fresco e os sabores dos recheios, especialmente do presunto vermelho vivo, todo orlado de branco. Eu comia com avidez, e enquanto isso Lila me preparava o café. Depois de conversas cheias de coisas, ela me fechava no quartinho e aparecia raramente, só para me trazer algo gostoso, que beliscávamos ou bebíamos juntas. Como eu não queria topar com Stefano, que em geral voltava da charcutaria por volta das oito da noite, às sete em ponto eu batia em retirada. Acostumei-me com o apartamento, com sua luminosidade, com os sons que vinham da ferrovia. Cada espaço, cada coisa era nova e limpa, mas acima de tudo o banheiro, que tinha pia, bidê e banheira. Durante uma tarde de particular preguiça, perguntei a Lila se poderia tomar um banho, eu, que ainda me lavava debaixo da torneira ou dentro da tina de cobre. Disse que eu podia fazer o que quisesse, e correu para buscar as toalhas. Deixei escorrer a água, que saía quente da torneira. Tirei a roupa e submergi até o pescoço. Que mornidão, foi um prazer inesperado. Depois de um tempo, recorri aos numerosos frasquinhos que apinhavam os cantos da banheira, e era como se de meu corpo nascesse uma espuma vaporosa que quase transbordava. Ah, quantas coisas maravilhosas Lila possuía. Não era simplesmente a limpeza do corpo, era jogo, era abandono. Descobri os batons, as maquiagens, o amplo espelho que restituía uma imagem sem deformações, o vento do secador de cabelo. Ao final eu estava com a pele lisinha, como jamais a sentira, e uma cabeleira cheia, luminosa, mais loura. A riqueza que desejávamos na infância talvez fosse isso, pensei: não as arcas com moedas de ouro e diamantes, mas uma banheira, deixar-se imergir assim todos os dias, comer pão, salame, presunto, ter bastante espaço, inclusive no banheiro, ter um telefone, ter a dispensa e a geladeira cheias de comida, a foto em moldura de prata sobre o bufê exibindo sua figura em vestido de noiva, ter esta casa *por inteiro*, com a cozinha, o quarto de casal, a sala de jantar, as duas varandas e o quartinho onde fico trancada a estudar e onde, embora Lila nunca tenha mencionado, em breve, quando vier, dormirá uma criança.

À noite corri para os pântanos, não via a hora de que Antonio me acariciasse, me cheirasse, se maravilhasse, se deleitasse com aquela limpeza opulenta que acentuava a beleza. Era um presente que eu queria dar a ele. Mas ele tinha suas ansiedades, me disse: nunca vou poder lhe dar essas coisas, e lhe respondi: quem lhe disse que eu quero, e ele rebateu: você sempre quer fazer o mesmo que Lila. Me ofendi, brigamos. Eu era independente. Eu só fazia do meu jeito, fazia o que ele e Lila não faziam e não sabiam fazer, eu estudava, me encurvava e me cegava sobre os livros. Gritei que ele não me entendia, que só tentava me diminuir e ofender, e fui embora.

Mas Antonio me entendia até demais. Dia a dia a casa de minha amiga me encantou cada vez mais, tornou-se um lugar mágico, onde eu podia ter tudo, a mil léguas da esqualidez miserável dos velhos edifícios onde tínhamos crescido, paredes descascadas, portas marcadas por riscos, os objetos eternos, sempre os mesmos, amassados, desbeiçados. Lila tinha todo o cuidado de não me perturbar, era eu quem a chamava: estou com sede, estou com um pouco de fome, vamos ligar a televisão, posso ver isso, posso ver aquilo. O estudo me entediava, exasperava. Às vezes lhe pedia que me escutasse enquanto eu repassava as lições em voz alta. Ela se sentava sobre a caminha, eu à escrivaninha. Indicava-lhe as páginas que eu devia repetir, declamava, Lila checava linha a linha.

Foi naquelas ocasiões que me dei conta de quanto sua relação com os livros tinha mudado. Agora se mostrava intimidada por eles. Não acontecia mais de querer me impor uma ordem, um ritmo seu, como se lhe bastassem apenas poucas frases para reconstituir um quadro completo e dominá-lo a ponto de me dizer: este é o conceito que importa, parta daqui. Quando, acompanhando-me pelo manual, tinha a impressão de que eu estivesse errada, me corrigia entre mil justificações do tipo: talvez eu não tenha entendido bem, melhor você mesma checar. Parecia não se dar conta de que sua capacidade de aprender sem nenhum esforço permanecera intacta. Mas eu mesma percebia isso. Constatei, por exemplo, que a química, para mim aborrecidíssima, produzia nela aquele seu olhar agudo, e me bastaram poucas observações suas para me despertar do torpor e me animar. Vi que lhe bastava meia página do manual de filosofia para que ela estabelecesse nexos surpreendentes entre Anaxágoras, a ordem que o intelecto impõe à confusão das coisas e as tabelas de Mendeleiev. Mas frequentemente me pareceu que ela se dava conta da inadequação de seus instrumentos, da ingenuidade de suas observações, e se autolimitasse de propósito. Tão logo percebia ter se empolgado demais, se retraía como diante de uma armadilha e resmungava: sorte sua que compreende isso, eu não sei do que está falando.

Uma vez fechou bruscamente o livro e disse irritada:

"Chega."

"Por quê?"

"Porque me enchi, é sempre a mesma história: dentro daquilo que é pequeno há algo ainda menor que quer despontar, e fora do que é grande há algo ainda maior que quer mantê-lo prisioneiro. Vou cozinhar."

No entanto eu não estava estudando nada que tivesse a ver de modo evidente com o pequeno e o grande. O que houve é que ela se irritou, ou talvez se assustou, com sua própria capacidade de aprender e se recolheu.

Onde?

Nos afazeres domésticos, preparar o jantar, lustrar a casa, assistir à TV em volume baixo para não me incomodar, contemplar os trilhos, o tráfego dos trens, o perfil tênue do Vesúvio, as ruas do bairro novo ainda sem árvores e sem lojas, o pouco movimento dos carros, as mulheres com sacolas de compras e os filhos pequenos agarrados em suas saias. Raramente, e só sob as ordens de Stefano, ou porque ele lhe pedia que o acompanhasse, ia até o local — ficava a menos de quinhentos metros de casa, certa vez fui com ela — onde seria aberta a nova charcutaria. Ali tomava as medidas com o metro de carpinteiro para projetar prateleiras e móveis.

Simples assim, não tinha mais nada a fazer. Logo me dei conta de que, casada, estava mais sozinha do que quando solteira. De vez em quando eu saía com Carmela, com Ada, até com Gigliola, e na escola fizera amizade com colegas de minha turma e de outras, tanto que às vezes as encontrava para um sorvete na avenida Foria. Ela, ao contrário, só via Pinuccia, a cunhada. Quanto aos rapazes, se durante o período de noivado ainda paravam e trocavam algumas palavras com ela, agora, depois do casamento, no máximo a cumprimentavam quando cruzavam com ela na rua. No entanto ela era linda e se vestia como nas revistas femininas, que comprava aos montes. Mas a condição de esposa a encerrara numa espécie de recipiente de vidro, como um veleiro que navega de velas abertas num espaço inacessível, sem mar. Pasquale, Enzo, o próprio Antonio jamais se aventurariam pelas ruas alvas e sem sombra das casas recém-construídas até seu portão, até seu apartamento, para bater um papo ou convidá-la para um passeio. Era inconcebível. E mesmo o telefone, objeto negro fixado na parede da cozinha, parecia um ornamento inútil. Durante todo o período que estudei na casa dela, tocou raramente, e quase sempre era Stefano, que também instalara um aparelho na charcutaria para receber os pedidos dos clientes. Suas conversas de esposos recém-casados eram breves, ela respondia com sins e nãos desinteressados.

O telefone lhe servia sobretudo para comprar. Naquela época ela saía pouquíssimo de casa, esperava que sumissem completamente do rosto as marcas das violências, mas mesmo assim fez numerosas aquisições. Por exemplo, depois daquele meu prazeroso banho, após meu entusiasmo com o aspecto de meus cabelos, ouvi que ela encomendou um novo secador e, quando fizeram a entrega, quis me dar o aparelho de presente. Pronunciava aquela espécie de fórmula mágica (*alô, aqui é a senhora Carracci*) e logo passava a negociar, discutir, desistir, comprar. Não pagava, os comerciantes eram todos do bairro, conheciam bem Stefano. Ela se limitava a assinar, *Lina Carracci*, nome e sobrenome como nos tinha ensinado a professora Oliviero, e traçava sua firma como um exercício que se impusera, com um sorrisinho concentrado, sem nem sequer checar a mercadoria, quase como se aqueles caracteres no papel fossem mais importantes que os objetos que lhe eram entregues.

Comprou também grandes álbuns de capa verde decorados com motivos florais, onde organizou as fotos do casamento. Mandou ampliar especialmente para mim a cópia de não sei quantas fotografias, todas em que aparecíamos eu, meus pais, meus irmãos, até Antonio. Telefonava e as encomendava ao fotógrafo. Certa vez descobri uma em que se entrevia Nino: lá estavam Alfonso, Marisa, e ele aparecia à direita, cortado pela borda do enquadramento, somente o topete, o nariz, a boca.

"Posso ficar com uma desta também?", arrisquei sem muita convicção.

"Mas você nem aparece nela."

"Estou aqui, de costas."

"Tudo bem, se quiser, mando ampliar uma para você."

Mudei bruscamente de ideia.

"Não, pode deixar."

"Sem cerimônias."

"Não."

Mas a aquisição que mais me impressionou foi o projetor. Finalmente o filme do casamento tinha sido revelado, e o fotógrafo veio uma noite projetá-lo para o casal e os parentes. Lila se informou sobre o preço do aparelho, mandou entregar um em casa e me convidou para ver o filme. Pôs o projetor na mesa da sala de jantar, tirou da parede um quadro com um mar tempestuoso, inseriu a película com competência, baixou as persianas e as imagens começaram a escorrer na parede branca. Uma maravilha: o filme era em cores, poucos minutos, fiquei de boca aberta. Revi sua entrada na igreja de braço dado com Fernando, a saída ao átrio com Stefano, ambos passeando alegremente no parque das Rimembranze e, ao final, um longo beijo na boca, a entrada no salão do restaurante, o baile que se seguira, os parentes comendo ou dançando, o corte do bolo, a distribuição das lembranças, as saudações dirigidas à câmera, Stefano alegre, ela sombria, ambos em roupa de viagem.

À primeira vista, fiquei impressionada sobretudo comigo. Fui enquadrada duas vezes. A primeira no átrio, ao lado de Antonio: me vi desajeitada, nervosa, o rosto devorado pelos óculos; a segunda, sentada à mesa com Nino, quase não me reconheci: ria, movia mãos e braços com negligente elegância, ajeitava os cabelos, brincava com o bracelete de minha mãe, tive a impressão de ser fina e bonita. De fato, Lila exclamou:

"Olhe como você ficou bem."

"Que nada", menti.

"É como quando você está contente."

Na cena que se seguiu (eu lhe disse "põe de novo", e ela não se fez de rogada), o que mais me chamou a atenção foi a entrada dos dois Solara. O cinegrafista registrara o momento que me marcara mais fundo: o instante em que Nino abandonava o salão enquanto Marcello e Michele entravam. Os dois irmãos avançavam em suas roupas de festa, um ao lado do outro, altos, musculosos, adestrados na academia com levantamento de pesos; nesse meio tempo, Nino ia embora de cabeça baixa, chocando-se de leve com o braço em Marcello, e, enquanto este último se virava de chofre com uma feia expressão de camorrista, ele desaparecia indiferente, sem se voltar.

O contraste me pareceu violentíssimo. Não era tanto a pobreza das roupas de Nino, gritante se comparada à riqueza das vestes dos Solara, com os ouros que traziam no pescoço, nos pulsos e nos dedos. Não era nem mesmo sua extrema magreza, acentuada pela alta estatura — uns cinco centímetros a mais que os irmãos, que no entanto eram altos —, e que sugeria uma fragilidade muito distante da robustez viril que Marcello e Michele punham em cena com grande satisfação. Era sobretudo a negligência. Ao passo que podia ser considerada normal a arrogância dos Solara, não era nem um pouco normal a displicência altiva com que Nino se chocara com Marcello e seguira em frente. Até quem os detestava, como Pasquale, Enzo e Antonio, devia de um modo ou de outro prestar contas aos Solara. Já Nino não só não se desculpara, mas nem mesmo se dignara a olhar para Marcello.

A cena me pareceu uma prova documental de tudo o que eu intuíra enquanto a tinha vivido na realidade. Naquela sequência o filho de Sarratore — ele, que crescera nos edifícios do bairro velho justamente como nós, que me parecera muito assustado quando se tratara de superar Alfonso nas disputas escolares — parecia já de todo estranho à escala de valores em cujo vértice despontavam os Solara. Era uma hierarquia que visivelmente não lhe interessava, que talvez nem sequer entendesse mais.

Olhei para ele seduzida. Me pareceu um príncipe asceta, capaz de intimidar Michele e Marcello simplesmente com o olhar de quem não os enxergava. E esperei por um átimo que agora, na imagem, ele fizesse o que não tinha feito na realidade: me levar embora.

Só então Lila notou Nino e disse, com curiosidade:

"Aquele é o mesmo com quem você está sentada à mesa com Alfonso?"

"É. Não o reconheceu? É Nino, o filho mais velho de Sarratore."

"O mesmo que lhe deu um beijo quando você esteve em Ischia?"

"Foi uma bobagem."

"Menos mal."

"Menos mal por quê?"

"Esse cara se acha não sei o quê."

Quase para justificar aquela impressão, acrescentei:

"Vai se diplomar neste ano, e é o melhor de todo o liceu."

"Você gosta dele por isso?"

"Claro que não."

"Deixa esse cara pra lá, Lenu, é melhor Antonio."

"Você acha?"

"Acho. Esse aí é seco, feio e acima de tudo muito presunçoso."

Senti os três adjetivos como uma ofensa e estive a ponto de responder: não é verdade, ele é lindo, tem olhos cintilantes, e lamento que você não perceba, porque um rapaz assim não se encontra nem no cinema, nem na televisão, nem nos romances, e eu estou feliz por amá-lo desde que era pequena, e mesmo que ele seja inalcançável, mesmo que eu me case com Antonio e passe a vida colocando gasolina nos carros, vou amá-lo mais que a mim mesma, vou amá-lo para sempre.

Em vez disso falei, de novo infeliz:

"Eu gostava dele antigamente, quando frequentávamos a escola fundamental: agora não gosto mais."

## 12.

Os meses seguintes foram particularmente densos de pequenas ocorrências que me trouxeram grandes tormentos, os quais ainda hoje tenho dificuldade de ordenar. Por mais que eu assumisse um tom desenvolto e uma disciplina férrea, cedia continuamente, com doloroso comprazimento, a ondas de infelicidade. Tudo parecia conjurar contra mim. Na escola, não conseguia alcançar as notas de antes, mesmo tendo recomeçado a estudar. Os dias transcorriam sem sequer um momento em que eu me sentisse viva. O caminho para o colégio, para a casa de Lila, para os pântanos eram cenários apagados. Nervosa, desmotivada, acabava quase sem perceber atribuindo a culpa de boa parte de minhas dificuldades a Antonio.

Ele também andava muito agitado. Queria me ver a toda hora, às vezes deixava o trabalho e eu o encontrava numa espera constrangida, postado na calçada em frente ao portão do liceu. Estava preocupado com as loucuras da mãe, Melina, e apavorado com a possibilidade de não o dispensarem do serviço militar. A seu tempo, havia apresentado várias solicitações ao comando documentando a morte do pai, as condições de saúde da mãe, seu papel de único arrimo da família, e parecia que o Exército, assoberbado pelos documentos, tinha decidido esquecer-se dele. Mas agora soubera que Enzo Scanno devia partir no outono, e temia que o mesmo coubesse a ele. "Não posso deixar minha mãe, Ada, meus irmãos sem um centavo e desprotegidos", se desesperava.

Uma vez apareceu ofegante na escola: soubera que os militares tinham ido colher informações sobre ele.

"Pergunte a Lina", me disse ansioso, "tente saber se Stefano conseguiu a dispensa porque é filho de mãe viúva ou por algum outro motivo".

Tentei distraí-lo, acalmá-lo. Organizei especialmente para ele uma noitada numa pizzaria com Pasquale, com Enzo e com suas respectivas namoradas, Ada e Carmela. Esperava que, na companhia de seus amigos, ele conseguisse ficar tranquilo, mas não foi assim. Como de costume, Enzo não demonstrou a mínima emoção pela partida, apenas se lamentou porque, durante todo o período em que prestaria o serviço militar, seu pai precisaria voltar a circular pelas ruas com o carreto mesmo estando com a saúde ruim. Quanto a Pasquale, nos revelou com certa amargura que não prestara o serviço por causa de uma velha tuberculose que fizera o comando dispensá-lo. Mas disse que se lamentava, que era preciso ser soldado, e não para servir à pátria. Aqueles como nós, imprecou, têm a obrigação de aprender a usar bem as armas, porque logo vai chegar o tempo em que quem deve pagar vai pagar. A partir daquele momento, começou-se a discutir de política, ou melhor, o único que falou de fato foi Pasquale, e de modo muito impaciente. Disse que os fascistas queriam voltar ao poder com a ajuda dos democratas-cristãos. Disse que a tropa de choque e o Exército os apoiavam. Disse que era preciso se preparar, e se dirigiu especialmente a Enzo, que fez sinais de concordância e até — logo ele, que em geral ficava em silêncio — reforçou com um risinho: não se preocupe, quando eu voltar lhe ensino como se atira.

Ada e Carmela se mostraram muito impressionadas com aquela discussão, pareciam contentes por namorar homens tão perigosos. Eu tive vontade de intervir, mas não sabia quase nada sobre alianças entre fascistas, democratas-cristãos e tropas de choque, não tinha nenhum pensamento na cabeça. De vez em quando eu olhava para Antonio esperando que ele se entusiasmasse pela questão, mas não foi assim, tentou apenas voltar ao que o angustiava. Perguntou várias vezes: como é no Exército, e Pasquale, que nem tinha servido, respondeu: uma verdadeira merda, quem não se dobra é trucidado. Enzo como sempre continuou calado, como se a coisa não lhe dissesse respeito. Já Antonio parou de comer e, beliscando a meia pizza que tinha no prato, disse várias vezes palavras do tipo: eles lá não sabem com quem vão lidar, se vierem com gracinhas, arrebento eles.

Quando ficamos sós, me disse de supetão, com um tom deprimido:

"Eu sei que se eu for embora você não vai me esperar, vai arranjar outro."

Só então eu entendi. O problema não era Melina, não era Ada, não eram os outros irmãos que ficariam sem sustento, não eram nem mesmo as agruras da caserna. O problema era eu. Não queria me deixar nem por um minuto, e me pareceu que qualquer coisa que eu dissesse ou fizesse não bastaria para tranquilizá-lo e fazê-lo acreditar em mim. Então preferi bancar a ofendida. Disse-lhe que visse o exemplo de Enzo: ele confia, sibilei, se tiver que ir irá, não fica choramingando, mesmo tendo acabado de ficar noivo de Carmela. Já você se lamenta sem motivo, sim, sem motivo, Antó, já que nem vai ser convocado, porque, se Stefano conseguiu a dispensa por ser filho de mãe viúva, imagina se você não vai conseguir.

O tom entre o agressivo e o afetuoso o acalmou. Porém, antes de ir embora, repetiu constrangido:

"Pergunte à sua amiga."

"É sua amiga também."

"Sim, mas pergunte você."

No dia seguinte falei do assunto com Lila, mas ela não sabia nada do serviço militar do marido, prometendo-me de má vontade que se informaria. Mas não o fez com a rapidez que eu esperava. Com Stefano e a família dele sempre havia alguma tensão. Maria dissera ao filho que a esposa dele gastava demais. Pinuccia semeava discórdias sobre a nova charcutaria dizendo que ela não trabalharia lá, que a cunhada que cuidasse disso. Stefano mandava a mãe e a irmã se calarem, mas no fim das contas recriminava a mulher pelas despesas excessivas, tentando saber se ela eventualmente se disporia a assumir o caixa do novo negócio.

Naquela fase Lila se tornou particularmente esquiva, mesmo em relação a mim. Dizia que gastaria menos, concordava de bom grado em trabalhar na charcutaria, e no entanto gastava mais do que nunca e, se antes aparecia na nova loja por curiosidade ou obrigação, agora não fazia nem isso. Mesmo porque as marcas no rosto tinham desaparecido, e ela parecia tomada pela ânsia de perambular por aí, especialmente de manhã, quando eu estava no colégio.

Saía a passeio com Pinuccia e ficavam disputando sobre quem se arrumava melhor, quem comprava mais coisas inúteis. Frequentemente Pina vencia, especialmente porque, graças a muitas caretas um tanto infantis, conseguia arrancar dinheiro de Rino, que se sentia na obrigação de mostrar-se mais generoso que o cunhado.

"Eu trabalho feito um condenado o dia todo", dizia o noivo à noiva, "então se divirta por mim."

E com orgulhosa displicência, sob os olhos dos empregados e de seu pai, tirava dos bolsos da calça cédulas emboladas, as estendia a Pina e logo depois fazia um gesto zombeteiro de quem fosse dá-las também à irmã.

Para Lila aquelas atitudes irritavam como golpes de vento que fazem uma porta bater ou um objeto cair da mesa. Mas também via ali o sinal de que a fábrica de calçados finalmente se aprumava, e no fim das contas estava contente de que os sapatos Cerullo estivessem expostos em muitas lojas da cidade, os modelos de primavera vendiam bem, as novas encomendas eram cada vez mais frequentes. Tanto que Stefano precisara recorrer até ao porão da sapataria, transformando-o metade em depósito, metade em oficina, enquanto Fernando e Rino tiveram que contratar às pressas um novo ajudante e, em certas ocasiões, trabalhavam inclusive de noite.

Naturalmente havia muitas discussões. A loja de sapatos que os Solara se comprometeram a abrir na Piazza dei Martiri devia ser decorada à custa de Stefano, que no entanto, alarmado com o fato de que nunca fora estipulado nenhum acordo escrito, vivia batendo boca com Marcello e Michele. Mas agora pareciam que estavam chegando a um contrato assinado que poria preto no branco a cifra (um tanto inflacionada) que Carracci pretendia investir na decoração. E principalmente Rino se sentia muito satisfeito com aquele resultado: onde o cunhado punha dinheiro, ele se comportava com ares de proprietário, como se ele mesmo tivesse desembolsado.

"Se continuar assim, no ano que vem nos casamos", prometia à noiva, e certa manhã Pina quis visitar a mesma costureira que tinha feito o vestido de noiva de Lila, só para dar uma olhada.

A costureira recebeu ambas com grande afabilidade, mas depois, fascinada como era por Lila, pediu-lhe que contasse em detalhes o casamento e fez de tudo para ter uma foto grande dela, vestida de noiva. Lila então mandou ampliar uma especialmente para ela e, numa manhã, saiu com Pina para entregá-la.

Foi naquela ocasião que, enquanto estavam passeando pelo Rettifilo, Lila perguntou à cunhada como é que Stefano fora dispensado do serviço militar: se os policiais tinham ido verificar sua condição de filho de mãe viúva, se a dispensa do comando fora comunicada pelos correios ou se ele teve de ir se informar pessoalmente.

Pinuccia olhou para ela irônica.

"Filho de mãe viúva?"

"Sim, segundo Antonio, quem está nessa situação acaba sendo dispensado."

"Pelo que eu sei, o único meio seguro de escapar é pagando."

"Pagar a quem?"

"Aos do comando."

"Stefano pagou?"

"Pagou, mas não precisa espalhar por aí."

"E quanto ele pagou?"

"Isso eu não sei dizer. Foram os Solara que fizeram tudo."

Lila ficou gelada.

"Como assim?"

"Você sabe, nem Marcello nem Michele prestaram o serviço militar. Conseguiram ser dispensados por insuficiência pulmonar."

"Aquele dois? Mas como é possível?"

"Com os contatos."

"E Stefano?"

"Recorreu aos mesmos conhecidos de Marcello e Michele. Você paga, e os conhecidos lhe fazem um favor."

Naquela mesma tarde minha amiga me contou tudo, mas como se não percebesse quanto aquelas notícias eram ruins para Antonio. Em vez disso, estava eletrizada — sim, eletrizada — pela descoberta de que a aliança entre o marido e os Solara não nascera das necessidades impostas pelo comércio, mas era de velha data, anterior ao próprio noivado.

"Ele me enganou desde o início", repetia quase com satisfação, como se aquela história do alistamento fosse a prova definitiva da real natureza de Stefano e agora se sentisse libertada. Precisei esperar um pouco até poder perguntar:

"Você acha que os Solara, caso os militares não deem a dispensa a Antonio, poderiam fazer esse favor a ele também?"

Ela me fixou com seu olhar ruim, como se eu tivesse dito uma coisa antipática, e cortou seca:

"Antonio nunca recorreria aos Solara."

## 13.

Não mencionei uma palavra sequer daquela conversa com meu namorado. Evitei encontrá-lo, disse que tinha muitas tarefas e vários exames orais pela frente.

Não se tratava de uma desculpa, o colégio era realmente um inferno. A superintendência perseguia o diretor, o diretor perseguia os professores, os professores perseguiam os estudantes, e os estudantes se atormentavam entre si. Grande parte de nós não suportava o peso das tarefas, mas estávamos contentes de que houvesse lições em dias alternados. Por sua vez, uma minoria criticava o estado decadente do prédio escolar, com a perda das horas de aula, e queria o retorno imediato ao horário normal. À frente dessa facção estava Nino Sarratore, e foi ele quem me complicou ainda mais a vida.

Eu o via confabular nos corredores com a professora Galiani e passava ao lado deles esperando que ela me chamasse. Mas isso nunca aconteceu. Então eu torcia para que ele mesmo me dirigisse a palavra, mas isso tampouco aconteceu. Assim me senti desacreditada. Não sou mais capaz de tirar as notas de antigamente, pensei, e por isso em pouquíssimo tempo perdi aquele pouco prestígio que conquistara. Por outro lado — me amargurava — o que é que eu queria? Se Galiani ou Nino me pedissem um parecer sobre essa história das salas interditadas e do excesso de tarefas, como eu me posicionaria? De fato, eu não tinha opiniões, e me dei conta disso quando uma manhã Nino parou na minha frente com uma folha batida à máquina pedindo-me bruscamente:

"Pode ler para mim?"

Meu coração disparou tão rápido que só consegui dizer: "Agora?"

"Não, você me entrega na saída."

Fui tomada pela emoção. Corri ao banheiro e li agitadíssima. A folha estava cheia de cifras e falava de coisas sobre as quais eu não sabia nada: plano regulador, instalações escolares, a constituição italiana, certos artigos fundamentais. Só compreendi aquilo que eu já sabia, isto é, que Nino pedia o retorno imediato ao horário normal das aulas. Uma vez na sala, passei a folha a Alfonso.

"Deixa ele pra lá", me aconselhou sem nem ler o documento, "estamos no final do ano, teremos as últimas provas orais, esse aí só quer lhe meter em encrenca."

Mas eu estava enlouquecida, as têmporas latejavam, a garganta estava seca. Nenhum outro no colégio se expunha tanto quanto Nino, sem temer os professores e o diretor. Não só era o melhor em todas as matérias, mas sabia coisas que não se ensinavam, que nenhum estudante, mesmo excelente, conhecia. E tinha caráter. E era bonito. Contei as horas, os minutos, os segundos. Queria correr e lhe devolver aquela folha, elogiá-lo, dizer que estava de acordo com tudo, que queria ajudá-lo.

Não o avistei entre a multidão de estudantes que desciam as escadas nem o encontrei na rua. Ele saiu entre os últimos e com uma expressão mais emburrada que de costume. Fui a seu encontro alegremente, agitando a folha, e despejei palavras em profusão, todas acima do tom. Ele ficou me ouvindo carrancudo e então pegou a folha, a amassou com raiva e a jogou fora:

"Galiani disse que não está bom", resmungou.

Fiquei confusa.

"O que é que não está bom?"

Fez uma careta de incômodo e um gesto que significava: deixa pra lá, não vale a pena discutir.

"De todo modo, obrigado", disse de maneira meio forçada, e de repente se inclinou e me beijou na bochecha.

Desde o beijo de Ischia, entre nós não tinha havido mais nenhum contato, nem um aperto de mão, e aquele modo de se despedir, então de todo inusitado, me deixou paralisada. Não me pediu para fazermos juntos um trecho do caminho, não disse tchau, tudo terminou ali. Sem forças, sem voz, o vi se distanciando.

Naquele momento aconteceram duas coisas horríveis, uma atrás da outra. Primeiro, despontou de uma ruela uma jovem certamente mais nova que eu, no máximo quinze anos, que me chamou a atenção por sua nítida beleza: benfeita, cabelos lisos e longos sobre as costas, elegante em cada gesto ou movimento, cada peça do vestuário primaveril com uma estudada sobriedade. Aproximou-se de Nino, ele pôs um braço em torno de seus ombros, ela ergueu o rosto oferecendo-lhe a boca, se beijaram: um beijo bem diferente do que ele tinha me dado. Logo em seguida me dei conta de que Antonio estava parado na esquina. Deveria estar no trabalho, e em vez disso viera me buscar. Estava ali sabe-se lá desde quando.

## 14.

Foi difícil convencê-lo de que o que tinha visto com os próprios olhos não era aquilo que há tempos imaginava, mas apenas um comportamento amigável, sem outras finalidades. "Ele já tem namorada", eu disse, "você mesmo viu." Mas ele deve ter captado um traço de sofrimento naquelas palavras e me ameaçou, o lábio inferior começou a tremer, as mãos. Então murmurei que eu estava cansada, queria deixá-lo. Cedeu, nos reconciliamos. Mas a partir daquele momento passou a confiar ainda menos em mim, e a ansiedade pela convocação militar se fundiu de modo definitivo com o medo de me deixar para Nino. Passou a deixar o trabalho com mais frequência ainda para, dizia, correr e me dar um oi. Na realidade queria me pegar em flagrante e provar sobretudo a si mesmo que eu de fato lhe era infiel. O que teria feito em seguida, nem mesmo ele sabia.

Uma tarde a irmã dele, Ada, me viu passar em frente à charcutaria, onde agora trabalhava com grande satisfação, sua e de Stefano. Veio até mim correndo. Usava um avental branco engordurado que a cobria até abaixo dos joelhos, mas mesmo assim era muito graciosa e dava para ver pelo batom, pelos olhos maquiados, pelas presilhas nos cabelos, que mesmo debaixo do avental ela devia estar vestida como se fosse a uma festa. Disse que queria falar comigo, decidimos nos encontrar no pátio antes do jantar. Chegou ofegante do trabalho, acompanhada de Pasquale, que fora buscá-la.

Os dois falaram juntos, uma frase enrolada um, outra frase enrolada o outro. Vi que estavam muito preocupados, Antonio se enfurecia por qualquer coisa, não tinha mais paciência com Melina, se ausentava do trabalho sem aviso prévio. E até Gallese, o dono da oficina, estava desorientado porque o conhecia desde que era um menino e nunca o tinha visto assim.

"Está com medo do serviço militar."

"De todo modo, se o chamarem, vai ter que ir de qualquer jeito", disse Pasquale, "se não, vira desertor."

"Quando você está perto dele, passa tudo", disse Ada.

"Não tenho muito tempo", respondi.

"As pessoas são mais importantes que os estudos", emendou Pasquale.

"Passe menos tempo com Lina e vai ver que lhe sobra tempo", disse Ada.

"O que está a meu alcance eu faço", retruquei mordida.

"Ele está um pouco fraco dos nervos", disse Pasquale.

Ada concluiu bruscamente:

"Eu cuido de uma louca desde que sou pequena, dois seriam realmente demais, Lenu."

Fiquei contrariada, assustada. Cheia de sentimentos de culpa, voltei a ver Antonio com bastante frequência, mesmo sem ter vontade, mesmo se precisava estudar. Não foi suficiente. Uma noite, nos pântanos, ele começou a chorar, me mostrou o comunicado. Não lhe tinham dado a dispensa, teria de partir com Enzo no outono. E a certo ponto fez uma coisa que me impressionou muito. Caiu no chão e começou a enfiar freneticamente na boca punhados de terra. Precisei abraçá-lo com força, murmurar que o amava, tirar-lhe a terra da boca com os dedos.

Em que cilada estou me metendo, pensei mais tarde na cama, sem conseguir pegar no sono, e de repente descobri que se atenuara a vontade de abandonar a escola, de aceitar-me por aquilo que eu era, de me casar com ele, de viver na casa de sua mãe, com seus irmãos, enchendo os carros de gasolina. Decidi que devia fazer algo para ajudá-lo e, quando ele se recuperasse, sair daquela relação.

No dia seguinte, muito assustada, fui até Lila. Ela demonstrava uma alegria até excessiva, ambas naquele período estávamos instáveis. Contei-lhe de Antonio, do aviso, e disse a ela que tinha tomado uma decisão: sem que ele soubesse, pois jamais me daria a permissão, eu pretendia me dirigir a Marcello ou até a Michele para perguntar se eles podiam tirá-lo daquela situação.

Exagerei minha determinação. Na verdade, eu estava confusa: de um lado, me parecia uma tentativa obrigatória, visto que eu era a causa dos sofrimentos de Antonio; de outro, consultava Lila justamente porque dava por certo que ela me desaconselharia a tomar essa atitude. Mas, tomada como estava, naquela fase, por minha desordem emotiva, não levei em consideração a dela.

Teve uma reação ambígua. Primeiro zombou de mim, disse que eu era uma mentirosa, que eu devia realmente gostar muito de meu namorado, já que estava disposta a ir pessoalmente me humilhar diante dos Solara, mesmo sabendo que, depois de tudo o que havia acontecido, aqueles dois nunca moveriam uma palha por ele. No entanto, logo em seguida começou a girar em círculos nervosamente, ria, ficava séria, tornava a rir. Por fim, disse: tudo bem, vá, vamos ver o que acontece. E acrescentou:

"No fim das contas, Lenu, onde está a diferença entre meu irmão e Michele Solara ou, digamos, entre Stefano e Marcello?".

"O que você quer dizer?"

"Quero dizer que talvez eu devesse ter me casado com Marcello."

"Não entendo."

"Pelo menos Marcello não depende de ninguém, faz o que bem entende."

"Está falando sério?"

Apressou-se a negar, rindo, mas não me convenceu. É impossível, pensei, que esteja revalorizando Marcello: todas essas risadas não são verdadeiras, são apenas sinais de maus pensamentos e de sofrimento porque as coisas não vão bem com o marido.

Tive a prova imediatamente. Ela ficou séria, reduziu os olhos a duas fissuras, disse:

"Vou com você."

"Aonde?"

"Encontrar os Solara."

"Para quê?"

"Para ver se consigo ajudar Antonio."

"Não."

"Por quê?"

"Assim você vai provocar Stefano."

"E daí? Se Stefano se dirige a eles, eu, que sou sua esposa, também posso fazer o mesmo."

## 15.

Não consegui convencê-la a desistir. Num domingo, dia em que Stefano dormia até meio-dia, saímos juntas para um passeio e ela me impeliu até o bar Solara. Quando apareceu na rua nova ainda esbranquiçada de cal, fiquei boquiaberta. Vestira-se e maquiara-se de modo muito vistoso, não parecia nem a desleixada Lila de antigamente nem a Jacqueline Kennedy das revistas, mas, para ficar nos filmes de que gostávamos, talvez uma Jennifer Jones em *Duelo ao sol*, ou Ava Gardner em *E agora brilha o sol*.

Caminhando ao lado dela senti certo constrangimento e, também, uma sensação de perigo. Pareceu-me que, além da maledicência, ela ainda estava se arriscando ao ridículo, e que ambas as coisas estivessem por tabela atingindo a mim, uma espécie de cadelinha apagada, mas leal, que lhe servia de acompanhante. Tudo nela, do penteado aos brincos, da camisa cintada à saia justa e ao modo de caminhar, era inadequado às ruas cinzentas do bairro. Os olhares masculinos, ao vê-la, pareciam palpitar, como ofendidos. As mulheres, especialmente as mais velhas, não se limitavam apenas a uma expressão desorientada: uma delas chegou a parar na beira da calçada para olhar, com um risinho entre o divertido e o incomodado, como quando Melina fazia suas bizarrices pela rua.

No entanto, quando entramos no bar Solara lotado de homens que tinham ido comprar as guloseimas dominicais, houve apenas uma respeitosa troca de olhares, alguns gestos claros de cumprimento, o olhar realmente admirado de Gigliola Spagnuolo atrás do balcão, a saudação de Michele, que estava no caixa, um bom-dia exagerado que pareceu uma exclamação de júbilo. As trocas verbais que se seguiram foram todas em dialeto, quase como se a tensão impedisse que se dessem os filtros cansativos da pronúncia, do léxico, da sintaxe italiana.

"Em que posso servir?"

"Uma dúzia de doces."

Michele gritou a Gigliola, dessa vez com uma leve tonalidade irônica:

"Doze doces para a senhora Carracci."

Àquele nome, a cortina que dava para a cozinha se abriu e Marcello apareceu. Ao ver Lila bem ali, em seu bar-confeitaria, empalideceu e se retraiu. Mas, poucos segundos depois, se reapresentou e veio nos cumprimentar. Murmurou, virando-se para minha amiga: "Acho estranho ouvir esse senhora Carracci."

"Eu também", disse Lila, e o meio sorriso divertido mais a falta total de hostilidade surpreenderam não só a mim, mas também aos dois irmãos.

Michele a reexaminou bem, com a cabeça inclinada de lado, como se estivesse observando um quadro.

"Vimos você", disse, gritando a Gigliola: "Não é verdade, Gigló, que a avistamos justamente ontem à tarde?"

Gigliola fez sinal que sim, mas sem muito entusiasmo. Marcello também concordou — *vimos, sim, vimos* —, mas sem a ironia de Michele, como se ainda estivesse sob hipnose num espetáculo de mágicos.

"Ontem à tarde?", perguntou Lila.

"Ontem à tarde", confirmou Michele, "no Rettifilo." Marcello tratou de abreviar, irritado com os modos do irmão:

"Você estava exposta na vitrine da costureira, havia uma foto sua vestida de noiva."

Então passaram a falar sobre aquela foto, Marcello com devoção, Michele com ironia, ambos reiterando com formulações diversas que nela se fixara o melhor da beleza de Lila no dia de seu casamento. Ela se mostrou contrariada, mas com certa coqueteria: a costureira não lhe dissera que poria a foto na vitrine, do contrário ela jamais lhe teria dado uma cópia.

"Também quero uma foto na vitrine", gritou Gigliola do balcão, arremedando a voz caprichosa de uma menina.

"Se alguém se casar com você", disse Michele.

"Você vai se casar comigo", respondeu ela enfezada, e a coisa prosseguiu assim até que Lila disse séria:

"Lenuccia também quer se casar."

A atenção dos irmãos Solara se desviou desinteressadamente para mim, que até aquele momento me sentira invisível e não dissera uma só palavra.

"Que nada", respondi enrubescendo.

"Como não, eu me casaria com você mesmo com esses seus óculos", disse Michele, levando outro olhar fulminante de Gigliola.

"Tarde demais, ela já é noiva", disse Lila. E, pouco a pouco, conseguiu conduzir a conversa com os dois irmãos até Antonio, evocando sua situação familiar e fazendo um vívido retrato de como ela se agravaria ainda mais caso ele prestasse o serviço militar. Não me espantou apenas sua habilidade com as palavras, essa eu já conhecia. O que me espantou foi o novo tom que usava, uma dosagem bem calibrada de petulância e dignidade. Lá estava ela, a boca chamejante de batom. Fazia Marcello acreditar que tinha posto uma pedra sobre o passado, fazia Michele crer que sua arrogância esperta a divertia. E, para minha grande surpresa, usava com ambos as maneiras de uma mulher que sabe perfeitamente o que é um homem, que nesse quesito não tem mais nada a aprender, ao contrário, teria muito a ensinar: ao fazê-lo, não recitava como fazíamos quando éramos novinhas, imitando romances onde apareciam damas perdidas, mas se via que seus conhecimentos eram autênticos, e isso não lhe causava vergonha. Depois, bruscamente, se tornava intratável, lançava sinais de desdém, eu sei que vocês me querem, mas eu não quero vocês. E assim se retraía, desorientando-os, tanto que Marcello ficava sem ação e Michele se preocupava, incerto sobre o que fazer, com um olhar cintilante que queria dizer: fique atenta porque, sendo ou não a senhora Carracci, lhe dou um par de tabefes, sua puta. Naquele ponto ela alterava de novo o tom, voltava a seduzi-los, mostrava-se alegre e os alegrava. O resultado? Michele não se abalou, já Marcello disse:

"Antonio não merece, mas, para contentar Lenuccia, que é uma boa garota, posso perguntar a um amigo e saber se é possível fazer alguma coisa".

Fiquei contente, agradeci a ele.

Lila escolheu os doces, foi cordial com Gigliola e também com o pai, o confeiteiro, que apareceu da cozinha para dizer: lembranças a Stefano. Quando tentou pagar, Marcello fez um gesto decidido de recusa, e o irmão, ainda que de modo menos enfático, o apoiou. Já estávamos saindo quando Michele lhe disse sério, com a fala pausada que adotava quando queria algo e excluía qualquer discussão:

"Você está muito bem naquela foto."

"Obrigada."

"Dá para ver bem seus sapatos."

"Não me lembro."

"Mas eu me lembro, e queria lhe pedir uma coisa."

"Quer uma foto também, quer colocá-la aqui no bar?"

Michele balançou a cabeça com um risinho frio.

"Não. Mas você sabe que estamos decorando a loja da Piazza dei Martiri."

"Não sei nada das coisas de vocês."

"Bem, você deveria se informar porque são coisas importantes, e todos nós sabemos que você não é tonta. Acho que, se aquela fotografia serve à costureira para fazer propaganda do vestido de noiva, nós podemos utilizá-la bem melhor para fazer publicidade dos sapatos Cerullo."

Lila caiu na risada e disse:

"Você quer pôr a foto na vitrine da Piazza dei Martiri?"

"Não, quero colocar uma grande, enorme, dentro da loja."

Ela pensou um instante e depois fez uma expressão de indiferença.

"Vocês não devem pedir a mim, mas a Stefano: é ele quem decide."

Notei que os dois irmãos trocaram um olhar perplexo e compreendi que já tinham conversado entre si sobre aquela ideia, dando por certo que Lila jamais concordaria, de modo que não conseguiam acreditar que ela não tivesse feito um escândalo, que não tivesse dito imediatamente que não, mas se submetesse sem discussões à autoridade do marido. Simplesmente não a reconheciam, e naquele momento eu mesma já não sabia quem ela era.

Marcello nos acompanhou até a porta e, uma vez do lado de fora, assumiu um tom solene e disse, palidíssimo:

"É a primeira vez que conversamos depois de tanto tempo, Lina, e estou muito emocionado. Eu e você não ficamos juntos, e tudo bem, aconteceu assim. Mas não quero que fiquem coisas pouco claras entre nós. Sobretudo não quero carregar culpas que não tenho. Sei que seu marido anda dizendo por aí que, por afronta, eu quis ficar com aqueles sapatos. Mas lhe juro diante de Lenuccia: os sapatos, foram ele e seu irmão que quiseram me dar como sinal de que não havia mais nenhum rancor entre nós. Não tenho nada a ver com isso".

Ela ficou ouvindo sem o interromper em momento algum, com uma expressão benévola no rosto. Então, assim que ele terminou, voltou a ser a mesma de sempre. E disse com desprezo:

"Vocês são como crianças, se acusando entre si."

"Não acredita em mim?"

"Não, Marcé, eu acredito. Mas sobre isso que você disse, sobre o que eles disseram, estou cagando e andando."

## 16.

Arrastei Lila até nosso velho pátio, não via a hora de dizer a Antonio o que eu tinha feito por ele. Confidenciei a ela, superexcitada: assim que ele se acalmar um pouco, vou deixá-lo — mas ela não fez comentários, me pareceu distraída.

Chamei, Antonio apareceu na janela, desceu sério. Cumprimentou Lila aparentemente sem se dar conta de como ela estava vestida e maquiada, esforçando-se para olhá-la o menos possível, talvez porque temia que ela lesse em seu rosto a perturbação de homem. Eu disse a ele que não podia ficar muito tempo, só queria lhe dar uma boa notícia. Então ele se pôs a ouvir, mas já enquanto eu falava notei que ele se retraía como diante da ponta de uma faca. Ele prometeu que vai ajudar você, enfatizei ainda com entusiasmo, e pedi confirmação a Lila:

"Marcello disse isso, não é verdade?"

Lila se limitou a assentir. Mas Antonio estava palidíssimo, sempre de olhos baixos. Murmurou com a voz embargada:

"Nunca lhe pedi que falasse com os Solara".

Lila disse imediatamente, mentindo:

"Foi uma ideia minha".

Antonio respondeu sem olhar para ela:

"Obrigado, não era preciso".

Despediu-se dela — dela, não de mim —, virou as costas e sumiu pelo portão.

Senti uma dor no estômago. Em que eu tinha errado, por que ele reagira daquele modo? Andando pela rua desabafei, disse a Lila que Antonio era pior que a mãe, Melina, o mesmo temperamento instável, não aguentava mais. Ela me deixou falar enquanto nos encaminhávamos para sua casa. Quando chegamos, me convidou para subir.

"Stefano está em casa", objetei, mas não era esse o motivo, estava ansiosa com a reação de Antonio e queria ficar sozinha, entender em que ponto eu tinha errado.

"Só cinco minutos e depois você vai."

Subi. Stefano estava de pijama, todo descabelado, a barba por fazer. Cumprimentou-me com gentileza, lançou um olhar à mulher, ao pacote de doces.

"Você esteve no bar Solara?"

"Estive."

"Vestida assim?"

"Não estou bem?"

Stefano sacudiu a cabeça de mau humor e abriu o pacote.

"Quer um doce, Lenu?"

"Não, obrigada, preciso ir almoçar."

Ele mordeu um *cannolo*, se dirigindo à mulher.

"Quem vocês viram no bar?"

"Seus amigos", disse Lila, "me fizeram muitos elogios. Não é verdade, Lenu?"

Contou a ele cada palavra que os Solara lhe disseram, exceto a questão de Antonio, ou seja, o motivo pelo qual me parecera que ela queria me acompanhar. Por fim concluiu com um tom ostensivamente satisfeito:

"Michele quer colocar minha foto bem grande na loja da Piazza dei Martiri."

"E você disse que tudo bem?"

"Disse que eles precisam falar com você."

Stefano terminou o *cannolo* com uma só dentada e depois lambeu os dedos. Disse como se fosse a coisa que mais o incomodara:

"Viu o que você me força a fazer? Por culpa sua, amanhã vou ter de perder tempo com a costureira do Rettifilo." Suspirou, se dirigiu a mim: "Lenu, você que tem a cabeça no lugar, tente explicar a sua amiga que neste bairro eu preciso trabalhar, que ela não deve me impor o vexame de fazer o papel de cretino. Bom domingo, e lembranças a papai e mamãe."

E foi para o banheiro.

Por trás, Lila lhe dirigiu uma careta zombeteira e então me acompanhou até a porta.

"Se você quiser, eu fico", disse.

"É um bosta, não se preocupe."

Repetiu com voz grossa de macho palavras como: *tente explicar a sua amiga, não deve me impor o vexame de fazer o papel de cretino*, e a caricatura fez que seus olhos se alegrassem.

"E se ele bater em você?"

"Não estou nem aí para as surras. Passa um pouco de tempo, e estou melhor do que antes."

No patamar da escada me disse ainda, de novo com voz masculina: *Lenu, neste bairro eu preciso trabalhar*, e então me vi na obrigação de imitar Antonio, sussurrei: *obrigado, mas não era preciso*, e de repente foi como se nos víssemos de fora, ambas com problemas com nossos homens, paradas ali na soleira, empenhadas numa representação de mulheres, e começamos a rir. Disse a ela: basta darmos um passo e erramos, vai entender os homens, ah, como eles nos aborrecem, abracei-a forte e fui embora. Mas nem tinha chegado ao térreo e já ouvia Stefano gritando-lhe palavras odiosas e terríveis. Agora tinha uma voz de ogro, como a de seu pai.

## 17.

Enquanto voltava para casa, comecei a me preocupar tanto por ela quanto por mim. E se Stefano a matasse? Se Antonio me matasse? Fui tomada de ansiedade, percorri a passos rápidos, na canícula poeirenta, as ruas dominicais que começavam a se esvaziar com a proximidade da hora do almoço. Como era difícil orientar-se, como era difícil não violar nenhuma das detalhadíssimas regras masculinas. Lila, talvez baseada em seus cálculos secretos, talvez só por maldade, tinha humilhado o marido ao ir bancar a coquete diante de todos — ela, a senhora Carracci — com seu ex-pretendente, Marcello Solara. Sem querer, aliás, convencida de estar fazendo o bem, eu tinha ido suplicar pela causa de Antonio com aqueles que anos atrás tinham ofendido sua irmã, que o tinham espancado, que ele mesmo tinha espancado. Quando entrei no pátio, ouvi que me chamavam e estremeci. Era ele, estava na janela esperando que eu voltasse.

Veio para baixo, e fiquei com medo. Pensei: deve estar com uma faca. No entanto, falou todo o tempo com as mãos enterradas nos bolsos da calça como para mantê-las prisioneiras, calmo, o olhar distante. Me disse que eu o humilhara com as pessoas que mais desprezava no mundo. Me disse que o levara a fazer o papel de quem manda a mulher pedir favores aos outros. Me disse que ele não se ajoelhava diante de ninguém, e que serviria não uma vez, mas cem vezes ao Exército, que preferia morrer combatendo a ir beijar a mão de Marcello. Me disse que, se Pasquale e Enzo ficassem sabendo, cuspiriam na cara dele. Me disse que me deixava, porque finalmente tivera a prova de que eu não me importava nem com ele, nem com seus sentimentos. Me disse que eu podia falar e fazer com o filho de Sarratore o que eu bem quisesse, mas que não queria me ver nunca mais.

Não consegui replicar. Repentinamente tirou as mãos dos bolsos, me puxou para dentro do portão e me beijou apertando forte os lábios contra os meus, vasculhando-me desesperadamente a boca com a língua. Depois se afastou, virou as costas e foi embora.

Subi as escadas de casa muito confusa. Pensei que tinha mais sorte que Lila, Antonio não era como Stefano. Não teria nunca me feito mal, só era capaz de fazê-lo a si mesmo.


18.


No dia seguinte não encontrei Lila, mas, para minha surpresa, tive que ver seu marido.

De manhã eu tinha ido ao colégio deprimida, fazia calor, não tinha estudado, dormira pouco ou quase nada. As horas de aula tinham sido um desastre. Tinha procurado Nino na entrada da escola, queria subir as escadas com ele trocando pelo menos umas palavras, mas ele não aparecera, talvez estivesse passeando pela cidade com a namorada, talvez estivesse num dos cinemas que abrem de manhã e a beijasse no escuro, talvez estivesse no bosque de Capodimonte fazendo as mesmas coisas que eu fizera com Antonio durante meses. No primeiro horário eu tinha sido sabatinada em química e dera respostas confusas ou insuficientes, quem sabe que nota ia tirar, e já não havia tempo para remediar, corria risco de ficar em recuperação em setembro. Galiani cruzara comigo pelos corredores e tivemos uma conversa pacata cujo sentido era: o que está acontecendo com você, Greco, por que não estuda mais?, e eu não soubera dizer outra coisa senão: professora, eu estudo, estudo muitíssimo, juro, de modo que ela me ouviu por um tempo e depois me deixou plantada ali, indo para a sala dos professores. Fui chorar longamente no banheiro, um choro de autocomiseração pelo tanto que minha vida era desgraçada: tinha perdido tudo, os sucessos na escola, Antonio, com quem eu sempre quisera terminar e no final foi ele quem me deixou, e já me fazia falta. Lila, que desde que era a senhora Carracci se tornava outra a cada dia. Cansada, com dor de cabeça, voltei para casa a pé, pensando nela, em como me tinha usado — sim, usado — só para ir provocar os Solara, para se vingar do marido, para exibi-lo a mim em sua miséria de macho ferido, e me perguntei em todo o trajeto: será possível que se possa mudar tanto, que nada agora a diferencie de uma como Gigliola?

Mas, uma vez em casa, eis a surpresa. Minha mãe não me agrediu como de costume porque eu me atrasara e suspeitava que eu tivesse estado com Antonio, ou porque tinha deixado de fazer algum dos meus mil afazeres domésticos. Em vez disso, me falou com uma espécie de resmungo gentil:

"Stefano me perguntou se hoje à tarde você poderia acompanhá-lo até a costureira do Rettifilo."

Achei que não tivesse entendido bem, estava tonta de cansaço e humilhação. Stefano? Stefano Carracci? Queria que o acompanhasse ao Rettifilo?

"Por que não vai com a mulher?", brincou do outro cômodo meu pai, que formalmente estava doente, mas na realidade devia estar às voltas com suas transações indecifráveis. "Como é que aqueles dois passam o tempo? Ficam jogando baralho?".

Minha mãe fez um gesto de irritação. Disse que talvez Lina estivesse ocupada, disse que devíamos ser gentis com os Carracci, disse que tinha gente que nunca estava contente com nada. Na verdade, meu pai estava mais que contente: manter boas relações com o salsicheiro significava que podíamos pegar comida a crédito e adiar o mais possível o pagamento. Mas ele gostava de bancar o espirituoso. Há algum tempo, sempre que tinha a ocasião, se divertia insistindo de modo alusivo numa suposta preguiça sexual de Stefano. De vez em quando perguntava à mesa: Carracci faz o quê, só gosta de televisão? E ria, e não era preciso muito para intuir que o sentido de sua pergunta era: como é que aqueles dois não fazem filhos, Stefano funciona ou não? Minha mãe, que pescava aquelas coisas no ar, respondia séria: é cedo, deixa o casal em paz, o que você quer? Mas de fato se divertia tanto ou mais que ele à ideia de que o salsicheiro Carracci, apesar do dinheiro que tinha, não funcionasse.

A mesa já estava posta, só me esperavam para comer. Meu pai se sentou com uma expressão meio marota e continuou brincando, dirigindo-se a minha mãe:

"Alguma vez eu lhe disse: lamento, esta noite estou cansado, vamos jogar baralho?"

"Não, porque você não é uma pessoa direita."

"E você quer que eu me torne uma pessoa direita?"

"Um pouquinho, mas sem exagerar."

"Então a partir desta noite vou ser uma pessoa direita como Stefano."

"Eu disse sem exagerar."

Como eu detestava aqueles duetos. Falavam como se estivessem certos de que eu e meus irmãos não pudéssemos entender;

ou quem sabe davam por garantido que entendíamos cada nuance, mas achavam que esse era o modo correto de nos ensinar a sermos homens e mulheres. Esgotada pelos meus próprios problemas, eu queria ter começado a gritar, jogar o prato longe, fugir, não ver mais minha família, a umidade nos cantos do teto, as paredes descascadas, o cheiro da comida, tudo. Antonio: que tolice perdê-lo, eu já estava arrependida, queria que me perdoasse. Se eu ficar de recuperação em setembro, me disse, não me apresento, me faço reprovar, caso com ele imediatamente. Depois me voltou à mente Lila, como ela se arrumara, com que tom tinha falado aos Solara, o que tinha em mente, quanto a humilhação e o sofrimento a estavam tornando ruim. Divaguei assim a tarde toda, pensamentos desconexos. Uma imersão na banheira da casa nova, ansiedade por aquele pedido de Stefano, como avisar a minha amiga o que seu marido queria de mim. E a química. E Empédocles. E estudar. E parar de estudar. E por fim uma dor fria. Não havia saída. Sim, nem eu nem Lila nunca seríamos como a menina que tinha ido esperar Nino na saída da escola. Faltava a ambas algo de impalpável, mas fundamental, que ela demonstrava ter só de vê-la de longe e que ou se tinha ou não se tinha, porque para possuir aquela coisa não bastava aprender latim, grego ou filosofia, não servia nem mesmo ter o dinheiro dos embutidos ou dos sapatos.

Stefano chamou do pátio. Corri para baixo e logo vi em seu rosto uma expressão abatida. Disse que me pedia para acompanhá-lo a fim de recuperar a foto que a costureira estava expondo na vitrine sem permissão. Faça isso, por gentileza, murmurou num tom meio meloso. Depois me fez entrar no conversível sem dizer uma palavra, e partimos sob as rajadas de vento quente.

Assim que saímos do bairro, ele começou a falar e não parou mais até chegarmos à costureira. Expressou-se num dialeto suave, sem palavrões nem deboches. Começou dizendo que eu devia lhe fazer um favor, mas não esclareceu imediatamente qual era o favor, disse apenas, se enrolando, que se eu fizesse isso para ele é como se estivesse fazendo para minha amiga. Então passou a me falar de Lila, quanto ela era inteligente, quanto era linda. Mas é rebelde por natureza, acrescentou, e ou as coisas saem do jeito dela, ou ela não sossega até o fim. Lenu, você não sabe o que eu estou passando, ou talvez saiba, mas sabe apenas o que ela lhe conta. Mas me ouça também. Lina meteu na cabeça que eu só penso em dinheiro e talvez seja verdade, mas faço isso pela família, pelo irmão dela, pelo pai, por todos os parentes. Estou errado? Você é muito instruída, me diga se estou errado. O que ela quer de mim? A miséria de onde veio? Somente os Solara podem fazer fortuna? Queremos deixar o bairro nas mãos deles? Se você me disser que errei, eu nem vou discutir, admito logo que estou errado. Já com ela eu preciso discutir sempre. Não gosta de mim, já me disse, e vive repetindo isso. Fazer com que ela entenda que eu sou seu marido é uma guerra, e desde que me casei a vida ficou insuportável. Vê-la de manhã, de noite, dormir ao lado dela e não poder fazê-la sentir quanto eu a amo, com toda a força de que me sinto capaz, é uma coisa horrível.

Observei suas mãos largas apertando o volante, o rosto. Os olhos brilharam e ele admitiu que, na primeira noite de núpcias, teve de bater nela, que tinha sido forçado a isso, que ela toda manhã, toda noite lhe arrancava tapas das mãos só para degradá-lo e constrangê-lo a ser o que jamais, jamais, jamais gostaria de ser. Nesse ponto assumiu um tom quase assustado: fui obrigado a surrá-la de novo, não devia ter ido aos Solara vestida daquele jeito. Mas ela tem uma força interior que não consigo dobrar. É uma força ruim, que torna inúteis as boas maneiras, tudo. Um veneno. Já viu que ela não consegue engravidar? Os meses passam e não acontece nada. Os parentes, os amigos, os clientes me perguntam com um risinho na cara: temos novidades? E eu tenho de responder: que novidades?, fazendo de conta que não estou entendendo. Porque se eu entendesse deveria responder. E o que eu posso responder? Há coisas que você sabe, mas não se podem dizer. Ela, com a força que tem, mata os filhos lá dentro, Lenu, e o faz de propósito para que as pessoas pensem que não sou homem o bastante, para que eu faça um papel de merda diante de todos. O que você acha? Estou exagerando? Você não imagina o favor que está fazendo só de me escutar.

Não soube o que responder. Estava estupefata, nunca tinha ouvido um homem se expor daquela maneira. Durante todo o tempo, mesmo quando falou da própria violência, valeu-se de um dialeto cheio de sentimento, sem defesas, como o de certas canções. Ainda hoje não sei por que se comportou assim. Claro, depois me revelou o que queria. Queria que eu me aliasse a ele pelo bem de Lila. Disse que ela precisava ser ajudada a entender como era necessário que se comportasse como esposa, e não como inimiga. Me pediu que a convencesse a lhe dar uma mão na segunda charcutaria e com as contas. Mas para obter essas coisas não era preciso que se confessasse daquela maneira. Provavelmente pensou que Lila já me tivesse informado minuciosamente e que, portanto, precisasse me dar sua versão dos fatos. Ou talvez não tenha percebido que estava se abrindo com aquela franqueza à melhor amiga de sua mulher, e o tenha feito sob a onda das emoções. Ou supôs que, caso me comovesse, eu depois poderia comover Lila relatando-lhe tudo. O certo é que o escutei com crescente envolvimento. Aos poucos fui gostando daquele livre transbordar de confidências muito íntimas. Mas sobretudo — devo admitir — gostei da importância que ele me atribuía. Quando formulou com palavras suas uma suspeita que eu mesma sempre tive, ou seja, de que Lila possuía uma força que a tornava capaz de tudo, até de impedir seu organismo de conceber um filho, tive a impressão de que ele estava me atribuindo um poder benéfico, capaz de superar a força maléfica de Lila, e isso me deixou lisonjeada. Saímos do carro, nos dirigimos ao ateliê da costureira, e me senti consolada por aquele reconhecimento. Cheguei até a dizer pomposamente, em italiano, que eu faria o possível para ajudá-los a serem felizes.

Mas já em frente à vitrine da costureira voltei a ficar nervosa. Ambos paramos para olhar a fotografia emoldurada de Lila entre tecidos de várias cores. Estava sentada, as pernas cruzadas, o vestido de noiva um pouco repuxado revelando seus sapatos, um tornozelo. Apoiava o queixo na palma de uma mão, tinha um olhar sério, intenso, voltado atrevidamente para a lente, e entre os cabelos reluzia uma discreta coroa de flor de laranjeira. O fotógrafo tivera sorte, senti que havia captado a força sobre a qual Stefano tinha acabado de falar, e era uma força — acho que entendi naquele momento — contra a qual nem mesmo Lila tinha nenhum poder. Virei-me para ele como para dizer, ao mesmo tempo admirada e desolada: olha aí a coisa de que falávamos, mas ele empurrou a porta e me fez entrar.

O tom que usara comigo desapareceu, e ele foi duro com a costureira. Disse que era o marido de Lina, usou precisamente aquela fórmula. Esclareceu que também atuava no comércio, mas que jamais lhe ocorreria fazer publicidade daquele modo. Chegou a dizer: a senhora é uma bela mulher, o que seu marido diria se eu pegasse uma foto sua e a colocasse entre provolones e salames? Pediu-lhe de volta a fotografia.

A costureira ficou confusa, tentou se defender, por fim cedeu. Mas se mostrou muito contrariada e, para demonstrar a boa-fé de sua iniciativa e o motivo de seu lamento, contou três ou quatro coisas que mais tarde, com o passar dos anos, se tornaram uma pequena lenda no bairro. No período em que a foto estivera na vitrine, apareceram para pedir informações sobre a jovem vestida de noiva o famoso Renato Carosone, um príncipe egípcio, Vittorio De Sica e um jornalista do *Roma* que queria falar com Lila e mandar-lhe um fotógrafo para um ensaio em traje de banho, como aqueles que se fazem com as misses. A costureira jurou que negou o endereço a todos, ainda que, especialmente nos casos de Carosone e De Sica, a recusa lhe tenha parecido muito deselegante, haja vista a qualidade das pessoas.

Percebi que, quanto mais a costureira falava, mais Stefano se enternecia. Tornou-se sociável, quis que a mulher contasse com mais detalhes aqueles episódios. Quando saímos levando a foto conosco, seu humor tinha mudado, e o monólogo da volta não teve mais o tom sofrido do da ida. Stefano ficou alegre, começou a falar de Lila com a soberba de quem possui um objeto raro, de cuja posse auferia um grande prestígio. Claro que voltou a pedir minha ajuda. E, antes de me deixar na porta de casa, me fez jurar várias vezes que eu tentaria de todas as maneiras fazer Lila compreender qual era o bom e o mau caminho. Mas agora, segundo suas palavras, Lila não era mais uma pessoa ingovernável, mas uma espécie de fluido precioso encerrado num recipiente que lhe pertencia. Nos dias seguintes Stefano contou a quem quisesse ouvir, inclusive na charcutaria, sobre Carosone e De Sica, tanto que a coisa circulou e a mãe de Lila, Nunzia, enquanto viveu andou repetindo a todos que sua filha teria tido a possibilidade de se tornar uma cantora ou uma atriz, de estar no filme *Matrimônio à italiana*, aparecer na televisão, até se tornar uma princesa egípcia, caso a costureira do Rettifilo não tivesse sido tão reticente e se o destino não a tivesse feito se casar, aos dezesseis anos, com Stefano Carracci.

**19.**

A professora de química foi generosa comigo (ou talvez tenha sido Galiani que interferiu nisso) e me deu uma nota suficiente. Fui aprovada com sete em todas as matérias literárias, seis em todas as científicas, suficiente em religião e pela primeira vez com oito em conduta, sinal de que o padre e boa parte do conselho de classe não me perdoaram realmente. Fiquei mal, agora sentia o velho conflito com o professor de religião sobre o papel do Espírito Santo como um ato de presunção de minha parte e lamentava não ter dado ouvidos a

Alfonso, que, na época, tentara me segurar. Não tive naturalmente a bolsa de estudos e minha mãe ficou com raiva, gritou que era culpa do tempo que eu perdera atrás de Antonio. A coisa me exasperou, disse que não queria estudar mais. Ela ergueu a mão para me dar uma bofetada, temeu por meus óculos e correu atrás do batedor de tapete. Em suma, dias ruins, cada vez piores. A única novidade que me pareceu positiva foi que o bedel, na manhã em que fui ver os murais, veio até mim e me entregou um pacote deixado por Galiani. Eram livros, mas não romances: livros cheios de raciocínios, um sinal delicado de confiança, mas que não bastou para me pôr para cima.

Eu estava ansiosa demais e com a impressão de estar sempre errada, não importa o que fizesse. Procurei meu ex-namorado, tanto em casa quanto no trabalho, mas em todas as ocasiões ele conseguiu me evitar. Dei um pulo na charcutaria para pedir a ajuda de Ada. Ela me tratou com frieza, disse que o irmão não queria mais me ver e a partir daquele dia, quando nos cruzávamos na rua, virava o rosto para o outro lado. Agora que eu estava sem escola, acordar de manhã se tornou algo traumático, uma espécie de choque doloroso na cabeça. No início me esforcei para ler umas páginas dos livros da Galiani, mas logo me entediava, não entendia quase nada. Voltei a pegar emprestados romances da biblioteca circulante, li um atrás do outro. Mas depois de um tempo perdi o ânimo. Propunham vidas intensas, diálogos profundos, um fantasma de realidade mais fascinante que minha vida real. Assim, para me sentir como se não fosse verdadeira, às vezes me dirigia até o colégio com a esperança de ver Nino, que estava às voltas com os exames de maturidade. No dia da redação de grego esperei-o por horas, pacientemente. Mas justo quando os primeiros candidatos começaram a sair com o Rocci debaixo do braço, surgiu a bela e impecável menina que eu tinha visto oferecendo-lhe os lábios. Ela ficou aguardando a poucos metros de mim, e no mesmo instante passei a imaginar de que modo nós duas — como figurinhas expostas num álbum — pareceríamos aos olhos do filho de Sarratore no momento em que ele saísse pelo portão. Me senti feia, desleixada, e fui embora.

Corri para a casa de Lila em busca de conforto. Mas sabia que também tinha errado com ela, tinha feito uma coisa estúpida: não lhe dissera que havia ido com Stefano recuperar a foto. Por que me mantive calada? Estava satisfeita com o papel de pacificadora que seu marido me atribuíra e pensava que poderia exercê-lo melhor silenciando sobre a ida de carro ao Rettifilo? Tinha temido trair a confiança de Stefano e então, sem me dar conta, acabei traindo a ela? Não sabia dizer. O certo é que não tinha sido realmente uma decisão minha, muito mais uma incerteza que de início se tornou fingida distração, depois a convicção de que não ter falado logo como as coisas se passaram tornava tudo ainda mais complicado, e talvez àquela altura fosse inútil remediar. Como era fácil fazer mal. Eu buscava justificativas que pudessem lhe parecer convincentes, mas não era capaz de encontrá-las nem sequer para mim. Intuía um fundo deteriorado em meus comportamentos e me calava.

Por outro lado, ela nunca demonstrou saber da existência daquele encontro. Sempre me acolhia com gentileza, deixava que eu tomasse banho em sua banheira, que usasse sua maquiagem. Mas quase não fazia comentários sobre as histórias que eu lhe contava dos romances, preferia me passar informações frívolas sobre a vida de cantores e atores que lia nas revistas. E não me comunicava mais nenhum pensamento seu, ou projeto secreto. Se eu notava algum roxo nela, se partia dali para levá-la a interrogar-se sobre as razões daquela horrível atitude de Stefano, se lhe dizia que ele talvez se tornasse cruel porque pretendia que ela o ajudasse, o amparasse em todas as adversidades, ela me olhava ironicamente, dava de ombros, escapava. Em pouco tempo entendi que, mesmo não querendo romper relações comigo, ela decidira não me fazer mais confidências. Então será que ela sabia e já não me considerava uma amiga confiável? Cheguei a espaçar minhas visitas esperando que ela sentisse minha ausência, me pedisse explicações e chegássemos a nos entender. Mas tive a impressão de que ela nem sequer se dava conta. Então não resisti e voltei a encontrá-la com assiduidade, com o que ela não se mostrou nem contente, nem descontente.

Naquele dia tórrido de julho cheguei à casa dela especialmente abatida, mas não lhe disse nada de Nino, da namorada de Nino, porque sem querer — sabe-se como são essas coisas — eu também acabei reduzindo meu jogo de confidências com ela a quase nada. Foi receptiva como sempre. Preparou uma orchata, e fiquei encolhida sorvendo a garapa gelada de amêndoas no sofá da sala de jantar, irritada com o estridor dos trens, com o suor, com tudo.

Observei-a em silêncio enquanto se movia pela casa, senti raiva por sua capacidade de percorrer os labirintos mais deprimentes apegada ao fio de sua decisão belicosa sem o dar a ver. Pensei no que o marido dissera, nas palavras sobre a potência que Lila detinha como a mola de um dispositivo perigoso. Olhei sua barriga e imaginei que de fato ali dentro, todo dia, toda noite, ela se empenhasse em sua batalha para destruir a vida que Stefano queria por força inocular-lhe. Por quanto tempo vai resistir, me questionei, mas sem ousar fazer perguntas explícitas, pois sabia que ela não acharia nada agradável.

Dali a pouco chegou Pinuccia, aparentemente uma visita entre cunhadas. Na verdade, dez minutos depois Rino também apareceu, e ambos ficaram se beijando diante de nós de maneira tão excessiva que eu e Lila trocamos olhares irônicos. Quando Pina disse que queria ver o panorama, ele a acompanhou e os dois se fecharam no quarto por uma boa meia hora.

Isso acontecia com frequência, Lila me disse com uma mistura de fastio e sarcasmo, e senti inveja da desenvoltura dos dois noivos: nada de medos, nada de desconforto, quando reapareceram estavam mais contentes que antes. Rino foi à cozinha pegar algo para beliscar, voltou, falou de sapatos com a irmã, disse que as coisas estavam indo cada vez melhor, tentou tirar sugestões dela para depois ir se exibir com os Solara.

"Você sabe que Marcello e Michele querem botar sua foto na loja da Piazza dei Martiri?", perguntou de repente com um ar cativante.

"Não acho que seja o caso", interveio imediatamente Pinuccia.

"Por quê?", indagou Rino.

"Que pergunta é essa? Se Lina quiser, ela pode colocar a foto na charcutaria nova: é ela quem vai gerenciar a nova loja, não é? No entanto, se a loja da Piazza dei Martiri ficar sob meus cuidados, você permite que eu decida o que vai lá dentro?".

Falou como se estivesse defendendo antes de tudo os direitos de Lila contra a intromissão do irmão. Na verdade, todos sabíamos que defendia a si mesma e ao próprio futuro. Estava cansada de depender de Stefano, queria largar a charcutaria e gostava de se imaginar a dona de uma loja no centro. Por isso, há um certo tempo entre Rino e Michele se combatia uma pequena guerra em cujo centro estava a gestão da sapataria, uma guerra atiçada pelas pressões das respectivas noivas: Rino insistia para que Pinuccia ficasse à frente da loja, Michele, para que fosse Gigliola. Mas Pinuccia era a mais agressiva e não tinha dúvidas de que levaria a melhor, estava consciente de poder somar a autoridade do noivo e a do irmão. Sendo assim, em toda oportunidade ela se vangloriava como se já tivesse dado um salto de qualidade, o bairro já tinha ficado para trás, e agora era ela quem estabeleceria o que era ou não adequado à elegância dos clientes do centro.

Percebi que Rino temia que a irmã passasse ao ataque, mas Lila mostrou a máxima indiferença. Então ele checou o relógio para dar a entender que estava muito ocupado e disse com o tom de quem enxerga longe: "A meu ver, aquela foto tem grandes potencialidades comerciais", depois deu um beijo em Pina, que logo se retraiu fazendo-lhe um sinal de discordância, e foi embora.

Ficamos só nós três. Pinuccia me perguntou enfezada, esperando poder usar minha autoridade para encerrar a questão:

"Lenu, o que você acha? Concorda que a foto de Lina deva ficar na Piazza dei Martiri?"

Respondi em italiano:

"É Stefano quem deve decidir, e, como ele foi expressamente à costureira para tirar a foto da vitrine, duvido que ele dê a permissão."

Pinuccia vibrou de satisfação, quase gritou:

"Nossa, como você é inteligente, Lenu."

Esperei que Lila manifestasse sua opinião. Houve um longo silêncio, até que ela falou apenas para mim:

"Quanto quer apostar que você se engana? Stefano vai dar a permissão."

"Claro que não."

"Vai sim".

"O que você quer apostar?"

"Se você perder, nunca mais vai poder ser aprovada com média menor que oito."

Olhei para ela embaraçada. Não tínhamos falado de minha aprovação medíocre, achava que ela nem soubesse disso, no entanto estava informada sobre o assunto e agora me recriminava. Você não se mostrou à altura, estava dizendo, tirou notas muito baixas. Pretendia de mim o que ela teria feito em meu lugar. Queria de fato me ver presa ao papel de quem passa a vida sobre os livros, ao passo que ela tinha dinheiro, belas roupas, a casa, a televisão, o automóvel, tomava tudo para si, pretendia tudo.

"E se você perder?", perguntei com uma nota de irritação.

De repente ela armou aquele seu olhar disparado de escuras seteiras.

"Me inscrevo numa escola particular, volto a estudar e juro que consigo o diploma junto com você e melhor que você."

*Junto com você e melhor que você.* Era isso que tinha em mente? Senti como se tudo o que se agitava em mim naquele terrível período — Antonio, Nino, o descontentamento pelo nada que era minha vida — tivesse sido tragado por um suspiro de grande amplidão.

"Está falando sério?"

"E desde quando fazemos apostas de mentirinha?"

Pinuccia atalhou muito agressiva.

"Lina, não comece a bancar a louca de novo: você tem a charcutaria nova. Stefano não consegue fazer tudo sozinho." Mas logo se conteve, acrescentando com falsa doçura: "Além do fato de que eu queria saber quando você e Stefano vão me dar um sobrinho."

Apesar daquela fórmula adocicada, seu tom me pareceu rancoroso, e senti os motivos daquele rancor se misturarem irritantemente aos meus. Pinuccia queria dizer: você se casou, meu irmão lhe dá tudo, agora faça o que tem que fazer. De fato, qual o sentido de ser a senhora Carracci e enquanto isso fechar todas as portas, barricar-se, obstruir-se, alimentar um furor envenenado no ventre? Será possível que você sempre tenha de causar danos, Lila? Quando vai parar com isso? Quando sua energia vai se reduzir, se distrair, vai ruir finalmente como uma sentinela adormecida? Quando vai acontecer de você ceder e se sentar ao caixa, no bairro novo, com a barriga cada vez mais inchada, fazendo de Pinuccia uma tia, e a mim, e a mim, quando vai me deixar seguir meu caminho?

"Quem sabe", respondeu Lila, enquanto voltavam a seu rosto olhos grandes e profundos.

"Será possível que vou ser mãe primeiro?", disse a cunhada rindo.

"Se continuar assim, grudada em Rino, é possível."

Tiveram um pequeno entrevero, e não fiquei para ouvi-las.

## 20.

Para aplacar minha mãe, precisei arranjar um trabalho de verão. Naturalmente fui até a dona da papelaria. Ela me recebeu como quem recebe uma professora de escola ou o médico, chamou as filhas que estavam brincando nos fundos da loja, as meninas me abraçaram, me encheram de beijos, queriam que eu brincasse um pouco com elas. Quando lhe revelei que estava procurando trabalho, ela me disse que estava pronta a mandá-las ao Sea Garden imediatamente, sem esperar até agosto, só para permitir que suas filhas passassem o dia com uma garota bondosa e inteligente como eu.

"Imediatamente quando?", perguntei.

"Na semana que vem?"

"Perfeito."

"Posso lhe pagar um pouco mais que no ano passado."

Aquilo finalmente me pareceu uma bela notícia. Voltei para casa contente e não mudei de humor nem quando minha mãe me disse que eu tinha muita sorte, como sempre, já que tomar banho de mar e de sol não era um trabalho.

Mais animada, no dia seguinte fui visitar a professora Olivie-ro. Estava chateada por ter de lhe dizer que naquele ano eu não me destacara particularmente na escola, mas tinha necessidade de encontrá-la, devia recordá-la delicadamente de me conseguir os livros do segundo ano de liceu. De resto, imaginava que ela gostaria de saber que Lila, agora que fizera um bom casamento e tinha muito tempo livre, talvez voltasse a estudar. Ler em seus olhos a reação àquela notícia me teria ajudado a apaziguar o incômodo que ela causara em mim.

Bati várias vezes, a professora não abriu. Perguntei aos vizinhos, perguntei pelo bairro e voltei uma hora depois, mas nada de a porta abrir. No entanto ninguém a tinha visto sair, e não a encontraram nem nas ruas do bairro, nem nas lojas. Como era uma mulher sozinha, idosa e que não estava bem, voltei a perguntar na vizinhança. Uma senhora que morava porta a porta com a professora se decidiu a pedir ajuda ao filho. O jovem entrou no apartamento passando pela varandinha de sua casa para uma das janelas da professora. Encontrou-a no assoalho da cozinha, de camisola, desmaiada. Chamaram o médico, que decidiu interná-la imediatamente no hospital. Levaram-na para baixo nos braços. Pude vê-la enquanto saía pelo portão, desarrumada, com o rosto todo inchado, ela, que sempre ia à escola com o maior apuro. Tinha olhos assustados. Fiz-lhe um sinal de saudação, abaixou o olhar. Ajeitaram-na em um carro que partiu à toda, buzinando ferozmente.

O calor daquele ano deve ter tido um péssimo efeito sobre os organismos mais frágeis. À tarde se ouviram no pátio os chamados dos filhos de Melina, que procuravam pela mãe com um tom cada vez mais preocupado. Como os apelos não cessavam, decidi ir ver o que estava acontecendo e topei com Ada. Ela disse nervosa, os olhos brilhando, que Melina não estava em lugar nenhum. Logo em seguida Antonio chegou ofegante, palidíssimo, nem sequer olhou para mim e partiu correndo. Logo metade do bairro procurava por Melina, até mesmo Stefano que, ainda com o avental de salsicheiro, se pôs ao volante do conversível, acomodou Ada a seu lado e explorou as ruas lentamente. Eu fiquei atrás de Antonio, corremos para cá e para lá sem nos dirigir a palavra. Por fim nos encontramos na área dos pântanos e ambos fomos caminhando pela relva alta, chamando por sua mãe. Ele estava com o rosto encavado, olheiras azuis. Peguei sua mão, queria lhe dar algum conforto, mas ele me rechaçou. Disse uma frase odiosa, disse: me deixe em paz, você não é uma mulher. Senti uma dor no peito, forte, mas justo naquele momento encontramos Melina. Estava sentada na água, estava se refrescando. O pescoço e o rosto despontavam da superfície esverdeada, os cabelos estavam encharcados, os olhos vermelhos, os lábios manchados de lama e folhinhas. Estava em silêncio, ela que há dez anos vivia gritando ou cantando seus ataques de loucura.

Então a levamos para casa, Antonio a sustentando de um lado, eu do outro. As pessoas pareceram aliviadas, a chamavam, ela cumprimentava debilmente com a mão. Ao lado da cancela vi Lila, que não tinha participado das buscas. Isolada na casa do bairro novo, a notícia só lhe chegara quando já era tarde. Eu sabia de sua forte relação com Melina, mas estranhei que, enquanto todos davam sinais de simpatia, e lá vinha Ada correndo e gritando mamãe, seguida por Stefano, que deixara o carro com as portas abertas no meio do estradão e tinha o ar feliz de quem tivera maus pensamentos e no entanto descobre que agora está tudo bem, ela estivesse à parte, com uma expressão difícil de definir. Parecia comovida pelo penoso espetáculo apresentado pela viúva, suja, o sorriso embotado, as roupas de baixo ensopadas de água e lama, sob o tecido os traços do corpo chupado, o gesto cansado com que saudava amigos e conhecidos. Mas ela também estava ferida com aquilo, até aterrorizada, quase como se sentisse dentro de si o mesmo desconcerto. Fiz-lhe um sinal, ela não retribuiu. Então passei Melina para sua filha e tentei alcançá-la, queria falar também da professora Oliviero, queria lhe contar a frase terrível que Antonio me dissera. Mas não a encontrei mais, tinha ido embora.

**21.**

Quando reencontrei Lila, logo me dei conta de que ela não estava bem e que tendia a causar mal-estar a mim também. Passamos uma manhã em sua casa numa atmosfera aparentemente relaxada. De fato, ela me impôs com uma crescente maldade que eu provasse todos os seus vestidos, apesar de eu lhe dizer que não ficavam bem em mim. A brincadeira se transformou num tormento. Ela era mais alta, mais esbelta, cada peça sua que eu vestia me tornava ridícula. Mas ela não queria admitir, dizia que bastava ajustar aqui ou ali, e enquanto isso me examinava sempre de mau humor, como se eu a ofendesse com meu aspecto.

A certa altura exclamou chega, armando um olhar e uma cara de quem viu um fantasma. Depois voltou a si, se impôs um tom frívolo, me disse que uma ou duas noites atrás tinha ido tomar um sorvete com Pasquale e Ada.

Eu estava de anágua, ajudando-a a recolocar suas roupas nos cabides.

"Com Pasquale e Ada?"

"Sim."

"Com Stefano também?"

"Eu sozinha."

"Eles a convidaram?"

"Não, fui eu que pedi."

E, com o ar de quem queria me surpreender, acrescentou que não se limitara apenas àquela escapada ao mundo de quando ainda era uma menina: no dia seguinte tinha ido comer uma pizza com Enzo e Carmela.

"Sempre sozinha?"

"Sim."

"E Stefano, o que acha disso?"

Fez uma careta de indiferença.

"Estar casada não significa levar uma vida de velha. Se ele quiser vir comigo, bem, se à noite estiver muito cansado, saio sozinha."

"E como foi?"

"Eu me diverti."

Esperei que não lesse em meu rosto o desapontamento. Estávamos nos vendo com frequência, não custava nada ter me falado: hoje à noite vou sair com Ada, Pasquale, Enzo, Carmela, não quer vir com a gente? Em vez disso não me disse nada, organizou e combinou aqueles encontros sozinha, em segredo, como se não fossem os *nossos* amigos de sempre, mas só os seus. E agora eis que me contava minuciosamente, com satisfação, tudo o que eles conversaram: Ada estava preocupada, Melina não comia quase nada e vomitava o pouco que comia, Pasquale estava ansioso por causa da mãe, Giuseppina, que não conseguia dormir, sentia as pernas pesadas, tinha palpitações e, quando ia visitar o marido na prisão, ao voltar para casa chorava de um jeito que ninguém podia consolar.

Fiquei ouvindo. Notei que falava de um modo mais participativo que o habitual. Escolhia palavras emotivamente carregadas, descrevia Melina Cappuccio e Giuseppina Peluso como se seus corpos tivessem se apossado do seu, impondo-lhe as mesmas formas contraídas ou dilatadas, o mesmo mal-estar. Enquanto contava, tocou o rosto, o seio, a barriga, os flancos como se não fossem mais os seus, mostrando assim que sabia tudo daquelas mulheres, nos mínimos detalhes, para que eu constatasse que a mim ninguém dizia nada, e a ela, sim, ou pior, para me fazer sentir encerrada numa nuvem, alguém que não se dá conta de quanto sofrem as pessoas ao redor. Falou de Giuseppina como se não a tivesse perdido de vista em nenhum momento, apesar do vórtice do noivado e do casamento; falou de Melina como se a mãe de Ada e de Antonio ocupasse sua mente desde sempre e conhecesse a fundo sua loucura. Depois passou a me listar várias outras pessoas do bairro que eu mal conhecia, mas de quem ela parecia conhecer as histórias graças a uma espécie de participação à distância. Por fim me anunciou:

"Também tomei um sorvete com Antonio."

Aquele nome me picou o estômago.

"Como ele está?"

"Bem."

"Disse algo sobre mim?"

"Não, nada."

"Quando ele viaja?"

"Em setembro."

"Marcello não fez nada para ajudá-lo."

"Era óbvio."

Óbvio? Se era óbvio que os Solara não fariam nada, pensei, por que ela me levou até eles? E por que você, que é casada, agora quer rever os amigos, assim, sozinha? E por que tomou um sorvete com Antonio e não me disse, mesmo sabendo que ele é meu ex-namorado e não quer mais me ver, mas eu, ao contrário, gostaria de encontrá-lo? Quer se vingar de mim porque saí de carro com seu marido e não lhe comuniquei sequer uma palavra sobre o que conversamos? Tornei a me vestir nervosa, murmurei que tinha coisas a fazer, estava na hora de ir.

"Preciso lhe dizer mais uma coisa."

Anunciou-me, séria, que Rino, Marcello e Michele quiseram que Stefano fosse à Piazza dei Martiri para ver como a loja estava ficando bonita e lá, os três, entre sacos de cimento, baldes de tinta e trinchas, lhe mostraram a parede em frente à entrada e disseram que estavam pensando em colocar uma grande ampliação de sua foto em vestido de noiva. Stefano ficou ouvindo e então respondeu que certamente seria uma bela propaganda para os sapatos, mas que não lhe parecia uma coisa oportuna. Os três insistiram, e ele disse não a Marcello, não a Michele e não a Rino. Em resumo, eu tinha vencido a aposta: o marido não tinha cedido aos Solara.

Respondi tentando aparentar entusiasmo:

"Viu só? Sempre falando mal do pobre Stefano. No entanto eu tinha razão. Agora você precisa voltar a estudar."

"Aguardemos."

"Aguardemos o quê? Uma aposta é uma aposta, e você perdeu."

"Aguardemos", repetiu Lila.

Meu mau humor se aguçou. Ela não sabe o que quer, pensei. Está insatisfeita por não ter tido razão quanto ao marido. Ou sei lá, talvez eu exagere, talvez tenha apreciado a recusa de Stefano, mas exige um embate bem mais duro entre os machos em torno de sua imagem e agora está decepcionada porque os Solara não insistiram o suficiente. Vi que passava languidamente a mão no próprio quadril e ao longo da coxa, como uma carícia de despedida, e em seus olhos mais uma vez surgiu por um instante aquela mistura de sofrimento, medo e desgosto que eu tinha notado na tarde do desaparecimento de Melina. Pensei: e se ela secretamente quiser que sua foto acabe realmente exposta, enorme, no centro da cidade, e lamente que

Michele não tenha conseguido se impor sobre Stefano? Por que não? Ela quer ser a primeira em tudo, ela é assim: a mais bonita, a mais elegante, a mais rica. Então pensei: sobretudo a mais inteligente. E a hipótese de que Lila realmente retomasse os estudos me causou um desprazer humilhante. Com certeza recuperaria todos os anos de escola perdidos. Com certeza a encontraria a meu lado, cotovelos colados, fazendo o exame final do liceu. E me dei conta de que aquela perspectiva era insuportável. Mas ainda mais insuportável me pareceu descobrir em mim aquele sentimento. Fiquei envergonhada e logo passei a dizer-lhe quanto seria lindo se estudássemos juntas de novo, insistindo para que se informasse sobre os procedimentos necessários. Como ela deu de ombros, eu disse:

"Agora tenho mesmo que ir."

Desta vez não me deteve.

## 22.

Como costumava acontecer, já descendo as escadas comecei a ouvir suas razões, ou assim me pareceu: ela estava isolada no bairro novo, fechada em sua casa moderna, maltratada por Stefano, empenhada em sabe-se lá que luta misteriosa com o próprio corpo para que não concebesse filhos, invejosa de meus sucessos escolares até o ponto de me fazer ver, com aquela aposta maluca, que ela gostaria de retomar os estudos. Além disso, era provável que me visse muito mais livre que ela. O rompimento com Antonio e minhas dificuldades no colégio lhe pareciam ninharias se comparadas às suas. Passo a passo, sem me dar conta, primeiro me senti propensa a uma adesão amuada, depois, a uma renovada admiração por ela. Mas é claro, seria muito bom se ela voltasse a estudar. Retornar aos tempos da escola fundamental, quando ela era sempre a primeira, e eu, sempre a segunda. Conferir um novo sentido aos estudos, porque ela sabia lhe dar um sentido. Acompanhar de perto sua sombra e, assim, me sentir forte e em segurança. Sim, sim, sim. Recomeçar.

A certo ponto, durante o percurso para casa, tornou a voltar à minha mente aquela mistura de sofrimento, espanto e desgosto que eu tinha visto em seu rosto. Por quê? Repensei no corpo em desordem da professora, no corpo desgovernado de Melina. Sem uma razão evidente, comecei a olhar com atenção para as mulheres ao longo da estrada. De repente me veio a impressão de ter vivido com uma espécie de limitação do olhar: como se só fosse capaz de focalizar nosso grupo de meninas, Ada, Gigliola, Carmela, Marisa, Pinuccia, Lila, a mim mesma, minhas colegas de escola, e jamais tivesse realmente notado o corpo de Melina, o de Giuseppina Peluso, o de Nunzia Cerullo, o de Maria Carracci. O único corpo de mulher que eu tinha examinado com crescente preocupação era a figura claudicante de minha mãe, e apenas por aquela imagem me sentira perseguida, ameaçada, temendo até agora que ela se impusesse de chofre à minha própria imagem. Naquela ocasião, ao contrário, vi nitidamente as mães de família do bairro velho. Eram nervosas, eram aquiescentes. Silenciavam de lábios cerrados e ombros curvos ou gritavam insultos terríveis aos filhos que as atormentavam. Arrastavam-se magérrimas, com as faces e os olhos encavados, ou com traseiros largos, tornozelos inchados, as sacolas de compra, os meninos pequenos que se agarravam às suas saias ou que queriam ser levados no colo. E, meu Deus, tinham dez, no máximo vinte anos a mais do que eu. No entanto pareciam ter perdido os atributos femininos aos quais nós, jovens, dávamos tanta importância e que púnhamos em evidência com as roupas, com a maquiagem. Tinham sido consumidas pelo corpo dos maridos, dos pais, dos irmãos, aos quais acabavam sempre se assemelhando, ou pelo cansaço ou pela chegada da velhice, pela doença. Quando essa transformação começava? Com o trabalho doméstico? Com as gestações? Com os espancamentos? Lila se deformaria como Nunzia? De seu rosto delicado despontaria

Fernando, seu andar elegante se transmutaria nas passadas abertas e braços afastados do tronco, de Rino? E também meu corpo, um dia, cairia em escombros, deixando emergir não só o de minha mãe, mas ainda o do pai? E tudo o que eu estava aprendendo na escola se dissolveria, o bairro tornaria a prevalecer, as cadências, os modos, tudo se confundiria numa lama escura, Anaximandro e meu pai, Folgóre e dom Achille, as valências e os pântanos, os aoristos, Hesíodo e a vulgaridade arrogante dos Solara, como de resto há milênios acontecia na cidade, sempre mais decomposta, sempre mais degradada?

Num instante percebi que, sem me dar conta, eu tinha interceptado os sentimentos de Lila e os estava somando aos meus. Era por isso que ela estampava aquela expressão, aquele mau humor? Acariciava a própria perna, os quadris, como uma espécie de adeus? Apalpava-se ao falar como se sentisse os confins de seu corpo assediados por Melina, por Giuseppina, e estivesse em pânico, nauseada? Tinha procurado nossos amigos por necessidade de reação?

Recordei seu olhar, ainda pequena, sobre Oliviero caída da cátedra como uma boneca em frangalhos. Recordei seu olhar sobre Melina comendo ao longo da estrada o sabão amolecido que acabara de comprar. Recordei-me de Lila enquanto narrava a nós, meninas, o homicídio, o sangue escorrendo na panela de cobre, e defendia que o assassino de dom Achille não era um homem, mas uma mulher, como se ela mesma tivesse visto e ouvido, na história que nos contava, a forma de um corpo feminino desfazer-se por força de ódio, por urgência de vingança ou de justiça, e perder sua constituição.


## 23.

A partir da última semana de julho fui todos os dias, inclusive domingos, ao Sea Garden com as meninas. Além das mil coisas que podiam ser necessárias às filhas da lojista, levei na bolsa de lona os livros que a Galiani me emprestara. Eram pequenos volumes que refletiam sobre o passado, sobre o presente, sobre o mundo tal como era e como deveria ser. A escrita se assemelhava àquela que eu via nos livros didáticos, mas era mais difícil e mais interessante. Eu não estava habituada àquele tipo de leitura, me cansava logo. Além disso, as meninas demandavam muita atenção. E depois havia o mar soporífero, o embotamento do sol que pressionava o golfo e a cidade, fantasias divagantes, desejos, a vontade sempre presente de desfazer a ordem das linhas e, com isso, toda ordem que implicasse esforço, espera de uma realização toda por vir, de me abandonar ao que estava ao alcance da mão, imediatamente alcançável, a vida bruta dos animais do céu, da terra e marinhos. Me aproximei dos dezessete anos com um olho nas filhas da dona da papelaria e um olho na *Origem das desigualdades*.

Num domingo senti um toque de dedos em meus olhos e uma voz feminina que me perguntou:

"Adivinha quem é."

Reconheci a voz de Marisa e torci para que estivesse com Nino. Como eu gostaria que ele me visse embelezada pelo sol, pela água do mar, debruçada na leitura de um livro difícil. Exclamei felicíssima: "Marisa!", e me virei num impulso. Mas Nino não estava, quem estava era Alfonso, com uma toalha azul no ombro, cigarros, isqueiro e carteira na mão, um calção de banho preto com faixa branca, ele mesmo branquíssimo, como quem nunca pegou nem um raio de sol em toda a vida.

Fiquei surpresa de encontrá-los ali, juntos. Alfonso ficara de recuperação até outubro em duas matérias e, ocupado como estava com a charcutaria, eu imaginava que estudasse aos domingos. Quanto a Marisa, eu estava certa de que estava em Barano com a família. Entretanto me disse que os pais tinham brigado no ano passado com a dona da casa, Nella, e tinham alugado com amigos do *Roma* um chalé em Castelvolturno. Ela voltara a Nápoles apenas por uns dias:

precisava dos livros didáticos — três matérias em recuperação — e também tinha de encontrar uma pessoa. Então sorriu sedutora a Alfonso, a pessoa em questão.

Não consegui me conter, perguntei imediatamente como Nino se saíra no exame final. Ela fez uma expressão de desgosto. "Oito em tudo e dois noves. Assim que soube do resultado, foi embora sozinho para a Inglaterra, sem um centavo no bolso. Diz que vai encontrar um trabalho e que fica por lá até aprender bem o inglês."

"E depois?"

"Depois não sei, talvez se inscreva em economia e comércio."

Eu tinha mil outras perguntas, queria até achar uma maneira de saber quem era aquela garota que ia esperá-lo na saída da escola e se realmente viajara sozinho ou quem sabe com ela, quando Alfonso disse, constrangido:

"Lina também está vindo." E acrescentou: "Antonio nos trouxe de carro."

*Antonio?*

Alfonso deve ter notado minha mudança de expressão, a labareda que estava explodindo em meu rosto, o espanto ciumento nos olhos. Sorriu, se apressou em dizer:

"Stefano estava ocupado com os balcões da nova charcutaria e não pôde vir. Mas Lila queria muito encontrar você, precisa lhe contar uma coisa, por isso pediu a Antonio se ele podia nos acompanhar."

"É verdade, ela precisa lhe dizer uma coisa urgente", reforçou Marisa batendo as mãos contentíssima, para que eu entendesse que ela já sabia de que se tratava.

O que era? Vendo e ouvindo Marisa, parecia uma coisa boa. Talvez Lila tivesse amansado Antonio e agora ele quisesse voltar comigo. Talvez os Solara tivessem finalmente mobilizado seus conhecidos e Antonio não fosse mais viajar. Foram as primeiras hipóteses que me ocorreram. Mas quando os dois apareceram excluí ambas imediatamente. Era visível que Antonio estava ali só porque, obedecendo a Lila, ele dava um sentido a seu domingo vazio, só porque o fato de ser amigo dela lhe parecia uma sorte e uma necessidade. Mas ainda estava com uma expressão infeliz, os olhos alarmados, me cumprimentou com frieza. Perguntei sobre sua mãe, me deu informações lacônicas. Olhou ao redor incomodado e mergulhou logo na água com as meninas, que estavam eufóricas com ele. Quanto a Lila, estava pálida, sem batom, o olhar hostil. Não me pareceu que tivesse algo urgente a me dizer. Sentou-se no cimento, pegou o livro que eu estava lendo, folheou-o sem dizer palavra.

Diante daquele silêncio, Marisa ficou constrangida, tentou exibir seu entusiasmo por cada coisa no mundo, depois se confundiu e foi também mergulhar. Alfonso escolheu um lugar o mais distante possível de nós e, imóvel sob o sol, se concentrou nos banhistas, como se observar gente nua que entrava e saía do mar fosse um espetáculo muito cativante.

"Quem lhe deu este livro?"

"Minha professora de latim e grego."

"Por que você não me disse nada?"

"Não achei que lhe interessasse."

"Por acaso você sabe o que me interessa e o que não me interessa?"

Recorri logo a um tom conciliador, mas também senti a necessidade de me vangloriar.

"Assim que terminar de ler, lhe empresto. São livros que a professora só empresta aos melhores. Nino também os lê."

"Quem é Nino?"

Fazia de propósito? Fingia não se lembrar nem mesmo de seu nome para diminuí-lo aos meus olhos?

"Aquele do filminho do casamento, o irmão de Marisa, o filho mais velho de Sarratore."

"O rapaz feio de quem você gosta?"

"Já lhe disse que não gosto mais. Mas ele faz coisas incríveis."

"O quê?"

"Agora, por exemplo, está na Inglaterra. Trabalha, viaja, aprende a falar inglês."

Fiquei emocionada só de resumir as palavras de Marisa. Disse a Lila:

"Imagine se a gente também pudesse fazer essas coisas. Viajar. Trabalhar de garçonete para nos sustentar. Aprender a falar inglês melhor que os ingleses. Por que ele pode se permitir isso e nós duas não?"

"Terminou o colégio?"

"Sim, já tirou o diploma. Mas depois vai continuar com estudos muito difíceis na universidade."

"Ele é bom?"

"Bom que nem você."

"Eu não estudo."

"Não é bem assim: você perdeu a aposta e agora precisa voltar aos livros."

"Deixe disso, Lenu."

"Stefano não quer?"

"Tem a charcutaria nova, eu preciso ajudar."

"Você pode estudar na loja."

"Não."

"Você prometeu. Disse que vamos nos diplomar juntas."

"Não."

"Por quê?"

Lila passou a mão várias vezes pela capa do livro, alisando-a.

"Estou grávida", disse. E, sem esperar minha reação, murmurou: "Que calor", deixou o livro, foi para a borda do cimento e mergulhou sem hesitação, gritando a Antonio que brincava de jogar água nas meninas e em Marisa:

"Toni, me salve."

Voou por alguns segundos de braços abertos e então se chocou bisonhamente com a superfície da água. Não sabia nadar.

## 24.

Nos dias seguintes, Lila deu início a um período de frenético ativismo. Começou com a nova charcutaria, cuidando dela como se fosse a coisa mais importante do mundo. Acordava cedo, antes de Stefano. Vomitava, preparava o café, vomitava de novo. Ele se tornara muito atencioso, queria acompanhá-la de carro, mas Lila recusava, dizia que tinha vontade de caminhar e partia no ar fresco da manhã, antes que o calor explodisse, percorrendo ruas ainda desertas, entre edifícios recém-construídos e em grande parte ainda vazios, até a loja em preparação. Ali ela erguia a porta de enrolar, limpava o piso sujo de tinta, esperava os operários e os fornecedores que entregavam balanças, fatiadores e móveis, dava orientações sobre onde colocá-los, se esforçava ela mesma em deslocar as coisas para experimentar novas disposições, mais eficazes. Homenzarrões ameaçadores e jovens de modos rudes eram comandados com rédea curta, submetendo-se a todos os caprichos dela sem protestar. Nem bem terminava de dar uma ordem e já se empenhava ela mesma em trabalhos pesados, suscitando a apreensão de todos: senhora Carracci!, e se desdobravam para ajudá-la.

Apesar do calor que lhe tirava as forças, Lila não se limitou à loja do bairro novo. Às vezes acompanhava a cunhada ao pequeno canteiro de obras da Piazza dei Martiri, em geral liderado por Michele, mas frequentemente também por Rino, que se sentia no direito de seguir os trabalhos seja como fabricante dos calçados Cerullo, seja como cunhado de Stefano, que era sócio dos Solara. Tampouco naquele espaço Lila se mantinha quieta. Inspecionava tudo, subia nas escadas dos pedreiros, observava o ambiente do alto, descia, começava a deslocar as coisas. No início se chocou com a suscetibilidade de todos, mas logo, um após o outro, acabavam cedendo a contragosto. Michele, mesmo sendo o mais sarcasticamente hostil, mostrou-se imediatamente o mais preparado a acatar as vantagens das sugestões de Lila.

"Senhó", dizia debochado, "venha também reformar meu bar, eu pago."

Ela naturalmente nem pensava em pôr as mãos no bar Solara, mas, depois de botar de cabeça para baixo a Piazza dei Martiri, passou ao reino da família Carracci, a velha charcutaria, aquartelando-se ali. Obrigou que Stefano deixasse Alfonso em casa porque ele precisava estudar para as provas de recuperação, e impeliu Pinuccia, em companhia da mãe, a meter cada vez mais o bico na loja da Piazza dei Martiri. Assim, uma coisa hoje, outra amanhã, reorganizou os dois ambientes contíguos da charcutaria do bairro velho de maneira a tornar o trabalho mais ágil e eficiente. Em pouco tempo, demonstrou que tanto Maria quanto Pinuccia eram substancialmente supérfluas e reforçou o papel de Ada ali dentro, conseguindo que Stefano aumentasse seu salário.

Quando no fim de tarde eu voltava do Sea Garden e entregava as meninas à dona da papelaria, quase sempre passava na charcutaria para ver como Lila estava, se a barriga já se via. Ela estava nervosa, a cor da pele não era boa. Às perguntas cautelosas sobre a gravidez, ou não respondia, ou me puxava para fora da loja e me dizia coisas meio insensatas do tipo: "Não quero falar sobre isso, é uma doença, tenho um vazio aqui dentro que me pesa". Então disparava a falar da charcutaria nova e da velha e da Piazza dei Martiri, com sua técnica habitual de exaltação, só para me fazer pensar que eram lugares onde aconteciam coisas maravilhosas que, pobre de mim, eu estaria perdendo.

Mas agora eu conhecia seus truques, ficava escutando sem dar muita bola, embora sempre acabasse hipnotizada pela energia com que se fazia de serva e de senhora. Lila era capaz de, ao mesmo tempo, falar comigo, falar com os clientes e falar com Ada sem parar um segundo, desembrulhando, cortando, pesando, recebendo dinheiro, devolvendo o troco. Anulava-se nas palavras e nos gestos, se exauria, parecia realmente empenhada numa luta sem trégua para esquecer o peso que, no entanto, definia de modo incongruente como "um vazio aqui dentro".

De todo modo, o que mais me impressionou foi seu comportamento desenvolto com o dinheiro. Ia ao caixa e pegava o que queria. O dinheiro para ela era aquela gaveta, uma arca da infância que se abria e oferecia suas riquezas. Nos casos (raros) em que o dinheiro do caixa não era suficiente, bastava-lhe lançar um olhar a Stefano. Ele, que parecia ter voltado à generosa solicitude de quando eram noivos, levantava o avental, procurava no bolso posterior da calça, extraía uma gorda carteira e perguntava: "Quanto você quer?". Lila fazia um gesto com os dedos, o marido alongava o braço direito com o punho fechado, ela estendia a mão comprida e delgada.

Detrás do balcão, Ada a olhava com o mesmo olhar com que contemplava as divas nas páginas de revista. Imagino que, naquela fase, a irmã de Antonio se sentisse como numa fábula. Seus olhos cintilavam quando Lila abria o caixa e lhe dava dinheiro. Assim que o marido virava as costas, ela o distribuía sem problemas. Deu a Ada dinheiro para Antonio, que estava de partida para o serviço militar, deu dinheiro a Pasquale, que precisava extrair três dentes com urgência. No início de setembro, me chamou à parte e me perguntou se eu precisava de dinheiro para os livros.

"Que livros?"

"Os livros didáticos, mas também os não didáticos."

Respondi que a professora Oliviero ainda não tinha voltado do hospital, que eu não sabia se ela me ajudaria com os manuais escolares como costumava fazer, e prontamente ela já queria enfiar dinheiro em meu bolso. Recusei, me esquivei, não queria parecer uma espécie de parente pobre forçada a pedir dinheiro. Disse que era preciso esperar o reinício das aulas, disse que a dona da papelaria tinha prolongado minha missão no Sea Garden até meados de setembro, disse que assim eu ganharia um pouco mais que o previsto e que me arranjaria sozinha. Ela se lamentou, insistiu em que a procurasse caso a professora não pudesse ajudar dessa vez.

Não apenas eu, mas cada um de nós, jovens, diante de toda essa munificência, teve seguramente algum problema. Pasquale, por exemplo, não queria aceitar o dinheiro para o dentista, se sentia humilhado, e no fim das contas o embolsou só porque o rosto se deformara, tinha um olho inflamado e as compressas de alface não serviam para nada. Antonio também ficou bastante soturno, tanto que, para aceitar o dinheiro que nossa amiga dava a Ada por fora do salário, precisou convencer-se de que era um ressarcimento pelo salário infame que Stefano lhe pagara anteriormente. Estávamos habituados a ver pouco dinheiro, sempre, e dávamos grande importância até às cédulas de dez liras; basta dizer que, quando encontrávamos uma moedinha na rua, era uma festa. Por isso achávamos um pecado mortal o fato de Lila distribuir dinheiro como se fosse um metal sem valor, papel inútil. Ela o fazia em silêncio, com um gesto imperativo que lembrava o jeito com que, na infância, organizava as brincadeiras e atribuía os papéis. Depois falava de outra coisa, como se aquela cena nunca houvesse existido. Por outro lado — me disse uma noite Pasquale, com seu modo obscuro —, a mortadela vende, os sapatos, também, e Lina sempre foi nossa amiga, está do nosso lado, é nossa aliada, nossa companheira. Agora está rica, mas por mérito dela: sim, por seu mérito, porque ela não tinha grana por ser a senhora Carracci, a futura mãe do filho do salsicheiro, mas sim porque era quem tinha inventado os sapatos Cerullo, e mesmo se agora ninguém parecia se lembrar disso, nós, seus amigos, nos lembrávamos.

Tudo verdade. Quantas coisas Lila tinha feito acontecer no giro de poucos anos. No entanto, agora que tínhamos dezessete anos, parecia que a substância do tempo não era mais fluida, mas tinha assumido um aspecto viscoso, que circulava à nossa volta como um creme amarelo dentro de uma máquina de confeiteiro. A própria Lila o constatou com fastio quando, num domingo de mar liso e céu branco, apareceu de surpresa no Sea Garden por volta das três da tarde, sozinha, um fato realmente anômalo. Tinha pegado o metrô, dois ônibus e agora estava diante de mim em trajes de banho, com uma tez esverdeada e um despontar de espinhas na testa. "Dezessete anos de merda", disse em dialeto, mas com uma aparência alegre, os olhos cheios de sarcasmo.

Tinha brigado com Stefano. Nas trocas cotidianas com os Solara, veio à tona o nó da gestão da loja na Piazza dei Martiri. Michele tentara impor Gigliola, ameaçara pesadamente Rino, que argumentava em favor de Pinuccia, e se lançou com decisão numa enervante tratativa com Stefano, tanto que os dois quase chegaram às vias de fato. E por fim o que aconteceu? Aparentemente, nem vencidos nem vencedores. Gigliola e Pinuccia dirigiriam *juntas* a loja. Mas contanto que Stefano recuasse de uma velha decisão.

"Qual?", perguntei.

"Vamos ver se você adivinha."

Não adivinhei. Com seu ar gozador, Michele pediu a Stefano que cedesse a foto de Lila vestida de noiva. E dessa vez seu marido concordou.

"É verdade?"

"Verdade. Como eu lhe disse, bastava esperar. Vão me expor dentro da loja. No final quem venceu a aposta fui eu, não você. Comece a estudar, neste ano vai ter que tirar oito em tudo."

E então mudou de tom, ficou séria. Disse que não tinha vindo por causa da foto, há tempos já sabia que para aquele merda ela era apenas mercadoria de troca. Viera por causa da gravidez. Falou demoradamente sobre o assunto, nervosa, como de algo a ser macerado num pilão, e o fez com gélida firmeza. Não tem sentido, me disse sem esconder a angústia. Os homens nos metem a coisa deles lá no fundo, e você vira uma lata de carne com um boneco vivo por dentro. Eu tenho um, ele está aqui e me dá repugnância. Vomito sem parar, é minha própria barriga que não o suporta. Sei que devo pensar em coisas bonitas, sei que devo encontrar uma razão para isso, mas não consigo, não vejo razão nem beleza. Além do fato, acrescentou, de que não me sinto capaz com crianças. Você, sim, basta ver como cuida das filhas da dona da papelaria. Eu, não, não nasci com essa predisposição.

Aquela conversa me fez mal; o que responder?

"Você ainda não sabe se tem ou não tem predisposição, precisa experimentar", tentei tranquilizá-la, apontando as meninas que brincavam logo adiante: "Fique um pouco com elas, converse."

Riu, disse maldosamente que eu tinha aprendido o tom meloso de nossas mães. Mas depois, incomodada, arriscou umas palavras com as meninas, se retraiu, voltou a falar comigo. Eu me esquivei, insisti, forcei-a a cuidar de Linda, a filha caçula da dona da papelaria. Disse a ela:

"Vá, faça a brincadeira preferida dela, beber direto da fonte, ali, ao lado do bar, e esguichar água mantendo o polegar no cano."

Foi com Linda de má vontade, levando-a pela mão. Passou um certo tempo e as duas não voltavam. Fiquei preocupada, chamei as outras duas meninas e fui ver o que estava acontecendo. Tudo bem, felizmente Lila tinha sido cativada por Linda. Segurava a menina sobre o jato e a deixava beber ou esguichar água em redor. Ambas riam com gargalhadas que pareciam gritos de alegria.

Me senti aliviada. Deixei com ela as outras irmãs de Linda e fui me sentar no bar, em um ponto de onde podia observar as quatro enquanto lia um pouco. É assim que ela vai ficar, pensei ao vê-la. O que antes parecia insuportável, agora já lhe dá alegria. Talvez eu devesse lhe dizer que as coisas sem sentido são as mais belas. É uma bela frase, ela vai gostar. Sorte dela que já tem tudo o que importa.

Tentei por um tempo acompanhar frase a frase os raciocínios de Rousseau. Depois ergui o olhar e vi que algo não estava bem. Gritos. Talvez Linda tivesse se inclinado demais, talvez uma das irmãs tivesse lhe dado um empurrão, o certo é que ela escapou das mãos de Lila e foi bater com o queixo na borda do chafariz. Corri assustadíssima. Assim que me viu, Lila imediatamente gritou com um tom infantil que eu nunca escutara nela, nem quando era pequena: "Foi a irmã dela que a derrubou, não fui eu." Em seus braços, Linda pingava sangue gritando e chorando, enquanto as irmãs olhavam para o lado com pequenos movimentos nervosos e sorrisos tensos, como se a coisa não lhes dissesse respeito, como se não ouvissem, não vissem. Tirei-lhe a menina dos braços e a debrucei sobre o jato de água, enxaguando seu rosto com mãos rancorosas. Surgiu um corte horizontal sob o queixo. Vou perder o dinheiro da lojista, pensei, minha mãe vai ficar furiosa. Enquanto isso corri para o salva-vidas, que distraiu Linda com paparicos e, sem que ela percebesse, a inundou de álcool fazendo-a gritar de novo, fixando-lhe em seguida um tampão de gaze no queixo e tornando a acalmá-la. Enfim, nada de grave. Comprei sorvete para as três meninas e voltei para a plataforma de cimento. Lila tinha ido embora.

**25.**

A dona da papelaria não se mostrou particularmente espantada com a ferida de Linda, mas, quando lhe perguntei se eu deveria passar no dia seguinte para pegar as meninas no horário de sempre, ela me respondeu que as filhas já tinham tomado muito banho de mar naquele verão, e eu não era mais necessária.

Não disse a Lila que eu tinha perdido o emprego. Por sua vez, ela nunca me perguntou como as coisas tinham ido, nem se informou sobre Linda e seu pequeno corte. Quando a revi, estava completamente empenhada na inauguração da nova charcutaria e me deu a impressão daqueles atletas que, quando treinam, pulam corda em ritmo cada vez mais frenético.

Arrastou-me para uma gráfica onde encomendara uma grande quantidade de folhetos que anunciavam a inauguração da nova loja. Quis que eu fosse até o padre marcar a hora em que ele passaria para abençoar o local e as mercadorias. Anunciou que contrataria Carmela Peluso com um salário bem mais alto do que o que recebia da dona da papelaria. Mas acima de tudo me disse que estava travando em todas as frentes, todas, uma guerra duríssima com o marido, Pinuccia, a sogra, o irmão Rino. Porém, não me pareceu particularmente agressiva. Exprimia-se em voz baixa, sempre em dialeto, enquanto fazia mil outras coisas que pareciam mais importantes do que aquilo que estava dizendo. Listou os erros que parentes novos e de sangue cometeram e estavam cometendo contra ela. "Eles acalmaram Michele", disse, "assim como acalmaram Marcello. Apenas se serviram de mim, para eles eu não sou uma pessoa, só uma coisa. Vamos dar Lina a eles, vamos pendurá-la numa parede, ela é um zero, um zero à esquerda". Enquanto falava, os olhos ágeis brilhavam dentro de olheiras roxas, a pele estava esticada sobre as maçãs do rosto, exibia os dentes em rápidos, breves sorrisos nervosos. Mas não me convenceu. Tive a impressão de que, por trás do ativismo aguerrido, havia uma pessoa extenuada, em busca de alguma saída.

"Qual é sua intenção?", perguntei.

"Nenhuma. Só sei que vão ter de me matar para fazer o que querem fazer com minha fotografia."

"Deixe para lá, Lila. No fim das contas, é uma coisa bonita, pense bem: somente as atrizes aparecem em grandes cartazes."

"E eu por acaso sou uma atriz?"

"Não."

"E então? Se meu marido resolveu se vender aos Solara, você acha que ele pode me vender também?"

Tentei acalmá-la, tinha medo de que Stefano perdesse a paciência e batesse nela. Manifestei meu receio, e ela começou a rir: desde que estava grávida, o marido não ousava mais lhe dar nem um tapa. No entanto, justamente quando pronunciou aquela frase, tive a suspeita de que a foto era uma desculpa, que na verdade ela queria exasperar todo mundo, ser massacrada por Stefano, por Rino, provocá-los a ponto de que a ajudassem, com as porradas, a esmagar o sofrimento, a dor, a coisa viva que trazia na barriga.

Minha hipótese se consolidou na tarde em que a charcutaria foi inaugurada. Ela se vestiu do modo mais desleixado possível. Tratou o marido diante de todos como um criado. Mandou embora o padre que ela mesma me fizera convidar, sem nem o deixar benzer a loja, mas metendo-lhe nas mãos um punhado de dinheiro, com desprezo. Passou a fatiar presunto e a enfiá-lo nos pães, distribuindo-os de graça a qualquer um, com um copo de vinho. Esse último detalhe teve um tal sucesso que a charcutaria logo ficou lotada, ela e Carmela foram tomadas de assalto, e Stefano, que estava muito elegante, precisou ajudá-las assim, sem avental, engordurando-se todo, a enfrentar a situação.

Quando voltaram exaustos para casa, o marido fez um escarcéu, e Lila tentou de tudo para provocar sua fúria. Gritou que, se ele queria uma mulher que lhe obedecesse e ponto final, fizera uma péssima escolha, ela não era nem a mãe nem a irmã dele, seria sempre um osso duro de roer. E recomeçou com os Solara, com a história da foto, insultando-o pesadamente. De início ele a deixou falar, depois respondeu com insultos ainda mais pesados. Mas não bateu nela. Quando no dia seguinte ela me contou o que acontecera, eu lhe disse que, mesmo tendo seus defeitos, Stefano sem dúvida a amava. Ela negou. "Aquele só entende disso", rebateu, esfregando o polegar no indicador. De fato, a charcutaria já fazia sucesso em todo o bairro novo, enchendo-se de clientes desde o começo da manhã. "A gaveta do caixa já está abarrotada. Por mérito meu. Eu dou riqueza a ele, um filho, o que mais ele quer?".

"O que mais você quer?", perguntei com uma ponta de raiva que me espantou, tanto que logo sorri para ela, esperando que não tivesse percebido.

Lembro que fez uma expressão desorientada, tocou a testa com os dedos. Talvez nem ela mesma soubesse o que queria, só sentia que não era capaz de encontrar a paz.

Às vésperas da outra inauguração, a da loja da Piazza dei Martiri, ela ficou insuportável. Mas talvez o adjetivo seja exagerado. Digamos que ela despejava em todos nós, inclusive em mim, a confusão que sentia dentro de si. De um lado, tornava a vida de Stefano um inferno, se pegava com a sogra e a cunhada, ia até Rino e brigava com ele diante dos operários e de Fernando, que trabalhava mais encurvado que nunca sobre sua bancada, fazendo de conta que não escutava; de outro, ela mesma percebia que se enroscava em seu descontentamento sem consolo, e às vezes eu a flagrava na charcutaria do bairro novo, nos raros momentos em que estava vazia ou não tinha que tratar com fornecedores, com um ar absorto, uma mão na fronte, entre os cabelos, como para estancar uma ferida, a expressão de quem está tentando recuperar o fôlego.

Numa tarde eu estava em casa, ainda fazia muito calor, embora já fosse final de setembro. As aulas estavam para recomeçar, eu me sentia à mercê dos dias. Minha mãe me jogava na cara que eu passava o tempo sem fazer nada. Nino sabe-se lá onde estava, na Inglaterra ou naquele espaço misterioso que era a universidade. Não tinha mais Antonio, nem a esperança de voltar com ele, que partira com Enzo Scanno para o serviço militar e se despedira de todos, menos de mim. Ouvi que me chamavam da rua, era Lila. Estava com os olhos brilhando como de febre, disse que tinha achado uma solução.

"Que solução?"

"A fotografia. Se querem expor meu retrato, têm de fazer do jeito que eu disser."

"E como vai ser?"

Não me disse, talvez naquele momento nem ela tivesse clareza sobre o que queria. Mas eu a conhecia bem e percebi em seu rosto a expressão que assumia quando, de seu fundo escuro, chegava um sinal que lhe incendiava o cérebro. Me pediu que a acompanhasse naquela noite à Piazza dei Martiri. Ali encontraríamos os Solara, Gigliola, Pinuccia, o irmão dela. Queria que a ajudasse, que a apoiasse, e compreendi que tinha em mente algo capaz de catapultá-la além de sua guerra contínua: um desabafo violento mas definitivo pela quantidade de tensões que acumulara, ou simplesmente um modo de livrar o pensamento e o corpo de energias represadas.

"Tudo bem", respondi, "mas prometa que não vai dar uma de maluca."

"Prometo."

Depois que as lojas fecharam, ela e Stefano passaram de carro para me buscar. Pelas poucas palavras que trocaram, entendi que nem o marido sabia o que se passava pela cabeça dela e que agora minha presença, em vez de acalmá-lo, o alarmava. Lila finalmente se mostrara prestativa. Tinha dito ao marido que, se de fato estava excluída a possibilidade de não usar a foto, queria ao menos opinar sobre como deveria ser exposta.

"Uma questão de moldura, de parede, de iluminação?", perguntou ele.

"Preciso ver."

"Mas depois chega, Lina."

"Sim, chega."

Era uma bela noite tépida, a loja expandia pela praça as luzes luxuosas que brilhavam em seu interior. Mesmo à distância se via a imagem gigantesca de Lila vestida de noiva, apoiada na parede central. Stefano estacionou, entramos nos esgueirando entre caixas de sapatos ainda amontoadas de qualquer jeito, latas de tinta, escadas. Marcello, Rino, Gigliola e Pinuccia estavam visivelmente contrariados: por razões diversas, não queriam submeter-se pela enésima vez aos caprichos de Lila. O único que nos acolheu com irônica cordialidade foi Michele, que se dirigiu à minha amiga sorrindo:

"Bela senhora, poderia nos dizer de uma vez por todas o que tem em mente ou só quer arruinar nossa noite?"

Lila olhou o painel apoiado na parede e pediu que o deitassem no pavimento. Marcello disse cautelosamente, com a timidez reservada que sempre manifestava diante de Lila:

"Para fazer o quê?"

"Vou mostrar a vocês."

Rino interveio:

"Não banque a cretina, Lina. Você sabe quanto nos custou isso aí? Se estragar o troço, ai de você."

Os dois Solara deitaram a imagem no piso. Lila olhou ao redor com a testa franzida, os olhos em fenda. Procurava alguma coisa que sabia estar ali, que talvez ela mesma tivesse mandado comprar. Localizou em um canto um rolo de cartolina preta, pegou uma grande tesoura e uma caixa de tachinhas de uma prateleira. Em seguida, com aquela expressão de extrema concentração com que costumava se isolar de tudo à sua volta, retornou ao painel. Sob nossos olhos perplexos, em alguns casos ostensivamente hostis, com a precisão das mãos que sempre tivera, cortou listras de cartolina preta e as fixou aqui e ali sobre a foto, pedindo minha ajuda com gestos discretos ou simples olhares.

Colaborei com aquela adesão crescente que eu bem conhecia desde que éramos pequenas. Como eram exaltantes aqueles momentos, como eu gostava de estar ao lado dela, deslizando dentro de suas intenções, chegando a antecipá-las. Senti que ela estava vendo algo que não havia e que estava fazendo de tudo para que nós também víssemos. Logo me senti contente e notei a plenitude que a tomava e que lhe escorria dos dedos enquanto manejava a tesoura, enquanto fixava com as tachinhas a cartolina preta.

No final, como se estivesse sozinha naquele espaço, ela mesma tentou erguer a tela, mas não conseguiu. Marcello interveio prontamente, eu também, e a apoiamos na parede. Depois recuamos todos para a soleira, uns rindo, outros enfezados, alguns estarrecidos. O corpo da imagem de Lila vestida de noiva surgia cruelmente retalhado. Grande parte da cabeça havia desaparecido, assim como a barriga. Restavam um olho, a mão sobre a qual apoiava o queixo, a mancha resplandecente da boca, faixas diagonais do busto, a linha das pernas cruzadas, os sapatos.

Mal contendo a raiva, Gigliola começou:

"Eu não posso colocar uma coisa dessas na *minha* loja."

"Estou de acordo", explodiu Pinuccia, "nós aqui precisamos vender, e esse mondrongo vai espantar os clientes. Rino, diga alguma coisa à sua irmã, por favor."

Rino fingiu ignorá-la, mas se dirigiu a Stefano como se a culpa pelo que estava acontecendo fosse do cunhado:

"Eu lhe disse que não dá para discutir com essa aí. Ela deve dizer apenas sim, não e só; se não, está vendo o que acontece? É pura perda de tempo."

Stefano não respondeu, fixava o painel apoiado na parede e era evidente que estava buscando uma escapatória. Então me perguntou:

"O que você acha, Lenu?"

Respondi em italiano:

"Eu acho lindo. É claro que eu não o colocaria no bairro, não é o ambiente adequado. Mas aqui é outra coisa, vai atrair a atenção, vai agradar. Justamente na semana passada vi em *Confidenze* que na casa de Rossano Brazzi havia um quadro desse tipo."

Ao ouvir isso, Gigliola ficou ainda mais furiosa.

"O que você quer dizer? Que Rossano Brazzi sabe de tudo, que vocês duas sabem de tudo, e eu e Pinuccia não?"

Naquele ponto percebi o perigo. Apenas olhei para Lila e me dei conta de que se, quando tínhamos chegado à loja, ela realmente se sentia disposta a ceder caso sua tentativa resultasse em nada, agora que a tentativa fora feita e produzira aquela imagem de massacre, ela não cederia nem um milímetro. Senti que os minutos em que trabalhara na foto tinham rompido laços: naquele momento ela estava arrebatada por um senso exorbitante de si e precisava de tempo para retrair-se à dimensão da esposa do salsicheiro, não aceitaria sequer um suspiro de dissenso. Aliás, enquanto Gigliola falava, ela já vociferava: ou assim ou nada feito, e queria brigar, queria romper, arrebentar, e teria de bom grado se lançado contra ela com a tesoura.

Torci por uma intervenção solidária de Marcello. Mas Marcello permaneceu calado, cabisbaixo, e notei que todo resto de sentimento em relação a Lila estava se esvaindo naquele momento, ele já não conseguia acompanhá-la com sua antiga, deprimida paixão. Foi Michele quem interveio espicaçando Gigliola, a noiva, com sua voz mais agressiva: "Fique calada", disse. E assim que a outra tentou protestar, ele impôs ameaçador, sem sequer olhar para ela, ao contrário, fixando o painel: "Calada, Gigliò". Então se dirigiu a Lila: "Eu gostei, madame. Você se apagou de propósito, e entendi por que: para destacar bem a coxa, para mostrar como fica bem uma coxa de mulher com esses sapatos. Excelente. Você é uma chata, mas, quando faz uma coisa, faz com perfeição."

Silêncio.

Gigliola enxugou com a ponta dos dedos umas lágrimas silenciosas, que não conseguiu conter. Pinuccia fixou o irmão como se quisesse dizer: falem alguma coisa, me defendam, não me deixem meter a mão na cara dessa idiota. Já Stefano murmurou, dócil:

"Sim, eu também gostei."

E Lila disse imediatamente:

"Não está pronto".

"E o que você ainda quer fazer?", atacou Pinuccia.

"Preciso pôr um pouco de cor."

"Cor?", murmurou Marcello, cada vez mais desorientado. "Precisamos abrir daqui a três dias."

Michele riu:

"Se tivermos que esperar um pouco mais, esperamos. Comece a trabalhar, madame, faça o que achar melhor."

Aquele tom patronal, de quem faz e desfaz a seu bel-prazer, não agradou a Stefano.

"Temos a charcutaria nova", disse, dando a entender que a esposa era necessária lá.

"Arranje-se", respondeu Michele, "temos coisas mais interessantes a fazer aqui."


**26.**

Passamos os últimos dias de setembro trancadas na loja, nós duas e três operários. Foram horas magníficas de jogo, de invenção, de liberdade, que não nos acontecia daquela maneira, juntas, talvez desde a infância. Lila me arrastou para dentro de seu frenesi. Compramos cola, tintas, pincéis. Aplicamos com extrema precisão (ela era exigente) os recortes de cartolina preta. Traçamos contornos vermelhos ou azuis entre os restos da foto e as nuvens escuras que a devoravam. Lila sempre fora exímia com linhas e cores, mas ali fez algo mais, algo que, apesar de eu não saber expressar o que era, pouco a pouco me fascinou.

Quase tive a impressão de que ela houvesse arquitetado aquilo só para dar um arremate perfeito aos anos que se iniciaram com os desenhos dos sapatos, quando ela ainda era a menininha Lina Cerullo. E ainda hoje penso que muito do prazer daqueles dias tenha derivado justamente da anulação da sua, da nossa condição de vida, daquela capacidade que tínhamos de nos elevarmos acima de nós mesmas, de nos isolarmos na pura e simples realização daquela espécie de síntese visual. Esquecemo-nos de Antonio, de Nino, de Stefano, dos Solara, de meus problemas com os estudos, da gravidez dela, das tensões entre nós. Suspendemos o tempo, isolamos o espaço, restou apenas o jogo da cola, das tesouras, das cartolinas, das cores: o jogo da invenção afinada.

Mas houve mais. De repente me voltou à memória o verbo usado por Michele: *apagar*. É provável, sim, probabilíssimo que as tiras pretas acabassem de fato por isolar os sapatos e torná-los mais visíveis; o jovem Solara não era estúpido, sabia olhar. Mas aos poucos, sempre mais intensamente, senti que não era aquele o verdadeiro objetivo de nosso colar e colorir. Lila estava feliz e me arrastava cada vez mais com sua felicidade feroz, sobretudo porque descobrira num relance, talvez sem nem mesmo se dar conta, uma ocasião que lhe permitia *representar* a fúria contra si mesma, a irrupção, talvez pela primeira vez em sua vida, da necessidade — e aqui o verbo usado por Michele era apropriado — de apagar-se.

Hoje, à luz de tantos fatos que aconteceram em seguida, estou bastante segura de que as coisas se deram justamente assim. Com as cartolinas pretas, com os círculos verdes e arroxeados que Lila traçava em torno de certas partes de seu corpo, com as linhas vermelho-sangue com que se retalhava e dizia se retalhar, realizou a própria autodestruição *em imagem*, oferecendo-a aos olhos de todos no espaço comprado pelos Solara para expor e vender os *seus* sapatos.

É provável que tenha sido ela mesma quem me sugeriu e motivou essa impressão. Enquanto trabalhávamos, desandou a me falar de quando começara a perceber que agora era a senhora Carracci. No início entendi pouco ou quase nada do que ela realmente dizia, me pareceram observações banais. Como se sabe, nós, meninas, quando nos apaixonávamos, a primeira coisa que procurávamos ver era como nosso nome soava ao ser associado ao sobrenome do amado. Eu, por exemplo, conservo ainda um caderno da quarta ginasial em cujas páginas me exercitava em assinar Elena Sarratore, e me lembro perfeitamente de como, com um sopro nos lábios, chamava a mim mesma daquele modo. Mas não era a isso que Lila se referia. Logo percebi que ela estava me confessando exatamente o contrário, nunca lhe ocorrera um exercício semelhante ao meu. E até a fórmula italiana de sua nova designação, me disse, a princípio a impressionara pouco: *Raffaella Cerullo em Carracci*. Nada de exaltante, nada de grave. A princípio aquele *em Carracci* a ocupara não mais que um exercício de análise lógica, os mesmos com que a professora Oliviero nos perseguira na escola fundamental. O que era? Um complemento de estado em lugar? Significava que já não residia com os pais, mas com Stefano? Significava que a casa nova onde ela passaria a morar teria na porta uma placa de latão dizendo Carracci? Significava que, se eu lhe escrevesse, não deveria mais remeter a correspondência a Raffaella Cerullo, mas a Raffaella Carracci? Significava que, desse *Raffaella Cerullo em Carracci*, logo desapareceria, no uso cotidiano, o *Cerullo em* e ela mesma se definiria, assinaria apenas Raffaella Carracci, e os filhos precisariam fazer um esforço de memória para se lembrar do sobrenome da mãe, e os netos ignorariam completamente o sobrenome da avó?

Sim. Um hábito. Tudo dentro da norma, pois. Mas Lila, como era seu costume, não parara nesse ponto e logo passou adiante. Enquanto trabalhávamos com pincéis e tintas, me contou que começara a ver naquela fórmula um complemento de direção a um lugar, como se *Cerullo em Carracci* fosse uma espécie de *Cerullo vai à casa de Carracci, se precipita em, é absorvida por, se dissolve em*. E, a partir da brusca indicação de Silvio Solara para padrinho de casamento, a partir da entrada de Marcello Solara no salão do restaurante calçando nada menos que o par de sapatos que Stefano fizera acreditar se tratar de algo sagrado como uma relíquia, a partir de sua viagem de núpcias e das porradas até chegar àquele arraigar--se, no vazio que sentia dentro de si, de uma coisa viva e desejada por Stefano, ela havia sido arrastada em crescendo por uma sensação insuportável, uma força cada vez mais premente que a estava aniquilando. Aquela impressão se acentuara e acabara por prevalecer. Subjugada, Raffaella Cerullo perdera a forma e se dissolvera dentro do perfil de Stefano, tornando-se uma emanação subalterna dele: *a senhora Carracci*. Foi então que comecei a ver no painel os traços do que ela dizia. "É uma coisa ainda em ato", disse num sussurro. E, enquanto colávamos cartolina, íamos distribuindo as cores. Mas o que estávamos fazendo de fato, em que eu a estava ajudando?

No final, muito perplexos, os operários penduraram o painel na parede. Ficamos tristes, mas não o dissemos, a brincadeira tinha terminado. Limpamos a loja de cima a baixo. Lila repensou mais uma vez a posição de um sofá, de certos pufes. Finalmente recuamos juntas até a entrada e contemplamos nosso trabalho. Ela explodiu num riso, como eu não a via rir fazia muito tempo, uma risada franca, de autoderrisão. Quanto a mim, fiquei tão absorta na parte alta do painel, onde a cabeça de Lila já não estava, que não consegui ver o conjunto. Ali, no alto, despontava apenas um olho vivíssimo, circundado de azul noturno e de vermelho.

## 27.

No dia da inauguração, Lila chegou à Piazza dei Martiri instalada no conversível, ao lado do marido. Quando saiu do carro, notei seu olhar incerto, de quem teme desastres. A excitação dos dias do painel se dissipara, ela tornara a assumir o ar doentio da mulher desinteressadamente grávida. No entanto se vestira com esmero, parecia saída de uma revista de moda. Desvencilhou-se logo de Stefano e me arrastou para ver as vitrines da Via dei Mille.

Passeamos por um tempo. Ela estava tensa, me perguntava continuamente se havia alguma coisa fora do lugar.

"Você se lembra", disse de repente, "da garota toda vestida de verde, aquela de chapéu-coco?"

Eu lembrava. Lembrava o incômodo que tínhamos sentido ao vê-la naquela mesma rua anos atrás, e o confronto entre nossos rapazes e os rapazes daquela zona, a intervenção dos Solara, e Michele com a barra de ferro, e o medo. Compreendi que ela queria ouvir algo que a acalmasse e emendei:

"Era só uma questão de dinheiro, Lila. Hoje tudo mudou, você é muito mais bonita que a garota vestida de verde."

Mas pensei: não é verdade, estou mentindo para você. Havia algo de perverso na desigualdade, e agora eu compreendia. Algo que agia em profundidade, que escavava além do dinheiro. Não bastava o caixa das duas charcutarias nem o da fábrica de calçados ou da loja de sapatos para ocultar nossa origem. A própria Lila, ainda que tirasse mais dinheiro do caixa do que já pegava, ainda que faturasse milhões, trinta, até cinquenta, não conseguiria. Eu me dera conta disso e finalmente havia uma coisa que eu sabia melhor que ela, que eu aprendera não naquelas ruas, mas na entrada da escola, olhando a garota que vinha encontrar Nino. Ela era superior a nós, assim, sem querer. E isso era insuportável.

Retornamos à loja. A tarde prosseguiu como uma espécie de matrimônio: comida, doces, muito vinho, todos com os trajes usados no casamento de Lila, Fernando, Nunzia, Rino, toda a família Solara, Alfonso, as garotas, eu, Ada, Carmela. Os carros estacionados desordenadamente se aglomeraram, a loja lotou, cresceu o barulho das vozes. Gigliola e Pinuccia, disputando entre si, se comportaram o tempo todo como as donas da casa, cada uma tentando ser mais dona que a outra, exaltadas pela tensão. Acima de tudo e de todos imperava o painel com a foto de Lila. Havia quem parava para olhá-lo com interesse, quem lançava uma mirada cética ou até ria. Eu não conseguia desgrudar os olhos dele. Lila não era mais reconhecível. Permanecia uma forma sedutora e tremenda, uma imagem de deusa monócula que avançava seus pés bem calçados para o centro da sala.

No meio da multidão, quem mais me impressionou foi Alfonso, pelo modo como se mostrava cheio de vivacidade, alegre, elegante.

Nunca o tinha visto assim, nem na escola, nem no bairro, nem na charcutaria, e a própria Lila o avaliou demoradamente, perplexa. Eu lhe disse, rindo:

"Não é mais ele."

"O que aconteceu?"

"Não sei."

Alfonso foi a verdadeira novidade positiva daquela tarde. Algo que nele estava silencioso despertou naquela ocasião, na loja iluminada como o dia. Foi como se tivesse descoberto de repente que aquela era a parte da cidade que o fazia se sentir bem. Tornou-se particularmente desenvolto. Pudemos vê-lo arrumando isso e aquilo, puxando conversa com as pessoas elegantes que entravam curiosas, que examinavam a mercadoria ou pegavam um docinho e uma taça de vermute. A certa altura veio até nós e, com ar desembaraçado, elogiou sem meios termos o trabalho que tínhamos feito com a foto. Estava em um tal estado de liberdade mental que venceu sua antiga timidez e disse à cunhada: "Eu sempre soube que você era perigosa", e a beijou nas bochechas. Eu o olhei perplexa. Perigosa? O que ele havia intuído naquele painel que me escapara? Alfonso era capaz de não se deter nas aparências? Sabia olhar com fantasia? Será possível, pensei, que seu verdadeiro futuro não esteja nos estudos, mas nesta parte rica da cidade, onde saberá usar aquele pouco que está aprendendo na escola? Ah, sim, ele escondia dentro de si outra pessoa. Era diferente de todos os rapazes do bairro e acima de tudo era diferente do irmão, Stefano, que estava em um canto, sentado num pufe, em silêncio, mas pronto a responder com sorrisos a qualquer um que lhe dirigisse a palavra.

Anoiteceu. Repentinamente rompeu um forte clarão no lado de fora. Os Solara, avô, pai, mãe, filhos, se precipitaram para ver, arrebatados por um rumoroso entusiasmo de estirpe. Saímos todos para a rua. Em cima da vitrine e na entrada brilhava a inscrição: SOLARA.

Lila fez uma careta e me disse:

"Cederam até nisso."

Empurrou-me desinteressadamente até Rino, que parecia o mais contente de todos, e lhe disse:

"Se os sapatos são Cerullo, por que a loja é Solara?"

Rino a pegou pelo braço e lhe disse em voz baixa:

"Lina, por que você sempre insiste em encher o saco? Lembra a confusão em que você me meteu anos atrás justamente nesta praça? O que é que eu posso fazer, você quer outra confusão? Pelo menos uma vez se contente. Estamos aqui, no centro de Nápoles, e somos os proprietários. Cadê os merdas que queriam nos trucidar três anos atrás, cadê? Eles param, olham a vitrine, entram, pegam um docinho. Não é suficiente para você? Sapatos Cerullo, loja Solara. O que você queria escrever lá em cima? Carracci?".

Lila se esquivou, dizendo sem agressividade:

"Já estou calma. O suficiente para lhe dizer que você não precisa me pedir mais nada. O que você está fazendo? Está pegando dinheiro emprestado com a senhora Solara? Stefano também está? Os dois estão endividados: é por isso que sempre dizem sim? A partir de agora, cada um por si, Rino".

Deu as costas para nós dois e foi direto para Michele Solara com maneiras festivamente sedutoras. Vi que se afastava com ele pela praça, ambos circulavam em torno dos leões de pedra. Vi que o marido a seguia com o olhar. Vi que não tirou os olhos de cima dela durante todo o tempo em que ambos passeavam conversando. Vi que Gigliola estava ficando furiosa, que falava sem parar no ouvido de Pinuccia, e que as duas olhavam para ela.

Nesse meio-tempo a loja se esvaziou, e alguém apagou o grande e luminosíssimo letreiro. Na praça houve instantes de escuridão, depois os postes rebrilharam com força. Lila deixou Michele sorrindo, mas entrou na loja com uma expressão de repente vazia de vida, fechando-se no compartimento onde havia a privada.

Alfonso, Marcello, Pinuccia e Gigliola começaram a pôr ordem na loja. Aproximei-me para ajudá-los.

Lila saiu do banheiro e Stefano, como se estivesse de tocaia, imediatamente a agarrou pelo braço. Ela se desvencilhou irritada e veio até mim. Estava palidíssima, sussurrou:

"Estou perdendo um pouco de sangue. O que significa? O menino morreu?".

## 28.

A gravidez de Lila durou ao todo pouco mais de dez semanas, depois veio a parteira e lhe raspou tudo. No dia seguinte já tinha voltado a trabalhar na charcutaria nova com Carmen Peluso. Ora gentil, ora feroz, iniciou um longo período em que parou de correr de lá pra cá e pareceu decidida a comprimir toda sua vida dentro da ordem daquele espaço que cheirava a reboco e queijo, cheio de salames, de pães, de mozarela, de anchovas no sal, de blocos de *ciccioli* de porco, de sacos transbordantes de legumes secos, de roliças bexigas recheadas de banha.

Aquele comportamento foi muito apreciado, sobretudo por Maria, a mãe de Stefano. Como se tivesse reconhecido na nora algo de si, de repente se tornou mais afetuosa, dando-lhe de presente uns antigos brincos de ouro rosa que eram seus. Lila os aceitou de bom grado e muitas vezes os colocou. Por um tempo conservou a palidez do rosto, as espinhas na testa, os olhos enterrados no fundo das olheiras, os zigomas que lhe esticavam a pele até torná-la transparente. Depois refloresceu e pôs ainda mais energia na condução dos negócios. Já antes do Natal o faturamento aumentou bastante e, em poucos meses, superou o da charcutaria do bairro velho.

A admiração de Maria cresceu. Passou a ir cada vez mais dar uma mão à nora, e não ao filho, irritado com a frustração da paternidade e as tensões dos negócios, ou à filha, que tinha começado a trabalhar na loja da Piazza dei Martiri e proibira taxativamente a mãe de aparecer por lá, para não fazer feio com a clientela. A madura senhora Carracci chegou até a tomar as dores da jovem senhora Carracci quando Stefano e Pinuccia a culparam por não ter sabido ou querido manter o filho dentro de si.

"Ela não quer ter filhos", se lamentou Stefano.

"É verdade", o apoiou Pinuccia, "quer continuar uma menina, não sabe agir como esposa".

Maria censurou os dois com dureza:

"Vocês não devem nem pensar numa coisa dessas: os filhos, Nosso Senhor os manda e Nosso Senhor os leva embora, não quero mais ouvir essas cretinices."

"Fique calada você", gritou a filha furiosa, "que deu àquela idiota os brincos que eu adorava".

As discussões entre eles, as reações de Lila, logo se tornaram a fofoca do bairro, se espalhando e chegando aos meus ouvidos. Mas não me preocupei com isso, o ano letivo tinha recomeçado.

As coisas logo se arranjaram de um modo que surpreendeu sobretudo a mim. Desde os primeiros dias comecei a me destacar, como se, com a partida de Antonio, com o sumiço de Nino, talvez até com o definitivo aprisionamento de Lila na gestão da charcutaria, algo em minha cabeça tivesse se destravado. Descobri que me lembrava com precisão de tudo o que tinha estudado mal no primeiro ano do liceu, respondendo às questões de revisão dos professores com uma rapidez brilhante. Não só. A professora Galiani, talvez porque tivesse perdido Nino, seu aluno mais brilhante, acentuou a simpatia que demonstrava por mim e chegou a me aconselhar que seria interessante e instrutivo se eu participasse de uma marcha pela paz no mundo que partiria de Resina e chegaria a Nápoles. Decidi ir dar uma espiada, um pouco por curiosidade, um pouco por medo de que Galiani se ofendesse, um pouco porque a marcha passava pelo estradão, margeava o bairro, não me custava nada ir ver. Mas minha mãe quis que eu levasse meus irmãos. Briguei, esperneei, me atrasei. Cheguei com eles até a ponte da ferrovia, vi lá embaixo as pessoas que caminhavam e ocupavam toda a estrada, impedindo os automóveis de passar. Era gente normal, que não marchava, mas passeava carregando bandeiras e cartazes. Eu queria ir procurar Galiani, dar as caras, e ordenei a meus irmãos que me esperassem na ponte. Foi uma péssima ideia: não encontrei a professora e, assim que virei as costas, eles se juntaram a outros meninos e começaram a atirar pedras nos manifestantes, gritando insultos. Voltei correndo para buscá-los, toda suada, e os levei embora aterrorizada com a ideia de que Galiani, com seu olhar agudo, os tivesse localizado e percebido que eram meus irmãos.

Enquanto isso as semanas passavam, havia novas aulas e os livros didáticos para comprar. Achei completamente inútil mostrar a lista dos manuais a minha mãe para que ela falasse com meu pai e conseguisse o dinheiro, eu já sabia que não havia dinheiro. Além disso, não havia notícias da Oliviero. Entre agosto e setembro fui visitá-la umas duas vezes no hospital, mas na primeira vez ela estava dormindo e, na segunda, descobri que ela tinha recebido alta, mas não voltara para casa. No fim das contas, no início de novembro fui perguntar sobre ela a uma vizinha e soube que, por causa da saúde precária, uma irmã que morava em Potenza a hospedara em casa e sabe-se lá se um dia ela voltaria a Nápoles, ao bairro, ao trabalho. Naquela altura, pensei em perguntar a Alfonso se, quando o irmão lhe comprasse os livros, seria possível nos organizarmos de modo que eu pudesse usar um pouco os dele. Ele ficou entusiasmado e me propôs que estudássemos juntos, quem sabe na casa de Lila, que, desde que passara a cuidar da charcutaria, ficava vazia das sete da manhã às nove da noite. Então decidimos fazer assim.

Mas uma manhã Alfonso me disse, bastante irritado: "Passe hoje na charcutaria para ver Lila, ela quer falar com você". Ele sabia para que, mas ela o fizera jurar segredo, e foi impossível tirar qualquer informação dele.

À tarde fui à charcutaria nova. Carmen, entre alegre e triste, me mostrou um cartão-postal de não sei que cidade do Piemonte que Enzo Scanno, seu noivo, lhe mandara. Lila também recebera um postal, mas de Antonio, e por um instante achei que tivesse me feito correr para lá só para me mostrar isso. No entanto, nem ela me mostrou o postal, nem disse o que estava escrito nele; me puxou para o fundo da loja e perguntou, divertida:

"Você se lembra da nossa aposta?"

Fiz sinal que sim.

"Lembra que você perdeu?"

Fiz sinal que sim.

"Portanto lembra que deve passar de ano com média oito em tudo?"

Fiz sinal que sim.

Então ela me apontou dois grandes pacotes confeccionados com papel de embrulho. Eram os livros da escola.

## 29.

Pesavam muito. Em casa, emocionadíssima, descobri que não eram volumes já usados, muitas vezes malcheirosos, que a professora me conseguia no passado, mas exemplares novinhos em folha, com aquele cheiro fresco de gráfica, e entre eles sobressaíam os dicionários, o Zingarelli, o Rocci e o Calonghi-Georges, que a professora nunca conseguira para mim.

Minha mãe, que tinha uma palavra de desprezo para cada coisa que me acontecesse, ao me ver enquanto eu desembrulhava os pacotes caiu no choro. Surpresa, intimidada por aquela reação anômala, fui para perto dela e fiz carinho em seu braço. É difícil dizer o que a comovera: talvez seu senso de impotência diante de nossa miséria, talvez a generosidade da mulher do salsicheiro, não sei bem. Acalmou-se depressa, murmurou frases obscuras e mergulhou em seus afazeres.

No quartinho onde eu dormia com meus irmãos havia uma mesinha desconjuntada, toda roída de cupim, onde habitualmente eu fazia as tarefas. Arrumei ali todos aqueles volumes e, ao vê-los alinhados sobre o tampo, contra a parede, me senti carregada de energia.

Os dias começaram a voar. Devolvi à professora Galiani os livros que me emprestara durante o verão, e ela me deu outros, ainda mais difíceis. Eu os lia diligentemente aos domingos, mas entendendo pouco ou quase nada. Corria todas as linhas com os olhos, virava as páginas, mas o fraseado me entediava, o sentido me escapava. Naquele segundo ano de liceu, entre os estudos e as leituras difíceis, me cansei muitíssimo, mas era um cansaço convicto, satisfeito.

Um dia Galiani me perguntou:

"Que jornal você lê, Greco?".

Aquela pergunta me causou o mesmo desconforto que eu tinha experimentado quando conversei com Nino durante o casamento de Lila. A professora dava por óbvio que eu fizesse normalmente algo que em minha casa, em meu ambiente, não era nada normal. Como lhe dizer que meu pai não comprava jornais, que eu nunca lera jornais? Não tive coragem e tentei mais que depressa lembrar se Pasquale, que era comunista, lia algum. Esforço inútil. Então me veio à mente Donato Sarratore e me lembrei de Ischia, dos Maronti, recordei que ele escrevia no *Roma*. E respondi:

"Leio o *Roma*."

A professora deu um meio sorriso irônico e, a partir do dia seguinte, começou a me repassar seus jornais. Comprava dois, às vezes três, e depois da escola me dava um de presente. Eu agradecia e voltava para casa amargurada pelo que me parecia mais uma tarefa escolar.

No início eu deixava o jornal largado pela casa, adiando a leitura para quando tivesse terminado as tarefas, mas à noite o jornal já tinha sumido, meu pai se apropriava dele e o lia na cama ou na privada. Assim adquiri o hábito de escondê-lo entre meus livros e só o tirava de lá à noite, quando todos já estavam dormindo. Às vezes se tratava do *Unità*, às vezes do *Mattino*, às vezes do *Corriere della Sera*, mas todos os três se mostraram difíceis para mim, é como se eu tivesse que me encantar por quadrinhos cujos números precedentes eu desconhecia. Corria de uma coluna a outra mais por obrigação que por autêntico interesse, e enquanto isso, como em todas as coisas que eram impostas pela escola, esperava que aquilo que eu não entendia hoje, de tanto insistir, acabaria entendendo amanhã.

Naquele período, pouco vi Lila. Às vezes, logo depois do colégio e antes de mergulhar nas tarefas, eu passava na charcutaria nova. Chegava morrendo de fome e ela percebia, por isso ia logo preparar para mim um belo sanduíche com muito recheio. Enquanto o devorava, eu me exibia em bom italiano com frases memorizadas dos livros e dos jornais de Galiani. Fazia menção, sei lá, "à atroz realidade dos campos de extermínio nazista", ao que "os homens foram capazes de fazer e podem fazer ainda hoje", à "ameaça atômica e ao imperativo da paz", ao fato de que "à custa de dobrar as forças da natureza com os instrumentos que inventamos, hoje chegamos a um ponto em que a força de nossos instrumentos tornou-se mais preocupante que as forças da natureza", à "necessidade de uma cultura que combata e elimine o sofrimento", à ideia de que "a religião desaparecerá da consciência dos homens quando finalmente for possível construir um mundo de iguais, sem distinções de classe, e com uma sólida concepção científica da sociedade e da vida". Falava com ela dessas e de outras coisas seja porque queria mostrar que estava marchando para uma aprovação com média oito em tudo, seja porque não sabia com quem mais poderia falar sobre isso, seja porque esperava que ela pudesse contestar alguma coisa e, assim, pudéssemos retomar o velho hábito de discutirmos entre nós. Mas ela praticamente não falava, ao contrário, parecia constrangida, como se não compreendesse bem o que eu estava falando. Ou então, se desembuchava alguma coisa, era para exumar uma obsessão que agora — eu não entendia por que — voltava a corroê-la por dentro. Disparava a falar da origem do dinheiro de dom Achille, da dos Solara, até na presença de Carmen, que imediatamente concordava. No entanto, assim que entrava algum cliente, ela se calava, assumia ares gentilíssimos e eficientes, fatiava, pesava, recebia no caixa.

Uma vez deixou a gaveta aberta, fixando o dinheiro. Disse de péssimo humor:

"Este aqui quem ganhou fui eu, com o esforço do meu trabalho e do de Carmen. Mas nada aqui dentro é meu, Lenu, tudo foi feito com o dinheiro de Stefano. E Stefano acumulou dinheiro partindo do dinheiro do pai dele. Sem o que dom Achille colocou debaixo do colchão, agindo no mercado negro e fazendo agiotagem, hoje não teríamos isto nem a fábrica de calçados. Não só. Stefano, Rino e meu pai não teriam vendido um sapato sequer sem a grana e sem os contatos da família Solara, eles também agiotas. Percebe onde eu fui me meter?".

Eu percebia, mas não compreendia de que adiantavam aqueles raciocínios.

"São águas passadas", disse a ela, e recordei as conclusões a que ela mesma chegara quando se tornou noiva de Stefano. "Isso que você está dizendo ficou para trás, nós somos outra coisa."

Mas ela, que justamente tinha inventado aquela teoria, mostrou-se pouco convencida. Respondeu — e me lembro perfeitamente da frase, dita em dialeto:

"Não gosto mais do que eu fiz e do que estou fazendo".

Pensei que tivesse voltado a frequentar Pasquale, ele sempre tivera aquelas opiniões. Pensei que talvez as relações entre eles tivessem se fortalecido, porque Pasquale era namorado de Ada, vendedora na velha charcutaria, e era o irmão de Carmen, que trabalhava com ela na nova. Fui embora descontente, mal controlando um antigo sentimento de menina, da época em que eu sofria porque Lila e Carmela tinham ficado amigas e tendiam a me excluir. Me acalmei estudando até tarde da noite.

Numa dessas noites eu estava lendo o *Mattino*, os olhos fechando de cansaço, quando uma nota não assinada me provocou uma verdadeira descarga elétrica que me acordou. Não podia acreditar, o artigo falava da loja da Piazza dei Martiri e elogiava o painel em que eu e Lila trabalhamos.

Li e reli, ainda me lembro de algumas linhas: "As meninas que dirigem a acolhedora loja da Piazza dei Martiri não quiseram nos revelar o nome do artista. Uma pena. Quem quer que tenha criado esse híbrido anômalo de fotografia e pintura tem uma imaginação vanguardista que submete com divina ingenuidade, mas também com inusitada energia, a matéria às urgências de uma dor íntima e poderosa". Quanto ao resto, elogiava sem meios-termos a butique de sapatos, "um sinal importante do dinamismo que nos últimos anos galvanizou os empreendedores napolitanos".

Não consegui dormir.

Depois da escola, corri para encontrar Lila. A loja estava vazia, Carmen tinha ido à casa da mãe, Giuseppina, que não estava bem; Lila estava ao telefone com um fornecedor da província que não tinha entregado mozarela ou provolones ou não me lembro o quê. Ela gritava, dizia palavrões, fiquei impressionada. Pensei que talvez o homem do outro lado da linha fosse um velho, que se sentiria ofendido, que mandaria um de seus filhos para vingá-lo. Pensei: por que exagera sempre? Quando terminou o telefonema, ela bufou de indignação e virou para mim, se justificando:

"Se eu não fizer assim, nem sequer me escutam".

Mostrei-lhe o jornal. Ela deu uma olhada distraída e disse: "Eu já conhecia". Me explicou que tinha sido uma iniciativa de Michele

Solara, que como sempre encomendara aquilo sem consultar ninguém. Veja, disse, e foi até o caixa, tirou de lá de dentro uns recortes amassados e os passou para mim. Ali também se falava da loja na Piazza dei Martiri. Um era um artiguinho publicado no *Roma*, o autor se desdobrava em elogios aos Solara, mas não fazia o menor sinal ao painel. O outro era um artigo de três colunas publicado no *Napoli Notte*, e a butique ali figurava como um palácio real. O ambiente era descrito num italiano superlativo, que exaltava sua decoração, a iluminação luxuosa, os calçados maravilhosos e sobretudo "a gentileza, a doçura e a graça das duas sedutoras nereidas, a senhorita Gigliola Spagnuolo e a senhorita Giuseppina Carracci, maravilhosas raparigas em flor que regem os destinos de uma empresa a qual se eleva acima das mais exuberantes atividades comerciais de nossa cidade". Era preciso chegar até o fim para encontrar uma menção ao painel, que no entanto era liquidado em poucas palavras. O autor do artigo o definia como "uma mixórdia grosseira, uma nota destoante em um ambiente de majestosa elegância".

"Viu quem assinou?", perguntou Lila sarcástica.

A nota do *Roma* era assinada D.S., e o artigo do *Napoli Notte* trazia a assinatura de Donato Sarratore, o pai de Nino.

"Vi."

"E o que me diz?"

"O que eu deveria dizer?"

"Tal pai, tal filho, apenas isso."

Riu sem alegria. Me explicou que, diante do sucesso crescente dos sapatos Cerullo e da butique Solara, Michele tinha decidido dar visibilidade ao empreendimento e fizera certas generosidades por aí, graças às quais os diários da cidade prontamente escreveram grandes elogios. Enfim, pura propaganda. Publicidade paga. Inútil ler aquilo. Naqueles artigos, disse, não havia uma só palavra verdadeira.

Fiquei mal. Não gostei da maneira como desqualificou os jornais, os mesmos que eu diligentemente tentava ler sacrificando meu sono. E não gostei que tivesse sublinhado o parentesco entre Nino e o autor dos dois artigos. Que necessidade havia de associar Nino ao pai, um pomposo fabricante de frases feitas?

**30.**

De todo modo, foi graças àquelas frases que em pouco tempo a loja dos Solara e os sapatos Cerullo se firmaram ainda mais. Gigliola e Pinuccia se pavonearam muito pelo modo como foram citadas nos jornais, mas o sucesso não atenuou a rivalidade entre as duas, e cada uma passou a atribuir-se o mérito pelo êxito do negócio, e considerar a outra um obstáculo para possíveis novos sucessos. Apenas em um único ponto nunca deixaram de estar de acordo: o painel de Lila era um opróbrio. Tratavam descortesmente todos os que, com suas vozinhas finas, se aproximavam só para dar uma olhada nele. E emolduraram os artigos do *Roma* e do *Napoli Notte*, mas não o do *Mattino*.

Entre o Natal e a Páscoa os Solara e os Carracci embolsaram muito dinheiro. Stefano sobretudo deu um suspiro de alívio. A charcutaria nova e a antiga estavam faturando bem, a fábrica de calçados Cerullo trabalhava a todo vapor. Além disso, a loja da Piazza dei Martiri revelou aquilo que sempre se soube, ou seja, que os sapatos desenhados por Lila anos antes não só vendiam bem no Rettifilo, na Via Foria ou no Corso Garibaldi, mas também eram um consenso entre os senhores ricos, aqueles que metiam a mão na carteira com desenvoltura. Um mercado importante, pois, que era preciso consolidar e alargar urgentemente.

A confirmar o sucesso, já na primavera começaram a aparecer nas vitrines da periferia umas boas imitações dos calçados Cerullo. Eram sapatos substancialmente idênticos aos de Lila, apenas modificados por uma franja, por uma tacha. Os protestos, as ameaças interromperam logo sua difusão, e Michele Solara pôs as coisas em seu devido lugar. Mas ele não parou ali, rapidamente chegou à conclusão de que era necessário criar novos modelos. Por esse motivo convocou certa noite, à loja da Piazza dei Martiri, o irmão Marcello, o casal Carracci, Rino e naturalmente Gigliola e Pinuccia. No entanto, de surpresa, Stefano se apresentou sem Lila, dizendo que a esposa se desculpava, mas estava cansada.

Aquela ausência não agradou aos Solara. Se Lila não está — disse Michele irritando Gigliola —, de que merda vamos falar? Mas Rino interveio imediatamente. Anunciou, mentindo, que ele e o pai há um bom tempo tinham começado a pensar em novos modelos e esperavam apresentá-los numa mostra em Arezzo prevista para setembro. Michele não acreditou nele e ficou ainda mais nervoso. Disse que era preciso lançar produtos realmente inovadores, e não artigos normais. Por fim, se dirigiu a Stefano:

"Sua senhora é necessária, você deveria tê-la obrigado a vir".

Stefano respondeu com um fundo surpreendente de agressividade:

"Minha senhora trabalha o dia todo na charcutaria e, à noite, precisa ficar em casa, cuidando de mim".

"Tudo bem", disse Michele, desfigurando por um instante seu rosto de belo rapaz com um esgar, "mas veja se consegue pensar um pouco também em nós."

A noite deixou todos insatisfeitos, mas os que mais se incomodaram foram Gigliola e Pinuccia. Ambas, por motivos diversos, acharam insuportável a importância que Michele atribuíra a Lila, e nos dias seguintes o descontentamento delas acabou se transformando num mau humor que, a qualquer ocasião, dava lugar a discórdias entre as duas.

Foi naquela altura — em março, se não me engano — que houve um incidente sobre o qual até hoje não sei bem. Numa tarde, durante uma de suas brigas habituais, Gigliola deu um tapa em Pinuccia. Pinuccia se queixou com Rino, que, convencido naquele período de estar na crista de uma onda do tamanho de um prédio, foi até a loja com ar patronal e deu uma bronca em Gigliola. Gigliola reagiu com muita agressividade, e ele exagerou a tal ponto que ameaçou demiti-la.

"A partir de amanhã", disse a ela, "você vai voltar a meter ricota nos *cannoli*."

Logo depois apareceu Michele. Rindo, levou Rino para fora, até a praça, e o fez dar uma olhada no letreiro da loja.

"Meu amigo", disse, "a loja se chama Solara, e você não tem o direito de vir aqui e falar à minha noiva: vou demiti-la."

Rino contra-atacou recordando que tudo o que havia dentro da loja era de seu cunhado, que quem fazia os sapatos era ele, e que portanto tinha todo o direito, e como. Enquanto isso, dentro da loja, Gigliola e Pinuccia, sentindo-se cada qual bem protegida pelo próprio noivo, já tinham recomeçado a se insultar. Os dois rapazes voltaram depressa e tentaram acalmá-las, mas não conseguiram. Então Michele perdeu a paciência e gritou que demitiria as duas. Não só: deixou escapar que daria a gerência da loja para Lila.

Para Lila?

A loja?

As duas jovens emudeceram, e aquela ideia também deixou Rino pasmo. Depois a discussão recomeçou, dessa vez toda concentrada naquela afirmação escandalosa. Gigliola, Pinuccia e Rino se aliaram contra Michele — o que é que não está indo bem aqui, de que lhe serve Lina, você não pode se lamentar dos lucros que estamos tendo, os modelos dos sapatos foram todos pensados por mim, ela na época era uma menina, o que poderia inventar —, e a tensão cresceu cada vez mais. A desavença teria prosseguido sabe-se lá por quanto tempo se não tivesse havido o incidente que mencionei. De repente, não se sabe como, o painel — o painel com as tiras de cartolina preta, a foto, as manchas densas de cor — emitiu um som rouco, uma espécie de respiro doentio, e se incendiou com uma chama alta. Pinuccia estava de costas para a foto quando aconteceu. A labareda subiu por trás dela como de um fogareiro secreto e lhe lambeu os cabelos, que crepitaram e teriam queimado inteiramente se Rino não os tivesse prontamente apagado com as próprias mãos.

## 31.

Tanto Rino quanto Michele atribuíram a culpa pelo incêndio a Gigliola, que fumava às escondidas e por isso possuía um minúsculo isqueiro. Segundo Rino, Gigliola agira de propósito: enquanto todos estavam envolvidos na discussão, ela ateara fogo no painel que, cheio de papel, cola e tinta, tinha queimado num piscar de olhos. Michele foi mais cauteloso: como se sabia, Gigliola brincava continuamente com o isqueiro e, assim, sem querer, tomada pelo bate-boca, não se dera conta de que a chama estava muito próxima da foto. Mas ela não tolerou nem a primeira nem a segunda hipótese e, com uma expressão muito combativa, atribuiu a culpa à própria Lila, isto é, à sua imagem deformada, que se incendiara sozinha, como acontecia ao diabo quando, para transviar os santos, assumia feições femininas, mas os santos invocavam Jesus e o demônio se transmudava em chama. Para corroborar sua versão, acrescentou que a própria Pinuccia lhe contara como a cunhada tinha a capacidade de não engravidar e, caso engravidasse, deixava o menino se perder, recusando os dons do Senhor.

A boataria se intensificou quando Michele Solara começou a ir dia sim, dia não, à charcutaria nova. Passava muito tempo se divertindo com Lila, se divertindo com Carmen, tanto que esta supôs que ele viesse por causa dela e, por um lado, temeu que alguém o dissesse a Enzo, que prestava serviço militar no Piemonte, e, por outro, ficou lisonjeada e passou a flertar com Michele. Já Lila só zombava do jovem Solara. Os boatos espalhados por sua noiva tinham chegado a seus ouvidos, por isso ela dizia:

"Melhor você ir embora, aqui dentro nós duas somos bruxas, somos muito perigosas".

Mas as vezes em que a visitei naquela fase nunca a encontrei realmente alegre. Adotava um tom artificial e falava de tudo com sarcasmo. Tinha um roxo no braço? Stefano lhe fizera uma carícia apaixonada demais. Estava com os olhos vermelhos de choro? Não era choro de dor, mas de contentamento. Cuidado com Michele, ele gosta de fazer mal às pessoas! Que nada, ela dizia, se tocar em mim se queima: sou eu que faço mal às pessoas.

Quanto àquele ponto, sempre houve um discreto consenso. Mas especialmente Gigliola não tinha mais dúvidas: Lila era uma feiticeira vadia, tinha embruxado o noivo, é por isso que ele queria lhe dar a gerência da loja na Piazza dei Martiri. E por dias não foi trabalhar, enciumada, desesperada. Depois decidiu conversar com Pinuccia, se aliaram, passaram ao contra-ataque. Pinuccia trabalhou o irmão gritando-lhe várias vezes que era um corno feliz e depois agrediu Rino, o noivo, dizendo que não era patrão de coisa nenhuma, mas um criado de Michele. Então, certa noite, Stefano e Rino foram esperar o jovem Solara na saída do bar e, quando ele apareceu, vieram com uma conversa muito genérica, mas que na substância queria dizer: deixe Lila em paz, ela está perdendo tempo, precisa trabalhar. Michele decifrou imediatamente a mensagem e retrucou, gélido:

"Que caralho vocês estão dizendo?".

"Se não entende, significa que não quer entender."

"Não, meus caros, são vocês que não querem entender nossas necessidades comerciais. E, se não querem entender, quem tem de pensá-las sou eu."

"Ou seja?", perguntou Stefano.

"Sua mulher na charcutaria é um desperdício."

"Em que sentido?"

"Na Piazza dei Martiri ela faria em um mês o que sua irmã e Gigliola não conseguiriam fazer nem em cem anos."

"Explique-se melhor."

"Lina deve comandar, Sté. Deve ter uma responsabilidade. Deve inventar coisas. Deve pensar imediatamente em novos modelos de sapatos."

Os três discutiram e, por fim, depois de mil discrepâncias chegaram a um acordo. Stefano excluiu absolutamente que a esposa fosse trabalhar na Piazza dei Martiri, a charcutaria nova estava indo bem e tirá-la de lá seria uma tolice; mas prometeu convencê-la a desenhar em breve novos modelos, pelo menos os de inverno. Michele reiterou que não dar a Lila a gerência da loja de calçados era uma estupidez, e adiou a discussão com uma frieza vagamente ameaçadora para depois do verão, dando por certo que ela já começaria a projetar novos sapatos.

"Deve ser coisa chique", recomendou, "você precisa insistir nesse ponto."

"Vai fazer, como de hábito, o que agrada a ela."

"Eu posso aconselhá-la, a mim ela ouve", disse Michele.

"Não há necessidade."

Fui ver Lila logo depois daquele acordo, ela mesma me contou tudo. Eu tinha acabado de sair do colégio, já fazia um certo calor, me sentia cansada. Ela estava sozinha na charcutaria e, num primeiro momento, me pareceu como que aliviada. Disse que não desenharia nada, nem sequer uma sandália, nem sequer uma pantufa.

"Eles vão ficar furiosos."

"E eu com isso?"

"É questão de dinheiro, Lila."

"Eles já têm o suficiente."

Parecia seu modo habitual de fazer birra, ela era assim, bastava que alguém lhe dissesse concentre-se em alguma coisa e ela logo perdia a vontade. Mas não demorei a perceber que não se tratava de um traço de seu caráter nem de desgosto pelos negócios do marido, de Rino, dos Solara, quem sabe reforçado pelas conversas comunistas com Pasquale e Carmen. Havia algo mais, e ela me falou devagar, com seriedade.

"Não me vem nenhuma ideia à cabeça", disse.

"Já tentou?"

"Sim. Mas não é mais como aos doze anos."

Os sapatos — compreendi — tinham saído de seu cérebro apenas aquela vez e não voltariam mais, não havia outros. A brincadeira tinha terminado, não sabia como reiniciá-la. Até o cheiro do couro e das peles a repugnava, e já não sabia fazer aquilo que tinha feito. Além disso, tudo havia mudado. A pequena oficina de Fernando tinha sido devorada pelos ambientes novos, pelas bancadas dos empregados, por três máquinas. O pai tinha como que se apequenado, nem brigava mais com o filho mais velho, apenas trabalhava. Até os afetos pareciam esvaziados. Se sua mãe ainda lhe causava ternura quando passava na charcutaria para encher as sacolas de graça como se ainda fossem os tempos de miséria, se ainda dava presentinhos aos irmãos mais novos, não conseguia mais sentir um vínculo com Rino. Estava gasto, corrompido. A necessidade de ajudá-lo e protegê-lo se enfraquecera. Por isso faltavam todos os motivos que tinham acendido a fantasia dos sapatos, o terreno em que germinara havia secado. Foi sobretudo uma maneira — disse de repente — de demonstrar a você que eu sabia fazer bem as coisas, apesar de não frequentar mais a escola. Depois sorriu nervosa, lançando-me um olhar oblíquo para captar minha reação.

Não respondi, experimentei uma forte emoção que me embargou. Lila era mesmo assim? Será que não tinha minha teimosa aplicação? Tirava de si pensamentos, sapatos, palavras escritas e faladas, planos complicados, fúrias e invenções só para mostrar *a mim* algo de si? Perdido aquele motivo, se dispersava? Nunca saberia refazer nem mesmo aquilo que fizemos com sua fotografia de noiva? Tudo nela seria fruto da desordem das ocasiões?

Tive a impressão de que, em alguma parte de mim, uma longa e dolorosa tensão se afrouxava, e seus olhos brilhantes me enterneceram, seu sorriso frágil. Mas durou pouco. Ela continuou falando, tocou a fronte com um gesto costumeiro e disse desgostosa: "Preciso sempre demonstrar que posso ser a melhor". Depois acrescentou, sombria: "Quando abrimos este lugar, Stefano me mostrou como se trapaceia com o peso; eu de início gritei você é um ladrão, taí como você faz dinheiro, mas depois não soube resistir, mostrei a ele que tinha aprendido e logo descobri outros modos de enganar e os mostrei a ele, e sempre inventava novos; eu engano todos vocês, trapaceio no peso e em mil outras coisas, engano o bairro, não se fie em mim, Lenu, não se fie no que eu digo e no que faço".

Me senti incomodada. Ela mudava num instante, eu já não sabia o que pretendia. Por que agora me falava daquela maneira? Não entendia se ela o fazia de caso pensado ou se as palavras saíam de sua boca sem querer, num fluxo impetuoso em que a intenção de reforçar nossos laços — intenção verdadeira — era logo varrida por uma necessidade igualmente verdadeira de negar-lhe uma especificidade: veja, me comporto com Stefano como com você, faço assim com qualquer um, faço o bem e faço o mal, o bonito e o feio. Entrelaçou as mãos longas e finas, apertou forte, perguntou:

"Ouviu que Gigliola anda dizendo que a foto pegou fogo sozinha?".

"É uma tolice, Gigliola invocou com você."

Deu uma risadinha que pareceu um estalo, algo nela se retorceu muito bruscamente.

"Sinto uma dor aqui, atrás dos olhos, há algo que pressiona. Está vendo essas facas? São muito afiadas, acabei de buscá-las do amolador. Enquanto corto o salame, penso em quanto sangue há no corpo das pessoas. Se você põe muita matéria nas coisas, elas se rompem. Ou então lançam centelhas e queimam. Estou contente de que a foto com o vestido de noiva tenha queimado. Era preciso queimar também o casamento, a loja, os sapatos, os Solara, tudo."

Compreendi que, por mais que se debatesse, fizesse e acontecesse, ela não saía daquilo: desde o dia do casamento era perseguida por uma cada vez maior, mais desgovernada infelicidade, e senti pena dela. Disse-lhe que se acalmasse, fez sinal que sim.

"Tente ficar tranquila."

"Me ajude."

"Como?"

"Fique perto de mim."

"É o que tenho feito."

"Não é verdade. Eu lhe conto todos os meus segredos, até os mais terríveis, e você quase nunca me fala de si."

"Engano seu. A única pessoa de quem não escondo nada é você." Fez um sinal enérgico de não, disse:

"Mesmo sendo melhor que eu, mesmo sabendo mais coisas, não me abandone."

## 32.

Insistiram até a exaustão, e aí ela fingiu ceder. Disse a Stefano que desenharia os novos sapatos, na primeira oportunidade disse o mesmo a Michele. Depois disso, convocou Rino e falou exatamente o que ele há tempos esperava escutar.

"Invente você os sapatos, eu não sou capaz. Invente com papai, vocês são do ofício e sabem como fazer. Mas, enquanto não os colocar no mercado e à venda, não diga a ninguém que não fui eu que os desenhei, nem mesmo a Stefano."

"E se não venderem?"

"Será culpa minha."

"E se forem bem?"

"Aí eu digo como as coisas se passaram e você receberá os elogios que merece."

Rino gostou muito daquela mentira. Pôs-se a trabalhar ao lado de Fernando, mas de vez em quando encontrava Lila secretamente para lhe mostrar seus projetos. Ela examinava os modelos e a princípio fazia um ar de admiração, em parte porque não tolerava a cara ansiosa do irmão, em parte para livrar-se logo dele. Mas rapidamente ela mesma se admirou da beleza dos novos sapatos, coerentes com os que já estavam à venda e no entanto reinventados. "Talvez", me disse um dia com um tom inesperadamente alegre, "eu não tenha de fato projetado aqueles outros, talvez sejam realmente obra de meu irmão." E naquele momento pareceu ter se livrado de um peso. Redescobriu o afeto por ele, ou melhor, se deu conta de que tinha exagerado nas palavras: aquele laço não podia se romper, nunca se romperia, não importa o que seu irmão fizesse, ainda que de seu corpo saísse um rato, um cavalo enfurecido, qualquer outro animal. A mentira — especulou — tirou de Rino a ansiedade de não saber fazer, e isso o fez voltar a quando era garoto, e agora está descobrindo que tem um verdadeiro ofício, que é competente. Quanto a ele, estava cada vez mais contente com o modo como a irmã elogiava seu trabalho. Ao final de cada consulta, pedia no ouvido dela a chave de casa e, sempre no maior segredo, ia passar uma hora lá com Pinuccia.

De minha parte, tentei mostrar a ela que eu seria sempre sua amiga, e aos domingos a convidava frequentemente para sair. Uma vez fomos até a Mostra d'Oltremare com duas colegas de colégio, que no entanto se intimidaram quando souberam que ela era casada havia mais de um ano e se comportaram como se eu as tivesse obrigado a sair com minha mãe, respeitosas, solenes. Uma delas lhe perguntou, indecisa:

"Você tem filhos?"

Lila fez sinal que não.

A partir daquele momento a noitada foi quase um fiasco.

Em meados de maio a arrastei a um círculo cultural ao qual, só porque Galiani me tinha aconselhado, me senti obrigada a ir escutar um cientista que se chamava Giuseppe Montalenti. Era a primeira vez que passávamos por uma experiência desse tipo: Montalenti dava uma espécie de aula, mas não propriamente para jovens, e sim a pessoas adultas que tinham comparecido especialmente para ouvi-lo. Ficamos ouvindo no fundo da sala espartana e eu logo me entediei. A professora me havia enviado ali, mas ela mesma não dera as caras. Murmurei a Lila: "Vamos embora". Mas Lila se recusou, me sussurrou que não tinha coragem de se levantar, temia perturbar a conferência: uma preocupação que não era típica dela, mas sinal de um repentino temor ou de um crescente interesse que não queria confessar. Ficamos até o final. Montalenti falou de Darwin, nenhuma de nós sabia quem era. Na saída, brincando, disse a ela:

"Ele disse uma coisa que eu já sabia: você é uma macaca".

Mas ela não estava para brincadeira:

"Nunca mais vou me esquecer disso".

"Que você é uma macaca?"

"Que somos todos animais."

"Eu e você?"

"Todos."

"Mas ele disse que há muitas diferenças entre nós e os macacos."

"É mesmo? Quais? Que minha mãe furou minhas orelhas e por isso uso brincos desde o nascimento, enquanto as mães dos macacos não fazem isso e eles não usam brincos?"

A partir daquele momento tivemos um ataque de riso e listamos diferenças daquele tipo, uma atrás da outra, cada vez mais absurdas, e nos divertimos muito. Mas quando voltamos ao bairro nosso bom humor desapareceu. Encontramos Pasquale e Ada passeando pelo estradão e por eles ficamos sabendo que Stefano estava procurando Lila em toda parte, estava muito preocupado. Eu me ofereci para acompanhá-la até em casa, ela recusou. Aceitou, no entanto, que Pasquale e Ada a acompanhassem de carro.

Soube só no dia seguinte por que Stefano a procurava. Não era pelo fato de termos demorado. Não era nem mesmo porque se chateava de a mulher passar o tempo livre comigo, e não com ele.

HISTÓRIA DO NOVO SOBRENOME 145

O motivo era outro. Tinha acabado de saber que Pinuccia se encontrara várias vezes com Rino em sua casa. Tinha acabado de saber que os dois se abraçavam em sua própria cama, que Lila dera a chave para eles. Tinha acabado de saber que Pinuccia estava grávida. Mas o que o deixara mais furioso era que, quando tinha dado uma bofetada na irmã pelas safadezas que ela e Rino tinham feito, Pinuccia lhe gritara: "Você está com inveja porque eu sou uma mulher, e Lina não, porque Rino sabe como se faz com as mulheres, e você não". E como, ao vê-lo todo agitado e ao ouvi-lo — lembrando-se do decoro que ele sempre demonstrara quando eram noivos —, Lila caíra na risada, Stefano, para não matá-la, foi dar um giro de carro. Segundo ela, tinha saído para procurar uma puta.

**33.**

O casamento de Pinuccia e Rino foi preparado às pressas. Eu me envolvi pouco, tinha os últimos trabalhos no colégio, os últimos exames orais. E além disso houve um fato que me deixou em grande agitação. Galiani, cuja norma era violar com desenvoltura o cânone de comportamento dos professores, me convidou — a mim e a mais ninguém do liceu — à casa dela, para uma festa organizada pelos filhos.

Já era bastante anômalo que me emprestasse seus livros e jornais, que me indicasse uma marcha pela paz e uma conferência complexa. Agora excedera a medida: chamou-me à parte e me fez o convite. "Venha como quiser", me disse, "sozinha ou acompanhada, com ou sem namorado: o essencial é que você venha." Assim, a poucos dias do fim do ano letivo, sem se preocupar com quanto eu precisava estudar, sem se preocupar com o terremoto que me sacudia por dentro.

Eu imediatamente disse que sim, mas logo me dei conta de que nunca teria a coragem de ir. Uma festa na casa de uma professora qualquer já era um acontecimento impensável, imagine na casa da professora Galiani. Para mim, era como se eu tivesse que me apresentar num palácio real, fazer reverência à rainha, dançar com príncipes. Uma alegria, mas também uma violência, como um puxão: ser arrastada pelo braço, ser constrangida a fazer algo que, embora a atraia, você sabe que não é feito para você, sabe que, se as circunstâncias não a obrigassem, você evitaria ir de bom grado. Galiani provavelmente nem cogitara que eu não tivesse nada para vestir. Nas aulas eu usava um canhestro avental preto: o que a professora esperava que houvesse debaixo daquele uniforme, roupas, anáguas e calcinhas como as dela? O que havia era inadequação, era miséria, falta de educação. Eu possuía um único par de sapatos, muito surrados. A única roupa que me parecia boa era aquela que eu usara no casamento de Lila, mas fazia calor, ficava bem em março, não em fins de maio. De todo modo, o problema não era apenas como se vestir. Havia a solidão, o embaraço de me encontrar entre estranhos, rapazes com maneiras de conversar, de gracejar, com gostos que eu desconhecia. Pensei em perguntar a Alfonso se ele não queria me acompanhar, ele sempre era muito gentil comigo. Mas — como me lembrei — Alfonso era meu colega de turma, e Galiani tinha convidado somente a mim. O que fazer? Durante dias me vi paralisada pela ânsia, pensei em falar com a professora e arranjar uma desculpa qualquer. Depois me veio a ideia de pedir conselho a Lila.

Como sempre, ela estava passando por um péssimo período, tinha um hematoma amarelado sob a maçã do rosto. Não acolheu bem a notícia.

"O que você vai fazer lá?"

"Ela me convidou."

"Onde essa professora mora?"

"No Corso Vittorio Emanuele."

"Se vê o mar da casa dela?"

"Não sei."

"O marido faz o quê?"

"É médico no Cotugno."

"E os filhos ainda estudam?"

"Não sei."

"Quer um vestido meu?"

"Você sabe que não caem bem em mim."

"Você só tem o peito mais cheio."

"Tenho tudo mais cheio, Lila."

"Então não sei o que lhe dizer."

"Não devo ir?"

"É melhor."

"Tudo bem, não vou."

Ela ficou visivelmente satisfeita com aquela decisão. Me despedi, saí da charcutaria, peguei uma rua com mirrados arbustos de oleandro. Mas a escutei me chamar, virei para trás.

"Posso ir com você", disse.

"Aonde?"

"À festa."

"Stefano não vai deixar."

"Isso depois se vê. Me diga se quer que eu vá ou não."

"Claro que quero."

A partir daquele momento ela ficou tão contente que não ousei tentar fazê-la mudar de ideia. Mas, já enquanto voltava para casa, senti que minha situação se agravara ainda mais. Nenhum dos obstáculos que me impediam de ir à festa tinham sido removidos e, acima de tudo, aquela oferta de Lila só me deixara mais confusa. Os motivos eram intricados, e eu não tinha intenção de listá-los, mas, se tivesse tentado, me veria diante de afirmações contraditórias. Temia que Stefano não permitisse que ela fosse. Temia que Stefano permitisse. Temia que se vestisse de modo espalhafatoso, como fizera ao visitar os Solara. Temia que, não importa o que ela vestisse, sua beleza explodisse como uma estrela, e todos corressem para disputar seus fragmentos. Temia que se expressasse em dialeto, que dissesse coisas debochadas, que ficasse evidente seu abandono da escola após o ensino fundamental. Temia que, assim que abrisse a boca, todos acabassem hipnotizados por sua inteligência e a própria Galiani se encantasse. Temia que a professora a achasse tão presunçosa quanto ingênua e me dissesse: quem é essa sua amiga?, não a encontre mais. Temia que talvez percebesse que sou apenas a sombra pálida dela e não se importasse mais comigo, mas com ela, e pretendesse revê-la, e insistisse em que retomasse os estudos.

Por uns dias evitei ir à charcutaria. Esperava que Lila se esquecesse da festa, que a data chegasse, que eu fosse quase às escondidas e depois lhe dissesse: você não me falou mais nada. Mas não demorou muito e ela veio me encontrar, coisa que não fazia há tempos. Tinha convencido Stefano não só a nos acompanhar, mas também a nos buscar, e queria saber a que horas era preciso chegar à casa da professora.

"O que você vai vestir?", perguntei ansiosa.

"O mesmo que você."

"Eu vou pôr uma blusa e uma saia."

"Então eu também."

"E tem certeza de que Stefano vai nos levar e buscar?"

"Tenho."

"Como você fez para convencê-lo?"

Fez um trejeito alegre, disse que agora sabia como dobrá-lo.

"Se quero uma coisa", sussurrou como se ela mesma não quisesse ouvir o que dizia, "basta bancar um pouco a cadela".

Disse assim mesmo, em dialeto, acrescentando outras expressões grosseiras de um jeito autoirônico, para que eu entendesse a repugnância que sentia pelo marido, o desgosto que infligia a si mesma. Minha ansiedade aumentou. Preciso dizer a ela — pensei — que não vou mais à festa, preciso dizer que mudei de ideia.

Naturalmente eu sabia que por trás da aparência da Lila disciplinada, que trabalha de manhã até a noite, havia uma Lila nem um pouco submissa; mas sobretudo agora, que eu estava assumindo a responsabilidade de introduzi-la na casa de Galiani, a Lila recalcitrante me assustava, me parecia cada vez mais agastada por sua própria recusa à rendição. O que aconteceria se, na presença da professora, algo a fizesse insurgir-se? O que aconteceria se decidisse adotar aquela linguagem que acabara de usar comigo? Falei cautelosamente:

"Por favor, não fale dessa maneira lá."

Ela me olhou perplexa.

"Dessa maneira como?"

"Como agora."

Calou-se um instante, então perguntou:

"Sente vergonha de mim?"

## 34.

Não sentia vergonha dela, jurei, mas escondi que temia me envergonhar.

Stefano nos acompanhou com o conversível até a casa da professora. Eu ia sentada atrás, os dois na frente, e pela primeira vez notei as duas alianças maciças nos dedos de ambos. Enquanto Lila estava de saia e blusa como prometera, nada de excessivo, nem maquiagem, somente um pouco de batom, ele se vestira para festa, cheio de ouro, um forte cheiro de creme de barbear, como se esperasse que no último segundo lhe disséssemos: venha também com a gente. Não falamos nada. Eu me limitei a agradecer calorosamente, várias vezes, ao passo que Lila saiu do carro sem sequer se despedir dele. Então Stefano foi embora com um chiado doloroso dos pneus.

Ficamos tentadas a pegar o elevador, mas renunciamos. Nunca tínhamos tido a possibilidade de usar um desses, nem o prédio novo de

Lila tinha elevador, e temíamos ter de enfrentar alguma dificuldade. Galiani me dissera que seu apartamento ficava no quarto andar, que na porta estava escrito "Prof. Dr. Frigerio", mas mesmo assim checamos as placas de todos os andares, em silêncio, lance após lance. Como o prédio era limpo, como as maçanetas das portas e as placas de latão reluziam! Meu coração batia forte.

Identificamos a porta sobretudo pela música em alto volume que vinha de lá, pelo rumor de vozes. Alisamos nossas saias, eu ajustei a anágua que tendia a subir por minhas pernas, Lila ajeitou o cabelo com a ponta dos dedos. Ambas evidentemente temíamos sair daquele papel, arrancar num instante de distração a máscara decorosa que nos impuséramos. Apertei o botão da campainha.

Esperamos, ninguém veio abrir. Olhei para Lila, toquei de novo a campainha, com mais insistência. Passos velozes, a porta se abriu. Apareceu um rapaz moreno, de baixa estatura, com o olhar vivo num rosto bonito. Ali no momento jurei que tinha uns vinte anos. Disse-lhe emocionada que era uma aluna da professora Galiani, mas ele nem me deixou terminar, riu, exclamou:

"Elena?"

"Sim."

"Você é muito popular nesta casa, minha mãe nunca perde a ocasião de nos atormentar lendo suas redações."

O rapaz se chamava Armando e sua frase foi decisiva, me deu uma repentina sensação de potência. Ainda me lembro dele, ali na soleira, com simpatia. Foi o primeiro em absoluto a me demonstrar, na prática, como é confortável chegar a um ambiente estranho, potencialmente hostil, e descobrir que você foi precedida de uma boa fama, que não precisa fazer nada para ser aceita, que seu nome já é conhecido, que já se sabe bastante sobre você, que são os outros, os estranhos, que devem se esforçar para caírem em suas graças, e não você na deles. Habituada como eu era à ausência de privilégios, aquele privilégio inesperado me deu energia, me tornou imediatamente desenvolta. As ansiedades sumiram, não me preocupei mais com o que Lila podia ou não aprontar. Tomada por minha súbita centralidade, esqueci até de apresentar minha amiga a Armando, nem por seu turno ele pareceu notá-la. Acompanhou-me como se eu estivesse sozinha, insistindo com alegria sobre como a mãe falava de mim, os elogios que me fazia. Eu o segui me esquivando, e Lila fechou a porta.

O apartamento era grande, os cômodos todos abertos e iluminados, o teto altíssimo e decorado com motivos florais. O que mais me impressionou foram os livros por toda parte, havia mais livros naquela casa que na biblioteca do bairro, paredes inteiras cobertas de prateleiras até o teto. E música. E jovens dançando desenfreados numa sala muito ampla, com iluminação luxuosa. E outros que conversavam fumando. Todos evidentemente estudavam, filhos de pais que também tinham estudado. Como Armando: a mãe professora, o pai médico-cirurgião, mas que não estava presente naquela noite. O rapaz nos levou até um pequeno terraço, o ar tépido, muito céu, um cheiro intenso de glicínias e rosas misturado ao do vermute e do marzipã. Vimos a cidade cheia de luzes, a planície escura do mar. A professora me chamou alegremente pelo nome, foi ela que me fez lembrar de Lila, atrás de mim.

"É sua amiga?"

Balbuciei alguma coisa, me dei conta de não saber como se faziam as apresentações. "Minha professora. Ela se chama Lina. Fomos colegas de infância", disse. Galiani elogiou com entusiasmo as amizades antigas, tão importantes, uma ancoragem, frases genéricas pronunciadas enquanto fixava Lila, que respondeu embaraçada com alguns monossílabos e, quando se deu conta de que a professora pousara o olhar na aliança em seu dedo, imediatamente cobriu o anel com a outra mão.

"Você é casada?".

"Sou."

"Tem a mesma idade de Elena?"

"Sou duas semanas mais velha."

Galiani olhou em volta e se dirigiu ao filho:

"Já as apresentou a Nadia?".

"Não."

"E está esperando o quê?"

"Calma, mamãe, elas acabaram de chegar."

A professora me disse:

"Nadia quer muito conhecer você. Este aqui é um malandro, cuidado com ele, mas Nadia é excelente, vai ver que vão ficar amigas, você vai gostar dela."

Fomos, e ela ficou sozinha, fumando. Entendi que Nadia era a irmã mais nova de Armando: dezesseis anos de pura chatice — ele a definiu com fingida agressividade —, acabou com minha infância. Mencionei com ironia os problemas que meus irmãos menores sempre me deram, dirigindo-me a Lila para confirmar o que eu dizia, rindo. Mas ela continuou séria, sem falar nada. Voltamos à sala de dança, que agora estava na penumbra. Uma canção de Paul Anka, ou talvez *What a Sky*, quem se lembra. Os jovens estavam colados uns aos outros, sombras que oscilavam apagadas. A música terminou. Antes mesmo que algum importuno mexesse no interruptor da luz, senti um choque no peito e reconheci Nino Sarratore. Estava acendendo um cigarro, a chama iluminou seu rosto. Não o encontrava havia quase um ano, me pareceu mais velho, mais alto, mais descabelado, mais bonito. Enquanto isso a luz elétrica explodiu na sala, e reconheci também a menina com quem ele acabara de dançar. Era a mesma que tempos atrás eu tinha visto na saída da escola, a garota elegante, luminosa, que me forçara a ter consciência de minha opacidade.

"Olha ela ali", disse Armando.

Nadia, a filha da professora Galiani, era ela.

## 35.

Por mais que possa parecer estranho, aquela descoberta não estragou meu prazer de estar ali, naquela casa, entre gente educada. Eu amava Nino, não tinha dúvida, nunca duvidei disso. E, claro, deveria sofrer diante daquela enésima prova de que nunca o teria. Mas não aconteceu. Que ele tivesse uma namorada, que a namorada fosse em tudo melhor do que eu, tudo isso já se sabia. A novidade era que se tratava da filha de Galiani, crescida naquela casa, entre aqueles livros. Imediatamente senti que a coisa, em vez de dolorosa, me acalmava, justificava ainda mais eles terem se escolhido, era um movimento inevitável, em harmonia com a ordem natural das coisas. Enfim, me senti como se de repente tivesse diante dos olhos um exemplo tão perfeito de simetria que era preciso degustá-lo sem sequer respirar.

Mas não foi só isso. Aconteceu que, assim que Armando disse à irmã "Nadia, esta aqui é Elena, a aluna de mamãe", a menina se acendeu e de pronto envolveu meu pescoço com os braços, murmurando: "Elena, como estou contente de conhecer você". Então, sem me dar tempo de dizer uma só palavra, passou a elogiar sem a ironia do irmão os textos que eu escrevia e como os escrevia, com um tom de tanto entusiasmo que me senti como quando a mãe dela lia na aula alguma redação minha. Ou quem sabe foi até melhor, porque agora estavam ali presentes as pessoas mais preciosas para mim, Nino e Lila, e ambos podiam constatar que eu era amada e estimada naquela casa.

Assumi ares de camaradagem dos quais nunca me achei capaz, me lancei depressa numa falação desinibida, me saí com um belo italiano culto que não me pareceu artificial como o que eu usava na escola. Perguntei a Nino sobre sua viagem à Inglaterra, quis saber de Nadia que livros ela estava lendo, de que música gostava. Dancei ora com Armando, ora com outros, sem parar um minuto, e me senti até capaz de um rock'n'roll, durante o qual meus óculos voaram do nariz, mas sem se quebrar. Uma noitada miraculosa. A certa altura vi Nino trocando umas palavras com Lila, convidando-a para dançar. Mas ela recusou, saiu da sala de dança, e a perdi de vista. Passou muito tempo até que eu pensasse de novo em minha amiga. Foi preciso que a dança diminuísse lentamente, que começasse uma discussão cerrada entre Armando, Nino e uns dois rapazes da mesma idade, a ida de todos eles com Nadia ao terraço, um pouco pelo calor, um pouco para envolver Galiani na discussão, que ficara sozinha fumando e tomando ar. "Venha", me disse Armando, segurando-me pela mão. Respondi: "Vou chamar minha amiga", e me desembaracei. Sentindo muito calor, procurei Lila pelos cômodos e a encontrei sozinha diante de uma parede de livros.

"Vamos, vamos ao terraço", falei.

"Fazer o quê?"

"Tomar um ar, conversar."

"Vá você."

"Você está entediada?"

"Não, estou olhando os livros."

"Viu quantos?".

"Vi."

Senti que estava insatisfeita. Porque tinha sido deixada para trás. Culpa da aliança no anular, pensei. Ou talvez aqui sua beleza não seja tão reconhecida, vale mais a de Nadia. Ou talvez fosse ela que, mesmo tendo um marido, mesmo tendo ficado grávida, mesmo tendo feito um aborto, mesmo tendo inventado sapatos, mesmo sabendo fazer dinheiro, não soubesse quem ela é nesta casa, não soubesse se impor como no bairro. Eu, sim. De repente me dei conta de que se desfizera o estado de suspensão iniciado no dia do casamento de Lila. Eu sabia estar com aquelas pessoas, me sentia melhor entre eles que entre os amigos do bairro. A única ansiedade era a que Lila me causava com sua retração, seu permanecer à margem. Tirei-a da frente dos livros e a arrastei até o terraço.

Enquanto a maioria ainda dançava, em torno da professora se formara um pequeno grupo, três ou quatro rapazes e duas garotas. Mas só os rapazes falavam, a única mulher que intervinha, e ironicamente, era Galiani. Logo percebi que os rapazes mais velhos, Nino, Armando e um chamado Carlo, não achavam decente confrontar-se com ela. Preferiam sobretudo confrontar-se entre si, considerando-a apenas alguém que, com sua autoridade, confere a palma da vitória. Armando estava polemizando com a mãe, mas de fato se dirigia a Nino. Carlo aderia às posições da professora, mas, ao confrontar-se com os outros dois, tendia a distinguir entre suas próprias razões e as dela. Já Nino rebatia em amistoso dissenso com Galiani e em conflito com Armando, em conflito com Carlo. Fiquei ouvindo, encantada. As palavras deles eram brotos que em minha cabeça se tornavam flores mais ou menos conhecidas — e nesse caso eu me exaltava, simulando participação —, ou manifestavam formas que eu desconhecia, e então me retraía para ocultar minha ignorância. Quando isso acontecia, eu ficava nervosa: não sei de que estão falando, não sei quem é esse fulano, não consigo entender. Eram sons sem significado, me demonstravam que o mundo das pessoas, dos fatos, das ideias era imenso, e que minhas leituras noturnas não tinham sido suficientes, eu precisava me dedicar ainda mais para poder dizer a Nino, a Galiani, a Carlo, a Armando: sim, eu entendo, eu sei. Todo o planeta está ameaçado. A guerra nuclear. O colonialismo, o neocolonialismo. Os *pieds-noirs*, a OEA e a Frente de Libertação Nacional. O furor dos massacres. O gaullismo, o fascismo. *France, Armée, Grandeur, Honneur*. Sartre é pessimista, mas conta com as massas operárias comunistas de Paris. O declínio da França, da Itália. Abertura à esquerda. Saragat, Nenni. Fanfani em Londres, Macmillan. O congresso democrata-cristão em nossa cidade. Os fanfanianos, Moro, a esquerda democrata-cristã. Os socialistas acabaram nas garras do poder. Seremos nós, comunistas, nós, com nosso proletariado e nossos parlamentares, que aprovaremos as leis da centro-esquerda. Se as coisas seguirem esse rumo, o partido marxista-leninista se transformará numa socialdemocracia. Viram como Leone se comportou na abertura do ano letivo? Armando balançava a cabeça, desgostoso: não é com planejamento que o mundo se transforma, é preciso sangue, é preciso violência. Nino lhe respondia com calma: o planejamento é um instrumento indispensável. Um debate intenso, Galiani observava os rapazes. Quantas coisas sabiam, dominavam toda a face da terra. A certa altura Nino citou os Estados Unidos com simpatia, pronunciou palavras em inglês como se fosse um inglês. Notei que no intervalo de um ano sua voz engrossara, era espessa, quase rouca, e ele a usava de maneira menos rígida do que quando falara no casamento de Lila e, depois, no colégio. Citou também Beirute como se tivesse estado lá, e Danilo Dolci e Martin Luther King e Bertrand Russell. Mostrou-se favorável à formação do que chamava de Brigada mundial pela paz e rebateu Armando, que tratava dela com sarcasmo. Depois se exaltou, subiu de tom. Ah, como era bonito. Disse que o mundo tinha as capacidades técnicas para eliminar da face da terra o colonialismo, a fome, a guerra. Fiquei escutando arrebatada pela emoção e, mesmo me sentindo perdida entre mil coisas que ignorava — o que eram o gaullismo, a OEA, a socialdemocracia, a abertura à esquerda; quem eram Danilo Dolci, Bertrand Russell, os *pieds-noirs*, os fanfanianos; e o que acontecera em Beirute e na Argélia —, senti a necessidade, como já há tempos, de cuidar dele, de acudi-lo, de protegê-lo, de defendê-lo em cada coisa que fizesse ao longo da vida. Foi o único momento da noite em que senti inveja de Nadia, que estava ao lado dele como uma divindade menor, mas radiante. Depois me ouvi pronunciando frases como se outra pessoa tivesse decidido falar por mim, como se alguém mais seguro, mais informado, tivesse resolvido se expressar por minha boca. Tomei a palavra sem saber o que diria, mas, ouvindo os rapazes, moveram-se em minha cabeça pedaços de frases lidas nos livros e nos jornais de Galiani, e a timidez se tornou menos forte que a vontade de me pronunciar, de mostrar que eu estava ali. Usei o italiano elevado no qual me adestrara fazendo traduções do grego e do latim. Alinhei-me com Nino. Disse que não queria viver em um mundo novamente em guerra. Nós, eu disse, não devemos repetir os erros das gerações que nos precederam. A guerra hoje deve ser travada contra os arsenais atômicos, contra a própria guerra. Se permitirmos o uso dessas armas, todos nos tornaremos muito mais culpados que os nazistas. Ah, como me emocionei ao falar: senti que lágrimas subiam aos meus olhos. Concluí afirmando que o mundo tinha urgência de mudança, que havia tiranos demais escravizando os povos. Mas que tinha de ser mudado pela paz.

Não sei se fui apreciada por todos. Armando me pareceu contrariado, e uma garota loira cujo nome eu não sabia me fixou com um risinho irônico. Mas, já enquanto eu falava, Nino me fez sinais de concordância. E Galiani, quando logo em seguida tomou a palavra, me citou duas vezes e foi emocionante ouvir: "Como justamente disse Elena". De todo modo, foi Nadia quem fez o gesto mais bonito. Afastou-se de Nino e veio sussurrar em meu ouvido: "Como você é excelente, como é corajosa". Lila, que estava a meu lado, não deu um pio. No entanto, enquanto a professora ainda falava, ela me deu um puxão e sibilou em dialeto:

"Estou morrendo de sono, você pode perguntar onde fica o telefone e chamar Stefano?".

### 36.

Só fui saber o quanto aquela noite lhe fizera mal muito depois, lendo seus cadernos. Admitia que ela mesma pedira para me acompanhar. Admitia que acreditara poder livrar-se da charcutaria ao menos naquela noite e estar bem comigo, participar daquele súbito alargamento de meu mundo, conhecer a professora Galiani, conversar com ela. Admitia ter acreditado que acharia uma maneira de não destoar. Admitia que estava certa de agradar aos homens, sempre agradara. No entanto se sentira de repente sem voz, sem graça, privada de gesto, de beleza. Listava detalhes: mesmo quando estávamos uma ao lado da outra, todos preferiam dirigir a palavra apenas a mim; me levaram docinhos, me levaram bebidas, ninguém movera um dedo por ela; Armando me mostrara um quadro de família, coisa do século XVII, falara a respeito dele comigo por uns quinze minutos; ela tinha sido tratada como se não fosse capaz de entender. Não a queriam ali. Não queriam saber nada sobre a pessoa que ela era. Naquela noite, pela primeira vez, ela tivera a clareza de que sua vida seria para sempre Stefano, as charcutarias, o casamento do irmão com Pinuccia, as conversas com Pasquale e Carmen, a guerra mesquinha com os Solara. Isso é o que ela escrevera, e mais, talvez naquela mesma noite, talvez na manhã seguinte, na loja. Ali, durante toda a noite, se sentira definitivamente perdida.

Mas no carro, enquanto voltávamos ao bairro, não fez nenhuma menção àqueles sentimentos, tornou-se apenas maldosa, pérfida. Começou assim que se acomodou no carro, quando o marido perguntou de mau humor se tínhamos nos divertido. Deixei que ela respondesse, eu estava tonta de esforço, de excitação, de prazer. Ela então, lentamente, passou a me machucar. Disse em dialeto que nunca se sentira tão entediada na vida. Era melhor se tivéssemos ido ao cinema, se lamentou com o marido, e — coisa anômala, feita evidentemente de propósito para me ferir, para me recordar: veja, bem ou mal eu tenho um homem, ao passo que você, nada, ainda é virgem, sabe tudo, mas isso você não sabe — acariciou a mão dele, apoiada na manopla do câmbio. Até ver televisão, disse, teria sido mais divertido que passar o tempo com aquela gente de merda. Não há uma coisa lá dentro, um objeto, um quadro, que eles tenham conquistado por si. Os móveis são de cem anos atrás. A casa tem pelo menos trezentos anos. Os livros, sim, alguns são novos, mas outros são velhíssimos, têm tanta poeira que não são folheados há séculos, velharias de direito, de história, de ciências, de política. Naquela casa os pais, os avós e os bisavós leram e estudaram. Há centenas de anos atuam no mínimo como advogados, médicos, professores. Por isso falam todos assim, por isso se vestem e comem e se movem assim e assado. E o fazem porque nasceram ali. Mas não têm na cabeça nenhum pensamento próprio, que se esforçaram em pensar. Sabem tudo e não sabem nada. Beijou o marido no pescoço, alisou-lhe o cabelo com a ponta dos dedos. Se você estivesse lá, Sté, veria apenas papagaios fazendo currupaco, currupaco. Não se entendia uma única palavra do que diziam, nem eles mesmos se entendiam entre si. Você sabe o que é a OEA, o que é abertura à esquerda? Da próxima vez não me leve, Lenu, leve Pasquale; aí você vai ver como ele os enquadra num piscar de olhos. Chimpanzés que mijam e cagam no vaso, não no chão, e por isso se acham grandes coisas, dizendo que sabem o que deve ser feito na China, na Albânia, na França e no Katanga. E você também, Lena, preciso lhe dizer: fique esperta, você está se transformando na papagaia dos papagaios. Virou-se para o marido, rindo. Você tinha que estar lá para ouvir, lhe disse. Falava com uma vozinha, piu-piu, piu-piu. Pode mostrar a Stefano como você fala com eles? Você e o filho de Sarratore: idênticos. *A brigada mundial da paz; nós temos as capacidades técnicas; a fome, a guerra.* Mas será que você faz tanto esforço na escola só para depois repetir as coisas que aquele lá diz? *Quem sabe resolver os problemas trabalha pela paz.* Bravo! Lembra como o filho de Sarratore sabia resolver os problemas? Lembra, sim, e ainda vai na dele? Também você quer ser a marionete do bairro, que representa para ser recebida na casa daquela gente? Querem nos deixar em nossa merda, quebrando a cabeça sozinhos, enquanto vocês fazem currupaco, currupaco, a fome, a guerra, a classe operária, a paz?

Durante todo o trajeto do Corso Vittorio Emanuele até em casa ela foi tão cruel que eu emudeci e senti seu veneno transformando o que me parecera um momento importante de minha vida num passo em falso, que me tornara ridícula. Lutei para não acreditar nela. Senti que realmente era uma inimiga capaz de tudo. Sabia tornar incandescente a nervura da gente de bem, acendia nos peitos o fogo da destruição. Dei razão a Gigliola e a Pinuccia, na foto era ela mesma que queimava como um demônio. Tive ódio dela, e até Stefano notou quando, parando em frente ao portão e me abrindo a porta do seu lado, disse conciliador: "Tchau, Lenu, boa noite, Lina está brincando"; e eu murmurei: "Tchau", e fui embora. Somente quando o carro já tinha partido ouvi Lila gritando para mim, arremedando a voz que, segundo ela, eu afetara de propósito na casa de Galiani: "Tchau, hein, tchau".

## 37.

Começou naquela noite o longo, conturbado período que desembocou em nosso primeiro rompimento e numa longa separação.

Demorei a me recuperar. Até aquele momento houvera mil motivos de tensão, seu descontentamento e sua ânsia de dominação emergiam cada vez mais. Mas nunca, nunca, nunca ela se empenhara tão explicitamente em me humilhar. Renunciei às minhas escapadas à charcutaria. Apesar de ter comprado meus livros didáticos, apesar de termos feito aquela nossa aposta, não fui dizer a ela que acabei sendo aprovada com oito em tudo e dois noves. Assim que as aulas acabaram, comecei a trabalhar numa livraria da Via Mezzocannone e sumi do bairro sem avisá-la. Em vez de se atenuar, a lembrança do tom sarcástico daquela noite cresceu muito, e até o rancor se tornou sempre mais robusto. Pareceu-me que nada pudesse justificar o que ela me fizera. Nunca me passara pela cabeça, como no entanto acontecera em outras ocasiões, que ela sentiria a necessidade de me humilhar para poder suportar melhor a própria humilhação.

Para facilitar meu distanciamento, logo depois tive a confirmação de que realmente eu tinha causado boa impressão na festa. Perambulava pela Via Mezzocannone durante o intervalo do almoço quando ouvi me chamarem. Era Armando, estava indo fazer uma prova oral. Descobri que estudava medicina e que o exame era difícil, mas, antes de sumir rumo a San Domenico Maggiore, mesmo assim ele passou um tempo comigo, enchendo-me de elogios e voltando a falar de política. À noite ele até passou na livraria, tinha tirado oito e estava feliz. Pediu meu número de telefone, respondi que não tinha telefone; perguntou se podíamos passear no domingo seguinte, disse a ele que aos domingos precisava ajudar minha mãe em casa. Passou a falar da América Latina, para onde tinha intenção de ir assim que se formasse, para tratar dos deserdados e convencê-los a empunhar armas contra os opressores; falou tanto que tive de mandá-lo embora antes que meu patrão ficasse nervoso. Em suma, eu estava contente porque era óbvio que ele gostava de mim, e eu fui gentil, mas não disponível. De todo modo, as palavras de Lila tinham feito estrago. Eu me sentia malvestida, mal penteada, falsa nos tons, ignorante. Além disso, com o final das aulas, sem Galiani, o hábito de ler jornais se afrouxara e, porque o dinheiro também era contado, não senti a necessidade de comprá-los do meu próprio bolso. Assim Nápoles, a Itália, o mundo rapidamente voltaram a ser uma extensão árida e enevoada, dentro da qual eu não me orientava mais. Armando falava e eu fazia que sim com a cabeça, mas do que ele falava eu entendia bem pouco ou quase nada.

No dia seguinte houve outra surpresa. Enquanto eu varria o piso da livraria, me apareceram na frente Nino e Nadia. Tinham sabido por Armando onde eu trabalhava e vieram só para me dar um alô. Propuseram que eu fosse com eles ao cinema no domingo seguinte. Precisei responder como tinha respondido a Armando: não era possível, eu trabalhava a semana inteira e, nos dias de folga, minha mãe e meu pai queriam que eu ajudasse em casa.

"Mas você pode pelo menos passear pelo bairro?"

"Isso, sim."

"Pois então nós vamos encontrar você."

Como o patrão me chamou com um tom mais impaciente que o de costume — era um homem de seus sessenta anos, a pele do rosto parecendo suja, muito irascível, um olhar equívoco —, os dois foram embora logo.

No fim da manhã do domingo seguinte, ouvi me chamarem do pátio e reconheci a voz de Nino. Apareci na janela, ele estava sozinho. Tentei em poucos minutos me pôr num aspecto apresentável e, sem sequer avisar minha mãe, feliz e ao mesmo tempo ansiosa, corri para baixo. Quando o vi na minha frente, perdi o fôlego. "Só tenho dez minutos", disse a ele ofegante, e, em vez de passearmos pelo estradão, perambulamos entre os edifícios. Por que ele tinha vindo sem Nadia? Por que se deslocara até o bairro mesmo ela não podendo vir? Respondeu àquelas minhas perguntas sem que eu as expressasse. Nadia tinha visita de parentes paternos e foi obrigada a ficar em casa. Ele viera para rever o bairro e também para me trazer algo para ler, o último número de uma revista chamada *Cronache Meridionali*. Me estendeu o fascículo com um gesto incomodado, eu agradeci, e de modo incongruente ele passou a falar mal da revista, tanto que me perguntei por que decidira dar um exemplar a mim. "É esquemática", disse, e acrescentou rindo: "Que nem Galiani e Armando". Depois voltou a ficar sério e assumiu um tom que me pareceu de velho. Disse que devia muitíssimo à nossa professora, que sem ela o período do liceu teria sido uma perda de tempo, mas que era preciso ficar atento, mantê-la à distância: "O maior problema", sublinhou, "é que ela não suporta que se possa pensar diferentemente dela". Então retornou à revista, disse que Galiani também escrevia nela e de repente, sem nenhum nexo, fez menção a Lila: "Depois quem sabe você empresta para ela". Não lhe disse que Lila não lia mais nada, que agora era apenas a senhora Carracci, que, da

HISTÓRIA DO NOVO SOBRENOME 163

infância, só tinha conservado a crueldade. Me esquivei, perguntei sobre Nadia, me disse que ela faria uma longa viagem com a família, de carro até a Noruega, e depois passaria o resto das férias em Anacapri, onde o pai tinha uma casa da família.

"Você vai encontrá-la?"

"Uma ou duas vezes, preciso estudar."

"Sua mãe está bem?"

"Está ótima. Este ano vai voltar a Barano, fez as pazes com a dona da casa."

"E você vai passar as férias com a família?"

"Eu? Com meu pai? Nunca, nunca. Vou ficar em Ischia, mas por minha conta".

"Onde?"

"Um amigo meu tem uma casa em Forio: os pais a deixam com ele durante todo o verão e vamos ficar lá, estudando. E você?"

"Vou trabalhar em Mezzocannone até setembro."

"Inclusive no feriado de Ferragosto?"

"Não, no Ferragosto não."

Ele sorriu:

"Então venha a Forio, a casa é grande: talvez Nadia também venha por dois ou três dias".

Sorri emocionada. Em Forio? Em Ischia? Numa casa sem adultos? Ele se lembrava dos Maronti? Lembrava que tínhamos nos beijado ali? Respondi que precisava voltar para casa. "Vou passar de novo", prometeu, "quero saber o que achou da revista". Acrescentou em voz baixa, as mãos enterradas nos bolsos: "Gosto de conversar com você".

De fato, ele tinha falado bastante. Fiquei orgulhosa, comovida por ele ter se sentido à vontade. Murmurei: "Eu também", embora eu não tivesse falado quase nada, e estava para atravessar o portão quando aconteceu um fato que nos perturbou. Um grito cortou a calma dominical do pátio e vi Melina à janela, agitando os braços e tentando chamar nossa atenção. Quando Nino finalmente se virou para olhar, perplexo, Melina gritou ainda mais forte, um misto de júbilo e de angústia. Gritou: Donato.

"Quem é?", perguntou Nino.

"Melina", respondi, "se lembra?".

Ele fez uma careta de incômodo.

"Será que invocou comigo?".

"Não sei."

"Ela disse Donato."

"Pois é."

Virou-se mais uma vez e olhou a janela, de onde a viúva se debruçava, gritando o mesmo nome.

"Você acha que me pareço com meu pai?".

"Não."

"Tem certeza?".

"Tenho."

Disse nervoso:

"Vou indo."

"É melhor."

Afastou-se a passos rápidos, ombros curvos, enquanto Melina o chamava cada vez mais alto, cada vez mais agitada: Donato, Donato, Donato.

Também fui embora, voltei para casa com o coração batendo forte, mil pensamentos emaranhados. Nino não tinha um traço sequer que o assemelhasse a Sarratore: nem a estatura, nem o rosto, nem os modos, nem mesmo a voz ou o olhar. Era um fruto anômalo, docíssimo. Como era fascinante com aqueles cabelos compridos e despenteados. Como era estranho a qualquer outra forma masculina: em toda Nápoles não havia ninguém que se parecesse com ele. E gostava de mim, embora eu ainda estivesse começando o terceiro ano do liceu, e ele, a universidade. Viera até o bairro num domingo. Estava preocupado comigo, viera me alertar. Quis me avisar que

Galiani era ótima, mas também tinha lá seus defeitos, e além do mais me trouxera aquela revista certo de que eu tinha capacidade de lê-la e discuti-la, chegara inclusive a me convidar a Ischia, a Forio, no Ferragosto. Algo impraticável, não um verdadeiro convite, ele mesmo sabia que meus pais não eram como os de Nadia, nunca me deixariam ir; no entanto me convidara mesmo assim, para que nas palavras ditas eu sentisse outras palavras não ditas, como: *quero reencontrá-la, como eu gostaria de retomar nossas conversas no Porto, nos Maronti.* Sim, sim, me ouvi gritando dentro de mim, eu também gostaria, irei encontrá-lo, no Ferragosto fujo de casa, aconteça o que acontecer.

Escondi a revista entre meus livros. Mas à noite, assim que me deitei, olhei o índice, estremeci. Havia um artigo de Nino. Um artigo dele, naquela publicação de aspecto seríssimo: quase um livro, não a revistinha sem graça dos estudantes na qual, dois anos antes, me propusera publicar meu relato contra o padre, mas páginas de relevo, escritas para pessoas adultas e por pessoas adultas. No entanto lá estava ele, Antonio Sarratore, nome e sobrenome. E eu o conhecia. E era apenas dois anos mais velho que eu.

Li, compreendi pouco, reli. O artigo falava de Planejamento com maiúscula, de Plano com maiúscula, e era escrito de modo complicado. Mas era uma parte de sua inteligência, uma parte de sua pessoa que, sem se vangloriar, em surdina, ele presenteara a mim.

*A mim.*

Meus olhos se encheram de lágrimas, só pus a revista de lado tarde da noite. Contar a Lila? Emprestar a revista a ela? Não, aquilo era uma coisa minha. Não queria mais ter relações verdadeiras com ela, somente oi, frases genéricas. Ela não sabia me dar valor. Já outros sabiam: Armando, Nadia, Nino. Esses eram meus amigos, a eles eu faria minhas confidências. Tinham visto em mim, de imediato, o que ela se apressara em não ver. Porque tinha o olhar do bairro. Só era capaz de ver como Melina, que, fechada em sua loucura, enxergava Donato em Nino e o tomava por seu ex-amante.

# 38.

A princípio eu não queria ir ao casamento de Pinuccia e Rino, mas Pinuccia veio pessoalmente me trazer o convite e, como me tratou com exagerado afeto, chegando a me pedir conselhos sobre vários assuntos, eu não soube dizer não, mesmo não tendo estendido o convite a meus pais e meus irmãos. A grosseria não é minha, justificou-se, mas de Stefano. O irmão não só se recusara a lhe dar algum dinheiro de família para que ela comprasse uma casa (disse que os investimentos que fizera nos sapatos e na nova charcutaria o tinham deixado liso), mas, visto que era ele quem estava pagando o vestido de noiva, o serviço fotográfico e sobretudo o bufê, tinha pessoalmente excluído meio bairro da lista de convidados. Um comportamento horrível, Rino estava ainda mais constrangido que ela. Seu noivo queria um casamento tão luxuoso quanto o da irmã e, assim como ela, uma casa nova com vista para a ferrovia. Mas, apesar de já ser dono de uma fábrica de calçados, sozinho não conseguiria bancar tudo, até porque era um esbanjador, acabara de comprar uma Millecento, não tinha uma lira no banco. Por isso, depois de muitas resistências, decidiram de comum acordo que iriam morar na velha casa de dom Achille, desalojando Maria do quarto de casal. Pretendiam poupar o máximo e comprar assim que possível um apartamento mais bonito que o de Stefano e Lila. Meu irmão é um imbecil, disse Pinuccia com rancor, e concluiu: quando se trata da esposa, gasta que é uma beleza, mas não tem dinheiro para a irmã.

Evitei qualquer comentário. Fui ao casamento acompanhada de Marisa e Alfonso, que parecia esperar justamente aquelas ocasiões mundanas para se transformar em outro, não meu colega de escola de sempre, mas um jovem gracioso no aspecto e nas maneiras, de cabelos pretos, o azul cerradíssimo da barba que lhe subia pelas faces, os olhos lânguidos, a roupa que nele não se deformava como nos outros homens, mas lhe modelava o corpo magro e ágil.

Na esperança de que Nino fosse obrigado a acompanhar a irmã, estudei bem seu artigo e todo o número da *Cronache Meridionali*. Mas agora o cavalheiro de Marisa era Alfonso, ele ia buscá-la, ele a acompanhava de volta, e Nino não deu as caras. Fiquei grudada nos dois, queria evitar um tête-à-tête com Lila.

Na igreja mal a entrevi na primeira fila, entre Stefano e Maria, e era a mais bela, impossível evitá-la com o olhar. Em seguida, no banquete de núpcias oferecido no mesmo restaurante de Via Orazio onde houvera sua recepção pouco mais de um ano antes, nos cruzamos uma única vez e trocamos palavras cautelosas. Depois acabei numa mesa à margem com Alfonso, Marisa e um rapazinho louro de uns treze anos; ela se sentou com Stefano na mesa dos noivos, com os convidados de prestígio. Quanta coisa tinha mudado em tão pouco tempo. Não estava Antonio, não estava Enzo, ambos ainda prestando serviço militar. As vendedoras das charcutarias, Carmen e Ada, tinham sido convidadas, mas Pasquale não, ou talvez ele tivesse preferido não vir para não se misturar com aqueles que, em suas conversas na pizzaria, meio de brincadeira, meio a sério, planejava matar com as próprias mãos. A mãe dele, Giuseppina Peluso, também estava ausente, assim como Melina e os filhos. Já os Carracci, os Cerullo e os Solara, sócios em vários negócios, sentavam-se todos juntos à mesa dos noivos, em companhia dos parentes de Florença, vale dizer, o comerciante de metais e sua esposa. Vi que Lila conversava com Michele, dando risadas exageradas. De vez em quando olhava em minha direção, mas eu logo desviava o olhar com um misto de irritação e sofrimento. Como ela ria, demais. Lembrei-me de minha mãe. Estava encarnando a mulher casada, nos modos debochados, no dialeto. Atraía para si toda a atenção de Michele, que no entanto estava com a noiva ao lado, Gigliola, pálida, furiosa com a maneira como ele a negligenciava. Apenas Marcello dirigia de vez em quando a palavra à futura cunhada, para tranquilizá-la. Lila, Lila: queria exceder e, com seus excessos, impor sofrimento a todos nós. Percebi que até Fernando e Nunzia lançavam à filha longos olhares de apreensão.

O dia avançou sem problemas, à parte dois episódios aparentemente sem consequência. Vejamos o primeiro. Entre os convidados também estava Gino, o filho do farmacêutico, porque recentemente ficara noivo de uma prima de segundo grau dos Carracci, uma mocinha magra de cabelos castanhos colados na cabeça e olheiras roxas. Ao crescer se tornou cada vez mais odioso, eu não me perdoava por ter sido sua namorada na infância. Na época tinha sido pérfido, pérfido continuava sendo, e ainda por cima vivia um momento que o tornava ainda mais traiçoeiro, pois tinha sido mais uma vez reprovado. Há tempos não me dizia nem um oi, mas continuara atrás de Alfonso, ora bancando o amigo, ora o sacaneando com insultos de conotação sexual. Naquela ocasião, talvez por inveja (Alfonso tinha sido aprovado com média sete e, além disso, era o acompanhante de Marisa, muito graciosa, de olhos vivíssimos), se comportou de maneira especialmente insuportável. Estava sentado à nossa mesa aquele rapazinho louro que mencionei, bonito, muito tímido. Era filho de um parente de Nunzia que emigrara para a Alemanha e se casara com uma alemã. Enquanto eu me sentia nervosíssima e dava pouca corda ao menino, tanto Alfonso quanto Marisa o fizeram se sentir à vontade. Sobretudo Alfonso começara a conversar entusiasmadamente com ele, era solícito se os garçons o negligenciavam e até o acompanhara ao terraço para ver o mar. Foi justamente quando os dois voltaram à mesa animados que Gino deixou sua noiva, a qual tentava contê-lo rindo, e veio se sentar conosco. Dirigiu-se ao menino em voz baixa, acenando a Alfonso:

"Fique esperto com este aqui, que é uma bichona: agora te acompanhou ao terraço, da próxima vez te acompanha ao banheiro".

Alfonso ficou vermelho, mas não reagiu, deu um meio sorriso desarmado e ficou sem palavras. Foi Marisa quem se enfureceu:

"Como você se permite?".

"Me permito porque sei."

"Então me diga o que você sabe."

"Tem certeza?"

"Tenho."

"Olha que eu lhe digo."

"Pois diga."

"Uma vez o irmão de minha noiva se hospedou na casa dos Carracci e teve de dormir na mesma cama com este aqui."

"E daí?"

"Daí que ele o bolinou."

"Ele quem?"

"Ele."

"Onde está sua noiva?"

"Olha ela ali."

"Diga àquela cretina que eu posso provar que Alfonso gosta é de mulher; já ela, não sei se pode dizer a mesma coisa de você."

Naquele momento ela se virou para o namorado e o beijou na boca: um beijo público, tão intenso que eu jamais teria coragem de fazer o mesmo na frente de todos.

Lila, que continuava olhando em minha direção como se me vigiasse, foi a primeira a se dar conta daquele beijo e bateu as mãos com um gesto espontâneo de entusiasmo. Michele também aplaudiu, rindo, e Stefano fez um cumprimento grosseiro ao irmão, logo reforçado pelo comerciante de metais. Enfim, deboches de todo tipo, mas Marisa conseguiu fingir que não era com ela. Enquanto isso, apertando a mão de Alfonso com força excessiva — suas juntas chegaram a ficar brancas —, sibilou a Gino, que ficara apreciando o beijo com uma expressão obtusa:

"Agora suma daqui, se não lhe dou um tabefe".

O filho do farmacêutico se levantou sem dizer uma palavra e voltou à sua mesa, onde a noiva imediatamente lhe falou ao ouvido com uma expressão agressiva. Marisa lançou a ambos um último olhar de desprezo.

A partir daquele momento mudei minha opinião sobre ela. Admirei sua coragem, sua capacidade teimosa de amar, a seriedade com que se ligara a Alfonso. Ali estava outra pessoa que eu subestimara, pensei com remorso, por erro meu. O quanto a dependência de Lila me fechara os olhos. Como tinha sido frívolo seu aplauso de pouco antes, como era coerente com a zombaria torpe de Michele, de Stefano, do vendedor de metais.

O segundo episódio teve por protagonista justamente Lila. A festa já estava no fim. Eu me levantara para ir ao banheiro e estava passando diante da mesa da noiva quando ouvi a mulher do comerciante de metais dar uma gargalhada. Então me virei. Pinuccia estava em pé e se esquivava, porque a mulher estava levantando à força seu vestido, descobrindo suas pernas grossas, robustas, e dizendo a Stefano:

"Olha que coxas sua irmã tem, olha que traseiro, que barriga. Hoje em dia vocês, homens, gostam de mulheres que parecem escovinha de latrina, mas são essas como nossa Pinuccia que Deus fez justamente para lhes dar filhos".

Lila, que estava levando uma taça à boca, sem pensar um segundo atirou-lhe o vinho na cara e no vestido de *shantung*. Como sempre, pensei logo ansiosa, ela acha que pode fazer qualquer coisa, e agora vai começar um pandemônio. Segui rápido rumo ao banheiro, me tranquei lá dentro, fiquei lá o mais que pude. Não queria ver a fúria de Lila, não queria escutá-la. Queria permanecer fora daquilo, temia ser arrastada em seu sofrimento, tinha medo de me sentir na obrigação, por um longo hábito, de me alinhar com ela. Porém, quando saí, tudo estava calmo. Stefano conversava com o comerciante de metais e a esposa dele, toda empertigada em seu vestido manchado. A orquestrinha tocava, os casais dançavam. Só Lila não estava. Avistei-a além das vidraças, no terraço. Olhava o mar.

## 39.

Fiquei tentada a ir até ela, mudei logo de ideia. Devia estar muito nervosa e certamente me trataria mal, o que teria piorado ainda mais as coisas entre nós. Decidi voltar à minha mesa quando Fernando, pai de Lila, apareceu a meu lado e me perguntou timidamente se eu queria dançar.

Não ousei recusar o convite, e dançamos uma valsa em silêncio. Ele me conduziu com firmeza pelo salão, entre casais embriagados, apertando muito minha mão com sua mão suada. A esposa devia tê-lo incumbido da missão de me dizer algo importante, mas ele não teve coragem. Somente no fim da valsa murmurou, tratando-me surpreendentemente com grande formalidade: "Se não for incomodá-la, converse um pouco com Lila. A mãe está preocupada". Depois acrescentou meio brusco: "Quando precisar de um par de sapatos, me procure, sem cerimônia", e voltou depressa para a mesa.

Aquela referência a uma espécie de compensação por um eventual apoio meu a Lila me contrariou. Pedi a Alfonso e Marisa que fôssemos embora, o que eles aceitaram de bom grado. Enquanto saíamos do restaurante, senti o olhar de Nunzia sobre mim.

Nos dias seguintes comecei a perder a confiança. Tinha pensado que trabalhar numa livraria significava ter muitos livros à disposição e tempo para ler, mas não era nada disso. O dono me tratava como uma escrava, não tolerava que eu parasse um segundo: me obrigava a carregar caixas, empilhá-las uma sobre as outras, esvaziá-las, pôr em ordem os novos livros, reordenar os velhos, tirar a poeira deles, e ainda me mandava subir e descer uma escada de madeira só para me espiar debaixo da saia. Para piorar, Armando, que naquela visita me pareceu tão amigável, não deu mais as caras. E Nino nunca mais apareceu, nem acompanhado de Nadia, nem sozinho. O interesse deles por mim tinha durado tão pouco? Comecei a sentir a solidão, o tédio. O calor, o cansaço, o desgosto pelos olhares e frases grosseiras do livreiro me deprimiam. As horas passavam lentas. O que eu estava fazendo naquela gruta sem luz, enquanto na calçada desfilavam rapazes e moças rumo ao misterioso edifício da universidade, lugar onde quase certamente eu nunca entraria? Nino, onde estava? Já tinha ido estudar em Ischia? Tinha deixado a revista comigo, com seu artigo, e eu o estudara como para uma sabatina, mas ele voltaria para me sabatinar? Em que eu havia errado? Tinha ficado muito na minha? Esperava que o procurasse e por isso não vinha me ver? Será que devo falar com Alfonso, entrar em contato com Marisa, perguntar sobre o irmão dela? E para quê? Nino tinha uma namorada, Nadia: qual o sentido de perguntar à irmã onde ele estava, o que estava fazendo? Eu bancaria a ridícula.

Dia após dia minguou aquela imagem de mim que inesperadamente se expandira depois da festa, e me senti deprimida. Acordar cedo, correr para Mezzocannone, trabalhar o dia inteiro, voltar para casa exausta, as milhares de palavras da escola comprimidas na cabeça e sem serventia. Fiquei melancólica não só relembrando as conversas com Nino, mas também pensando nos verões no Sea Garden com as filhas da dona da papelaria, com Antonio. Como nossa história acabara estupidamente, ele foi a única pessoa que de fato me amou, não haveria outros. De noite, na cama, recordava o cheiro que emanava de sua pele, os encontros no pântano, nossos beijos e amassos na velha fábrica de tomates.

Estava entristecendo assim quando uma noite, após o jantar, vieram me ver Carmen, Ada e Pasquale, que estava com a mão toda enfaixada porque se ferira num acidente de trabalho. Fomos pegar um sorvete, o tomamos nos jardinzinhos. Carmen me indagou sem preâmbulos, um tanto agressiva, por que eu não aparecia mais na charcutaria. Respondi que estava trabalhando em Mezzocannone e não tinha tempo. Ada acrescentou, meio fria, que quando gostamos de uma pessoa sempre se acha tempo, mas, já que eu era assim, paciência. Perguntei: "Assim como?". E ela respondeu: "Sem sentimentos, basta ver como tratou meu irmão". Lembrei-lhe numa reação brusca que tinha sido seu irmão que me deixara, e ela replicou: "É verdade, sorte de quem acredita nisso: há os que deixam e os que se fazem deixar". Nesse instante Carmen concordou: "Até as amizades", disse, "parece que terminam por culpa de um e, no entanto, vendo bem, se descobre que é por culpa do outro". Naquela altura perdi a paciência, esbravejei: "Escutem aqui, se eu e Lina nos afastamos, não foi por minha culpa". Então Pasquale interveio e disse: "Lenu, não importa de quem é a culpa, o importante é que devemos estar com Lina". Tirou do baú a história de seus dentes estragados, de como ela o ajudara, falou do dinheiro que continuava dando por baixo do pano a Carmen e de como mandava dinheiro até para Antonio, que, no serviço militar, apesar de eu não estar sabendo e não querer saber, estava passando muito, muito mal. Tentei perguntar com cuidado o que estava acontecendo com meu ex-namorado, e me contaram em tons diversos, uns mais agressivos, outros menos, que ele tivera um ataque de nervos, que estava péssimo, mas que continuava firme, não cedia, acabaria conseguindo superar. *Quanto a Lina...*

"O que Lila tem?".

"Querem levá-la a um médico."

"Quem quer levá-la?".

"Stefano, Pinuccia, os parentes."

"Por quê?".

"Para saber por que ela ficou grávida só uma vez e depois não aconteceu mais nada."

"E ela?".

"Dá uma de louca, se recusa a ir."

Dei de ombros.

"O que é que eu posso fazer?"

Carmen disse:

"Vá com ela, Lenu."

**40.**

Falei com Lila. Ela começou a rir, disse que só iria ao médico se eu jurasse que não estava zangada com ela.

"Tudo bem."

"Jura?"

"Juro."

"Jura por seus irmãos, jura por Elisa?"

Respondi que ir ao médico não era nada demais, mas que, se ela não queria ir, isso não era problema meu, fizesse o que achasse melhor. Ela ficou séria.

"Então não vai jurar?".

"Não."

Fez silêncio um instante e aí admitiu, de olhos baixos:

"Tudo bem, eu errei".

Fiz uma expressão de fastio.

"Vá ao médico e depois me conte."

"Você não vem?".

"Se eu me ausentar, o livreiro me demite."

"Eu contrato você", disse irônica.

"Vá ao médico, Lila."

Foi ao médico acompanhada de Maria, Nunzia e Pinuccia. As três queriam estar presentes à consulta. Lila foi obediente, disciplinada: nunca tinha feito um exame daquele tipo, ficou todo o tempo de lábios cerrados, os olhos arregalados. Quando o doutor, um homem muito idoso que fora aconselhado por uma obstetra do bairro, disse com palavras professorais que tudo estava em ordem, a mãe e a sogra se alegraram. Já Pinuccia ficou séria e perguntou:

"Então como é que ela não consegue engravidar e, se engravida, os filhos não conseguem nascer?"

O médico percebeu a malevolência e franziu o cenho:

"Esta senhora ainda é muito jovem", disse, "precisa se fortalecer um pouco".

*Fortalecer.* Não sei se o médico usou exatamente esse verbo, no entanto foi assim que me disseram, o que me chocou muito. Significava que Lila, malgrado a força que manifestava em cada momento, era frágil. Significava que não tinha filhos, ou não conseguia manter a gravidez, não porque possuísse uma misteriosa potência que os aniquilava, mas porque, ao contrário, não era suficientemente mulher. Meu rancor se atenuou. Quando ela me contou no pátio a tortura do exame médico com expressões vulgares dirigidas tanto ao médico quanto às três acompanhantes, não dei sinais de irritação, até me interessei: nunca nenhum médico me examinara, nem sequer o ginecologista. Por fim concluiu, sarcástica:

"Me rasgou com uma coisa de ferro, dei a ele um monte de dinheiro, tudo isso para chegar a que conclusão? Que eu preciso de um reforço".

"Um reforço de que tipo?"

"Devo tomar banhos de mar."

"Não entendi."

"A praia, Lenu, o sol, água salgada. Parece que, se uma mulher faz essas coisas, fica mais forte e os filhos aparecem."

Nos despedimos de bom humor. Tínhamos voltado a nos ver e, no fim das contas, tudo estava dando certo.

No dia seguinte ela reapareceu, afetuosa comigo, irritada com o marido. Stefano queria alugar uma casa em Torre Annunziata e mandá-la para lá nos meses de julho e agosto, com Nunzia e Pinuccia, que também queria se revigorar, embora em seu caso não houvesse necessidade. Já estavam pensando em como fariam com as lojas. Alfonso ficaria à frente da Piazza dei Martiri com Gigliola, até quando as aulas recomeçassem, e Maria substituiria Lila na charcutaria nova. Ela me disse desolada:

"Se eu passar dois meses com minha mãe e Pinuccia, me mato".

"Pelo menos toma banho de mar, de sol."

"Não gosto de banho de mar nem de tomar sol."

"Se eu pudesse me revigorar em seu lugar, iria amanhã mesmo."

Me olhou com curiosidade, disse baixinho:

"Então venha comigo".

"Preciso trabalhar em Mezzocannone."

Ela se entusiasmou, disse que me contrataria, mas dessa vez sem ironia. "Peça demissão", começou a me pressionar, "e lhe dou o mesmo que o livreiro lhe paga." Não parava mais, disse que, se eu concordasse, tudo se tornaria aceitável, até Pinuccia com sua barriga em ponta, já visível. Recusei com gentileza. Imaginei o que poderia acontecer naqueles dois meses na casa escaldante de Torre del Greco: brigas com Nunzia, choros; brigas com Stefano quando ele chegasse no sábado à tarde; brigas com Rino quando ele aparecesse com o cunhado para se juntar a Pinuccia; brigas sobretudo com Pinuccia, contínuas, veladas ou explícitas, feitas de pérfidas ironias e insultos impensáveis.

"Não posso", disse por fim com firmeza, "minha mãe não permitiria."

Ela foi embora zangada, o idílio entre nós duas era frágil. Na manhã seguinte, de surpresa, Nino apareceu na livraria, pálido, ainda mais magro. Tinha feito uma prova atrás da outra, quatro ao todo. Eu, que devaneava sobre espaços arejados atrás dos muros da universidade, onde estudantes preparadíssimos e velhos sábios discutiam o dia inteiro sobre Platão e sobre Kepler, escutei-o encantada, limitando-me a dizer: "Como você é competente". E, assim que me pareceu oportuno, elogiei com uma profusão de palavras meio vazias seu artigo na *Cronache Meridionali*. Pôs-se a me ouvir com seriedade, sem me interromper, tanto que a certa altura eu não sabia mais o que falar para demonstrar que conhecia seu texto a fundo. Finalmente pareceu contente, exclamou que nem mesmo Galiani, nem Armando, nem Nadia o tinham lido com tanta atenção.

E desandou a me falar de outros artigos que tinha em mente sobre o mesmo tema, esperava que fossem publicados. Fiquei ouvindo da soleira da livraria, fazendo de conta que não escutava o patrão me chamando. Depois de um grito mais brutal que os outros, Nino resmungou o que esse cretino quer, demorou-se mais um pouco com seu ar arrogante, me disse que partiria para Ischia no dia seguinte e me estendeu a mão. Eu a apertei — era fina, delicada —, e ele imediatamente me puxou de leve contra si, se inclinou, tocou meus lábios com os seus. Foi um instante, depois me deixou com um movimento suave, uma carícia na palma com os dedos, e foi embora rumo ao Rettifilo. Fiquei olhando enquanto ele se afastava sem se virar, com seu passo de comandante distraído, que não temia nada do mundo, porque o mundo só existia para dobrar-se diante dele.

Naquela noite não preguei o olho. De manhã me levantei cedo e fui correndo à charcutaria nova. Topei com Lila justamente quando ela estava levantando a porta. Carmen ainda não tinha chegado. Não lhe disse nada de Nino, apenas murmurei com o tom de quem está pedindo o impossível e sabe disso:

"Se você for veranear em Ischia, e não em Torre Annunziata, me demito e vou com você".

## 41.

Desembarcamos na ilha no segundo domingo de julho, Stefano e Lila, Rino e Pinuccia, Nunzia e eu. Os dois homens iam carregados de bagagens, alarmados, como heróis antigos aportados numa terra ignota, desconfortáveis porque privados da couraça de seus automóveis, infelizes por terem madrugado e, consequentemente, renunciado aos ócios de bairro no feriado. As esposas, vestindo roupa de domingo, estavam irritadas com eles, mas cada qual a seu modo: Pinuccia, porque Rino estava carregado demais, sem deixar a ela nenhum peso; Lila, porque Stefano fingia saber o que fazer e aonde ir, mas bem se via que ele não sabia nada. Quanto a Nunzia, tinha o ar de quem mal se sente tolerada e tinha o cuidado de não dizer nada que pudesse destoar e aborrecer os jovens. A única realmente satisfeita era eu, com a mochila a tiracolo cheia de minhas poucas coisas, excitada pelos cheiros de Ischia, pelos sons, pelas cores que imediatamente, logo após o desembarque, confirmaram sem decepcionar a memória das férias de anos antes.

Acomodamo-nos em duas carroças motorizadas, corpos espremidos, suor, bagagens. A casa, alugada às pressas graças à mediação de um fornecedor de embutidos de origem ischiana, ficava ao longo da estrada que ia até um local chamado Cuotto. Era uma construção pobre e pertencia a uma prima do revendedor, uma mulher magérrima, acima de sessenta anos, solteira, que nos acolheu com uma aspereza eficiente. Stefano e Rino arrastaram as malas por uma escadinha estreita brincando entre si, mas também se lamentando do cansaço. A proprietária nos introduziu em ambientes penumbrosos, cheios de imagens sacras e velas acesas. Mas, quando abrimos as janelas, vimos além da estrada, além dos vinhedos, além das palmas e dos pinheiros uma longa faixa de mar. Ou melhor: os quartos que Pinuccia e Lila escolheram para si após atritos do tipo *o seu é maior, não, o seu é maior*, davam para o mar; já o quarto que coube a Nunzia tinha uma espécie de escotilha no alto, para além da qual nunca soubemos o que havia; e o que coube a mim — minúsculo — mal continha uma cama e dava para um galinheiro em frente a um bosquezinho de juncos.

Na casa não havia nada para comer. Por indicação da proprietária, chegamos a uma tratoria escura, sem outros clientes. Fomos nos acomodando titubeantes, só para forrar o estômago, mas no final até Nunzia, que era desconfiada quanto a qualquer cozinha que não fosse a dela, achou que ali se comia bem e quis levar algo para a ceia da noite. Stefano não deu o mínimo sinal de querer pedir a conta e, depois de um mudo tergiversar, Rino se conformou em pagar para todos. Então nós, meninas, propusemos ir até a praia, mas os dois rapazes resistiram, bocejaram, disseram que estavam cansados. Insistimos, especialmente Lila. "Comemos demais", disse, "vai fazer bem caminhar, você está disposta, mamãe?" Nunzia apoiou os rapazes, e todos voltamos para casa.

Após um entediado vaguear pelos cômodos, tanto Stefano quanto Rino disseram quase em uníssono que queriam dormir um pouco. Riram, cochicharam entre si, riram de novo e depois fizeram sinal às mulheres, que os acompanharam desinteressadamente aos quartos de casal. Nunzia e eu ficamos sós por umas duas horas. Verificamos o estado da cozinha, bastante suja, o que levou Nunzia a lavar ruidosamente cada utensílio com zelo: pratos, copos, talheres, panelas. Precisei insistir para que aceitasse minha ajuda. Pediu que eu me lembrasse de um certo número de pedidos urgentes à dona da casa e, quando ela mesma perdeu a conta das coisas que faltavam, se espantou que eu não tivesse esquecido nada e me disse: "Por isso você vai tão bem na escola".

Finalmente os dois casais reapareceram, primeiro Stefano e Lila, depois Rino e Pinuccia. Tornei a propor uma ida à praia, mas um café aqui, uma brincadeira ali, conversas, e Nunzia que se pôs a cozinhar, e Pinuccia que ficou pendurada em Rino e ora o fazia tocar sua barriga, ora lhe sussurrava fique, volte amanhã de manhã, o tempo voou depressa e mais uma vez não fizemos nada. Por fim, os homens foram tomados pela pressa, tiveram medo de perder a embarcação e, imprecando porque não tinham vindo de carro, foram correndo buscar alguém que os levasse até o porto. Foram embora quase sem se despedir. Pinuccia ficou com lágrimas nos olhos.

Nós, as mais novas, começamos a desfazer as malas em silêncio, a arrumar nossas coisas, enquanto Nunzia se empenhava em deixar o vaso sanitário brilhando. Somente quando tivemos certeza de que os dois homens não tinham perdido a embarcação e não voltariam atrás, relaxamos e começamos a nos distrair. Tínhamos à nossa frente uma longa semana sem obrigações, exceto com nossas coisas. Pinuccia disse que tinha medo de ficar sozinha no quarto — havia uma imagem de Nossa Senhora das Dores com vários punhais no coração que cintilavam à luz de um círio — e foi dormir com Lila. Eu me tranquei no quartinho para desfrutar meu segredo: Nino estava em Forio, pouco distante dali, e talvez já amanhã o encontrasse na praia. Me senti uma louca, uma insensata, mas me regozijei com aquilo. Havia uma parte de mim que estava cansada de agir sempre como uma pessoa de bom senso.

Fazia calor, abri a janela. Fiquei escutando a agitação das galinhas, o roçar dos juncos e só então me dei conta dos pernilongos. Fechei a janela depressa e passei pelo menos uma hora localizando--os e esmagando-os com um dos livros que Galiani me emprestara, *Teatro completo*, de um escritor que se chamava Samuel Beckett. Não queria que Nino me visse na praia com bolhas vermelhas na cara e no corpo; não queria que me flagrasse com um livro de teatro, lugar onde, aliás, eu nunca pusera os pés. Afastei o Beckett, marcado com as manchas negras ou sanguíneas dos mosquitos, e comecei a ler um texto muito complicado sobre a ideia de nação. Adormeci lendo.


42.


De manhã Nunzia, que se sentia responsável por nos socorrer, foi atrás de um mercadinho para as compras e nós descemos rumo à praia, a praia de Citara, que durante aquelas longas férias achamos que se chamasse Cetara.

Que lindas roupas de banho Lila e Pinuccia exibiram quando tiraram as saídas de praia: peças inteiras, claro, os maridos, que quando eram noivos se mostravam condescendentes, especialmente Stefano, agora eram contrários ao biquíni; mas as cores dos tecidos novos brilhavam vívidas, e o desenho dos decotes no peito e nas costas corria com elegância sobre a pele. Eu, sob o velho vestido azul de mangas compridas, vestia o mesmo maiô desbotado, já lasseado, que anos atrás Nella Incardo tinha costurado para mim em Barano. Tirei a roupa de má vontade.

Passeamos longamente sob o sol, até certos vapores de água quente, e então retornamos. Eu e Pinuccia tomamos muitos banhos; Lila, não, embora estivesse ali precisamente para aquilo. Nino não apareceu, é claro, e eu fiquei mal, estava certa de que aconteceria como por milagre. Quando as duas meninas quiseram voltar para casa, continuei na praia e fui andando pela rebentação até Forio. De noite eu estava tão queimada que tive a impressão de estar com febre alta e, nos dias seguintes, precisei ficar em casa, com bolhas nos ombros. Dediquei-me a limpar a casa, cozinhar, ler, e meu ativismo comoveu Nunzia, que não parou de me elogiar. Toda noite, com a desculpa de que eu ficara trancada em casa para me proteger do sol, obrigava Lila e Pina a ir a pé até Forio, um percurso longo. Perambulávamos pelo centro, comprávamos um sorvete. Aqui, sim, é que é bonito, lamentava-se Pinuccia, lá onde estamos é um marasmo. Mas para mim Forio também era um marasmo: Nino nunca deu as caras.

Lá pelo fim da semana propus a Lila visitar Barano e os Maronti. Ela aceitou com entusiasmo, e Pinuccia não quis ficar se entediando com Nunzia. Partimos cedo. Sob os vestidos já estávamos com os trajes de banho, em um saco eu levava nossas toalhas, sanduíches, uma garrafa d'água. Meu propósito declarado era aproveitar o passeio para dizer um oi a Nella, a prima da professora Oliviero que me hospedara durante minha permanência em Ischia. O plano secreto, no entanto, era encontrar a família Sarratore e conseguir com Marisa o endereço do amigo que hospedava Nino em Forio. Obviamente eu temia topar com o pai, Donato, mas esperava que ele estivesse trabalhando; por outro lado, para ver o filho, estava pronta a correr o risco de ouvir algum gracejo pesado.

Quando Nella abriu a porta, e eu me apresentei diante dela

como um fantasma, ela ficou de boca aberta e seus olhos se encheram de lágrimas.

"É a alegria", justificou-se.

Mas não era só isso. Eu lhe recordara a prima que, me disse, não estava bem em Potenza, sofria e não se curava. Levou-nos ao terraço, nos ofereceu de tudo, teve todos os cuidados com Pinuccia e sua gravidez. Fez que ela se sentasse, quis tocar a barriga que já despontava um pouco. Enquanto isso, obriguei Lila a uma espécie de peregrinação: mostrei-lhe o canto do terraço onde eu passara tanto tempo ao sol, o lugar em que me sentava quando a mesa estava posta, o cantinho onde, à noite, fazia minha cama. Por uma fração de segundo revi Donato enquanto, inclinado sobre mim, deixava a mão deslizar sob o lençol, me bolinando. Senti repulsa, mas isso não me impediu de perguntar a Nella com desenvoltura:

"E os Sarratore?".

"Estão na praia."

"Tudo bem este ano?".

"Assim, assim."

"Estão muito exigentes?".

"Desde que ele tem se dedicado mais ao jornalismo que às ferrovias, sim."

"Ele está aqui?".

"Sim, conseguiu uma licença médica."

"E Marisa também está?"

"Marisa, não, mas todos os outros vieram."

"Todos?"

"Você entendeu bem."

"Não, juro que não entendi nada."

Ela deu uma bela risada.

"Hoje Nino também veio, Elenu. Quando está precisando de dinheiro, ele aparece por um meio dia e depois volta para a casa de um amigo em Forio."

## 43.

Deixamos Nella e descemos com nossas coisas para a praia. Lila discretamente zombou de mim ao longo de todo o percurso. "Você é esperta", disse, "me fez vir a Ischia só porque Nino está aqui, confesse." Não confessei, me esquivei. Então Pinuccia se juntou à cunhada com tons mais pesados e me acusou de tê-la submetido a uma viagem longa e cansativa até Barano só por razões pessoais, sem levar em conta que ela estava grávida. A partir daquele momento, neguei com maior firmeza e até ameacei as duas. Prometi que, se dissessem coisas disparatadas na presença dos Sarratore, eu pegaria uma embarcação naquela mesma noite e voltaria a Nápoles.

Localizei a família logo. Estavam exatamente no mesmo lugar onde ficavam anos antes e tinham o mesmo guarda-sol, os mesmos trajes de banho, as mesmas bolsas, o mesmo modo de se queimar ao sol: Donato na areia preta, de barriga para cima e apoiado nos cotovelos; a mulher, Lidia, sentada numa toalha folheando uma revista semanal. Para minha grande decepção, Nino não estava sob o guarda-sol. Procurei imediatamente na água, avistei um pontinho escuro que aparecia e desaparecia na superfície basculante do mar, torci para que fosse ele. Depois me anunciei chamando em voz alta Pino, Clelia e Ciro, que brincavam na orla.

Ciro tinha crescido, não me reconheceu, sorriu indeciso. Pino e Clelia correram até mim com entusiasmo, e os pais se viraram para ver, curiosos. Lidia se levantou de pronto, gritou meu nome cumprimentando-me com a mão, Sarratore veio correndo para mim com um largo sorriso acolhedor e os braços abertos. Esquivei-me do abraço, disse apenas bom dia, como vai. Foram muito cordiais, apresentei Lila e Pinuccia, mencionei os pais delas, disse que tinham se casado. Donato imediatamente se concentrou nas duas garotas. Passou a chamá-las devidamente de senhora Carracci e senhora Cerullo, recordou a época em que eram crianças e começou a falar com floreios tolos sobre o tempo que passa. Fui conversar com Lidia, fiz perguntas educadas sobre os meninos e especialmente sobre Marisa. Pino, Clelia e Ciro estavam ótimos, bem se via, e logo me cercaram à espera do melhor momento para me arrastar para suas brincadeiras. Quanto a Marisa, a mãe me disse que tinha ficado em Nápoles com os tios, estava de recuperação em quatro matérias em setembro e precisava ir às aulas. "Bem feito", disse séria, "não fez nada de bom o ano todo e agora merece penar."

Não falei nada, mas intimamente sabia que Marisa não estava sofrendo tanto assim: passaria o verão inteiro com Alfonso na loja da Piazza dei Martiri, e fiquei contente por ela. No entanto notei que Lidia trazia marcas fundas de dor no rosto alargado, nos olhos, nos seios inchados, no ventre pesado. Durante todo o tempo que passamos conversando, ela vigiou constantemente, com olhares assustados, o marido que se fazia de simpático diante de Lila e Pinuccia. Parou de prestar atenção em mim e não tirou os olhos dele quando o marido se ofereceu para acompanhá-las em um banho de mar, prometendo a Lila que a ensinaria a nadar. "Fiz isso com todos os meus filhos", o ouvimos dizer, "vou fazer o mesmo com você."

Não perguntei sobre Nino, e por sua vez Lidia não o mencionou. Mas eis que o pontinho negro no azul luminoso do mar parou de se afastar. Inverteu a direção, aumentou de tamanho, e comecei a distinguir a brancura da espuma que explodia a seu lado.

Sim, é ele, pensei em grande agitação.

De fato, logo depois Nino saiu da água olhando com curiosidade o pai, que mantinha Lila boiando com um braço e, com o outro, lhe mostrava como devia fazer. Quando me viu e reconheceu, não tirou do rosto a expressão carrancuda.

"O que você está fazendo aqui?", perguntou.

"Vim passar as férias", respondi, "e vim dizer um oi a dona Nella."

Ele lançou outro olhar irritado na direção do pai e das duas garotas.

"Aquela não é Lina?"

"Sim, e a outra é a cunhada dela, Pinuccia, não sei se você se lembra."

Esfregou bem os cabelos com a toalha enquanto mantinha o olhar fixo nos três que continuavam na água. Disse a ele de modo meio atropelado que ficaríamos em Ischia até setembro, que estávamos em uma casa não longe de Forio, que a mãe de Lila também estava, que no domingo os maridos de Lila e Pinuccia viriam. Eu falava e ele nem parecia escutar, mas acrescentei mesmo assim, e apesar da presença de Lidia, que eu não tinha nenhum programa para o fim de semana.

"Apareça", disse ele, e então se dirigiu à mãe: "Preciso ir".

"Já?"

"Tenho coisas a fazer."

"Elena está aqui."

Nino me olhou como se só então tivesse se dado conta de minha presença. Mexeu na camisa pendurada no guarda-sol, pegou um lápis e um caderninho, escreveu algo, arrancou a folha e a entregou a mim:

"Estou neste endereço", disse.

Direto, decidido como os atores de cinema. Peguei a folha quase como se fosse uma relíquia.

"Antes de ir, coma alguma coisa", pediu a mãe.

Ele não respondeu.

"E pelo menos se despeça de seu pai."

Trocou de roupa pondo a toalha em volta da cintura e se afastou pela orla sem se despedir de ninguém.


44.


Passamos o dia todo nos Maronti, eu, brincando com as crianças e tomando banho com elas, Pinuccia e Lila totalmente absorvidas por Donato, que, entre outras coisas, as arrastou numa caminhada até umas fontes de água quente. No final Pinuccia estava exausta e, para voltarmos para casa, Sarratore nos indicou uma maneira cômoda e agradável. Chegamos a um hotel que se via quase sobre a água como uma palafita e, ali, por uns trocados, pegamos o barco de um velho marinheiro.

Assim que entramos pelo mar, Lila comentou irônica:

"Nino não lhe deu corda".

"Precisava estudar."

"E não podia nem dizer tchau?"

"Ele é assim."

"E isso é péssimo", se intrometeu Pinuccia. "O que o pai tem de simpático o filho tem de grosseiro."

Ambas estavam convencidas de que Nino não tinha demonstrado atenção nem simpatia por mim, e deixei que acreditassem, preferindo manter prudentemente meus segredos. De resto, achei que, se elas pensassem que até uma estudante excelente como eu não tinha merecido nem um olhar sequer, as duas digeririam mais facilmente o fato de que ele as ignorara e talvez até o perdoassem. Queria protegê-lo do ressentimento delas, e parece que consegui: ambas o esqueceram rapidamente, Pinuccia se entusiasmou com as maneiras cavalheirescas de Sarratore e Lila disse satisfeita:

"Ele me ensinou a boiar, e até como se nada. É ótimo".

O sol estava se pondo. Os assédios de Donato me voltaram à mente, estremeci. Do céu violeta vinha um sopro frio. Falei a Lila:

"Foi ele quem escreveu que o painel da loja na Piazza dei Martiri era horrível".

Pinuccia fez uma expressão satisfeita de consenso. Lila disse:

"Ele tinha razão".

Fiquei nervosa:

"E foi ele quem arruinou Melina".

Lila respondeu com uma risadinha:

"Ou quem sabe, pelo menos uma vez, a fez se sentir bem".

Aquela tirada me feriu. Eu sabia o que Melina tinha sofrido, o que seus filhos sofriam. Também conhecia os tormentos de Lidia e como Sarratore, por trás dos modos gentis, ocultava um desejo que não respeitava nada nem ninguém. Nem me esquecera de quanta dor Lila experimentara desde pequena, assistindo aos sofrimentos da viúva Cappuccio. Então de onde vinha aquele tom, qual o sentido daquelas palavras, um sinal para mim? Queria me dizer: você é uma garotinha, não sabe nada dos desejos de uma mulher? Mudei bruscamente de ideia sobre não revelar meus segredos. Quis logo mostrar que eu era uma mulher como elas e que sabia das coisas.

"Nino me deu o endereço dele", disse a Lila. "Se você não se incomodar, quando Stefano e Rino vierem, vou visitá-lo".

*Endereço. Ir visitá-lo.* Frases ousadas. Lila apertou os olhos, uma linha muito nítida riscou-lhe a fronte alta. Pinuccia lançou um olhar malicioso, tocou-lhe um joelho, riu:

"Viu só? Amanhã Lenuccia vai a um encontro. E tem até o endereço".

Me exaltei:

"Bom, se vocês vão passar o dia com seus maridos, eu vou fazer o quê?".

Por um longo instante predominaram o barulho do motor, a presença muda do marinheiro ao timão.

Lila disse fria:

"Fazer companhia a mamãe. Não a trouxe aqui para você se divertir".

Me controlei para não rebater. Tínhamos tido uma semana de liberdade. Além disso, naquele dia, tanto ela quanto Pinuccia, na praia, debaixo do sol, durante os demorados banhos e graças às palavras que Sarratore sabia usar para fazê-las rir ou cortejá-las, tinham se esquecido de si. Donato as fizera se sentir mulheres-meninas entregues a um pai anômalo, daqueles raros que não punem, mas nos encorajam a exprimir os desejos sem que você se sinta culpada. E agora que o dia tinha acabado, eu, enquanto anunciava que teria um domingo só para mim, com um estudante da universidade, estava fazendo o quê? Recordava a ambas que a semana de suspensão de seu estatuto de esposas tinha terminado e que seus maridos estavam de retorno? Sim, eu tinha exagerado. Segure a língua, pensei, não a deixe irritada.

## 45.

Os maridos chegaram até antes do previsto. Esperávamos que viessem domingo de manhã, mas apareceram no sábado à noite, muito alegres, cada qual com uma lambreta que tinham — acho — alugado no Porto de Ischia. Nunzia preparou um jantar cheio de coisas gostosas. Falou-se do bairro, das lojas, da fase de elaboração dos novos calçados. Rino se vangloriou dos modelos que estava confeccionando com o pai, mas, no momento oportuno, meteu debaixo dos olhos de Lila vários esboços que ela examinou desinteressadamente, sugerindo umas leves modificações. Depois fomos para a mesa, e os dois jovens devoraram tudo, disputando quem se empanturrava mais. Não eram nem dez da noite quando arrastaram as mulheres a seus respectivos quartos.

Ajudei Nunzia a tirar a mesa e a lavar os pratos. Depois me fechei no quartinho, li um pouco. Estava sufocando de calor, mas temia as picadas dos mosquitos e não abri a janela. Fiquei me revirando na cama, molhada de suor: pensava em Lila, em como lentamente baixara a cabeça. É verdade, não demonstrava particular afeto pelo marido; a ternura que eu às vezes tinha visto em seus gestos no tempo do noivado se perdera; e durante o jantar frequentemente dissera palavras de desgosto sobre o modo como Stefano devorava tudo, como bebia; mas era evidente que algum equilíbrio, sabe-se lá quão precário, tinha sido alcançado. Quando ele, depois de umas frases alusivas, se dirigiu ao quarto de casal, Lila o acompanhou sem demora, sem dizer vá indo que depois eu vou, resignada a um hábito indiscutível.

Entre ela e o marido não havia a alegria carnavalesca exibida por Rino e Pinuccia, mas tampouco havia uma resistência. Até tarde da noite ouvi os rumores dos dois casais, as risadas e os gemidos, as portas que se abriam, a água que escorria da torneira, o redemoinho da descarga, as portas que se fechavam. Finalmente adormeci.

No domingo tomei o café da manhã com Nunzia. Esperei até as dez que algum deles aparecesse, o que não ocorreu, e fui para a praia. Fiquei lá até o meio-dia e ninguém deu as caras. Voltei para casa, Nunzia me disse que os dois casais tinha ido passear pela ilha de lambreta, recomendando que não os esperassem para o almoço. De fato, voltaram umas três da tarde, bêbados, contentes, queimados de sol, os quatro entusiasmados com Casamicciola, Lacco Ameno, Forio. Especialmente as duas garotas tinham olhos acesos e logo me lançaram olhares maliciosos.

"Lenu", quase gritou Pinuccia, "adivinha o que aconteceu?"

"O quê?".

"Encontramos Nino na praia", disse Lila.

Meu coração parou.

"Ah."

"Nossa, como ele nada bem", se entusiasmou Pinuccia, cortando o ar com braçadas exageradas.

E Rino:

"Não é antipático: ficou interessado na fabricação dos sapatos".

E Stefano:

"Tem um amigo que se chama Soccavo, que é o Soccavo das mortadelas: o pai é dono de uma fábrica de embutidos em San Giovanni em Teduccio".

E de novo Rino:

"Aquele, sim, tem dinheiro".

E Stefano:

"Deixe pra lá o estudante, Lenu, ele não tem um centavo: fique de olho em Soccavo, melhor para você".

Depois de umas conversas meio debochadas (*viu só, Lenuccia, está para se tornar a mais rica de todas, parece quietinha e no entanto...*), se retiraram de novo para os quartos. Fiquei péssima. Tinham encontrado Nino, tinham tomado banho de mar com ele, conversado com ele, e tudo sem mim. Pus meu melhor vestido — aquele mesmo do casamento, embora fizesse calor —, penteei com cuidado os cabelos que, no sol, tinham ficado loiríssimos e disse a Nunzia que ia dar um passeio.

Fui a pé até Forio, nervosa por causa do longo percurso em solidão, pelo calor, pelo êxito incerto de minha aventura. Localizei o endereço do amigo de Nino, chamei da rua várias vezes, ansiosa, temendo que não respondesse.

"Nino, Nino."

Ele apareceu.

"Suba."

"Eu espero você aqui."

Esperei, temi que me tratasse mal. No entanto saiu do portãozinho com um ar insolitamente cordial. Como era perturbador aquele seu rosto anguloso. E como eu me sentia esmagada diante de sua figura comprida, de ombros largos e tórax estreito, daquela pele lisíssima, único revestimento moreno de sua magreza, apenas ossos, músculos, tendões. Disse que o amigo viria nos encontrar mais tarde, e fomos passear pelo centro de Forio, entre as banquinhas de domingo. Me perguntou sobre a livraria de Mezzocannone. Contei que Lila me pediu que a acompanhasse nas férias, e aí pedi demissão. Não mencionei o fato de que ela me dava dinheiro, como se acompanhá-la fosse um trabalho, como se eu fosse sua empregada. Perguntei sobre Nadia, e ele disse apenas: "Tudo bem". "Vocês se escrevem?". "Sim." "Todos os dias?". "Toda semana." Aquilo foi nossa conversa, já não tínhamos mais nada a nos falar. Não sabemos nada um do outro, pensei. Talvez eu pudesse perguntar como vão as relações com o pai, mas com que tom?

De resto, não tinha visto com meus próprios olhos que iam mal? Silêncio, fiquei constrangida.

Mas ele prontamente se moveu para o único terreno que parecia justificar nosso encontro. Disse que estava contente de me ver, com o amigo só podia falar de futebol ou das matérias da faculdade. Me elogiou. Galiani tem faro, disse, você é a única menina da escola que tem um pouco de curiosidade pelas coisas que não servem para nota. E passou a falar de temas importantes, ambos recorremos imediatamente a um belo italiano, apaixonado, em que nos sabíamos excelentes. Ele começou pelo problema da violência. Citou uma manifestação pela paz em Cortona e a associou habilmente aos espancamentos que tinham ocorrido numa praça de Turim. Disse que queria entender melhor a relação entre imigração e indústria. Concordei, mas o que eu sabia sobre aquelas coisas? Nada. Nino percebeu e me contou detalhadamente uma revolta de sulistas muito novos e a dureza com que a polícia os reprimira. "Chamam os rapazes de nápoles, chamam de marroquinos, de fascistas, provocadores, anarcossindicalistas. No entanto são pessoas à margem de qualquer instituição, tão abandonados a si mesmos que, quando se enfurecem, arrebentam tudo." Tentei dizer algo que pudesse agradá-lo e arrisquei: "Se não se tem um bom conhecimento dos problemas e se não se acham soluções a tempo, é natural que depois ocorram desordens. Mas a culpa não é de quem se rebela, a culpa é de quem não sabe governar". Ele me olhou com admiração e disse: "É exatamente isso o que eu penso".

Senti um prazer enorme. Me senti encorajada e, com cuidado, passei a algumas reflexões sobre como conciliar individualidade e universalidade, pescando em Rousseau e em outras reminiscências de leituras impostas por Galiani. Então perguntei a ele:

"Você leu Federico Chabod?".

Lancei aquele nome porque era o autor do livro sobre a ideia de nação do qual eu tinha lido algumas páginas. Não sabia nada além disso, mas na escola eu aprendera a convencer os outros de que eu sabia muita coisa. *Você leu Federico Chabod?* Foi o único momento em que Nino demonstrou certo desânimo. Notei que ele não sabia quem era Chabod e experimentei uma sensação eletrizante de plenitude. Comecei a resumir para ele o pouco que eu tinha aprendido, mas logo entendi que saber e exibir compulsivamente o que conhecia eram ao mesmo tempo seu ponto forte e seu calcanhar de Aquiles. Sentia-se forte quando se sobressaía e frágil quando lhe faltavam as palavras. De fato, se mostrou perturbado e me interrompeu quase em seguida. Suspendeu a conversa por vias laterais, me falou das Regiões, da necessidade de implementá-las, de autonomia e descentralização, de planejamento econômico em bases regionais, assuntos de que eu nunca tinha ouvido uma palavra. Portanto nada de Chabod, e deixei o campo livre para ele. Mas gostei de ouvi-lo falar, ler a paixão em seu rosto. Seus olhos ficavam muito vivos quando se entusiasmava.

Seguimos assim por pelo menos uma hora. Alheios ao vozerio ao redor, todo escrachadamente dialetal, nos sentimos unidos, somente eu e ele, com nosso italiano controlado, com aquelas conversas que só interessavam a nós e a mais ninguém. O que estávamos fazendo? Um debate? Exercícios para, no futuro, nos medirmos com gente que aprendera a usar as palavras como nós? Uma troca de sinais para mostrarmos um ao outro que havia bases sólidas para uma amizade longa e produtiva? Um anteparo culto para o desejo sexual? Não sei. Eu certamente não tinha nenhuma paixão especial por aqueles temas, pelas coisas e pessoas reais a que se referiam. Não havia ali educação, não havia hábito, apenas minha eterna vontade de não fazer feio. Mas foi lindo, isso é certo, me senti como quando, no final do ano, eu via a lista de minhas notas e lia: aprovada. Porém logo me dei conta de que não havia comparação com as trocas que anos antes eu tivera com Lila, aquelas que me acendiam a cabeça, aquelas durante as quais arrancávamos palavras uma à boca da outra, enquanto irrompia uma excitação que mais parecia uma tempestade de descargas elétricas. Com Nino era diferente. Intuí que eu precisava estar atenta e dizer o que ele queria que eu dissesse, ocultando seja minha ignorância, seja as poucas coisas que eu sabia, e ele não. Foi o que fiz, e me senti orgulhosa pela maneira como ele estava confiando a mim suas convicções. Mas aí aconteceu outra coisa. De repente ele disse chega, pegou minha mão e anunciou como uma ordem fluorescente: *agora você vai ver uma paisagem inesquecível*, e me levou até a Piazza del Soccorso sem soltar minha mão, ao contrário, entrelaçando os dedos nos meus, tanto que não conservo a memória do mar em arco, muito azul, vencida como fui por sua pegada.

Isso, sim, me arrebatou. Uma ou duas vezes soltou os dedos para ajeitar os cabelos, mas logo depois voltou a pegar minha mão. Por um instante me perguntei como aquele gesto íntimo se conciliava com a relação que ele mantinha com a filha de Galiani. Talvez para ele — disse a mim mesma — seja apenas o modo de conceber a amizade entre homem e mulher. Mas e o beijo que ele tinha me dado em Mezzocannone? Também aquilo não era nada de mais, novos costumes, novas maneiras de ser jovem; e mesmo assim, de fato, foi uma coisa leve, somente um brevíssimo contato. Devo me contentar com esta felicidade de agora, com a ousadia destas férias que eu mesma quis; depois vou perdê-lo, depois ele irá embora, tem um destino que não pode de modo nenhum ser o meu.

Estava imersa nesses pensamentos palpitantes quando ouvi um estrondo às minhas costas e gritos rudes nos chamando. As lambretas de Rino e de Stefano passaram por nós a todo gás, com suas mulheres na garupa. Reduziram a velocidade e voltaram atrás numa manobra hábil. Soltei a mão de Nino.

"E seu amigo?", perguntou Stefano desacelerando.

"Vai chegar daqui a pouco."

"Mande lembranças a ele."

"Mando."

Rino perguntou:

"Quer dar um passeio com Lenuccia?".

"Não, obrigado."

"Vamos lá, olhe como ela está contente."

Nino enrubesceu e disse:

"Não sei andar de lambreta".

"É fácil, é como uma bicicleta."

"Eu sei, mas não é para mim."

Stefano riu:

"Rinù, esse aí só estuda, deixe pra lá."

Nunca o tinha visto tão alegre. Lila estava agarrada a ele, com os dois braços em volta de sua cintura. Então o apressou:

"Vamos, se não vocês perdem o barco".

"Sim, sim, vamos", gritou Stefano, "amanhã temos de trabalhar: não somos como vocês, que podem ficar ao sol, tomando banho de mar. Tchau, Lenu, tchau, Nino, comportem-se."

"Prazer em conhecê-lo", disse Nino cordialmente.

Foram embora, Lila se despediu de Nino agitando um braço e gritando:

"Por favor, acompanhe minha amiga de volta".

Age como se fosse minha mãe, pensei um tanto incomodada, quer bancar a adulta.

Nino segurou de novo minha mão e disse:

"Rino é simpático, mas como é que Lina foi se casar com aquele imbecil?".

**46.**

Pouco depois conheci o amigo dele, Bruno Soccavo, um rapaz baixinho, de seus vinte anos, testa estreita, cabelo muito preto e encaracolado, rosto agradável mas marcado por uma velha acne que deve ter sido feroz.

Eles me acompanharam até a casa, seguindo pelo mar acobreado do crepúsculo. Durante todo o percurso Nino não me deu mais a mão, apesar de Bruno nos ter deixado praticamente sós: ou caminhava à frente ou ficava atrás, como se não quisesse incomodar. Já que Soccavo não me dirigiu a palavra em nenhum momento, eu fiz o mesmo; a timidez dele me intimidava. Mas quando nos separamos, na porta de casa, foi ele quem perguntou de repente: "Então nos vemos amanhã?". Nino quis saber que praia frequentávamos e insistiu em obter indicações precisas. Expliquei com precisão.

"Vocês vão de manhã ou de tarde?"

"De manhã e de tarde, Lina precisa tomar muitos banhos."

Prometeu que passaria para nos encontrar.

Subi as escadas de casa correndo, felicíssima, mas assim que entrei Pinuccia começou a zombar de mim.

"Mamãe", disse a Nunzia durante o jantar, "Lenuccia está namorando o filho do poeta, aquele de cabelo comprido, seco que nem bacalhau, que se acha melhor que todo mundo".

"Não é verdade."

"Verdade verdadeira, vimos vocês de mãos dadas."

Nunzia não quis entrar no deboche e tomou a coisa com a seriedade grave de sempre.

"Qual a profissão do filho de Sarratore?"

"Estudante universitário."

"Então, se vocês se gostam, é preciso esperar."

"Não há o que esperar, dona Nunzia, somos só amigos."

"Porém, digamos, se acontecer de vocês namorarem, antes ele precisa terminar os estudos, depois encontrar um trabalho digno dele e só então vocês poderão se casar."

"O que ela está lhe dizendo é que você vai criar mofo."

Mas Nunzia a repreendeu: "Você não deve falar assim com Lenuccia". E, para me consolar, contou que ela se casara com Fernando aos vinte e um anos, que tivera Rino aos vinte e três. Depois se dirigiu à filha e, sem maldade, só para sublinhar a situação, e disse a ela: "Já você se casou nova demais". Diante daquela frase Lila se enfureceu e foi se trancar no quarto. Quando Pinuccia bateu na porta para dormir com ela, gritou que não a incomodasse, "você tem seu quarto". Naquele clima, como eu faria para dizer: Nino e Bruno prometeram que virão me encontrar na praia? Desisti. Se acontecer, pensei, tudo bem; se não acontecer, por que lhe dizer? Enquanto isso, pacientemente, Nunzia acolheu a nora em sua cama, pedindo-lhe que não se chateasse com os humores da filha.

Não bastou a noite para acalmar Lila. Na segunda-feira acordou pior do que quando tinha ido dormir. É a distância do marido, justificou Nunzia, mas nem eu nem Pinuccia acreditamos nisso. Rapidamente descobri que o problema maior era eu. No caminho para a praia, obrigou-me a carregar sua bolsa e, uma vez lá, me mandou voltar duas vezes, a primeira para buscar uma echarpe, a segunda porque precisava da tesourinha para as unhas. Quando ensaiei protestar, esteve a ponto de me jogar na cara o dinheiro que me dava. Parou a tempo, mas não o suficiente para que eu não compreendesse: foi como alguém que acena lhe dar uma bofetada e depois não o faz.

Era um dia muito quente, ficamos o tempo todo na água. Lila treinou muito a flutuação e me obrigou a ficar sempre a seu lado, caso ela precisasse ser sustentada. De todo modo, prosseguiu com as maldades. Várias vezes me recriminou, disse que ela era uma tonta por confiar em mim: se eu também não sabia nadar, como podia ensinar a ela? Recordou como Sarratore era um bom instrutor e me fez jurar que, no dia seguinte, voltaríamos aos Maronti. Enquanto isso, de tanto insistir, fez grandes progressos. Tinha a capacidade de memorizar prontamente cada gesto. Graças a essa capacidade tinha aprendido a ser sapateira, a fatiar com destreza salames e provolones, a trapacear no peso. Tinha nascido assim, seria capaz de assimilar a arte do cinzel só de observar as ações de um ourives, e depois trabalharia o ouro melhor do que ele. De fato, agora já não se debatia em ânsia, impondo compostura a todo movimento como se desenhasse seu corpo sobre a superfície transparente do mar. Pernas e braços, longos, delgados, batiam na água com ritmo tranquilo, sem levantar espuma como Nino, sem a tensão evidente de Sarratore pai.

"Estou indo bem assim?"

"Está."

Era verdade. No intervalo de poucas horas já nadava melhor que eu, para não falar de Pinuccia, e ironizava nossa falta de jeito.

Aquele clima de arrogância desapareceu bruscamente quando, por volta das quatro da tarde, Nino, que era altíssimo, e Bruno, que mal chegava a seu ombro, apareceram na praia justo quando um vento fresco soprou, nos tirando a vontade de continuar na água.

Pinuccia foi a primeira que os avistou enquanto avançavam pela orla, entre crianças que brincavam com pazinhas e baldes. Desandou a rir com a surpresa e disse: "Está chegando o verbo 'li'". Era verdade. Nino e o amigo, de toalha nos ombros, cigarro e isqueiro, vinham com passo ponderado, procurando-nos com o olhar entre os banhistas.

Fui tomada de uma repentina sensação de poder, gritei, agitei os braços para marcar nossa presença. Então Nino mantivera a promessa. Então tinha sentido, já no dia seguinte, a necessidade de me reencontrar. Então viera mesmo de Forio arrastando consigo o colega taciturno e, como não tinha nada em comum com Lila e Pinuccia, era evidente que só fizera aquele passeio por minha causa, a única não casada e sem namorado. Me senti feliz, e quanto mais a felicidade se confirmava — Nino estendeu sua toalha a meu lado, se sentou, apontou para mim uma parte do tecido azul, e eu, que era a única sentada na areia, imediatamente me transferi para o lado dele —, mais eu me tornava cordial e falante.

Já Lila e Pinuccia emudeceram. Pararam com toda ironia em relação a mim, pararam de bater boca entre si e ficaram ouvindo

Nino, que passou a contar histórias divertidas sobre como ele e o amigo tinham organizado sua vida de estudo.

Passou algum tempo até que Pinuccia arriscasse umas palavras misturando italiano e dialeto. Disse que a água estava uma delícia, morna, que o homem que vendia coco fresco ainda não tinha passado, que ela estava com muita vontade disso. Mas Nino não deu muita bola, todo envolvido em suas histórias espirituosas, e foi Bruno, mais atento, quem se sentiu no dever de não ignorar a frase de uma senhora grávida: preocupado que o menino pudesse nascer com cara de coco, se ofereceu para ir buscá-lo. Pinuccia gostou de sua voz embargada pela timidez, mas gentil, a voz de uma pessoa que não quer fazer mal a ninguém, e começou a conversar animadamente com ele, em voz baixa, como para não perturbar.

Já Lila permaneceu calada. Não deu nenhuma importância às gentilezas que Pinuccia e Bruno trocavam entre si, mas não perdeu uma palavra do que eu e Nino dizíamos um ao outro. Aquela atenção me deixou incomodada, e umas duas vezes manifestei minha vontade de dar um passeio até as fumarolas, esperando que Nino dissesse: vamos. Mas ele começara a falar da desordem imobiliária de Ischia, de modo que concordou mecanicamente, mas depois continuou discursando. Trouxe Bruno à discussão, talvez incomodado pelo fato de o amigo conversar com Pinuccia, e o pediu que confirmasse certas destruições bem ao lado da casa de seus pais. Tinha uma grande necessidade de expressar-se, de condensar suas leituras, de dar forma ao que observara diretamente. Era sua maneira de pôr ordem nos pensamentos — falar, falar, falar —, mas certamente, pensei, também um sinal de solidão. Orgulhosamente me senti semelhante a ele, com a mesma necessidade de me conferir uma identidade culta, de impô-la, de dizer: vejam as coisas que sei, vejam como estou me transformando. Mas Nino não me deixou espaço para isso, embora às vezes — devo dizer — eu tenha tentado. Fiquei a ouvi-lo, assim como os outros, quando Pinuccia e Bruno exclamaram: "Bem, a esta altura vamos dar um passeio, vamos procurar o coco", olhei Lila com insistência, esperei que ela fosse embora com a cunhada deixando a mim e a Nino finalmente sós, rentes um ao outro sobre a mesma toalha. Mas ela não se moveu, e, quando Pina se deu conta de que estava prestes a ir passear sozinha com um jovem gentil, mas ainda assim um desconhecido, me perguntou irritada: "Lenu, venha, você não queria dar um passeio?". Respondi: "Sim, mas antes espere a gente terminar esta conversa; depois, se for o caso, vamos atrás de vocês". E ela, insatisfeita, se afastou com Bruno em direção às fumarolas: eram exatamente da mesma altura.

Ficamos discutindo como Nápoles, Ischia e toda a Campania tinha ido parar nas mãos da pior gente, mas que se passava pela melhor. "Predadores", definiu-os Nino num crescendo, "devastadores, sanguessugas, pessoas que faturam malas de dinheiro e não pagam impostos: construtores, advogados de construtores, camorristas, monárquico-fascistas e democrata-cristãos que se comportam como se o cimento se empastasse no céu e o próprio Deus, com uma enorme colher de pedreiro, o lançasse em blocos sobre as colinas, sobre o litoral". Mas não é que nós três estivéssemos discutindo. Era sobretudo ele quem discutia, eu de vez em quando recorri a umas informações que tinha lido no *Cronache Meridionali*. Quanto a Lila, interveio uma só vez e com muita cautela, quando na lista dos canalhas ele incluiu os bodegueiros. Perguntou:

"Quem são os bodegueiros?".

Nino parou no meio de uma frase e a olhou espantado:

"Os comerciantes."

"E por que os chama de *bodegueiros*?".

"É assim que se diz."

"Meu marido é bodegueiro."

"Eu não queria ofender."

"Não me ofendi."

"Vocês pagam os impostos?"

"É a primeira vez que ouço falar disso."

"É mesmo?"

"É."

"Os impostos são importantes para planejar a vida econômica de uma comunidade."

"Se você está dizendo... Você se lembra de Pasquale Peluso?".

"Não."

"Ele é pedreiro. Sem todo esse cimento ele perderia o emprego."

"Ah."

"Mas é comunista. O pai dele, também comunista, segundo a justiça matou meu sogro, que tinha feito dinheiro com o mercado negro e a agiotagem. E Pasquale é como o pai, nunca esteve de acordo com a questão da paz, nem com os comunistas companheiros dele. Mesmo assim, ainda que o dinheiro de meu marido venha direto da grana de meu sogro, eu e Pasquale somos muito amigos."

"Não entendi aonde você quer chegar."

Lila fez uma careta autoirônica.

"Nem eu, esperava poder entender ouvindo vocês."

Só isso, não disse mais nada. Mas, enquanto falava, não mostrou seu habitual tom agressivo, parecia que quisesse seriamente que a ajudássemos a compreender, visto que no bairro a vida era um grande emaranhado. Usara quase sempre o dialeto, como se assinalasse com modéstia: não uso truques, falo como sou. E tinha somado coisas esparsas com sinceridade, sem buscar, como frequentemente fazia, um fio que as mantivesse juntas. E, de fato, nem ela nem eu jamais tínhamos escutado aquela palavra-fórmula carregada de desprezo cultural e político: bodegueiros. E, de fato, tanto ela como eu ignorávamos tudo sobre os impostos: nossos pais, amigos, namorados, maridos e parentes se comportavam como se eles não existissem, e a escola não ensinava nada que se relacionasse vagamente com a política. Mesmo assim Lila conseguiu de algum modo bagunçar o que até aquele momento tinha sido uma tarde nova e intensa. Logo depois daquela troca de frases, Nino tentou retomar a argumentação, mas se atrapalhou e voltou a contar anedotas engraçadas sobre a vida em comum com Bruno. Disse que só comiam ovo frito e salsicha, e que bebiam litros de vinho. Depois pareceu constrangido por suas histórias e demonstrou alívio quando Pinuccia e Bruno, com os cabelos molhados de quem acabou de dar um mergulho, voltaram comendo coco.

"Me diverti muito", exclamou Pinuccia, mas com o ar de quem quer dizer: vocês são duas grandíssimas sacanas, me mandaram passear sozinha com um cara que não sei quem é.

Quando os dois rapazes se despediram, acompanhei-os por um trecho, só para deixar claro que eram meus amigos e que tinham vindo por minha causa.

Nino falou contrariado:

"Lina se perdeu completamente, que pena".

Fiz sinal que sim, me despedi deles, fiquei um tempo com os pés na água para me acalmar.

Quando voltamos para casa, eu e Pinuccia estávamos alegres, Lila, pensativa. Pinuccia contou a Nunzia sobre a visita dos dois rapazes e, inesperadamente, se mostrou contente com Bruno, que fizera de tudo para que o filho não nascesse com cara de coco. É um rapaz direito, disse, estudante, mas sem ser chato demais: parece não se importar com o que veste, mas tudo o que tem no corpo, do calção de banho à camisa e às sandálias, é coisa cara. Mostrou-se curiosa com o fato de que se pudesse ter dinheiro de modo diferente ao de seu irmão, de Rino, dos Solara. Disse uma frase que me espantou: no bar da praia, ele me comprou isso e mais aquilo, mas sem se exibir.

A sogra, que durante as férias nunca tinha ido à praia, cuidando apenas das compras, da casa, de preparar o jantar e o almoço que levávamos para o mar no dia seguinte, escutou como se a nora falasse de um mundo encantado. Naturalmente percebeu logo que a filha estava com a cabeça nas nuvens, e várias vezes lhe lançou olhares interrogativos. Mas Lila realmente estava distraída. Não criou problema de nenhum tipo, readmitiu Pinuccia em sua cama, desejou boa noite a todos. Então fez uma coisa totalmente inesperada. Eu tinha acabado de me deitar quando ela apareceu no quartinho. "Você me empresta um de seus livros?", pediu. Olhei para ela perplexa. Queria ler? Há quanto tempo não abria um livro? Três, quatro anos? E por que justamente agora decidira recomeçar? Peguei o volume de Beckett, aquele que eu usava para matar mosquitos, e o dei a ela. Pareceu-me o texto mais acessível que eu tinha.

## 47.

A semana transcorreu entre longas esperas e encontros que terminavam rápido demais. Os dois rapazes tinham horários que respeitavam com rigor. Acordavam às seis da manhã, estudavam até a hora do almoço, às três vinham andando nos encontrar, às sete iam embora, jantavam e recomeçavam a estudar. Mesmo sendo diferentes em tudo, ele e Bruno eram muito parceiros e só pareciam capazes de nos enfrentar porque um se fortalecia com a presença do outro.

Desde o início Pinuccia discordou dessa tese de parceria. Afirmou que os dois não eram nem particularmente amigos, nem particularmente solidários. Segundo ela, era uma relação que se sustentava inteiramente sobre a paciência de Bruno, que tinha um bom caráter e por isso aceitava sem se queixar que Nino lhe enchesse o saco o dia inteiro com as bobagens que saíam sem parar de sua boca. "Bobagens, sim", repetiu, mas depois se desculpou com uma ponta de ironia por ter definido assim as conversas que tanto me agradavam. "Vocês são estudantes", disse, "e é lógico que só se entendam entre si; mas pelo menos permitam que a gente se aborreça um pouco."

Eu gostei muito daquelas palavras. Ratificaram na presença de Lila, testemunha muda, que entre mim e Nino havia uma espécie de relação exclusiva, na qual era difícil intrometer-se. Mas um dia aconteceu que Pinuccia disse a Bruno e a Lila, em tom depreciativo: "Deixemos esses dois bancando os intelectuais e vamos nadar, que a água está linda". *Bancando os intelectuais* era claramente uma maneira de dizer que as coisas que falávamos não nos interessavam de verdade, que eram apenas um comportamento, uma atuação. E, embora aquela fórmula não me tenha desagradado em especial, a coisa irritou bastante Nino, que interrompeu uma frase pela metade. Ele deu um salto e correu antes de todos para um mergulho, sem se importar com a temperatura da água, e respingou água na gente enquanto avançávamos com arrepios, implorando para que ele parasse; então passou a lutar com Bruno como se quisesse afogá-lo.

Olha aí, pensei, está cheio de grandes pensamentos, mas, quando quer, também sabe ser alegre e animado. Por que então só me mostra seu lado mais sério? Galiani o convenceu de que só me interesso pelos estudos? Ou sou eu que, por causa dos óculos, do modo como falo, passo essa impressão?

A partir daquele momento percebi com tristeza que as horas da tarde se esvaíam deixando sobretudo palavras carregadas de sua ansiedade por se expressar e da minha de antecipar um conceito, de ouvi-lo declarar que concordava comigo. Nunca mais aconteceu de ele pegar minha mão, nem de me convidar para compartilhar sua toalha. Quando via Bruno e Pinuccia rindo por qualquer tolice, eu os invejava e pensava: como eu gostaria de rir com Nino daquele modo; não quero nada, não espero nada, só queria um pouco mais de intimidade, ainda que respeitosa, como aquela entre Pinuccia e Bruno.

Lila parecia às voltas com outros problemas. Durante toda a semana se comportou de modo tranquilo. Passava boa parte da manhã na água, nadando para cima e para baixo numa linha paralela à praia, a poucos metros da rebentação. Pinuccia e eu lhe fazíamos companhia, insistindo em passar instruções apesar de agora ela nadar muito melhor que nós. Mas logo ficávamos com frio e corríamos para nos estender na areia escaldante, enquanto ela continuava se exercitando com braçadas calmas, leves batidas dos pés, respirações ritmadas como lhe havia ensinado Sarratore pai. Tem de ser sempre exagerada, resmungava Pinuccia ao sol, alisando a barriga. E eu muitas vezes me levantava e gritava: "Chega de nadar, você está na água há muito tempo, assim vai pegar um resfriado". Mas Lila não me dava bola e só saía quando estava roxa, os olhos brancos, os lábios azuis, os dedos enrugados. Eu a esperava na orla com a toalha quente de sol, a colocava sobre seus ombros, a esfregava energicamente.

Quando os dois rapazes chegavam — e eles não faltaram nenhum dia —, ou tomávamos outro banho juntos, embora Lila geralmente se recusasse e ficasse sentada na toalha nos olhando da areia, ou íamos todos passear e ela ficava atrás, catando conchinhas, ou, se eu e Nino começávamos a conversar sobre o universo, ela se punha a ouvir com muita atenção, mas raramente interferia. Como nesse meio tempo se estabeleceram pequenos hábitos, fiquei surpresa de que ela se empenhasse em respeitá-los. Por exemplo, Bruno sempre chegava com bebidas geladas que comprava ao longo do caminho, em um quiosque de praia, e um dia ela notou que, para mim, ele pegara um refrigerante, quando em geral eu tomava laranjada; eu disse: "Obrigada, Bruno, está bem assim", mas ela o obrigou a ir trocar. Por exemplo, Pinuccia e Bruno a certa altura da tarde iam buscar coco fresco e, embora nos chamassem para acompanhá-los, Lila nunca pensou em fazer isso, nem eu, nem Nino: e assim se tornou inteiramente normal que eles saíssem enxutos, voltassem molhados do mar e trouxessem uma polpa de coco branquíssima, tanto que, se por acaso pareciam se esquecer, Lila dizia: "E o coco de hoje?".

Em minhas conversas com Nino ela também prestava muita atenção. Quando falávamos disso e daquilo, ela ficava impaciente e perguntava a ele: "Não leu nada de interessante hoje?". Nino sorria satisfeito, divagava um pouco e então retomava assuntos que lhe interessavam. Falava e falava, mas nunca houve verdadeiros atritos entre nós: eu quase sempre estava de acordo com ele e, se Lila interferia objetando alguma coisa, fazia-o rapidamente, com tato, sem jamais enfatizar o desacordo.

Numa tarde, ele estava citando um artigo muito crítico sobre o funcionamento da escola pública e em seguida passou a falar mal das escolas fundamentais que tínhamos frequentado no bairro. Eu concordei e passei a narrar as vergastadas que Oliviero nos aplicava no dorso das mãos quando errávamos e também as cruéis competições a que nos submetia. Mas Lila, para minha surpresa, disse que a escola fundamental tinha sido importantíssima para ela e elogiou nossa professora em um italiano que eu não ouvia há tempos, tão preciso e intenso que Nino não a interrompeu em nenhum momento para dizer sua opinião, mas ficou escutando com muita atenção e, por fim, disse frases genéricas sobre as diferentes necessidades que temos e sobre como uma mesma experiência pode satisfazer as demandas de um e ser insuficiente para outro.

Houve ainda outro caso em que Lila manifestou sua discordância com boas maneiras e num italiano educado. Eu me sentia cada vez mais propensa às teses que teorizavam intervenções competentes que, se realizadas a tempo, acabariam resolvendo os problemas, eliminando as injustiças e prevenindo os conflitos. Tinha rapidamente aprendido aquele esquema de raciocínio — nisso sempre fui boa — e o aplicava toda vez que Nino sacava questões sobre as quais havia lido aqui e ali: colonialismo, neocolonialismo, África. Mas numa tarde Lila disse devagar a ele que não havia nada que pudesse evitar o conflito entre ricos e pobres.

"Por quê?".

"Os que estão em baixo querem ir para cima, os que estão em cima querem permanecer em cima, e de um modo ou de outro sempre se acaba com cusparadas e chutes na cara."

"Justamente por isso o ponto central é resolver os problemas antes que se chegue à violência."

"E como? Levando todos para cima, levando todos para baixo?"

"Encontrando um ponto de equilíbrio entre as classes."

"Um ponto onde? Os de baixo se encontram a meio caminho com os de cima?"

"Digamos que sim."

"E os de cima vão descer de bom grado? E os de baixo vão renunciar a subir mais alto?"

"Caso se trabalhe para resolver bem essas questões, sim. Não acredita?"

"Não. As classes não jogam trunfo, mas lutam, e a luta é até a última gota de sangue."

"É o que pensa Pasquale", eu disse.

"Agora eu também penso assim", respondeu tranquila.

Afora aquelas poucas trocas diretas, raramente houve entre Lila e Nino conversas que não fossem mediadas por mim. Lila nunca se dirigia diretamente a ele, nem Nino se dirigia a ela, pareciam constrangidos um na presença do outro. Vi que ela estava muito mais à vontade com Bruno, que, mesmo sendo taciturno, conseguiu, graças à sua gentileza e ao tom agradável com que às vezes a chamava de senhora Carracci, estabelecer uma certa familiaridade. Por exemplo, numa vez em que tomamos um longo banho todos juntos e Nino, me surpreendendo, evitou aquelas suas longas nadadas que me deixavam ansiosa, ela se dirigiu a Bruno, e não a ele, pedindo que lhe mostrasse de quantas em quantas braçadas era preciso tirar a cabeça da água e respirar. O rapaz prontamente lhe deu uma demonstração. Mas Nino se irritou por não ter sido levado em consideração quanto à sua mestria no nado e interveio zombando dos braços curtos de Bruno, do ritmo frouxo. Então ele quis mostrar a Lila o modo correto. Ela o observou com atenção e logo o imitou. Ou seja, no final Lila estava nadando tão bem que Bruno a chamou de Esther Williams de Ischia, dizendo que se tornara exímia como a diva-nadadora do cinema.

Quando chegamos ao fim de semana — lembro que era um esplêndido sábado de manhã, o ar ainda estava fresco e o cheiro intenso dos pinheiros nos acompanhou por todo o caminho, até chegarmos à praia —, Pinuccia confirmou de modo categórico:

"O filho de Sarratore é realmente insuportável".

Defendi Nino timidamente. Disse com ar competente que, quando se estuda, quando nos apaixonamos pelas coisas, sente-se a necessidade de comunicar nossas paixões aos outros, e para ele era assim. Lila não pareceu convencida, disse uma frase que me soou ofensiva:

"Se você tirar da cabeça de Nino as coisas que ele leu, não fica mais nada".

Rebati:

"Não é verdade. Eu o conheço, ele tem um monte de qualidades".

Já Pinuccia deu razão a Lila com entusiasmo. Mas ela, talvez porque aquele consenso lhe desagradasse, disse que não se expressara bem e de repente inverteu o sentido da frase, como se ela mesma a tivesse formulado apenas por teste e agora, ao ouvi-la, se arrependesse e pisasse em ovos para remediar. Ele, esclareceu, está se habituando a pensar que somente as grandes questões é que importam, e se calhar vai viver a vida inteira só por elas, sem se incomodar com mais nada; não é como nós, que só pensamos em nossas coisas: no dinheiro, na casa, no marido, em ter filhos.

Quanto a mim, também não gostei daquele significado. O que ela estava dizendo? Que Nino não teria sentimentos pelas pessoas, que seu destino era viver sem amor, sem filhos, sem casamento? Fiz um esforço e disse:

"Você sabia que ele tem uma namorada e que gosta muito dela? Eles se escrevem uma vez por semana".

Pinuccia se intrometeu:

"Bruno não tem namorada, mas está procurando sua mulher ideal e, assim que a encontrar, diz que se casa e quer ter muitos filhos". Depois, sem nenhum nexo evidente, suspirou: "Esta semana passou voando".

"Não está contente? Já, já seu marido está de volta", repliquei. Pareceu quase ofendida com a possibilidade de que eu pudesse imaginar algum incômodo de sua parte pelo retorno de Rino. Exclamou:

"Claro que estou contente".

Então Lila me perguntou:

"E você? Está contente?".

"Com a volta de seus maridos?".

"Não, você entendeu muito bem."

Eu tinha entendido, mas não admiti. Ela queria dizer que amanhã, domingo, enquanto as duas estariam às voltas com Stefano e Rino, eu poderia encontrar os dois rapazes sozinha; aliás, quase com certeza, como ocorrera na semana anterior, Bruno ficaria por sua própria conta, e eu passaria a tarde com Nino. E ela estava certa, era justamente isso o que eu esperava. Há dias, antes de dormir, eu pensava no fim de semana. Lila e Pinuccia teriam suas alegrias conjugais, e eu teria as pequenas felicidades de uma solteira de óculos que passa a vida estudando: um passeio, caminhar de mãos dadas. Ou quem sabe até mais que isso. Desabafei rindo:

"Entender o quê, Lila? Sorte de vocês, que são casadas".

48.

O dia passou devagar. Enquanto eu e Lila ficamos tranquilas sob o sol, esperando que chegasse a hora em que Nino e Bruno viriam com bebidas frescas, o humor de Pinuccia começou a piorar sem motivo. Soltou frasezinhas nervosas a intervalos cada vez mais breves. Ora temia que os dois não viessem, ora exclamava que eles não podiam jogar nosso tempo fora à espera de que aparecessem. Quando pontualmente os rapazes compareceram com as bebidas de sempre, ela se mostrou irritada, disse que estava exausta. Mas poucos minutos depois, sempre de mau humor, mudou de ideia e concordou resmungando em ir pegar o coco.

Quanto a Lila, fez uma coisa que não me agradou. Durante toda a semana nunca me falara do livro que eu lhe emprestara, tanto é que eu tinha até me esquecido. No entanto, assim que Pinuccia e Bruno se afastaram, ela não ficou esperando que Nino puxasse a conversa e lhe perguntou sem preâmbulos:

"Você já esteve no teatro?".

"Algumas vezes."

"E gostou?"

"Mais ou menos."

"Eu nunca estive, mas já vi na televisão."

"Não é a mesma coisa."

"Eu sei, mas é melhor do que nada."

E nesse ponto tirou da bolsa o livro que eu lhe emprestara, o volume que reunia o teatro de Beckett, e o mostrou a ele.

"Você já leu este?"

Nino pegou o livro, o examinou, admitiu incomodado:

"Não".

"Então *há* algo que você ainda não leu."

"Sim."

"Você deveria ler este."

Lila então começou a falar do livro. Para minha surpresa, ela se empenhou muito, e o fez à sua velha maneira, escolhendo as palavras de modo a nos fazer enxergar pessoas e coisas, e também a emoção que lhe dava redesenhá-las, exibi-las ali, agora, vivas. Disse que não era preciso esperar uma guerra atômica, no livro era como se ela já tivesse ocorrido. Falou longamente de uma senhora que se chamava Winnie e que a certa altura exclamava: *outro dia divino*, e ela mesma declamou aquela frase, emocionando-se a ponto de, ao pronunciá-la, sua voz tremer um pouco: *outro dia divino*, palavras insuportáveis, porque nada, nada, nos explicou, nada na vida de Winnie, nada nos gestos, nada na cabeça, era *divino*, nem naquele dia nem nos dias anteriores. Mas, acrescentou, quem mais a surpreendeu foi um tal de Dan Rooney. Dan Rooney, disse, é cego, mas não se lamenta, porque considera que sem a visão a vida é melhor, e chega até a se perguntar se, tornando-se surdo e mudo, a vida não seria ainda mais vida, vida pura, vida sem mais nada que não a vida.

"Por que você gostou?", quis saber Nino.

"Ainda não sei se gostei."

"Mas ficou curiosa."

"Me fez pensar. O que quer dizer uma vida que é mais vida sem a visão, sem audição, até sem palavras?"

"Talvez seja só uma tirada."

"Não, que tirada nada. Ali há alguma coisa que sugere mil outras, não é uma tirada."

Nino não replicou. Disse apenas, fixando a capa do livro como se até ela devesse ser decifrada:

"Você já terminou?".

"Terminei."

"Pode me emprestar?".

Aquele pedido me desconcertou, senti uma pontada. Nino tinha dito — me lembro bem — que a literatura lhe interessava pouco ou nada, que suas leituras eram outras. Eu tinha dado aquele Beckett a Lila justamente porque sabia que não poderia usá-lo em minhas conversas com ele. E agora que ela lhe falava do livro, não só a escutava, mas até o pedia emprestado. Interrompi:

"É da Galiani, foi ela quem me deu".

"Você já leu?", me perguntou.

Precisei admitir que não, não tinha lido, mas logo acrescentei: "Estava pensando em começar nesta noite".

"Quando terminar você me empresta?"

"Se lhe interessa tanto", me apressei em dizer, "leia você antes."

Nino me agradeceu, raspou com a unha uma mancha de mosquito na capa e disse, virando-se para Lila:

"Vou ler nesta noite e amanhã conversamos".

"Amanhã, não, não vamos nos ver."

"Por quê?".

"Vou estar com meu marido."

"Ah."

Ele me pareceu irritado. Esperei trêmula que se dirigisse a mim e perguntasse se nós dois nos veríamos. Mas teve um impulso de impaciência e disse:

"Amanhã também não posso. Os pais de Bruno vão chegar esta noite, e eu preciso ir dormir em Barano. Volto na segunda".

Barano? Segunda? Esperei que me convidasse a ir encontrá-lo nos Maronti. Mas estava distraído, talvez ainda estivesse com a cabeça em Rooney, que, não contente em ser cego, ainda queria ser surdo e mudo. Não me falou nada.


**49.**


Enquanto voltávamos para casa, eu disse a Lila:

"Se eu lhe empresto um livro, que aliás nem é meu, só lhe peço que não o traga para a praia. Não posso devolvê-lo a Galiani com areia dentro."

"Desculpe", disse ela, e me deu com alegria um beijo na bochecha. Talvez para ser perdoada, quis carregar minha bolsa e a de Pinuccia.

Lentamente fui me acalmando. Pensei que não por acaso Nino mencionara o fato de que estava indo a Barano: queria que eu soubesse e decidisse por minha conta encontrá-lo ali. Ele é assim mesmo — disse a mim mesma, com alívio crescente —, precisa ser procurado: amanhã acordo cedo e vou. Mas quem ficou de mau humor foi Pinuccia. Normalmente ela se enfurecia com facilidade, mas logo se aquietava, especialmente agora que a gravidez não só lhe amaciara o corpo, mas também as arestas do caráter. No entanto se mostrou cada vez mais raivosa.

"Bruno lhe disse algo antipático?", perguntei a ela a certa altura.

"Imagina."

"E o que houve?"

"Nada."

"Não está se sentindo bem?"

"Estou ótima, nem eu sei o que é que tenho."

"Vá se arrumar que Rino já está chegando."

"Sim."

Mas ficou com a roupa úmida no corpo, folheando distraidamente uma fotonovela. Lila e eu nos embelezamos, especialmente Lila, que se enfeitou como se fosse a uma festa, e ela, nada. Então até Nunzia, que trabalhava silenciosa preparando o jantar, disse baixinho: "Pinu, o que é, minha linda, não vai se vestir?". Nenhuma resposta. Somente quando ouviu o ronco das lambretas e as vozes dos dois jovens que chamavam, Pina deu um pulo e correu para se trancar no quarto de casal, gritando: "Não o deixem entrar, por favor".

Passamos uma noite confusa, que em diferentes graus acabou também confundindo os maridos. Stefano, já acostumado aos conflitos permanentes de Lila, se viu inesperadamente diante de uma garota muito afetuosa, inclinada a abandonar-se a carícias e beijos sem a hostilidade de sempre; já Rino, que estava habituado às manhas pegajosas de Pinuccia, ainda mais pegajosas agora que estava grávida, ficou mal porque a mulher não correu para encontrá-lo nas escadas, precisou ir procurá-la no quarto e, quando finalmente a abraçou, percebeu logo o esforço que fazia para se mostrar contente.

Não só. Enquanto Lila riu muito quando, depois de uns copos de vinho, os dois jovens meio bêbados começaram a escancarar seu desejo com alusões sexuais, Pinuccia, assim que Rino lhe sussurrou rindo não sei o quê no ouvido, se retraiu bruscamente e sibilou em um semi-italiano: "Pare com isso, você é um cafona". Ele disse com raiva: "Cafona, eu? Cafona?", e ela resistiu alguns minutos, até que seu lábio inferior tremeu e foi se refugiar no quarto.

"É a gravidez", disse Nunzia, "é preciso ter paciência."

Silêncio. Rino terminou de comer, bufou, foi até a esposa. Não voltou mais.

Lila e Stefano decidiram dar uma volta de lambreta para ver a praia de noite. Foram embora aos risos e trocando beijinhos. Eu tirei a mesa insistindo como sempre com Nunzia, que não queria que eu mexesse uma palha. Conversamos um pouco sobre como ela conheceu Fernando e os dois se apaixonaram, disse uma coisa que me espantou muito: "Você ama pela vida inteira pessoas que nunca sabe realmente quem são". Fernando tinha sido tão bom quanto ruim, e ela o amara muito, mas também o odiara. "De modo que", sublinhou, "não há motivo de preocupação: Pinuccia está de lua, mas depois se ajeita; e lembra como Lila voltou da lua de mel? Bem, olhe para eles agora. A vida toda é assim: numa vez você apanha, noutra, recebe beijos".

Fui me recolher em meu quartinho, tentei acabar o Chabod, mas voltei a pensar em como Nino ficara encantado com o modo de Lila falar daquele Rooney e me passou a vontade de perder tempo com a ideia de nação. Nino também é esquivo, pensei, Nino também é difícil de entender quem é. Parecia não se interessar por literatura, mas aí Lila pega ao acaso um livro de teatro, diz meia dúzia de bobagens, e ele se apaixona. Remexi em meus livros em busca de outros volumes de literatura, mas não havia nenhum. Por outro lado, notei que faltava um livro. Será possível? Galiani tinha me emprestado seis. Um agora estava com Nino, um eu estava lendo, no mármore do parapeito havia três. Onde estava o sexto?

Procurei em todo canto, até debaixo da cama, e nesse meio tempo lembrei que era um livro sobre Hiroshima. Fiquei agitada, certamente Lila o pegara enquanto eu estava me lavando no banheiro. O que estava acontecendo com ela? Depois de anos de sapataria, noivado, amor, charcutaria, negócios com os Solara, resolvera voltar a ser o que tinha sido na escola fundamental? Claro, ela já havia dado um sinal: quisera fazer aquela aposta que, para além dos resultados, com certeza tinha sido um modo de me manifestar seu desejo de retomar os estudos. Mas isso não foi adiante, ela de fato se empenhou? Não. No entanto bastaram as conversas de Nino, seis tardes de sol na praia, para lhe devolver a vontade de aprender, quem sabe até disputar para ver quem era a melhor. Por isso elogiara a professora Oliviero? Por isso achara bonito que alguém se apaixonasse por toda a vida apenas por coisas importantes, e não pelas banais? Saí de meu quarto evitando os rangidos da porta, na ponta dos pés.

A casa estava silenciosa, Nunzia tinha ido dormir, Stefano e Lila ainda não tinham voltado. Entrei no quarto deles: um caos de roupas, sapatos, malas. Sobre uma cadeira encontrei o volume, o título era *Hiroshima no dia seguinte*. Ela o pegara sem me pedir permissão, como se minhas coisas fossem dela, como se eu devesse a ela aquilo que eu era, como se até os cuidados de Galiani com minha formação dependessem do fato de que ela, com um gesto distraído, uma frase apenas esboçada, me pusera em condição de alcançar esse prestígio. Pensei em levar o livro comigo. Mas me envergonhei, mudei de ideia, o deixei ali.

## 50.

Foi um domingo de tédio. Sofri com o calor a noite inteira, não ousava abrir a janela por medo dos pernilongos. Adormeci, acordei, tornei a dormir. Ir até Barano? Qual seria o resultado? Passar o dia brincando com Ciro, Pino e Clelia, enquanto Nino se exercitava em suas longas nadadas ou então ficava ao sol sem dizer uma palavra, em surda polêmica com o pai? Acordei tarde, às dez, e assim que abri os olhos me chegou de muito longe uma sensação de falta que me deu angústia.

Soube por Nunzia que Pinuccia e Rino já tinham ido para a praia, enquanto Stefano e Lila continuavam dormindo. Molhei sem vontade o pão no café com leite, renunciei definitivamente a Barano, fui para a praia nervosa, triste.

Lá encontrei Rino dormindo sob o sol, os cabelos molhados, o corpo volumoso abandonado de barriga para baixo sobre a areia, e Pinuccia caminhando para lá e para cá na beira do mar. Chamei-a para irmos até as fumarolas, ela recusou grosseiramente. Passeei por um bom tempo sozinha, em direção a Forio, para me acalmar.

A manhã demorou a passar. Na volta, tomei um banho e me deitei ao sol. Acabei escutando Rino e Pinuccia que, como se eu não estivesse ali, murmuravam frases do tipo:

"Não vá embora".

"Preciso trabalhar: os sapatos devem estar prontos no outono. Você chegou a ver os modelos? Gostou?"

"Sim, mas as coisas que Lila quis que você acrescentasse são feias, tire aquilo."

"Não, elas ficam bem."

"Está vendo? Tudo o que eu digo não conta nada para você."

"Não é verdade."

"É a pura verdade, você não gosta mais de mim."

"Eu te amo, e você sabe quanto."

"Que nada, olhe só minha barriga."

"Dou dez mil beijos nessa barriga. A semana toda só faço pensar em você."

"Então não vá trabalhar."

"Não posso."

"Então quer dizer que esta noite eu também vou embora."

"Nós já pagamos nossa cota, você precisa aproveitar as férias."

"Não quero mais isso."

"Por quê?".

"Porque assim que eu durmo começo a ter sonhos horríveis e passo a noite toda acordada."

"Mesmo quando dorme com minha irmã?"

"Aí é pior ainda: se sua irmã pudesse me matar, ela me mataria."

"Então vá dormir com mamãe."

"Sua mãe ronca."

O tom de Pinuccia era insuportável. Durante todo o dia não consegui entender o motivo daquela lamúria. É verdade que ela dormia pouco e mal. Mas querer que Rino ficasse, querer até ir embora com ele, me pareceu uma mentira. A certa altura me convenci de que ela estava tentando lhe dizer algo que ela mesma ignorava e que, por isso, só conseguia expressar de modo petulante. Mas depois me desliguei, fui atraída por outras coisas. Sobretudo pela exuberância de Lila.

Quando apareceu na praia com o marido, me pareceu ainda mais feliz que na noite anterior. Quis mostrar a ele como tinha aprendido a nadar e juntos nadaram para longe da orla — em alto mar, dizia Stefano, apesar de na verdade terem se afastado apenas poucos metros da areia. Ela, elegante e precisa nas braçadas e no modo ritmado com que agora aprendera a virar a cabeça para tomar ar, erguendo a boca da água, logo o deixou para trás. Depois parou para esperá-lo, rindo, enquanto ele a alcançava com braçadas desajeitadas, cabeça bem espichada no pescoço, bufando contra a água que espirrava em sua cara.

A alegria dela cresceu ainda mais à tarde, quando saíram num passeio de lambreta. Rino também queria dar uma volta e, como Pinuccia se recusou — temia levar um tombo e perder o menino —, ele me disse: "Vem você, Lenu". Pela primeira vez tive essa

HISTÓRIA DO NOVO SOBRENOME 217

experiência, Stefano corria na frente, Rino seguia atrás, e vento, e medo de cair ou de dar uma trombada, e uma excitação crescente, o cheiro forte que exalava das costas suadas do marido de Pinuccia, a plenitude bravateira de si que o impelia a violar qualquer regra e a responder a quem protestava segundo os costumes do bairro, freando bruscamente, ameaçando, sempre pronto a engalfinhar-se para afirmar seu direito de fazer o que bem entendesse. Foi divertido, um retorno às emoções de mocinha mal crescida, muito diferentes das que Nino me dava quando aparecia vindo pela praia, à tarde, em companhia do amigo.

Ao longo daquele domingo mencionei várias vezes os rapazes: gostava especialmente de pronunciar o nome de Nino. Logo notei que tanto Pinuccia quanto Lila se comportavam como se não tivéssemos frequentado Bruno e Nino todas juntas, mas somente eu. A consequência foi que, quando seus maridos se despediram e foram correndo pegar a embarcação, Stefano me pediu que eu mandasse lembranças ao filho de Soccavo, como se eu fosse a única a ter a possibilidade de encontrá-lo, enquanto Rino tirou sarro de mim falando: "Você gosta mais do filho do poeta ou do filho do mortadeleiro? Na sua opinião, quem é o mais bonito?", como se a esposa e a irmã não tivessem elementos para formular um juízo próprio.

Por fim, ambas me irritaram pelo modo como reagiram à partida dos maridos. Pinuccia ficou alegre, sentiu a necessidade de lavar o cabelo que — disse em voz alta — estava cheio de areia. Lila perambulou preguiçosamente pela casa e foi se deitar na cama desfeita, sem se importar com a bagunça do quarto. Quando apareci para lhe dar boa noite, vi que não tinha nem mesmo tirado a roupa: estava lendo o livro sobre Hiroshima de olhos apertados, o cenho franzido. Não a critiquei, apenas disse, talvez com alguma aspereza:

"Como é que de repente lhe voltou a vontade de ler?".

"Não é da sua conta", respondeu.

## 51.

Na segunda-feira Nino compareceu — quase um fantasma evocado por meu desejo — não às quatro da tarde, como de regra, mas às dez da manhã. A surpresa foi grande. Nós três tínhamos acabado de chegar à praia, rancorosas, cada qual convencida de que as outras tinham demorado muito no banheiro, Pinuccia particularmente nervosa por seus cabelos terem se embaraçado durante o sono. Foi ela quem falou primeiro, enfezada, quase agressiva. Perguntou a Nino antes mesmo que ele nos explicasse aquela mudança súbita de horário:

"Por que Bruno não veio, tinha coisa melhor para fazer?"

"Os pais dele ainda estão na casa, partem ao meio-dia."

"Depois ele vem?"

"Acredito que sim."

"Porque, se ele não vier, vou voltar para dormir: com vocês eu me entedio."

E, enquanto Nino nos contava como tinha sido péssimo seu domingo em Barano, tanto que hoje ele saíra de manhã cedo e, não podendo ir para a casa de Bruno, veio direto para a praia, ela se intrometeu uma ou duas vezes perguntando manhosa: quem vem tomar banho comigo? Como eu e Lila ignoramos o convite, ela foi sozinha para a água, toda irritada.

Paciência. Nós preferimos ficar ouvindo com muita atenção a lista que Nino nos fez dos erros cometidos pelo pai. Um trapaceiro, o definiu, um preguiçoso. Estabeleceu-se em Barano prolongando abusivamente uma licença de trabalho por uma falsa doença, mas que tinha sido regularmente atestada por um médico da Assistência Social amigo dele. "Meu pai", disse-nos com desgosto, "é a completa negação do interesse geral". E nesse momento, sem interrupção, fez uma coisa imprevisível. Com um movimento inesperado que me fez estremecer, ele se inclinou e me deu um beijo na bochecha, um beijo forte, estalado, ao qual se seguiu a frase: "Estou realmente alegre por ver você". Depois, com um leve embaraço, como se percebesse que aquela expansividade em relação a mim poderia ser deselegante com Lila, emendou:

"Posso dar um beijo em você também?".

"Claro", respondeu Lila condescendente, e ele lhe deu um beijo suave, sem estalo, um contato quase imperceptível. Depois disso desandou a falar entusiasmado sobre os textos teatrais de Beckett: ah, como ele tinha gostado daqueles tipos enterrados até o pescoço na terra; e como era bonita a frase sobre o fogo que o presente nos acende por dentro; e, embora entre as mil coisas sugestivas que Maddie e Dan Rooney diziam ele tenha tido dificuldade em localizar o ponto exato citado por Lila, bem, o conceito de que se sente mais a vida quando se é cego, surdo, mudo e até sem paladar e sem tato era objetivamente interessante em si; segundo ele, significava: vamos abolir todos os filtros que nos impedem de gozar plenamente este estar *hic et nunc*, verdadeiros.

Lila se mostrou perplexa, disse que tinha pensado nisso e que a vida em estado puro a aterrorizava. Expressou-se com certa ênfase, exclamou: "A vida sem ver e sem falar, sem falar e sem ouvir, a vida sem uma veste, sem um invólucro, é disforme". Não recorreu exatamente a estas palavras, mas com certeza usou disforme e o fez com um gesto de repulsa. Nino repetiu à meia-voz: "Disforme", como se o vocábulo fosse um nome ruim. Depois voltou a argumentar, mas de modo ainda mais exaltado, até que de repente tirou a camiseta exibindo-se em sua magreza preta de sol, segurou em nossas mãos e nos arrastou para a água, enquanto eu gritava felicíssima: "Não, não, não, estou com frio, não", e ele respondia: "*Ah, finalmente mais um dia divino*", e Lila ria.

Então — pensei contente — Lila se enganou. Então existe com certeza outro Nino: não o rapaz soturno, não o que só se emociona por reflexões sobre o estado geral do mundo, mas *este rapaz*, este rapaz que brinca, que nos arrasta ruidosamente para a água, que nos agarra, nos aperta, nos atrai para si, que nada para longe, se deixa alcançar, se deixa agarrar, se deixa empurrar por ambas debaixo d'água e finge ser dominado, finge que o afogamos.

Quando Bruno chegou, as coisas ficaram ainda melhores. Passeamos todos juntos, e Pinuccia aos poucos recuperou o bom humor. Quis tomar banho de novo, quis comer coco. A partir daquele momento, e durante toda a semana que se seguiu, achamos totalmente natural que os rapazes viessem nos encontrar na praia às dez da manhã e ficassem até o pôr do sol, quando então dizíamos: "Precisamos ir, se não Nunzia se chateia", e eles se resignavam e voltavam um pouco a seus estudos.

Mas agora, quanta intimidade. Se Bruno chamava Lila de senhora Carracci em tom gozador, ela lhe dava um soco no ombro de brincadeira e o perseguia com ameaças. Se mostrava excessiva devoção a Pinuccia por estar esperando um filho, ela lhe dava o braço e dizia: "Vamos lá, vamos correndo, eu quero um refrigerante". Quanto a Nino, agora muitas vezes me dava a mão, punha o braço em torno de meus ombros, e ao mesmo tempo passava o outro em torno dos de Lila, segurava seu indicador, seu polegar. As cautelosas distâncias tinham cedido. A gente se transformou em um grupo de cinco jovens que se divertiam com quase nada. E passamos de uma brincadeira a outra, quem perdia pagava uma prenda. As prendas eram quase sempre beijos, mas beijos fingidos, obviamente: Bruno tinha de beijar os pés sujos de areia de Lila, Nino, minha mão e depois as bochechas, a testa, uma orelha com estalo no ouvido. Também fizemos longas partidas de tamboréu, e a bola voava pelos ares após repicar com um golpe seco na pele esticada, e Lila era muito boa, Nino também. Mas o melhor de todos, o mais preciso, era Bruno. Ele e Pinuccia venceram todas, seja contra mim e Lila, seja contra Lila e Nino, seja contra Nino e eu. Ganharam também porque durante o jogo se firmara uma espécie de gentileza programática de todos em relação a Pina. Ela corria, se lançava e rolava na areia, esquecendo-se de seu estado, e por fim a deixávamos vencer, só para acalmá-la. Bruno gentilmente a censurava, fazia com que se sentasse, dizia chega e gritava: "Ponto para Pinuccia, nossa craque".

Assim começou a se alongar um fio de felicidade que atravessou as horas e os dias. Já não me incomodei que Lila pegasse meus livros, aliás, me pareceu uma coisa muito boa. Não me incomodei que, quando a discussão se inflamava, ela cada vez mais manifestasse sua opinião, enquanto Nino a ouvia atentamente e parecia sem palavras para replicar. Achei até animador que, naquelas circunstâncias, ele parasse subitamente de dirigir-se a ela e passasse num instante a raciocinar comigo, como se isso o ajudasse a recuperar suas convicções.

Então chegou o dia em que Lila expôs sua leitura sobre Hiroshima. Daí nasceu uma discussão muito acirrada, porque Nino — entendi — era crítico, sim, dos Estados Unidos e não gostava que os americanos tivessem uma base militar em Nápoles, mas também era atraído por seu estilo de vida, dizia que queria estudá-lo e por isso ficou mal quando Lila disse em termos gerais que jogar bombas atômicas no Japão tinha sido um crime de guerra, aliás, mais que um crime de guerra — àquela altura a guerra já importava pouco — um crime de soberba.

"Lembre-se de Pearl Harbor", disse ele cautelosamente.

Eu não sabia o que era Pearl Harbor, mas descobri que Lila sabia. Ela disse que Pearl Harbor e Hiroshima eram duas coisas incomparáveis, que Pearl Harbor tinha sido um ato de guerra covarde e Hiroshima, um horror insensato, ferocíssimo e vingativo, pior, muito pior que os extermínios nazistas. E concluiu: os americanos deveriam ser processados como os piores criminosos, desses que fazem coisas assustadoras só para aterrorizar quem continua vivo e manter a gente de joelhos. O desabafo foi tão grande que Nino, em vez de passar ao contra-ataque, ficou em silêncio, muito pensativo.

Depois, se voltou para mim como se ela não existisse. Disse que o problema não era nem a ferocidade, nem a vingança, mas a urgência de pôr fim à mais terrível das guerras e, ao mesmo tempo, justamente utilizando aquela nova arma devastadora, acabar com todas as guerras. Falou num tom baixo, olhando-me direto nos olhos, como se estivesse interessado apenas em minha concordância. Foi um momento muito bonito. Ele ficava lindo quando agia assim. E eu me emocionava a ponto de sentir as lágrimas subindo aos meus olhos e ter dificuldade de engoli-las.

Então chegamos a mais uma sexta-feira, um dia muito quente, passado em grande parte na água. E algo de repente voltou a deteriorar.

Estávamos subindo para casa, tínhamos acabado de deixar os dois rapazes, o sol estava baixo e o céu, rosa-azulado, quando Pinuccia, que subitamente ficara silenciosa após tantas horas de desenvoltura exagerada, atirou a bolsa no chão, sentou na beira da estrada e começou a gritar de raiva, breves gritos agudos, quase um ganido.

Lila apertou os olhos e a fixou como se estivesse vendo não a cunhada, mas algo de terrível, para o qual não estava preparada. Voltei atrás com espanto e perguntei:

"Pina, o que foi, você não está bem?".

"Não suporto esta roupa molhada."

"Mas todas estamos com a roupa molhada."

"Isso me irrita."

"Se acalme, levante, venha. Não está mais com fome?".

"Não me diga calma. Você me irrita quando diz calma. Não te suporto mais, Lenu, você e sua calma."

E voltou a ganir, esmurrando as próprias coxas.

Senti que Lila estava se afastando sem nos esperar. Senti que se decidira a isso não por irritação ou por indiferença, mas por alguma coisa de abrasivo naquele comportamento, algo que queimava só de estar perto. Ajudei Pinuccia a se levantar, carreguei sua bolsa.

## 52.

Aos poucos ela se aquietou, mas passou a noite de cara amarrada, como se lhe tivéssemos feito sabe-se lá o que de ruim. Como a certa altura ela foi indelicada até com Nunzia, criticando o ponto de cozimento da massa com maus modos, Lila bufou e passou de repente a um dialeto feroz, descarregando sobre ela os insultos mais fantasiosos de que era capaz. Pina decidiu que naquela noite dormiria comigo.

Teve um sono agitado. Além disso, como éramos duas naquele quartinho, não se conseguia respirar de tanto calor. Molhada de suor, acabei abrindo a janela e fui atormentada pelos mosquitos. Isso me tirou o sono definitivamente, esperei amanhecer e me levantei.

Agora eu também estava de péssimo humor, tinha três ou quatro picadas no rosto que me deformavam. Fui até a cozinha, Nunzia estava lavando nossa roupa suja. Lila também já tinha acordado, tomara um mingau e agora estava lendo outro livro meu, que eu nem sei quando surrupiara. Assim que me viu, lançou-me um olhar indagador e perguntou com uma apreensão genuína, que eu não esperava:

"Como Pinuccia está?".

"Não sei."

"Você está chateada?"

"Estou, não preguei olho, e veja como está minha cara."

"Não se vê nada."

"*Você* não vê nada."

"Nem Nino nem Bruno vão notar nada."

"E daí?"

"Você gosta de Nino?"

"Já lhe disse cem vezes que não."

"Calma."

"Estou calma."

"Vamos ficar de olho em Pinuccia."

"Fique atenta você, ela é sua cunhada, não minha."

"Você está chateada."

"Estou, estou sim."

O dia foi ainda mais quente que o anterior. Fomos para a praia apreensivas, o mau humor passava de uma a outra como uma infecção.

No meio do caminho, Pinuccia se deu conta de que não pegara sua toalha e teve outro ataque de nervos. Lila seguiu em frente de cabeça baixa, sem nem olhar para trás.

"Eu vou buscar para você", me ofereci.

"Não, vou voltar para casa, hoje não estou a fim de praia."

"Não está se sentido bem?"

"Estou ótima."

"E então?"

"Olha só minha pança."

Olhei sua barriga e disse sem pensar:

"E eu? Não está vendo essas picadas na minha cara?"

Ela se pôs a gritar, me disse você é uma cretina e foi embora a passos rápidos em direção a Lila.

Quando nos instalamos na praia, ela me pediu desculpas e murmurou você é tão certinha que às vezes me irrita.

"Não sou certinha."

"Queria dizer que você é boa."

"Não sou boa."

Lila, que tentava de todo jeito nos ignorar fixando a praia na direção de Forio, disse gélida:

"Parem com isso, eles estão chegando".

Pinuccia estremeceu. "O verbo *li*", sussurrou com uma repentina suavidade na voz e passou de novo o batom, embora já tivesse bastante.

Em matéria de mau humor, os dois rapazes não ficaram atrás. Nino disse em tom sarcástico, dirigindo-se a Lila:

"Hoje à noite chegam os maridos?"

"Claro."

"E o que vocês vão fazer de bom?"

"Vamos comer, beber e dormir."

"E amanhã?"

"Amanhã vamos comer, beber e dormir."

"Eles ficam no domingo à noite?"

"Não, no domingo vamos comer, beber e dormir só de tarde."

Fiz esforço para dizer, me escondendo num tom autoirônico: "Eu estou livre: não como, não bebo e não durmo."

Nino me olhou como se estivesse percebendo algo que nunca havia notado, tanto que passei uma mão na maçã direita do rosto, onde tinha uma picada mais inchada que as outras. Então me disse sério: "Bem, então amanhã nos vemos aqui às sete da manhã e depois subimos a montanha. Na volta, praia até tarde. O que acha?"

Senti nas veias o calor do júbilo, disse aliviada:

"Tudo bem, às sete, eu trago o lanche."

Pinuccia perguntou desolada:

"E nós?"

"Vocês têm seus maridos", murmurou ele — e pronunciou *maridos* como se dissesse sapos, cobras, aranhas, tanto que ela se ergueu de um salto e foi até a beira do mar.

"Está meio sensível demais nesta fase", tentei justificá-la, "mas é culpa da gravidez, em geral não é assim."

Bruno falou com seu tom paciente:

"Vou com ela buscar o coco."

Nós o seguimos com o olhar — baixinho mas bem proporcionado, o tórax potente, as coxas fortes —, enquanto ele se movia na areia com o passo calmo, como se o sol tivesse se esquecido de escaldar os grãos que pisava. Quando Bruno e Pina seguiram rumo ao bar, Lila disse:

"Vamos dar uma nadada".

## 53.

Fomos os três juntos para o mar, eu no meio, os dois a meu lado. É difícil expressar a sensação repentina de plenitude que me tomara quando Nino me falou: amanhã nos vemos aqui às sete. É verdade que o humor oscilante de Pinuccia me incomodava, mas era um incômodo brando, não podia arranhar meu estado de bem-estar. Eu finalmente estava contente comigo, com o domingo longo e intenso que me esperava; e me sentia orgulhosa de estar ali, naquele momento, com as pessoas que desde sempre tiveram um peso em minha vida, um peso não comparável nem mesmo com o de meus pais e meus irmãos. Peguei ambos pelas mãos, dei um grito de felicidade, arrastei-os para a água fria levantando estilhaços gelados de espuma. Mergulhamos como se fôssemos um único organismo.

Assim que submergimos, soltamos os dedos das mãos. Nunca me agradou o frio da água nos cabelos, no crânio, nas orelhas. Voltei à tona depressa, soprando a água para longe. Mas vi que os dois já nadavam e também comecei a nadar, para não os perder. Logo a tarefa se mostrou difícil: eu não era capaz de manter o ritmo, cabeça na água, braçadas calmas; o braço direito era mais forte que o esquerdo, forçando um desvio; e tomava cuidado para não engolir água salgada. Tentei acompanhá-los buscando não os perder de vista, apesar de minha miopia. Eles pararam, pensei. Meu coração batia forte, reduzi o ritmo, por fim fiquei boiando e admirando o modo como eles avançavam com segurança rumo ao horizonte, lado a lado.

Talvez estivessem se afastando demais. De resto também eu, movida pelo entusiasmo, fui bem mais além da confortável linha imaginária que normalmente me permitia voltar à praia com poucas braçadas — e a própria Lila nunca ultrapassara aquele ponto. No entanto lá estava ela, disputando com Nino. Apesar de pouco experiente, não cedia, queria acompanhá-lo, avançava cada vez mais.

Comecei a me preocupar. E se lhe faltarem as forças? E se tiver um mal-estar? Nino é ótimo, vai ajudá-la. Mas e se ele tiver uma câimbra, e se ele também fraquejar? Olhei em torno, a correnteza estava me arrastando para a esquerda. Não posso esperá-los aqui, preciso voltar atrás. Dei uma olhada no fundo, e foi um erro. O azul logo se tornava escuro, depois negro como a noite, embora o sol brilhasse e a superfície do mar cintilasse e branquíssimos fiapos de nuvem se alongassem no céu. Percebi o abismo, notei sua liquidez escorregadia, senti-o como uma fossa de mortos de onde sabe-se lá o que poderia emergir a qualquer instante, me tocar, me agarrar, me morder, me puxar para o fundo.

Tentei me acalmar, gritei: Lila. Os olhos sem óculos não me ajudavam, foram vencidos pelo reluzir da água. Pensei no passeio com Nino no dia seguinte. Fui recuando lentamente, sobre as costas, remando com pernas e braços até alcançar a orla.

Ali me sentei metade na água e metade no seco, avistei com dificuldade suas cabeças escuras como boias abandonadas na superfície do mar e me senti aliviada. Lila não só estava a salvo, mas conseguira, tinha feito testa a Nino. Como é teimosa, como é exagerada, como é corajosa. Me levantei e fui até Bruno, que estava sentado ao lado das nossas coisas.

"Onde Pinuccia está?", perguntei.

Ele deu um sorriso tímido que me pareceu disfarçar uma tristeza.

"Foi embora."

"Para onde?"

"Para casa, disse que precisa arrumar as bagagens."

"As bagagens?"

"Ela quer ir embora, disse que não quer deixar o marido sozinho por tanto tempo."

Peguei minhas coisas e, depois de lhe pedir que não perdesse de vista Nino e sobretudo Lila, corri ainda encharcada para tentar entender o que estava acontecendo com Pina.

**54.**

Foi uma tarde desastrosa, à qual se seguiu uma noite ainda mais desastrosa. Constatei que Pinuccia realmente estava fazendo as malas e Nunzia não conseguia tranquilizá-la.

"Você não deve se preocupar", estava lhe dizendo com calma, "Rino sabe lavar as próprias cuecas, sabe cozinhar, e além disso há o pai, há os amigos. Ele não acha que você está aqui só se divertindo, sabe que veio para repousar e fazer um menino bonito e saudável. Vamos, eu ajudo você a pôr tudo no lugar. Eu nunca tive férias, mas hoje, graças a Deus, temos dinheiro para isso e, embora não seja o caso de torrá-lo, um pouco de conforto não é pecado, vocês podem se permitir. Por isso, Pinuccia, por favor, minha filha: Rino trabalhou a semana toda, está cansado, está para chegar. Não deixe que ele a veja assim, você o conhece, ele se preocupa e, quando se preocupa, fica bravo e, se fica bravo, qual é o resultado? O resultado é que você quer partir para estar perto dele, ele viajou para estar perto de você, e, justo agora que vocês vão se encontrar e deveriam estar contentes, vão passar o tempo todo brigando. Você acha bom?"

Mas Pinuccia estava impermeável às razões que Nunzia ia desfiando. Então eu também entrei no jogo, e assim chegamos a um ponto em que tirávamos muitas coisas da mala enquanto ela as recolocava, gritava, se acalmava e recomeçava.

A certa altura Lila também voltou. Apoiou-se no batente da porta e ficou olhando séria, com uma ruga longa e horizontal na testa, aquela imagem deplorável de Pinuccia.

"Tudo certo?", perguntei.

Fez sinal que sim.

"Você virou uma nadadora excelente."

Não disse nada.

Tinha a expressão de quem é obrigado a reprimir simultaneamente alegria e assombro. Via-se que estava cada vez mais incomodada com o escândalo de Pinuccia. A cunhada estava tornando a encenar suas intenções de ir embora, adeuses, lamentos por ter esquecido esse ou aquele objeto, suspiros por seu Rinuccio, e tudo atravessado contraditoriamente pelas saudades do mar, do cheiro dos jardins, da praia. Entretanto Lila não dizia nada, não lançou uma de suas frases maldosas e nenhuma tirada sarcástica. Por fim, como se se tratasse não de um apelo à ordem, mas do anúncio de um evento iminente que ameaçava todas nós, só lhe saiu da boca:

"Eles estão chegando."

Nesse momento Pinuccia desabou arrasada na cama, entre as malas fechadas. Lila fez uma careta e se retirou para se arrumar. Voltou pouco depois com um vestido vermelho muito justo e os cabelos pretíssimos recolhidos. Foi a primeira a reconhecer o barulho das lambretas, correu para a janela, fez sinais entusiasmados. Depois se virou séria para Pinuccia e, com sua voz de maior desprezo, sibilou:

"Vá lavar a cara e tire essa roupa molhada."

Pinuccia a olhou sem reação. Entre as duas garotas passou algo velocíssimo, flechadas invisíveis de seus sentimentos mais secretos, uma rajada de partículas infinitesimais disparada do fundo de si, um sismo e um tremor que duraram um longo segundo e que eu captei perplexa, mas sem conseguir entender, ao passo que elas, sim, se entenderam, em alguma coisa se reconheceram, e Pinuccia soube que Lila sabia, compreendia e queria ajudá-la até com o desprezo. Por isso lhe obedeceu.

## 55.

Stefano e Rino entraram. Lila foi ainda mais afetuosa que na semana anterior. Abraçou Stefano, se deixou abraçar, deu um gritinho de alegria quando ele tirou do bolso um pequeno estojo, ela o abriu e encontrou ali dentro uma correntinha de ouro com um pingente em forma de coração.

Naturalmente Rino também tinha trazido uma lembrancinha para Pinuccia, que fez de tudo para reagir como a cunhada, mas trazia bem visível nos olhos a dor de sua fragilidade. Assim os beijos de Rino, os abraços e o presente não demoraram a desmontar a forma de esposa feliz em que ela se encerrara depressa. Os lábios começaram a tremer, a fonte de lágrimas se abriu e ela falou com voz engasgada:

"Fiz as bagagens. Não quero continuar aqui nem mais um minuto, quero ficar sempre e somente com você."

Rino sorriu, se comoveu por todo esse amor, riu. Então disse: "Eu também quero estar sempre e somente com você". Por fim compreendeu que a mulher não estava apenas lhe comunicando quanto sentira sua falta e quanto a sentiria sempre, mas que de fato queria ir embora, que tudo estava pronto para a partida, e insistia em sua decisão com um choro verdadeiro, insuportável.

Os dois se fecharam no quarto de casal para discutir, mas a discussão durou pouco, Rino voltou para a sala gritando com a mãe: "Mamãe, eu quero saber o que aconteceu aqui". E, sem esperar resposta, virou-se agressivo para a irmã: "Se for culpa sua, juro por Deus que lhe quebro a cara". Depois gritou para a mulher, no outro cômodo: "Chega, já estou de saco cheio, venha pra cá imediatamente, estou cansado, quero comer".

Pinuccia reapareceu com os olhos inchados. Ao vê-la, Stefano brincou na tentativa de desdramatizar, abraçou a irmã, suspirou: "Ah, o amor, vocês mulheres nos deixam loucos". Então, como se lembrando de repente da causa primeira de sua loucura, beijou Lila na boca e, ao constatar a infelicidade do outro casal, se sentiu feliz por estarem inesperadamente felizes.

Todos nos sentamos à mesa, e Nunzia nos serviu um a um. Mas dessa vez foi Rino quem não aguentou, berrou que estava sem fome e jogou o prato cheio de espaguete ao vôngole no meio da cozinha. Eu me assustei, Pinuccia recomeçou a chorar. E até Stefano perdeu o tom ponderado e disse à mulher, seco: "Vamos sair, vamos ao restaurante". Entre os protestos de Nunzia e de Pinuccia, os dois deixaram a cozinha. No silêncio que se seguiu, ouvimos a lambreta se afastando.

Ajudei Nunzia a limpar o chão. Rino se levantou e foi para o quarto. Pinuccia correu e se fechou no banheiro, mas saiu logo depois e foi até o marido, trancando a porta do quarto. Só então Nunzia desabafou, esquecendo-se do papel de sogra aquiescente:

"Viu o que essa cretina está fazendo Rinuccio passar? O que houve com ela?"

Eu disse que não sabia, e era verdade, mas passei a noite tentando consolá-la, romanceando os sentimentos de Pinuccia. Disse que, se eu estivesse grávida, também gostaria de estar sempre ao lado de meu marido, para me sentir protegida, para ter a certeza de que minha responsabilidade de mãe era compartilhada com a dele, de pai. Disse que, se Lila estava ali para engravidar, e se notava que o tratamento era adequado, que o mar estava fazendo bem a ela — bastava ver a felicidade estampada em seu rosto quando Stefano chegava —, já Pinuccia estava cheia de amor e desejava dar todo aquele amor a Rino, a cada minuto do dia e da noite, do contrário se entristecia e sofria.

Foi um momento terno, eu e Nunzia na cozinha agora em ordem, os pratos e as panelas brilhando após serem lavados com cuidado, ela que me dizia: "Como você fala bem, Lenu, se vê que você tem um lindo futuro pela frente". Então seus olhos se encheram de lágrimas, murmurou que Lila também deveria ter continuado os estudos, era o destino dela. "Mas meu marido não quis", acrescentou, "e eu não soube me opor: na época não tínhamos dinheiro, mas ela poderia ter sido como você; em vez disso, se casou, tomou outro rumo e não é possível voltar atrás, a vida nos leva para onde quer". Desejou-me muita felicidade. "Com um lindo rapaz, estudado como você", disse, e me perguntou se eu realmente gostava do filho de Sarratore. Neguei, mas lhe disse que no dia seguinte eu faria um passeio na montanha com ele. Ela ficou contente, me ajudou a preparar alguns sanduíches de salame e provolone. Embrulhei-os bem, coloquei-os na bolsa com a toalha de praia e todo o necessário. Ela me recomendou que eu fosse sensata como sempre, e nos desejamos boa noite.

Fui me fechar no quartinho e li um pouco, mas distraída. Como seria maravilhoso sair de manhã cedo, com o ar fresco, os perfumes. Como eu gostava do mar, até de Pinuccia, de seus choros, a briga daquela noite, aquele amor pacificado que semana a semana ia crescendo entre Lila e Stefano. E como eu desejava Nino. E como era bom ter ali comigo, todos os dias, ele e minha amiga, os três contentes apesar das incompreensões, apesar dos maus sentimentos que nem sempre se mantinham em silêncio no fundo escuro.

Escutei Stefano e Lila voltando. Vozes e risadas abafadas. As portas se abriram, se fecharam, tornaram a se abrir. Ouvi a torneira, a descarga. Depois apaguei a luz, escutei o leve farfalhar dos juncos, os rumores do galinheiro e caí no sono.

Acordei logo, havia alguém no quarto.

"Sou eu", sussurrou Lila.

Senti que ela estava se sentando na beira da cama, fiz um gesto para acender a luz.

"Não", ela disse, "vou ficar só um instante."

Acendi mesmo assim, me ergui.

Ela estava ali, na minha frente, vestindo uma camisola de um rosa pálido. Tinha a pele tão escura de sol que os olhos pareciam brancos.

"Viu como eu fui longe?"

"Você foi excelente, mas me deixou preocupada."

Sacudiu a cabeça com altivez e deu um sorrisinho como se dissesse que o mar já lhe pertencia. Então ficou séria.

"Preciso lhe contar uma coisa."

"O quê?".

"Nino me beijou", disse, e disse de um jato, como quem, fazendo espontaneamente uma confissão, tenta esconder até de si mesmo algo de mais inconfessável. "Ele me beijou, mas eu fiquei de boca fechada."

## 56.

O relato foi detalhado. Exausta depois da longa nadada, mas satisfeita por ter mostrado toda sua habilidade, ela se apoiara nele para manter-se na superfície com menos esforço. Mas Nino se aproveitara da proximidade e pressionara seus lábios com força nos seus. Ela fechara imediatamente a boca e, embora ele tivesse tentado abri-la com a ponta da língua, não cedera. "Você é maluco", dissera a ele enquanto o afastava, "eu sou casada". Mas Nino lhe respondera: "Eu te amo muito antes de seu marido, desde que fizemos aquela competição na escola". Lila disse a ele que nunca mais tentasse fazer aquilo, e ambos voltaram nadando para a praia. "Ele machucou meus lábios de tanto que apertava", concluiu, "e ainda está doendo."

Esperava que eu reagisse, mas consegui não fazer perguntas ou comentários. Quando me recomendou que não subisse a montanha com ele, a menos que Bruno também os acompanhasse, respondi com frieza que, se Nino também me beijasse, não veria nada de mal nisso, já que eu não era casada nem tinha namorado. "Pena", acrescentei, "que ele não me agrada: um beijo dele seria como pôr a boca num rato morto." Naquela altura fingi não conter um bocejo e ela, após um olhar que me pareceu de afeto e de admiração, foi dormir. Desde que saiu do quarto, até o amanhecer, não fiz outra coisa senão chorar.

Hoje sinto certo mal-estar ao relembrar quanto sofri, não tenho nenhuma empatia por quem eu era naquela época. Mas durante toda aquela noite me pareceu que eu não tinha mais motivos para viver. Por que Nino se comportava daquele modo? Beijava Nadia, beijava a mim, beijava Lila. Como podia ser a mesma pessoa que eu amava, tão séria, tão cheia de ideias? As horas passaram, mas não pude aceitar que ele fosse tão profundo ao tratar dos grandes problemas do mundo quanto superficial nos sentimentos amorosos. Comecei a questionar a mim mesma, eu me enganara, me iludira. Será possível que eu, baixinha, muito cheia, de óculos, eu, diligente mas não inteligente, eu, que me fingia de culta e de informada quando não era, pudesse pensar que ele gostaria de mim nem que fosse apenas por umas férias? De resto, eu realmente pensara nisso? Examinei acuradamente meu comportamento. Não, eu não era capaz de me confessar com clareza meus próprios desejos. Não só tinha o cuidado de escondê-los dos outros, mas também os manifestava a mim de modo cético, sem convicção. Por que eu nunca tinha dito a Lila com clareza o que eu sentia por Nino? E agora, por que não lhe gritara a dor que me tinha causado com aquela confidência em plena noite, por que não lhe revelara que, antes mesmo de beijá-la, Nino tinha me beijado? O que me levava a agir assim? Mantinha meus sentimentos em surdina porque me assustava a violência com que, ao contrário, em meu íntimo eu queria coisas, pessoas, elogios, vitórias? Temia que, caso não conseguisse obter o que queria, aquela violência explodiria em meu peito tomando o rumo dos piores sentimentos, por exemplo, aquele que me levara a comparar a bela boca de Nino à carne de um rato morto? Então era por isso que, mesmo quando me dispunha a avançar, estava sempre pronta a dar um passo atrás? Era por isso que eu sempre tinha pronto um sorriso gracioso, uma risada contente, mesmo quando as coisas iam mal? Por isso que, mais cedo ou mais tarde, eu acabava achando justificativas plausíveis para quem me fazia sofrer?

Perguntas e lágrimas. Já era dia quando tive a impressão de entender o que havia acontecido. Nino tinha acreditado sinceramente que amava Nadia. Com certeza, motivado por minha boa fama com a professora Galiani, me observara por anos com simpatia e estima sincera. Mas agora, em Ischia, encontrara Lila e se dera conta de que ela tinha sido desde a infância — e seria sempre no futuro — seu único e verdadeiro amor. Ah, sim, com certeza as coisas se passaram desse modo. E como censurá-lo? Onde estava a culpa? Havia na história deles algo de intenso, de sublime, afinidades eletivas. Evoquei versos e romances como tranquilizantes. Talvez, pensei, ter estudado me sirva apenas para isso: para me acalmar. Ela acendera uma chama eu seu peito, ele por anos a custodiara sem se dar conta: agora que aquela chama se libertara, o que ele podia fazer senão amá-la? Ainda que ela não o amasse. Ainda que ela fosse casada e, portanto, inacessível, interditada: um casamento dura para sempre, para além da morte. A menos que seja rompido, condenando-se à tempestade infernal até o dia do Juízo. Quando a alvorada despontou, tive a impressão de ver claro. O amor de Nino por Lila era um amor impossível. Assim como o meu por ele. E somente nesse quadro de irrealização o beijo que ele lhe dera no mar começou a me parecer nomeável.

O *beijo*.

Não tinha sido uma escolha, simplesmente acontecera: tanto mais porque Lila sabia fazer as coisas acontecerem. Já eu, não: o que vou fazer agora? Vou ao encontro. Subiremos o Epomeu. Ou não. Vou embora esta noite com Stefano e Rino. Vou falar que minha mãe me escreveu dizendo que precisa de mim. Como posso subir a montanha com ele sabendo que ama Lila, que a beijou? E como vou conseguir vê-los juntos todos os dias, enquanto nadam cada vez mais longe? Estava exausta, voltei a dormir. Quando acordei em sobressalto, o esquema que me ocorrera de fato havia domesticado um pouco minha dor. Corri para o encontro.

57.

Eu tinha certeza de que ele não viria e, no entanto, quando cheguei à praia, ele já estava lá, e sem Bruno. Mas percebi que não tinha vontade de se embrenhar pela montanha, de percorrer trilhas desconhecidas. Falou que estava pronto para ir, se eu quisesse, mas com o calor que fazia me fez ver que seria um cansaço no limite do suportável, excluindo que houvesse algo melhor que um bom banho de mar. Comecei a me preocupar, temi que estivesse a ponto de me dizer que voltaria para estudar. Em vez disso, de surpresa, me propôs que pegássemos um barco. Contou e recontou o dinheiro que tinha, tirei do bolso meus trocados. Ele sorriu e disse com gentileza: "Você já trouxe os sanduíches, deixe comigo". Minutos depois estávamos no mar, ele remando, eu sentada na popa.

Me senti melhor. Pensei que talvez Lila tivesse mentido para mim, que ele não a beijara. Mas em alguma parte de mim eu sabia que estava enganada: eu, sim, às vezes mentia, até (ou especialmente) a mim mesma; já Lila, pelo que eu conseguia me lembrar, nunca fizera isso. De resto, bastou esperar um pouco e o próprio Nino esclareceu tudo. Quando estávamos no meio do mar, ele abandonou os remos, mergulhou, e eu fiz o mesmo. Não nadou como de costume, até se confundir com o leve ondejar do mar. Em vez disso, desceu até o fundo, desapareceu, reapareceu mais adiante, imergiu de novo. Eu, perturbada com a profundidade, fiquei dando voltas em torno do barco sem ousar me afastar muito, depois me cansei e subi desajeitadamente. Logo em seguida ele me alcançou, segurou os remos e se pôs a remar com energia, seguindo uma linha paralela à costa, rumo a Punta Imperatore. Até aquele momento tínhamos conversado apenas sobre os sanduíches, o calor, o mar, sobre como tínhamos agido bem ao desistirmos de enfrentar as trilhas para o Epomeu. Para meu crescente espanto, ele ainda não tinha recorrido às questões que estava lendo nos livros, nas revistas, nos jornais, ainda que eu de vez em quando, temendo o silêncio, lançasse frases que pudessem servir de estopim à sua paixão pelas coisas do mundo. Mas nada, sua cabeça estava tomada por outras coisas. De fato, a certa altura soltou os remos, fixou por um instante a parede rochosa, o voo de uma gaivota, e então disse:

"Lina lhe falou alguma coisa?"

"O quê?"

Apertou os lábios incomodado e disse:

"Tudo bem, eu conto o que aconteceu: ontem eu dei um beijo nela."

O início foi esse. Passou o resto do dia falando apenas deles dois. Demos outros mergulhos, ele foi explorar escolhos e grutas, comemos os sanduíches, bebemos toda a água que eu levara, ele quis me ensinar a remar, mas nossas conversas se limitaram sempre ao mesmo tema. E o que mais me surpreendeu: em nenhum momento ele tentou transformar, como de regra tendia a fazer, sua questão privada numa questão geral. Somente ele e Lila, Lila e ele. Não disse nada sobre o amor. Não disse nada sobre os motivos que levam alguém a se apaixonar por uma pessoa, e não por outra. No entanto me indagou obsessivamente sobre ela e sobre sua relação com Stefano.

"Por que se casou com ele?"

"Porque se apaixonou."

"Não pode ser."

"Garanto que foi assim."

"Ela se casou por dinheiro, para ajudar a família, para arranjar a vida."

"Se fosse só por isso, poderia ter se casado com Marcello Solara."

"Quem é?"

"Um cara que tem muito mais grana que Stefano e que fez loucuras para ficar com ela."

"E ela?"

"Não quis ficar com ele."

"Então, segundo você, ela se casou com o salsicheiro por amor."

"Sim."

"E que história é essa de que precisa tomar banho de mar para ter filhos?"

"Foi o médico que disse."

"Mas ela quer ter filhos?"

"No início, não; agora não sei."

"E ele?"

"Ele quer."

"E é apaixonado por ela?"

"Muitíssimo."

"E você, vendo de fora, acha que tudo vai bem entre eles?"

"Com Lina nada nunca vai bem."

"Ou seja?"

"Tiveram problemas desde o primeiro dia do casamento, mas por culpa de Lila, que não sabe se adaptar."

"E agora?"

"Agora vai melhor."

"Não acredito."

Deu voltas ao redor daquele ponto, cada vez mais cético. Mas eu insisti: Lila nunca havia amado o marido como naquela fase. E quanto mais ele se mostrava incrédulo, mais eu carregava na dose. Disse-lhe de maneira clara que entre eles nada podia acontecer, não queria que alimentasse ilusões. Mas isso não bastou para esgotar o assunto. Tive cada vez mais clareza que aquele dia passado entre mar e céu seria tão mais agradável para ele quanto mais eu lhe falasse detalhadamente de Lila. Não importava que cada palavra minha o fizesse sofrer. O que ele queria é que eu lhe contasse tudo o que sabia, o bem e o mal, e que preenchesse nossos minutos e nossas horas com o nome dela. Coisa que eu fiz; e, se a princípio aquilo me trouxe dor, lentamente as coisas mudaram. Naquele dia percebi que falar de Lila com Nino podia ser, nas próximas semanas, uma nova modalidade de relação entre nós três. Nem eu nem ela jamais o teríamos. Mas ambas poderíamos obter sua atenção durante todas as férias, ela como objeto de uma paixão sem saída, eu como sábia conselheira que mantinha sob controle tanto a loucura dele quanto a dela. Me consolei com essa hipótese de centralidade. Lila viera correndo me contar do beijo de Nino; ele, partindo da confissão daquele beijo, agora me entretinha com aquilo um dia inteiro. Eu me tornaria necessária a ambos.

De fato, Nino já não podia prescindir de mim.

"Na sua opinião, ela nunca vai gostar de mim?", me perguntou a certa altura.

"Ela já tomou uma decisão, Nino."

"Qual?"

"Amar o marido, ter um filho com ele. Está aqui para isso."

"E meu amor por ela?"

"Quando se é amado, se tende a amar de volta. É provável que ela se sinta gratificada. Mas, se não quiser sofrer ainda mais, não espere nada além disso. Quanto mais Lina é cercada de afeto e de estima, mais tende a se tornar cruel. Ela sempre foi assim."

Nos despedimos depois do pôr do sol e, por um momento, tive a impressão de ter passado um belo dia. Mas já a caminho de casa me voltou o mal-estar. Como eu podia achar que suportaria aquele tormento, falar de Lila com Nino, de Nino com Lila, e assistir a partir de amanhã às suas disputas, às brincadeiras, aos abraços, às carícias? Entrei em casa decidida a anunciar que minha mãe me queria de volta ao bairro. No entanto, assim que entrei, Lila me atacou duramente:

"Onde você esteve? Nós fomos procurá-la. A gente precisava de você, de sua ajuda."

Soube que não tinham passado um bom dia. Culpa de Pinuccia, que atormentara todo mundo. Por fim, começara a gritar dizendo que se o marido não a queria em casa era porque não gostava mais dela, e então preferia morrer junto com a criança. Naquela altura Rino cedeu e a levou de volta para Nápoles.

## 58.

Só no dia seguinte compreendi o que a partida de Pinuccia implicaria. A noite sem ela me pareceu positiva: nada de chororô, a casa ficou tranquila, o tempo deslizou silencioso. Quando me retirei em meu quartinho e Lila me seguiu, a conversa foi aparentemente relaxada. Fiquei na minha, atenta para não dizer nada do que eu realmente sentia.

"Entendeu por que ela quis ir embora?", me perguntou Lila a propósito de Pinuccia.

"Porque quer ficar com o marido."

Fez sinal que não, disse séria:

"Ficou com medo dos próprios sentimentos."

"Como assim?"

"Ela se apaixonou por Bruno."

Fiquei surpresa, nunca tinha pensado naquela possibilidade.

"Pinuccia?"

"Sim."

"E Bruno?"

"Nem se deu conta."

"Tem certeza?"

"Tenho."

"E como você sabe?"

"Bruno gosta de você."

"Que bobagem."

"Nino me disse ontem."

"Hoje ele não me falou nada."

"O que vocês fizeram?"

"Pegamos um barco."

"Você e ele sozinhos?"

"Sim."

"E falaram de quê?"

"De tudo."

"Também daquilo que eu lhe contei?"

"O quê?"

"Você sabe."

"Do beijo?"

"Sim."

"Não, ele não me disse nada."

Embora atordoada por horas e horas de sol e pelos muitos mergulhos, consegui não dizer palavras erradas. Quando Lila foi dormir, tive a impressão de flutuar sobre o lençol e de que o quartinho escuro na verdade estivesse cheio de luzes azuis e avermelhadas. Pinuccia fora embora às pressas porque estava apaixonada por Bruno? Bruno não gostava dela, mas de mim? Repassei a relação entre Pinuccia e Bruno, tornei a escutar frases, tons de voz, revi gestos e me convenci de que Lila tinha razão. De repente senti muita simpatia pela irmã de Stefano, pela força que demonstrara impondo-se a partida. Mas não fiquei convencida de que Bruno gostasse de mim. Ele nunca tinha nem me olhado. Além do mais, se tivesse as intenções que Lila lhe atribuíra, era ele quem teria vindo ao encontro, e não Nino. Ou pelo menos viriam juntos. De todo modo, verdade ou não, ele não me atraía: muito baixo, cabelo muito enrolado, testa pequena, dentes de lobo. Não e não. Vou ficar na minha, pensei. Vou fazer assim.

No dia seguinte chegamos à praia às dez e descobrimos que os dois rapazes já estavam lá, passeando pra cima e pra baixo ao longo da orla. Lila justificou a ausência de Pinuccia com poucas palavras: precisava trabalhar, tinha voltado com o marido. Nem Nino nem Bruno mostraram o mínimo incômodo, e isso me perturbou. Como se podia desaparecer assim, sem deixar um vazio? Pinuccia tinha estado duas semanas com a gente. Tínhamos passeado os cinco juntos, tínhamos conversado, nos divertido, tomado banho. Naqueles quinze dias certamente lhe acontecera algo que a marcara, nunca mais se esqueceria daquelas primeiras férias. Mas, e nós? Nós, que em graus diversos tínhamos contado muito para ela, de fato não sentíamos sua falta. Nino, por exemplo, não fez nenhum comentário sobre essa partida repentina. E Bruno se limitou a dizer, sério: "Pena, não pudemos nem nos despedir". No minuto seguinte já falávamos de outras coisas, como se ela nunca tivesse estado em Ischia, em Citara.

Outra coisa de que não gostei foi uma espécie de rápida readequação dos papéis. Nino, que sempre se dirigira a mim e a Lila juntas (aliás, quase sempre apenas a mim), passou imediatamente a falar somente com ela, como se, formado agora um grupo de quatro, não precisasse mais se incumbir de entreter nós duas. Bruno, que até o sábado anterior só se ocupara de Pinuccia, passou a interessar-se por mim do mesmo modo tímido e solícito, como se nada nos distinguisse uma da outra, nem o fato de que ela era casada e estava grávida, e eu, não.

No primeiro passeio que fizemos pela orla, fomos os quatro, lado a lado. Mas logo Bruno pôs os olhos numa concha revirada pela onda e disse: "Que bonita", inclinando-se para pegá-la. Eu, por educação, parei para esperá-lo e ele me deu de presente a concha, que não era nada de mais. Enquanto isso Nino e Lila continuaram caminhando, o que nos transformou em dois casais a passeio pela orla, eles dois à frente, nós dois atrás, eles falando animadamente, eu tentando puxar conversa com Bruno enquanto Bruno mal conseguia falar comigo. Experimentei apressar o passo, ele seguiu atrás sem interesse. Era difícil estabelecer um autêntico contato. Dizia coisas genéricas, sei lá, sobre o mar, o céu, as gaivotas, mas era evidente que estava recitando um papel, aquilo que, segundo ele, era adequado a mim. Com Pinuccia deve ter falado de outras coisas, do contrário era difícil entender como conseguiram passar tanto tempo juntos prazerosamente. De resto, mesmo que tivesse abordado assuntos mais interessantes, seria difícil decifrar o que ele dizia. Quando se tratava de perguntar as horas ou de pedir um cigarro ou um pouco de água, tinha uma voz limpa, uma pronúncia clara. Mas, quando começava com aquele papel de jovem devotado (a concha, olha que bonita, você gosta, lhe dou de presente), se enrolava todo, não falava nem italiano nem dialeto, mas uma língua embaraçada, que saía em surdina, truncada, como se se envergonhasse do que estava dizendo. Eu fazia sim com a cabeça, mas pouco entendia, e enquanto isso espichava o ouvido para pescar o que Nino e Lila estavam conversando.

Imaginava que ele tivesse passado às questões sérias que estava estudando, ou que ela estivesse exibindo ideias que vinham dos livros tirados de mim, e várias vezes tentei ganhar terreno para me intrometer em suas conversas. Mas, sempre que consegui chegar perto o suficiente para decifrar alguma frase, fiquei desorientada. Tive a impressão de que ele estava falando de sua infância no bairro, e fazia isso com tons intensos, até dramáticos; ela escutava sem interrompê-lo. Me senti indiscreta, perdi terreno, fiquei definitivamente para trás, me entediando com Bruno.

Mesmo quando decidimos tomar um banho todos juntos, não fiz a tempo de reconstituir o velho trio. Sem aviso prévio, Bruno me empurrou na água, eu acabei indo ao fundo e molhando os cabelos que não queria molhar. Quando voltei à tona, Nino e Lila flutuavam poucos metros mais além, continuando a conversa, compenetrados. Ficaram na água muito mais que a gente, mas sem se afastar muito da orla. Deviam estar tão absortos nas coisas que estavam dizendo que até renunciaram à exibição da longa nadada.

No fim da tarde, Nino pela primeira vez se dirigiu a mim. Perguntou de modo áspero, como se ele mesmo esperasse uma resposta negativa:

"Por que não nos vemos depois do jantar? A gente vem buscá-las e depois as trazemos de volta."

Nunca nos tinham proposto sair à noite. Lancei um olhar interrogativo a Lila, mas ela desviou os olhos para longe. Respondi: "A mãe de Lila está em casa, não podemos deixá-la sempre sozinha."

Nino não insistiu, nem seu amigo interveio para lhe dar uma mão. Porém, depois do último banho, antes de nos separarmos, Lila disse: "Amanhã à noite vamos a Forio para telefonar a meu marido. Nesse caso, podemos tomar um sorvete juntos."

Aquela sua tirada me irritou, mas me irritou ainda mais o que aconteceu em seguida. Assim que os dois rapazes tomaram o rumo de Forio, ela, enquanto recolhia suas coisas, passou a me censurar como se durante todo o dia, hora após hora, episódio atrás de episódio, até aquele pedido de Nino, até a nítida contradição entre minha resposta e a dela, eu fosse culpada de modo tão indecifrável quanto inconteste:

"Por que você ficou sempre com Bruno?"

"Eu?"

"Sim, você. Não ouse mais me deixar sozinha com aquele sujeito."

"O que você está dizendo? Foram vocês que correram na frente sem parar um instante para nos esperar."

"Nós? Era Nino que estava correndo."

"Você poderia ter dito que precisava me esperar."

"E você poderia ter dito a Bruno: mova-se, se não os perdemos de vista. Me faça um favor: como você gosta tanto dele, saiam à noite por sua própria conta."

"Eu estou aqui por sua causa, não por Bruno."

"Não me parece que você esteja aqui por minha causa, sempre faz o que bem entende."

"Se minha companhia não lhe agrada, vou embora amanhã de manhã."

"Ah, é? E amanhã à noite vou ter de tomar sorvete sozinha com aqueles dois?"

"Lila, foi você quem disse que queria tomar sorvete com eles."

"É claro, preciso telefonar para Stefano, e que papelão seria se topássemos com eles em Forio?"

Continuamos nesse tom até chegar em casa, até depois do jantar, e na presença de Nunzia. Não foi uma verdadeira briga, mas uma troca ambígua com pontadas de perfídia, em que ambas tentamos nos comunicar algo sem nos entendermos. Nunzia, que nos ouvia perplexa, disse a certa altura:

"Amanhã depois do jantar também vou tomar um sorvete com vocês."

"O caminho é longo", ponderei. Mas Lila interveio brusca:

"E quem disse que iremos a pé? Vamos pegar uma carroça a motor, somos ricas."

## 59.

No dia seguinte, para nos adequarmos ao novo horário dos rapazes, chegamos à praia às nove e não às dez, mas eles não estavam lá. Lila ficou nervosa. Esperamos, não deram as caras nem às dez, nem depois. Só apareceram no início da tarde e com um ar zombeteiro, de cumplicidade. Disseram que, já que passariam a noite com a gente, tinham decidido adiantar os estudos. Lila teve uma reação que surpreendeu especialmente a mim: expulsou os dois. Usando um dialeto violento, sibilou que eles podiam estudar quando quisessem, de tarde, de noite, de madrugada, agora mesmo, ninguém os impedia. E, como Nino e Bruno tentaram não a levar a sério e continuaram rindo, como se aquela agressão fosse uma tirada espirituosa, ela guardou a saída de praia, agarrou enfaticamente a bolsa e se dirigiu a passos largos para a estrada. Nino correu atrás dela, mas voltou logo em seguida com uma cara de enterro. Não tinha jeito, ela de fato estava furiosa e não queria saber de explicações. "Vai passar", disse me fingindo de tranquila, e fui tomar banho com eles. Me enxuguei ao sol e comi um sanduíche, conversei sem entusiasmo e então falei que também precisava voltar para casa.

"E hoje à noite?", perguntou Bruno.

"Lila precisa ligar para Stefano, estaremos lá."

Mas o ataque dela me perturbou. O que significavam aquele tom, aquelas maneiras? Que direito tinha de se aborrecer por um encontro adiado? Por que não conseguia se controlar e tratava os rapazes como se fossem Pasquale ou Antonio ou até os Solara? Por que se comportava como uma menininha mimada, e não como a senhora Carracci?

Entrei em casa agitada. Nunzia estava lavando toalhas e roupas, Lila estava no quarto, sentada na cama e, coisa igualmente anômala, estava escrevendo. Tinha o caderno apoiado nos joelhos, olhos apertados e cenho franzido, um de meus livros largado no lençol. Há quanto tempo não a via escrever?

"Você teve uma reação exagerada", eu disse.

Deu de ombros, não tirou os olhos do caderno, continuou escrevendo a tarde toda.

De noite se arrumou como quando esperava o marido, e fomos todas para Forio. Notei com surpresa que Nunzia, que nunca tomava sol e era palidíssima, pediu o batom emprestado à filha só para colorir um pouco os lábios e o rosto. Não queria — disse — parecer já morta.

Topamos logo com os dois rapazes, que estavam parados em frente ao bar como sentinelas ao lado de uma guarita. Bruno ficara de bermuda, só tinha trocado a camisa. Nino estava de calça comprida, camisa de uma brancura reluzente e os cabelos rebeldes tão forçadamente em ordem que, ao vê-lo, me pareceu menos bonito. Quando perceberam a presença de Nunzia, se empertigaram imediatamente. Sentamos sob um alpendre, na entrada do bar, e pedimos um merengue. Para nosso espanto, Nunzia desandou a falar e não parou mais. Dirigiu-se apenas aos rapazes. Elogiou a mãe de Nino e recordou como ela era bonita; contou vários episódios do tempo da guerra, fatos ocorridos no bairro, e perguntou a Nino se ele se lembrava; quando ele respondia não, ela replicava sistematicamente: "Pergunte a sua mãe, com certeza ela se lembra". Lila começou a dar sinais de incômodo, anunciou que era hora de ligar para Stefano e entrou no bar, onde ficavam as cabines. Nino emudeceu e Bruno prontamente o substituiu na conversa com Nunzia. Ele não demonstra — notei irritada — os constrangimentos que tem comigo quando estamos sós.

"Me deem licença um momento", disse de repente Nino, que se levantou e entrou no bar.

Nunzia se agitou e me sussurrou no ouvido:

"Não me diga que ele vai pagar. A mais velha sou eu e a conta é minha."

Bruno escutou e disse que já estava tudo pago, imagine se iam deixar uma senhora pagar. Nunzia se conformou, passou a informar-se sobre a fábrica de embutidos do pai, elogiou o marido e o filho, que também eram proprietários, tinham uma fábrica de calçados.

Lila demorava a voltar, e me preocupei. Deixei Bruno e Nunzia conversando e também entrei no bar. Desde quando os telefonemas para Stefano duravam tanto? Fui para as duas cabines telefônicas, ambas vazias. Olhei em volta, mas, parada no meio do bar, comecei a incomodar os filhos do dono que serviam às mesas. Vi uma porta aberta por onde entrava uma brisa; dava para um pátio. Me aproximei insegura, um cheiro de velhos pneus se misturava ao de um galinheiro. O pátio estava vazio, mas notei que numa lateral do muro havia uma abertura por onde se entrevia um jardim. Atravessei o espaço atravancado de ferro-velho e, antes mesmo de passar para o jardim, vi Lila e Nino. A claridade da noite de verão banhava as plantas. Os dois estavam abraçados, se beijando. Ele, com uma mão por baixo de sua saia; ela, tentando afastá-la, mas correspondendo ao beijo.

Recuei depressa, tentando não fazer barulho. Voltei ao bar, disse a Nunzia que Lila ainda estava no telefone.

"Estão brigando?"

"Não."

Me sentia como se estivesse queimando, mas as chamas eram frias e eu não sentia dor. Ela é casada, disse a mim mesma, é casada há pouco mais de um ano.

Lila voltou sem Nino. Estava impecável, mas senti sua desordem, nas roupas, no corpo.

Esperamos um pouco, ele não apareceu, me dei conta de que detestava ambos. Lila se ergueu e disse: "Vamos, está tarde". Quando já estávamos no veículo que nos conduziria para casa, Nino nos alcançou correndo e despediu-se com alegria: "Até amanhã", gritou cordial, como nunca o tinha visto. Pensei: o fato de Lila ser casada não é um obstáculo nem para ele nem para ela, e aquela constatação me pareceu tão odiosamente verdadeira que meu estômago virou e levei uma mão à boca.

Lila foi para a cama cedo, esperei inutilmente que viesse me confidenciar o que tinha feito e o que pretendia fazer. Hoje acredito que nem ela soubesse.

## 60.

Os dias seguintes deixaram a situação cada vez mais clara. Nino tinha o costume de chegar com um jornal, um livro: isso não acontecia mais. As conversas animadas sobre a condição humana arrefeceram, se reduziram a frases distraídas rumo a palavras mais íntimas. Lila e Nino passaram a nadar juntos demoradamente, até se tornarem pontos indistintos da praia. Ou então nos impunham longas caminhadas que consolidaram nossa divisão em casais. E nunca, absolutamente nunca, eu fui acompanhada por Nino, ou Lila por Bruno. Tornou-se natural que os dois caminhassem mais atrás. Nas vezes em que eu me virava de repente, tinha a impressão de ter causado uma ferida dolorosa. As mãos, as bocas se retraíam como por um choque.

Sofri muito, mas — devo admitir — com um fundo permanente de incredulidade que fazia o sofrimento chegar em ondas. Tinha a impressão de assistir a um teatrinho sem substância: brincavam de representar dois namorados, ambos sabendo que não o eram e não podiam ser; um já tinha namorada, a outra era mesmo casada. Às vezes os olhava como divindades decaídas: antes tão maravilhosos, tão inteligentes, e agora tão idiotas, empenhados num jogo idiota. Eu planejava dizer a Lila, a Nino, a ambos: o que vocês pensam que são, voltem a pôr os pés no chão.

Não consegui dizer nada. Em dois ou três dias as coisas mudaram ainda mais. Começaram a andar de mãos dadas sem se esconder, com um despudor ofensivo, como se tivessem decidido que não valia a pena fingir diante de nós. Muitas vezes brigavam de brincadeira, só para se agarrarem, se estapearem, se abraçarem, rolarem juntos na areia. Ao passear, assim que avistavam uma barraca abandonada, um velho estabelecimento reduzido a ruínas, uma trilha que se perdia entre a vegetação selvagem, decidiam explorar a área como crianças, sem nos convidar a acompanhá-los. Afastavam-se ele na frente, ela atrás, em silêncio. Quando se estendiam ao sol, encurtavam as distâncias o mais possível. No início lhes bastava um leve contato de ombros, um roçar de braços, de pernas, de pés. Depois, ao voltarem das intermináveis nadadas diárias, se espichavam um ao lado do outro na toalha de Lila, que era maior, e imediatamente, com naturalidade, Nino lhe passava um braço nos ombros, ela apoiava a cabeça em seu peito. Uma vez chegaram até a se beijar na boca, rindo, um beijo alegre e fugaz. Eu pensava: ela é louca, os dois são loucos. E se alguém de Nápoles, um conhecido de Stefano, os encontrar? E se passar o revendedor que nos conseguiu a casa? Ou se neste momento Nunzia decidir dar um pulo na praia? Não podia acreditar em tanta inconsciência, mas a cada vez eles superavam os limites. Ver-se apenas de dia já não lhes bastava, e Lila decidiu que agora precisava ligar para Stefano toda noite, mas rejeitou com maus modos a oferta de Nunzia de nos acompanhar. Após o jantar, ela me obrigava a ir a Forio. Fazia uma ligação rapidíssima ao marido e depois era só passear, ela e Nino, eu e Bruno. Nunca voltávamos para casa antes da meia-noite, e os dois rapazes nos acompanhavam a pé pela praia escura.

Na sexta à noite, ou seja, um dia antes de Stefano voltar, ela e Nino de repente brigaram não de brincadeira, mas a sério. Nós três estávamos tomando um sorvete na mesa, Lila tinha ido telefonar. Nino, taciturno, tirou do bolso umas folhas escritas dos dois lados e começou a ler sem dar explicações, isolando-se da conversa sem graça entre mim e Bruno. Quando ela voltou, ele nem se dignou a olhá-la, não guardou os papéis no bolso e continuou lendo. Lila esperou meio minuto e então perguntou num tom alegre:

"Isso é tão interessante assim?"

"É", disse Nino sem levantar os olhos.

"Então leia em voz alta, queremos ouvir."

"É coisa minha, não diz respeito a vocês."

"O que é?", perguntou Lila, mas estava na cara que ela já sabia.

"Uma carta."

"De quem?".

"De Nadia."

Com um gesto fulminante, imprevisível, ela se inclinou e lhe arrancou as folhas dos dedos. Nino estremeceu como se um grande inseto o tivesse picado, mas não fez nada para recuperar a carta, mesmo quando Lila começou a lê-la com ares declamatórios, em voz altíssima. Era uma carta de amor um tanto infantil, avançava linha após linha com variações açucaradas sobre o tema da falta. Bruno escutou calado, com um sorriso constrangido, e eu, ao ver que Nino não parecia tomar a coisa como uma brincadeira, fixando carrancudo os pés escuros listrados pelas sandálias, sussurrei a Lila:

"Chega, devolva para ele."

Assim que intervim, ela interrompeu a leitura, mas deixou no rosto a expressão de deboche e não devolveu a carta.

"Você está com vergonha, não é?", perguntou a ele. "Culpa sua. Como é que pode ser namorado de uma que escreve desse jeito?"

Nino não disse nada, continuou de olhos fixos nos pés. Bruno atalhou, também em tom divertido:

"Vai ver que, quando alguém se apaixona por uma pessoa, antes não a submete a uma prova para ver se ela sabe escrever cartas de amor."

Mas Lila nem se virou para olhá-lo, continuou se dirigindo a Nino como se ambos estivessem travando sob nossos olhos uma discussão secreta:

"Você gosta dela? Por quê? Explique para nós. Será porque ela mora no Corso Vittorio Emanuele, numa casa cheia de livros e quadros antigos? Porque fala com uma voz de nhenhenhém, nhenhenhém? Porque é a filha da professora?"

Finalmente Nino despertou e disse:

"Me devolva esses papéis."

"Só devolvo se você os rasgar aqui, imediatamente, diante de nós."

Ao tom divertido de Lila Nino opôs monossílabos seríssimos, com evidentes vibrações agressivas.

"E depois?"

"Depois escrevemos juntos uma carta para Nadia, em que você vai dizer que a está deixando."

"E depois?"

"Hoje mesmo a colocamos no correio."

Por um instante ele não disse nada; por fim, concordou.

"Vamos fazer isso."

Incrédula, Lila apontou as folhas.

"Você vai rasgar de verdade?"

"Vou."

"E vai deixá-la?"

"Sim. Mas com uma condição."

"Pois então diga."

"Que você deixe seu marido. Agora. Vamos todos juntos até o telefone e você comunica a ele."

Aquelas palavras me causaram uma emoção fortíssima, no momento não entendi por quê. Ele as pronunciou aumentando a voz tão de repente que o timbre rachou. Ao ouvi-lo, os olhos de Lila se reduziram imediatamente a uma fissura, de um jeito que eu conhecia bem. Agora ela mudaria de tom. Agora, pensei, vai se tornar cruel. De fato, lhe respondeu: como você se permite? Disse: com quem pensa que está falando? Disse: "Como lhe passou pela cabeça pôr no mesmo nível esta carta, suas idiotices com aquela cadela de boa família, e eu, meu marido, meu casamento, minha vida inteira? Você se acha o máximo, mas não é capaz de entender uma brincadeira. Aliás, não entende nada. Nada, ouviu bem? E não faça essa cara. Vamos dormir, Lenu".

**61.**

Nino não fez nada para nos deter, e Bruno disse: "A gente se vê amanhã". Pegamos uma condução e voltamos para casa. Mas já durante o percurso Lila começou a tremer, agarrou minha mão e a apertou com muita força. Passou a me confessar de modo caótico tudo o que acontecera entre ela e Nino. Tinha desejado que a beijasse, se deixara beijar. Tinha desejado sentir suas mãos em seu corpo, deixara que ele a tocasse. "Não consigo dormir. Se pego no sono, acordo assustada, olho o relógio, torço para que já seja dia, que esteja na hora de irmos à praia. Mas ainda é noite, não consigo mais dormir, tenho na cabeça todas as palavras que ele me disse, todas as que não vejo a hora de dizer a ele. Resisti. Disse a mim mesma: não sou como Pinuccia, posso fazer o que eu quiser, posso começar e posso parar, é um passatempo. Mantive os lábios apertados, depois me disse e daí, o que é um beijo, e descobri o que era, eu não sabia — juro que não sabia — e não consegui mais parar. Andamos de mãos dadas, entrelacei meus dedos nos dele, apertados, e me parecia uma dor ter de ir embora. Quantas coisas eu perdi que agora me chegavam todas juntas. Ajo como namoradinha quando já sou casada. Vivo agitada, meu coração bate aqui na garganta e nas têmporas. E gosto de tudo. Gosto que ele me arraste a locais afastados, gosto do medo de que alguém nos veja, gosto da ideia de que nos vejam. Você fazia essas coisas com Antonio? Sofria quando tinha de deixá-lo e não via a hora de o reencontrar? Isso é normal, Lenu? Com você era assim? Não sei como começou, nem quando. No início não gostava dele: gostava de como falava, do que dizia, mas fisicamente, não. Pensava: quantas coisas ele sabe, preciso ouvir, preciso aprender. Agora, quando ele fala, nem consigo mais me concentrar. Olho sua boca e me envergonho de olhá-la, viro os olhos para outro lado. Em pouco tempo estava amando cada coisa dele: as mãos, as unhas finíssimas, a magreza, as costelas sob a pele, o pescoço fino, a barba malfeita e sempre áspera, o nariz, os pelos do peito, as pernas compridas e delgadas, os joelhos. Quero acariciá-lo. E aí me ocorrem coisas que me dão nojo, me dão realmente nojo, Lenu, mas quero fazê-las para dar prazer a ele, para que fique contente."

Fiquei ouvindo aquilo durante boa parte da noite, no quarto dela, a porta fechada, a luz apagada. Ela estava deitada do lado da janela, e a claridade da lua fazia seus cabelos brilharem sobre a nuca, sobre o flanco alto; eu estava deitada do lado da porta, o lado de Stefano, e pensava: o marido dela dorme aqui, todo fim de semana, deste lado da cama, e a puxa para si, à tarde, de noite, e a abraça. No entanto, nesta mesma cama, ela me fala de Nino. As palavras dedicadas a ele cancelam sua memória, apagam destes lençóis todo vestígio do amor conjugal. Fala sobre ele e, ao falar, chama-o para cá, imagina-o agarrado a ela e, como está esquecida de si, não sente infração ou culpa. Se confessa, me diz coisas que seria melhor guardar para si. Me diz quanto deseja a pessoa que eu desejo desde sempre, e o faz convencida de que essa mesma pessoa eu — por insensibilidade, por uma vista pouco acurada, por uma incapacidade de captar o que ela, ao contrário, soube captar — nunca tenha realmente percebido, não tenha sabido colher suas qualidades. Não sei se age de má-fé ou se de fato está convencida — por culpa minha, por minha tendência a me esconder — de que, desde a escola fundamental até hoje, eu tenha sido cega e surda, tanto que foi preciso ela aparecer para descobrir, aqui em Ischia, a força que o filho de Sarratore emana. Ah, como eu detesto essa sua presunção, me envenena o sangue. No entanto não sei dar um basta, não consigo ir para meu quartinho e gritar em silêncio, mas continuo aqui, de tanto em tanto a interrompo, tento acalmá-la.

Fingi um distanciamento que eu não tinha. "É o mar", disse, "o ar livre, as férias. Além disso, Nino sabe enrolá-la, fala de um modo que faz tudo parecer fácil. Mas ainda bem que amanhã Stefano chega e você vai ver que Nino lhe parecerá um menininho. O que de fato ele é, eu o conheço bem. Diante de nós, ele parece grande coisa, mas, se você pensa em como o filho de Galiani o trata — lembra? —, logo vai ver que o superestimamos. Claro, comparado a Bruno ele parece extraordinário, mas no fim das contas é só o filho de um ferroviário que teimou de estudar. Não se esqueça de que Nino era um menino do bairro, ele vem de lá. Lembre-se de que na escola você era muito melhor, mesmo ele sendo mais velho. De resto, já notou como ele explora o amigo? Deixa tudo por conta do outro, as bebidas, os sorvetes."

Penei para dizer essas coisas que me pareciam mentiras. Mas de pouco serviram: Lila resmungou, objetou timidamente, eu rebati. Até que ela se enfureceu e começou a defender Nino com o tom de quem diz: somente eu sei quem ele é. Me perguntou por que eu sempre o rebaixara diante dela. Me perguntou o que é que eu tinha contra ele. "Ele ajudou você", me disse, "queria até publicar aquela sua bobagem numa revista. Algumas vezes você me entristece, Lenu, quer diminuir todo mundo, até as pessoas que só de ver já gostamos".

Perdi a calma, não a suportava mais. Eu tinha falado mal da pessoa que amava só para que ela se sentisse melhor e ela ainda me ofendia. Finalmente consegui dizer: "Faça o que quiser, estou indo dormir". Mas ela logo mudou de tom, me abraçou, me apertou forte para que eu não fosse, me sussurrou no ouvido: "Me diga o que eu devo fazer". Afastei-a com irritação, murmurei que ela é quem deveria decidir, eu não podia decidir por ela. "Pinuccia", eu disse, "o que é que ela fez? No fim das contas, se comportou melhor que você."

Ela assentiu, tecemos elogios a Pinuccia e de repente ela suspirou:

"Tudo bem, amanhã não vou para a praia e depois de amanhã volto a Nápoles com Stefano".

## 62.

Foi um sábado péssimo. Ela de fato não foi à praia, nem eu, mas não fiz outra coisa senão pensar que Nino e Bruno estavam nos esperando inutilmente. Mas não ousei dizer: vou dar um pulo na praia, só o tempo de dar um mergulho e voltar. Não ousei sequer perguntar: o que eu devo fazer? Preparo as bagagens? Vamos embora? Ficamos? Ajudei Nunzia a limpar a casa, a fazer o almoço e o jantar, e de vez em quando ia ver Lila, que nem se levantou da cama: ficou na cama lendo e escrevendo no tal caderno e, quando a mãe a chamou para comer, não respondeu, quando a chamou de novo, fechou a porta do quarto com tanta violência que toda a casa tremeu.

"Mar demais dá nervoso", disse Nunzia enquanto almoçávamos sozinhas.

"É verdade."

"E ela nem está grávida."

"Pois é."

No fim da tarde Lila saiu da cama, mastigou alguma coisa, passou horas no banheiro. Lavou o cabelo, se maquiou, colocou um belo vestido verde, mas a expressão do rosto permaneceu enfezada. De todo modo, recebeu o marido com ares afetuosos, e ele, quando pôs os olhos nela, beijou-a como num filme, um beijo demorado e intenso, enquanto eu e Nunzia bancávamos os espectadores constrangidos. Stefano trouxe lembranças de minha família, disse que Pinuccia parara com os caprichos, contou detalhadamente que os Solara ficaram contentes com os novos modelos de sapato fabricados por Rino e Fernando. Mas aquela conversa desagradou a Lila, e as coisas entre eles desandaram. Até aquele momento ela mantivera um sorriso forçado no rosto, mas assim que ouviu o nome dos Solara passou a agredi-lo, disse que não estava nem aí para aqueles dois, que não queria viver só em função do que eles pensavam ou deixavam de pensar. Stefano ficou mal, fechou a cara. Compreendeu que o encanto das últimas semanas tinha terminado, mas lhe respondeu com seu habitual meio sorriso aquiescente, disse que só estava lhe contando o que acontecera no bairro, que não havia necessidade de falar naquele tom. De pouco serviu. Lila rapidamente transformou a noite num conflito sem trégua. Stefano não podia pronunciar uma só palavra sem que ela achasse um meio de retrucar agressivamente. Foram para a cama às turras, e os escutei brigando até pegar no sono.

Acordei ao alvorecer. Não sabia o que fazer: recolher minhas coisas, esperar que Lila tomasse uma decisão; ir para o mar me arriscando a topar com Nino, coisa que Lila não perdoaria; me angustiar o dia inteiro trancada no quartinho, como já estava fazendo. Resolvi deixar um bilhete em que eu dizia que tinha ido aos Maronti, mas que voltaria no início da tarde. Escrevi que não podia deixar Ischia sem me despedir de Nella. Escrevi de boa-fé, mas hoje sei bem como minha cabeça funciona: eu queria confiar no acaso, Lila não teria como me censurar se eu topasse com Nino, que talvez estivesse ali, pedindo dinheiro aos pais.

O resultado foi um dia confuso e um razoável desperdício de dinheiro. Peguei um barco, desembarquei nos Maronti. Fui ao local onde os Sarratore costumavam ficar e encontrei apenas o guarda-sol. Olhei ao redor, avistei Donato tomando banho e ele me viu. Agitou os braços em saudações, veio até mim, me disse que a mulher e os filhos tinham ido passar o dia em Forio, com Nino. Fiquei péssima, o acaso não só era irônico, mas também carrasco: me negara o filho e, em troca, me dera a conversa xaroposa do pai.

Quando tentei me esquivar para ir ver Nella, Sarratore não me deixou, recolheu depressa as coisas dele e quis me acompanhar. No caminho assumiu um tom adocicado e, sem nenhum embaraço, desandou a falar sobre o que tinha acontecido entre nós, tempos atrás. Me pediu perdão, murmurou que o coração não se deixa comandar, discorreu com palavras suspirantes sobre minha beleza de então e, sobretudo, de agora.

"Que exagero", eu disse e, mesmo sabendo que eu deveria me manter séria e distante, comecei a rir de nervoso.

Embora carregando o guarda-sol e suas tralhas, ele não conseguiu renunciar a um discurso entrecortado. Substancialmente falou que o problema da juventude era a falta de olhos para se ver e de sentimentos para se sentir com objetividade.

"Existe o espelho", repliquei, "e esse é objetivo."

"O espelho? O espelho é a última coisa em que se pode confiar. Aposto que você se sente menos bonita que suas duas amigas."

"É verdade."

"No entanto você é muito mais linda que elas. Pode confiar. Olhe que belos cabelos louros você tem. E que porte. Você só precisa enfrentar e resolver dois problemas: o primeiro é a roupa de banho, não é apropriada às suas potencialidades; o segundo é o modelo de óculos. Esse aí é totalmente inadequado, Elena: pesado demais. Seu rosto é tão delicado, tão admiravelmente formado pelas coisas que estuda. Você precisaria de óculos mais leves."

Fiquei ouvindo com aversão cada vez menor, parecia um cientista da beleza feminina. Falou sobretudo com uma competência tão distanciada que a certa altura me induziu a pensar: e se fosse verdade? Talvez eu não saiba me valorizar. Por outro lado, com que dinheiro eu compraria vestidos apropriados, uma roupa de banho adequada, óculos adequados? Eu estava a ponto de me abandonar a uma lamúria sobre pobreza e riqueza quando ele me falou com um sorriso:

"De resto, se não confia em meu julgamento, você deve ter se dado conta — espero — de como meu filho a olhava quando vocês vieram nos encontrar."

Só então percebi que ele estava mentindo. Eram palavras para atiçar minha vaidade, serviam apenas para que eu me sentisse bem e me inclinasse a ele por necessidade de gratificação. Me senti uma idiota, ferida não por ele e por suas mentiras, mas por minha própria estupidez. Cortei a conversa com uma crescente aspereza que o esfriou.

Uma vez em casa, troquei umas palavras com Nella, disse que talvez voltássemos para Nápoles naquela noite e que eu queria me despedir.

"Pena que você vai embora."

"Pois é."

"Almoce comigo."

"Não posso, preciso ir."

"Mas, se você não for, me jure que vai vir outra vez, e por mais tempo. Passe o dia comigo, e a noite também, você sabe que pode ficar para dormir. Tenho um monte de coisas para lhe contar."

"Obrigada."

Sarratore se intrometeu e disse:

"Contamos com isso, você sabe o quanto lhe queremos bem."

Saí depressa, até porque havia um parente de Nella que estava indo ao Porto de carro, e eu não queria perder a carona.

Durante o trajeto as palavras de Sarratore, inesperadas, ainda que eu só fizesse rechaçá-las, voltaram a me roer por dentro. Não, talvez ele não tivesse mentido. Realmente sabia enxergar além das aparências. Teve de fato a oportunidade de observar o olhar do filho sobre mim. E, se eu fosse bonita, se Nino me achara atraente de verdade — e eu sabia que sim: afinal de contas ele tinha me beijado, segurado minha mão —, já estava na hora de eu enxergar os fatos tal como eram: Lila o tirara de mim, Lila o afastara de mim e o atraíra para si. Talvez não tivesse feito de propósito, mas de todo modo fez.

Decidi de repente que deveria procurá-lo, vê-lo a qualquer custo. Agora que a partida estava próxima, agora que a força de sedução que Lila exercera sobre ele não teria mais meios de envolvê-lo, agora que ela mesma decidira retomar a vida que lhe cabia, a relação entre mim e ele poderia recomeçar. Em Nápoles. Em forma de amizade. Quem sabe até poderíamos nos encontrar para falar sobre ela. E depois voltaríamos às nossas discussões, às nossas leituras. Eu mostraria a ele que seria bem mais capaz de me apaixonar por suas ideias do que Lila, talvez até do que Nadia. Sim, eu deveria falar logo com ele, dizer estou indo, dizer: nos vemos no bairro, na Piazza Nazionale, em Mezzocannone, onde você quiser, mas o mais rápido possível.

Peguei uma carroça motorizada, fui até Forio, até a casa de Bruno. Chamei, ninguém apareceu. Perambulei pela cidade num estado crescente de mal-estar, depois fui caminhando a pé pela praia. E dessa vez o acaso aparentemente decidiu em meu favor.

Estava andando havia um bom tempo quando topei com Nino na minha frente, felicíssimo por ter me encontrado, uma felicidade incontrolável. Tinha os olhos muito acesos, gestos exagerados, uma voz acima do tom.

"Procurei vocês ontem e hoje. Onde está Lina?"

"Com o marido."

Tirou do bolso da bermuda um envelope, o colocou em minha mão com uma força excessiva.

"Pode dar isto a ela?"

Me irritei.

"Não adianta, Nino."

"Dê a ela."

"Hoje à noite vamos embora, vamos voltar para Nápoles."

Fez uma expressão de sofrimento, disse rouco:

"Quem decidiu?"

"Ela."

"Não acredito."

"Mas é assim, ela me disse ontem à noite."

Pensou um instante, fez um sinal para o envelope.

"Por favor, entregue a ela de qualquer jeito, e rápido."

"Tudo bem."

"Jura que vai fazer isso?"

"Já disse que sim."

Me acompanhou por um longo trecho falando malíssimo da mãe e dos irmãos. Eles me infernizaram, disse, ainda bem que voltaram para Barano. Perguntei de Bruno. Fez um gesto de irritação, estava estudando, falou mal dele também.

"E você não estuda?"

"Não consigo."

Enterrou a cabeça nos ombros, ficou melancólico. Começou a me falar das ilusões que formamos sobre nós mesmos só porque um professor, por questões próprias, o faz acreditar que você é bom. Ele se dera conta de que as coisas que queria aprender nunca o tinham interessado de verdade.

"O que você está dizendo? Assim, de repente?"

"Basta um piscar de olhos para mudar sua vida completamente."

O que estava acontecendo com ele? Palavras banais, já não conseguia reconhecê-lo. Jurei a mim mesma que o ajudaria a voltar a si.

"Agora você está transtornado e não sabe o que está dizendo", sentenciei com meu melhor tom judicioso. "Mas assim que voltar para Nápoles vamos nos ver e, se você quiser, conversamos."

Fez que sim com a cabeça, mas logo em seguida quase gritou de raiva:

"Resolvi largar a universidade, quero achar um trabalho."

**63.**

Me acompanhou até quase a porta de casa, tanto que temi encontrar Stefano e Lila. Me despedi às pressas e comecei a subir as escadas.

"Amanhã de manhã às nove", gritou.

Parei.

"Se formos embora, nos vemos no bairro, me procure lá."

"Vocês não vão embora", falou como se desse uma ordem ameaçadora ao destino.

Fiz um último sinal de despedida e corri pelas escadas, lamentando não ter podido ver o que havia no envelope.

Em casa encontrei um ar carregado. Stefano e Nunzia confabulavam entre si, Lila devia estar no banheiro ou no quarto de casal. Quando entrei, ambos me olharam com rancor. Stefano disse carrancudo, sem preâmbulos:

"Me explique o que você e aquela lá estão aprontando."

"Em que sentido?"

"Ela disse que está cansada de Ischia, que quer ir para Amalfi."

"Não sei de nada disso."

Nunzia interveio, mas não com o tom maternal de sempre: "Lenu, não meta ideias erradas na cabeça dela, não se pode jogar dinheiro pela janela. Que história é essa de Amalfi? Pagamos aqui para ficarmos até setembro".

Subi nas tamancas, falei:

"Vocês estão enganados: sou eu que faço as vontades de Lila, e não o contrário."

"Então quer dizer que ela deve pôr a cabeça no lugar", desabafou Stefano. "Na próxima semana eu volto, passamos o Ferragosto todos juntos e você vai ver como será divertido. Mas agora chega de caprichos. E que merda! Você acha que agora vamos pra Amalfi? E se Amalfi não estiver bom vamos para onde, para Capri? E depois? Vamos parar com isso, Lenu."

O tom me intimidou.

"Onde ela está?", perguntei.

Nunzia me apontou o quarto de casal. Fui até Lila certa de que encontraria as malas feitas e ela decidida a ir embora, mesmo se arriscando a levar uma surra daquelas. No entanto estava de camisola e dormia na cama desfeita. Em torno havia a bagunça habitual, mas as malas estavam empilhadas num canto, vazias. Sacudi-a:

"Lila."

Teve um sobressalto e logo me perguntou com uns olhos velados de sono:

"Onde você estava? Encontrou Nino?"

"Sim. Isto aqui é pra você."

Passei-lhe o envelope de má vontade. Ela o abriu, tirou uma folha. Leu e ficou radiante no ato, como se uma injeção de substâncias estimulantes tivesse varrido a sonolência e o desconforto.

"O que ele diz aí?", perguntei cautelosamente.

"Para mim, nada."

"E então?"

"É para Nadia, está deixando ela."

Recolocou a carta no envelope e me entregou, recomendando que a guardasse bem escondida.

Fiquei desorientada, com o envelope nas mãos. Nino estava deixando Nadia? Mas por quê? Porque Lila tinha pedido? Para mostrar que cedeu? Eu estava decepcionada, muito decepcionada. Sacrificava a filha da professora Galiani no jogo que ele e a mulher do salsicheiro estavam jogando? Não disse nada, fiquei olhando Lila enquanto se vestia, se maquiava. Por fim perguntei:

"Por que você pediu a Stefano essa coisa absurda de ir para Amalfi? Não entendo você."

Ela sorriu:

"Nem eu."

Saímos do quarto. Lila deu uns beijinhos em Stefano, esfregando-se nele com alegria; decidimos acompanhá-lo ao Porto, eu e Nunzia numa carroça motorizada, ele e Lila de lambreta. Tomamos um sorvete à espera da embarcação. Lila foi gentil com o marido, fez mil recomendações, prometeu ligar todas as noites. Antes de subir a passarela, ele me passou um braço em volta dos ombros e me sussurrou no ouvido:

"Me desculpe, eu estava chateado demais. Sem você, não sei como seria dessa vez."

Era uma frase cordial, mas senti uma espécie de ultimato que significava: por favor, diga a sua amiga que, se ela voltar a puxar muito a corda, a corda arrebentará.


64.


No alto da carta havia o endereço de Nadia em Capri. Assim que a embarcação se afastou do cais levando Stefano embora, Lila nos conduziu alegremente à tabacaria, comprou um selo e, enquanto eu entretinha Nunzia, recopiou o endereço no envelope e o pôs na caixa dos correios.

Perambulamos por Forio, mas eu estava muito tensa, conversei o tempo todo com Nunzia. Somente quando voltamos para casa puxei Lila para o meu quarto e falei claro com ela. Ficou me ouvindo em silêncio, mas com um ar distraído, como se de um lado sentisse a gravidade das coisas que eu lhe dizia e, de outro, se abandonasse a pensamentos que tornavam todas as minhas palavras insignificantes. Disse a ela: "Lila, eu não sei o que você tem em mente, mas acho que você está brincando com fogo. Agora Stefano foi embora contente, e se você lhe telefonar todas as noites vai ficar ainda mais contente. Mas cuidado: ele vai voltar daqui a uma semana e ficará até 20 de agosto. Você acha que pode continuar assim? Acha que pode brincar com a vida das pessoas? Sabia que Nino não quer mais estudar, que quer procurar um emprego? O que você meteu na cabeça dele? E por que o fez terminar com a namorada? Quer desgraçar com ele? Querem se desgraçar?".

Diante daquela última pergunta ela despertou e caiu na risada, mas de um jeito meio artificial. Assumiu um ar que parecia zombeteiro, mas sabe-se lá. Disse que eu deveria estar orgulhosa dela, já que ela causara uma boa impressão. E por quê? Porque tinha sido considerada de cima a baixo muito mais fina do que a finíssima filha de minha professora. Porque o melhor rapaz de minha escola e talvez de Nápoles e talvez da Itália e talvez do mundo — obviamente a julgar pelo que eu dizia — tinha acabado de deixar a senhorita de muito boa família apenas para fazer as vontades dela, filha de sapateiro, escola fundamental, esposa Carracci. Falou com crescente sarcasmo, como se finalmente me revelasse um plano cruel de revanche. Eu devo ter feito uma cara feia, ela percebeu, mas por alguns minutos continuou com aquele tom, como se já não conseguisse parar. Estava falando sério? Aquele era seu verdadeiro estado de ânimo no momento? Exclamei:

"Para quem você está fazendo esta cena? Para mim? Quer que eu acredite que Nino está disposto a fazer qualquer loucura por você?"

A risada sumiu-lhe dos olhos, ficou séria, mudou bruscamente de tom:

"Não, estou disfarçando, é justamente o contrário. Sou eu que estou disposta a qualquer loucura, e nunca me aconteceu isso por ninguém, e estou feliz de que esteja acontecendo agora."

Depois, vencida pelo mal-estar, foi dormir sem nem me dizer boa noite.

Caí numa sonolência enervante e passei o tempo tentando me convencer de que a última torrente de palavras era mais verdadeira que o fluxo que a precedera.

Ao longo da semana que se seguiu tive a confirmação disso. Também já a partir da segunda-feira compreendi que Bruno, após a partida de Pinuccia, começara de fato a dar em cima de mim e agora achava que era o momento de se comportar comigo assim como Nino se comportava com Lila. Enquanto tomávamos banho, puxou-me desajeitadamente para si e tentou me beijar, o que me fez beber uma grande golada de água e me forçou a voltar imediatamente para a praia tossindo. Ele ficou ressentido comigo, percebi. Quando veio se deitar sob o sol a meu lado, com um ar de cão escorraçado, disse a ele umas palavras gentis, mas firmes, cujo sentido era: Bruno, você é muito simpático, mas entre mim e você não pode haver nada mais que um sentimento fraterno. Ele ficou triste, mas não desistiu. Naquela mesma noite, depois do telefonema para Stefano, fomos os quatro dar um passeio na praia e depois nos sentamos na areia fria, nos deitamos para ver as estrelas, Lila apoiada nos cotovelos, Nino com a cabeça em sua barriga, eu com a cabeça na barriga de Nino, Bruno com a cabeça em minha barriga. Fixamos os olhos nas constelações e usamos lugares-comuns para louvar a arquitetura portentosa do céu. Não todos, Lila não. Ela ficou calada e, quando esgotamos o catálogo do admirado assombro, disse que o espetáculo da noite lhe dava medo, não via ali nenhuma arquitetura, mas apenas cacos de vidro soltos ao acaso num betume azul. Isso nos deixou em silêncio, e eu me irritei pelo hábito que ela adquirira de falar por último, o que lhe dava um longo tempo de reflexão e lhe permitia desmantelar com meia frase tudo o que tínhamos dito mais ou menos de improviso.

"Medo coisa nenhuma", exclamei, "é lindíssimo."

Bruno imediatamente me apoiou. Já Nino deu corda a ela: com um leve movimento me fez entender que queria mudar de posição, ficou sentado e começou a discutir com Lila como se estivessem sozinhos. O céu, o templo, a ordem, a desordem. Por fim se levantaram e, conversando, desapareceram no escuro.

Continuei deitada, mas apoiada nos cotovelos. Não tinha mais o corpo quente de Nino como travesseiro, e o peso da cabeça de Bruno em meu estômago me incomodava. Pedi desculpa tocando em seus cabelos. Ele se ergueu, me segurou pela cintura, pressionou o rosto contra meus seios. Sussurrei que não, mas mesmo assim ele me derrubou na areia e procurou minha boca, apertando forte meu peito com uma mão. Então o empurrei com força gritando pare com isso e dessa vez fui desagradável, sibilei: "Não gosto de você, ainda não entendeu?". Ele parou muito constrangido e se pôs sentado. Disse com voz baixíssima: "Será que não lhe agrado nem um pouquinho?". Tentei explicar que não era uma coisa que se pudesse medir, lhe disse:

"Não é questão de maior ou menor beleza, de maior ou menor simpatia; é que algumas pessoas me atraem e outras não, independentemente de como elas são de fato."

"Eu não lhe agrado?"

Bufei:

"Não."

Mas assim que pronunciei aquele monossílabo desandei a chorar e, enquanto chorava, só fiz balbuciar coisas do tipo:

"Está vendo? Choro sem motivo nenhum, sou uma cretina, não vale a pena perder tempo comigo."

Ele roçou minha bochecha com os dedos e de novo tentou me abraçar murmurando: desejo lhe dar tantos presentes, você merece, é tão linda. Esquivei-me com raiva, gritei em direção ao escuro, a voz esganiçada:

"Lila, volte logo aqui, quero voltar para casa."

Os dois amigos nos acompanharam até os pés da escadaria e então foram embora. Já enquanto subíamos os degraus para casa, no escuro, lhe falei exasperada:

"Vá aonde quiser, faça o que bem entender, eu não acompanho mais você. É a segunda vez que Bruno mete as mãos em mim: não quero mais ficar sozinha com ele, fui clara?"


**65.**


Há momentos em que recorremos a formulações insensatas e fazemos cobranças absurdas para ocultar sentimentos lineares. Hoje sei que, em outras circunstâncias, depois de alguma resistência, eu teria cedido às investidas de Bruno. Eu não gostava dele, é verdade, mas também não gostava particularmente de Antonio. Aos homens a gente se afeiçoa aos poucos, prescindindo do fato de coincidirem ou não com o modelo masculino que elegemos nas várias fases da vida. E Bruno Soccavo, naquela fase de sua vida, era gentil e generoso, teria sido fácil nutrir um pouco de afeto por ele. Mas as razões para recusá-lo não tinham nada a ver com um suposto aspecto desagradável dele. A verdade é que eu queria controlar Lila. Queria ser um empecilho. Queria que ela se desse conta da situação em que estava se metendo e em que estava me metendo. Queria que me dissesse: tudo bem, você tem razão, eu estou errada, não vou mais me afastar no escuro com Nino, não vou deixá-la sozinha com

Bruno; a partir deste momento, vou me comportar como se espera de uma mulher casada.

Naturalmente não foi o que ocorreu. Ela se limitou a dizer: "Vou falar com Nino e você vai ver que Bruno não vai mais incomodar". Assim, dia após dia, continuamos encontrando os dois rapazes às nove da manhã e nos separando à meia-noite. Mas já na terça-feira à noite, depois do telefonema para Stefano, Nino disse: "Vocês nunca vieram ver a casa de Bruno. Não querem subir?"

Respondi imediatamente que não, inventei que estava com dor de barriga e queria voltar para casa. Nino e Lila se olharam vacilantes, Bruno não falou nada. Percebi o peso da frustração deles e acrescentei embaraçada:

"Quem sabe outra noite."

Lila não se pronunciou, mas quando ficamos sós ela exclamou: "Você não pode prejudicar minha vida, Lenu". Respondi: "Se Stefano souber que fomos sozinhas para a casa daqueles dois, não vai brigar apenas com você, mas comigo também". E não parei ali. Em casa aticei o descontentamento de Nunzia e o fiz de modo que ela censurasse a filha pelo excesso de sol, pelo excesso de praia, por ficar passeando todo dia até meia-noite. Cheguei até a dizer, como se quisesse apaziguar mãe e filha: "Dona Nunzia, venha tomar um sorvete com a gente amanhã à noite, vai ver que não fazemos nada de mal". Lila ficou furiosa, disse que levava uma vida de sacrifícios o ano todo, sempre fechada dentro da charcutaria, e tinha direito a um pouco de liberdade. Nunzia também perdeu a calma: "Lina, o que você está dizendo? Liberdade? Que liberdade? Você é casada, precisa prestar contas a seu marido. Lenuccia pode querer um pouco de liberdade; você, não". A filha foi para o quarto batendo a porta.

Mas no dia seguinte Lila levou a melhor: a mãe ficou em casa, e nós saímos para telefonar a Stefano. "Espero vocês aqui às onze em ponto", disse Nunzia de cara fechada, dirigindo-se a mim, e eu respondi: "Tudo bem". Lançou-me um olhar comprido e indagador.

Agora estava alarmada: era nossa vigilante, mas não nos vigiava; temia que nos metêssemos em problemas, mas pensava em sua juventude sacrificada e não queria nos impedir umas distrações inocentes. Repeti para acalmá-la: "Às onze".

A ligação para Stefano durou no máximo um minuto. Quando Lila saiu da cabine, Nino tornou a perguntar:

"Você está bem esta noite, Lenu? Querem conhecer a casa?"

"Vamos", me exortou Bruno, "bebemos alguma coisa e vocês voltam para casa."

Lila assentiu, eu não disse nada. De fora a construção era velha, malconservada, mas por dentro se mostrou toda nova: a cave branca e bem iluminada, repleta de vinhos e de embutidos; uma escadaria de mármore com parapeito de ferro batido; portas robustas nas quais reluziam maçanetas douradas; janelas com esquadrias igualmente douradas; muitos cômodos, sofás amarelos, televisão; na cozinha, armários suspensos de cor água-marinha e, nos quartos de dormir, guarda-roupas que pareciam igrejas góticas. Pela primeira vez pensei nitidamente que Bruno era de fato rico, bem mais rico que Stefano. Pensei que, se algum dia minha mãe soubesse que o estudante filho do dono das mortadelas Soccavo me cortejara, e que eu chegara a ser recebida em sua casa, e que, em vez de agradecer a Deus pela sorte que me dera e tentar fazer com que ele se casasse comigo, eu o rejeitara por duas vezes, ela me teria massacrado de pancadas. Por outro lado, foi justamente a lembrança de minha mãe, de sua perna machucada, que me fez sentir constitucionalmente inadequada até para Bruno. Aquela casa me intimidou. Por que eu estava ali, o que eu estava fazendo? Lila agia com desenvoltura, ria frequentemente; eu me sentia como se estivesse com febre, a boca amarga. Comecei a dizer sempre sim para evitar o incômodo de dizer não. Quer beber isso, quer que ponha esse disco, quer ver TV, quer um sorvete? Percebi tarde demais que Nino e Lila tinham sumido, mas quando me dei conta me alarmei. Onde eles tinham se metido? Será possível que estavam trancados no quarto de Nino? Será possível que Lila estava disposta a ultrapassar até aquele limite? Será possível que — não quis nem pensar nisso. Dei um pulo, disse a Bruno:

"Já está tarde."

Ele foi gentil, mas com um fundo de melancolia. Murmurou: "Fique mais um pouco". Disse que no dia seguinte ele viajaria cedíssimo, precisava estar presente a uma festa de família. Anunciou que se ausentaria até segunda-feira, e que aqueles dias sem mim seriam um tormento. Pegou minha mão com delicadeza, disse que gostava muito de mim e outras coisas parecidas. Retraí a mão devagar, e ele não tentou mais nenhum contato. Em vez disso, falou longamente de seus sentimentos por mim, ele, que em geral era de poucas palavras, e tive dificuldade de interrompê-lo. Quando consegui, falei: "Realmente preciso ir"; e então, com voz cada vez mais alta: "Lila, venha por favor, são dez e quinze".

Passaram-se alguns minutos, e os dois reapareceram. Nino e Bruno nos acompanharam na carroça motorizada, Bruno se despediu não como se estivesse indo a Nápoles por poucos dias, mas aos Estados Unidos, pelo resto da vida. Ao longo do caminho, Lila me falou em tom cúmplice, como se fosse uma grande notícia:

"Nino me disse que gosta muito de você."

"Eu não", respondi logo com voz cortante. E depois sibilei: "E se você ficar grávida?"

Me disse no ouvido:

"Não há perigo. Apenas nos beijamos e nos abraçamos."

"Ah."

"De todo modo, eu não fico grávida."

"Uma vez ficou."

"Já lhe disse que não fico grávida. Ele sabe como se faz."

"Ele quem?"

"Nino. Usaria um preservativo."

"E o que é isso?"

"Não sei, ele falou assim."

"Você não sabe o que é e ainda confia?"

"É algo que se coloca lá no troço."

"Em que troço?"

Queria obrigá-la a nomear as coisas. Queria que entendesse bem o que estava me dizendo. Antes me garantia que estavam somente se beijando, depois falava dele como de alguém que sabia como não a engravidar. Eu estava furiosa, queria que ela se envergonhasse. No entanto ela parecia contente de tudo o que havia acontecido. Tanto é que, uma vez em casa, foi gentil com Nunzia, enfatizou que tínhamos voltado com muita antecedência, se preparou para dormir. Mas deixou o quarto aberto e, quando me viu pronta para me deitar, me chamou e disse: "Fique um pouco aqui, feche a porta".

Sentei na cama, mas me esforçando para transparecer que estava cansada dela e de tudo.

"O que você quer me dizer?"

Sussurrou:

"Quero ir dormir com Nino."

Fiquei boquiaberta.

"E Nunzia?"

"Espere, não se zangue, Lenu. Resta pouco tempo. Stefano vai chegar no sábado, ficará dez dias, depois voltaremos para Nápoles. E tudo estará acabado."

"Tudo o quê?"

"Isso, esses dias, essas noites."

Raciocinamos longamente, ela me pareceu lucidíssima. Murmurou que nunca mais lhe aconteceria nada parecido. Sussurrou que o amava, que o queria. Usou aquele verbo, *amar*, que só tínhamos visto nos livros e no cinema, que ninguém no bairro usava, eu no máximo o dizia a mim mesma, todos preferíamos *gostar*. Ela, não, ela amava. Amava Nino. Mas sabia perfeitamente que aquele amor devia ser sufocado, era preciso tirar-lhe toda ocasião de respiro. E ela o faria, o faria a partir da noite de sábado. Não tinha dúvidas, ela seria capaz, eu devia confiar nela. Mas o pouquíssimo tempo que restava, queria dedicá-lo a Nino.

"Quero estar numa cama com ele toda uma noite um dia inteiro", disse. "Quero dormir abraçada e beijá-lo quando quiser, acariciá-lo quando quiser, até quando estiver dormindo. Depois acabou."

"É impossível."

"Você precisa me ajudar."

"Como?"

"Convencendo minha mãe de que Nella nos convidou para passar dois dias em Barano e que à noite dormiremos lá."

Calei por um segundo. Quer dizer que ela já tinha um projeto, já tinha um plano. Certamente o elaborara com Nino, talvez ele tivesse despachado Bruno de propósito. Quem sabe desde quando pensavam sobre como, sobre onde. Nada de discursos sobre o neocapitalismo, sobre o neocolonialismo, sobre a África e a América Latina, sobre Beckett, Bertrand Russell. Tudo conversa fiada. Nino não discutia mais sobre nada. Suas cabeças brilhantes agora só se exercitavam em como enganar Nunzia e Stefano usando a mim.

"Você está fora de si", disse a ela furiosa, "se por acaso sua mãe acreditar, seu marido nunca vai cair nessa."

"Você a convence a nos deixar ir a Barano, e eu a convenço a não dizer nada a Stefano."

"Não."

"Não somos mais amigas?"

"Não."

"Você não é mais amiga de Nino?"

"Não."

Mas Lila sabia muito bem como me atrair para suas coisas. E eu não era capaz de resistir: de um lado, dizia chega, de outro, me deprimia com a ideia de não ser parte de sua vida, de sua maneira de inventá-la para si. O que era aquela trapaça senão mais um de seus lances fantasiosos, sempre cheios de riscos? Nós duas juntas, nos ombreando, em luta contra todos. Dedicaríamos o dia de amanhã a vencer as resistências de Nunzia. No dia seguinte sairíamos bem cedo, juntas. Em Forio nos separaríamos. Ela se refugiaria na casa de Bruno com Nino, eu pegaria o barco para os Maronti. Ela passaria todo o dia e toda a noite com Nino, eu ficaria com Nella e dormiria em Barano. Um dia depois eu retornaria a Forio na hora do almoço, nos encontraríamos na casa de Bruno e, juntas, voltaríamos para casa. Perfeito. Quanto mais ela acendia a imaginação projetando como encaixar cada passo da trapaça, mais acendia habilmente a minha e me abraçava, e me implorava. Aí estava uma nova aventura, *juntas*. Aí estava como *nós* tomaríamos aquilo que a vida não nos queria dar. Aí estava. Ou eu preferia que ela se privasse daquela felicidade, que Nino sofresse, que ambos perdessem a luz da razão acabando não por administrar com astúcia seu próprio desejo, mas sendo arrastados perigosamente por ele? Houve um momento naquela noite que cheguei a pensar, de tanto seguir o fio de seus raciocínios, que apoiá-la naquela tarefa, além de ser um importante ponto de chegada em nossa longa irmandade, era também uma maneira de manifestar meu amor — ela dizia amizade, mas eu desesperada pensava: amor, amor, amor — por Nino. E foi nesse ponto que cheguei a lhe dizer: "Tudo bem, vou ajudar você."

## 66.

No dia seguinte contei tanta lorota a Nunzia que eu mesma me envergonhei de o quanto eram infames. No centro das mentiras coloquei a professora Oliviero, que vai saber em que terríveis condições se encontrava em Potenza, e isso foi ideia minha, não de Lila.

"Ontem", disse a Nunzia, "encontrei Nella Incardo, e ela me falou que a prima dela, convalescente, foi passar umas férias na praia com ela para se recuperar da doença. Amanhã à noite Nella vai dar uma festa para a professora e convidou a mim e a Lila, que fomos suas melhores alunas. Nós queríamos muito ir à festa, mas vai ficar muito tarde e então seria impossível. Mas Nella nos garantiu que podemos dormir na casa dela."

"Em Barano?", perguntou Nunzia franzindo o cenho.

"Sim, a festa vai ser lá."

Silêncio.

"Vá você, Lenu, Lila não pode, o marido vai ficar bravo."

Lila atalhou:

"Basta não dizer a ele."

"Mas o que você está dizendo?"

"Mamãe, ele está em Nápoles e eu estou aqui, ele nunca vai saber."

"De um modo ou de outro, sempre se acaba sabendo das coisas."

"Claro que não."

"Claro que sim, e chega. Lina, não quero mais discussão: se Lenuccia quiser ir, muito bem, mas você fica aqui."

Seguimos em frente por uma boa hora, eu enfatizando que a professora estava muito mal e que talvez aquela fosse a última oportunidade de lhe demonstrarmos nossa gratidão, e Lila perseguindo-a assim: "Quantas mentiras você já disse a papai? Confesse. E não por mal, mas por bem, para ter um momento seu, para fazer uma coisa certa que ele nunca lhe permitiria". Pressiona daqui, pressiona dali, Nunzia primeiro afirmou que nunca tinha dito nem uma mínima mentira a Fernando; depois admitiu que dissera uma, duas, um monte; por fim lhe gritou com raiva e ao mesmo tempo com orgulho materno: "O que aconteceu quando eu fiz você? Um acidente, um soluço, uma convulsão, faltou luz, uma lâmpada queimou, caiu a bacia d'água da cômoda? Com certeza alguma coisa aconteceu para você ter nascido assim tão insuportável, tão diferente das outras". E nessa altura se entristeceu, pareceu amansar. Mas logo voltou a endurecer, disse que não se diziam mentiras a um marido só para encontrar uma professora. E Lila exclamou: "Devo à professora Oliviero o pouco que eu sei; a escola que eu fiz, fiz com ela". E no final Nunzia cedeu. Mas nos deu um horário preciso: sábado às catorze em ponto precisávamos estar em casa de novo. Nem um minuto a mais. "E se Stefano chega antes e não a encontra? Olha lá, Lina, não me ponha numa situação difícil. Está claro?". "Claro".

Fomos para a praia. Lila estava radiante, me abraçou, me beijou, disse que seria grata por toda a vida. Mas eu já sentia culpa por aquela evocação da professora Oliviero, que pus no meio de uma festa, em Barano, imaginando-a como ela era quando nos dava aula, com energia, e não como de fato devia estar naquele momento, pior do que estava quando a vi sendo levada pela ambulância, pior do que como a tinha visto no hospital. A satisfação de ter inventado uma mentira eficaz se dissipou, perdi o frenesi da cumplicidade, voltei a ficar hostil. Me perguntei por que apoiava Lila, por que lhe dava cobertura: de fato ela queria trair o marido, queria violar o vínculo sagrado do matrimônio, queria arrancar de si sua condição de esposa, queria fazer algo que, se Stefano descobrisse, lhe racharia a cabeça. De repente me voltou à memória o que ela havia feito com sua foto vestida de noiva e senti uma dor no estômago. Agora, pensei, está se comportando do mesmo modo, mas não com uma foto, com sua própria condição de senhora Carracci. E, também neste caso, me envolve para ser ajudada. Nino é um instrumento, sim, sim. Como as tesouras, a cola, as tintas, ele lhe serve para estropiar-se. A que ação terrível ela está me impelindo? E por que me deixo levar?

Quando chegamos à praia ele estava nos esperando. Perguntou ansioso:

"E então?"

Ela disse:

"Sim."

Correram para a água sem sequer me convidar; de resto, eu não teria ido. Me sentia gelada de ansiedade: por que tomar banho, por que ficar na orla sozinha, com medo das profundezas? O vento soprava, havia umas faixas de nuvens, o mar estava meio agitado. Mergulharam sem hesitar, Lila com um prolongado grito de alegria. Estavam felizes, carregados de sua história, tinham a energia de quem está obtendo com êxito o que deseja, custe o que custar. Perderam-se em pouco tempo entre as ondas com braçadas decididas.

Me senti acorrentada a um pacto insuportável de amizade. Como tudo era tortuoso! Fui eu que arrastei Lila para Ischia. Fui eu que a usei para ir atrás de Nino, aliás, sem esperança. Tinha renunciado ao salário da livraria de Mezzocannone pelo dinheiro que ela me dava. Me pus a seu serviço e agora fazia o papel da criada que dava assistência à patroa. Acobertava seu adultério, preparava-o, ajudava-a a ficar com Nino, a ficar com ele em meu lugar, a deixar-se foder — sim, foder —, a trepar com ele um dia inteiro e uma noite inteira, a lhe fazer boquetes. Minhas têmporas começaram a latejar, calquei uma vez, duas, três a areia com o calcanhar e senti prazer ao ouvir ressoar na cabeça os nomes da infância, carregados de sexo confusamente imaginado. O liceu sumiu, sumiu a bela sonoridade dos livros, das traduções do grego e do latim. Fixei o mar resplandecente, a longa linha lívida que do horizonte se movia rumo ao céu azul, rumo à estria branca de calor, e mal os entrevi, Nino e Lila, pontinhos escuros. Não entendi se continuavam nadando para a névoa no horizonte ou se estavam voltando. Desejei que se afogassem e que a morte lhes tirasse as alegrias do dia seguinte.

# 67.

Alguém me chamou, me virei de golpe.

"Então eu vi bem", falou debochada uma voz masculina.

"Eu disse que era ela", falou uma voz feminina.

Reconheci ambos imediatamente, me levantei. Eram Michele Solara e Gigliola, acompanhados pelo irmão dela, um menino de doze anos chamado Lello.

Fiz grandes festas para eles, embora não tenha dito: sentem-se. Esperava que por algum motivo estivessem com pressa, que fossem embora logo, mas Gigliola estendeu sobre a areia com cuidado sua toalha e a de Michele, pôs a bolsa em cima, os cigarros, o isqueiro, e disse ao irmão: deite na areia quente que está ventando, você está com o calção molhado e vai se resfriar. O que fazer? Me esforcei para não olhar na direção do mar, quase como se agindo desse modo eles também não olhassem para lá, e prestei uma atenção entusiasmadíssima em Michele, que disparou a falar com aquele seu tom sem emoção, indiferente. Eles haviam tirado um dia de descanso, fazia calor demais em Nápoles. Ferry de manhã, ferry à noite, ar fresco. De todo modo, a loja da Piazza dei Martiri estava sendo tocada por Pinuccia e Alfonso, aliás, não, por Alfonso e Pinuccia, porque Pinuccia não fazia grande coisa, mas Alfonso era ótimo. Tinha sido justamente por sugestão de Pina que eles decidiram vir a Forio. Com certeza vocês vão encontrá-las, ela dissera, basta caminhar pela praia. De fato, caminha, caminha, Gigliola gritou: aquela não é Lenuccia? E aqui estamos. Repeti várias vezes que alegria, enquanto Michele subia distraidamente com os pés sujos de areia na toalha de Gigliola, tanto que ela o censurou — "um pouco mais de atenção" —, mas inutilmente. Agora que ele tinha terminado o relato de como vieram parar em Ischia, eu sabia que a verdadeira pergunta estava por vir, pude lê-la em seus olhos antes mesmo que a formulasse:

"E Lina, onde está?"

"Foi dar um mergulho."

"Com este mar?"

"Não está tão agitado."

Foi inevitável, tanto ele quanto Gigliola se viraram para ver o mar cheio de caracóis de espuma. Mas o fizeram distraidamente, já estavam se acomodando nas toalhas. Michele repreendeu o menino, que queria tomar outro banho. "Fique aqui", disse, "quer morrer afogado?", e meteu em sua mão uma revista em quadrinhos, acrescentando para a noiva: "Nunca mais vamos trazer este aqui".

Gigliola me fez muitos elogios:

"Como você está bem, toda bronzeada, e os cabelos ficaram ainda mais claros."

Sorri, me esquivei, mas só pensava numa coisa: preciso achar um modo de levá-los embora.

"Venham descansar em casa", disse, "Nunzia está lá, vai ficar muito contente."

Recusaram, a embarcação sairia dali a duas horas, preferiam pegar um pouco mais de sol e depois repousariam no caminho.

"Então vamos ao bar, vamos pegar alguma coisa", eu disse.

"Sim, mas vamos esperar Lina."

Como sempre ocorria em momentos de tensão, me esforcei em eliminar o tempo com as palavras e parti numa rajada de perguntas, tudo o que me passava pela cabeça: como estava Spagnuolo, o confeiteiro; como estava Marcello, se tinha encontrado uma namorada; o que Michele achava dos novos modelos de sapato, e o que achava o pai dele, e o que achava sua mãe, e o que achava o avô. A certa altura me levantei e disse: "Vou chamar Lina", fui para a beira do mar, comecei a gritar: "Lina, volte, Michele e Gigliola estão aqui", mas foi inútil, ela não me ouviu. Voltei atrás, recomecei a falação para distraí-los. Esperava que Lila e Nino, voltando à orla, percebessem o perigo antes que Gigliola e Michele os vissem e, assim, pudessem evitar qualquer gesto de intimidade. Mas, enquanto Gigliola ficou me ouvindo, Michele não teve nem a gentileza de fingir. Ele viera a Ischia justamente para encontrar Lila e conversar com ela sobre os novos sapatos, eu tinha certeza disso, e lançava longos olhares ao mar cada vez mais agitado.

Por fim a avistou. Viu enquanto saía da água, os dedos entrelaçados aos de Nino, um casal que não passava despercebido de tanto que era bonito, ambos altos, ambos naturalmente elegantes, os ombros que se roçavam, os sorrisos que trocavam. Estavam tão absortos em si que não notaram que eu estava em companhia. Quando Lila reconheceu Michele e recolheu a mão, já era tarde. Gigliola talvez não tenha percebido nada, o irmão estava lendo os quadrinhos, mas Michele viu e fixou o olhar em mim, como se quisesse ler em meu rosto o atestado do que acabara de presenciar. Deve ter tido a confirmação numa espécie de espanto. Disse sério, com a lentidão de voz que assumia quando se tratava de enfrentar algo que demandava rapidez e decisão: "Dez minutos, só o tempo de nos despedir, e depois vamos."

Na verdade, ficaram mais de uma hora. Quando Michele ouviu o sobrenome de Nino, que apresentei acentuando muito o fato de que era um colega nosso da escola fundamental, além de meu colega de liceu, ele se saiu com a pergunta mais irritante: "Você é filho daquele que escreve no *Roma* e no *Napoli notte*?"

Nino assentiu com indiferença, e Michele olhou-o fixamente por um longo segundo, como se quisesse encontrar nos olhos do outro a confirmação daquele parentesco. Depois não lhe dirigiu mais a palavra, falou sempre e apenas com Lila.

Lila foi cordial, irônica, às vezes pérfida. Michele disse: "Aquele fanfarrão do seu irmão jura que foi ele quem projetou os sapatos novos."

"E é verdade."

"Então é por isso que são esse lixo."

"Pode apostar que esse lixo vai vender ainda mais que os outros."

"Pode ser, mas só se você vier trabalhar na loja."

"Você já tem Gigliola, que trabalha muito bem."

"Preciso de Gigliola no bar."

"Problema seu, eu já estou na charcutaria."

"Mas você vai ser transferida para a Piazza dei Martiri, madame, e terá carta branca."

"Carta branca, carta preta, pode ir desistindo, eu estou bem onde estou."

E a coisa seguiu nesse tom, os dois pareciam jogar frescobol com as palavras. Eu e Gigliola de vez em quando tentávamos dizer algo, principalmente Gigliola, que estava furiosa com o modo como o noivo falava de seu futuro sem sequer consultá-la. Quanto a Nino, notei que estava espantado, ou talvez admirado pela maneira de Lila sempre achar frases adequadas às de Michele, em dialeto, hábil e destemida.

Finalmente o jovem Solara anunciou que precisavam ir embora, o guarda-sol com as coisas deles estava bem longe. Se despediu de mim, se despediu de Lila efusivamente, reiterando que a esperava na loja ainda em setembro. Quanto a Nino, lhe falou sério, como a um subalterno a quem se manda comprar um maço de Nazionali:

"Diga a papai que ele fez muito mal ao escrever que a decoração da loja não lhe agradava. Quando se é pago, é preciso escrever que tudo é lindo, maravilhoso, se não, dinheiro nunca mais."

Nino se atolou na surpresa, talvez na humilhação, e não respondeu. Gigliola lhe estendeu a mão, ele a apertou mecanicamente. O casal se retirou levando atrás de si o menino, que continuou lendo a revistinha enquanto caminhava.

## 68.

Eu estava com raiva, aterrorizada, descontente com cada palavra e cada gesto meu. Assim que Michele estava longe o suficiente, disse a Lila, de modo que Nino também escutasse:

"Ele viu vocês."

Nino perguntou incomodado:

"Quem é ele?"

"Uma camorrista de merda que se acha grande coisa", disse Lila com desprezo.

Eu a corrigi imediatamente, Nino precisava saber:

"É sócio de seu marido. Vai contar tudo a Stefano."

"Tudo o quê?", reagiu Lila, "não há nada a contar."

"Você sabe muito bem que eles vieram para espionar."

"É? E quem está se fodendo para eles?"

"Eu estou me fodendo."

"Paciência. De todo modo, mesmo que você não me ajude, as coisas vão acontecer como têm que ser."

E, quase como se eu não estivesse presente, passou a combinar com Nino o dia seguinte. No entanto, ao passo que graças justamente àquele encontro com Michele Solara ela parecia ter centuplicado as próprias energias, ele parecia um brinquedinho sem corda. Murmurou:

"Tem certeza de que não vai se meter em encrencas por minha culpa?"

Lila fez um carinho em sua bochecha:

"Não quer mais?"

O toque pareceu reanimá-lo:

"Só estou preocupado com você."

Deixamos Nino logo e voltamos para casa. Durante o caminho, tracei cenários catastróficos — "Michele vai falar com Stefano esta noite, Stefano vai correr para cá amanhã de manhã, não vai te encontrar em casa, Nunzia o mandará até Barano, não te encontrará em Barano, você vai perder tudo, Lila, escute o que estou lhe dizendo, desse jeito não só você se desgraça, mas eu também, minha mãe vai me moer os ossos" —, mas ela se limitou a me ouvir distraída, a sorrir, a me repetir de várias maneiras um único conceito: eu gosto muito de você, Lenu, e vou gostar sempre; por isso espero que você experimente pelo menos uma vez na vida isto que estou experimentando neste momento.

Então pensei: pior para você. Passamos a noite em casa. Lila foi gentil com a mãe, quis ela mesma cozinhar, quis servir os pratos, tirou a mesa, lavou a louça, chegou a se sentar nos joelhos da mãe, a lhe abraçar o pescoço, a apoiar a testa em sua testa com uma repentina melancolia. Nunzia, que não era acostumada àquelas gentilezas e deve ter achado a situação embaraçosa, a certa altura começou a chorar e lhe disse entre lágrimas uma frase que a ansiedade tornou tortuosa:

"Por favor, Lila, você é uma filha que nenhuma mãe tem outra igual, não me faça morrer de desgosto."

Lila caçoou dela com afeto e acompanhou-a até o quarto de dormir. De manhã foi ela quem me tirou da cama, uma parte de mim estava tão sofrida que não queria acordar e se dar conta do dia. Enquanto a carroça motorizada nos levava a Forio, previ outros cenários terríveis que a deixaram numa absoluta indiferença: "Nella teve de sair", "Nella está com hóspedes e não tem lugar para mim", os "Sarratore decidem de repente vir a Forio para visitar o filho". Ela replicou sempre em tom brincalhão: "Se Nella não estiver, a mãe de Nino hospedará você"; "se não tiver lugar, você vem dormir com a gente"; "se toda a família Sarratore vier bater na porta de Bruno, não abrimos". E continuamos assim até que, pouco antes das nove, chegamos ao destino. Nino estava à espera na janela, correu para abrir o portão. Me fez um sinal de despedida e puxou Lila para dentro.

O que até aquele portão ainda podia ser evitado, a partir daquele momento se tornou um mecanismo irrefreável. Às custas de Lila, com a mesma condução, tomei o rumo de Barano. Ao longo do percurso percebi que não conseguia realmente odiá-los. Sentia rancor em relação a Nino, seguramente nutria por Lila sentimentos hostis, podia até desejar a morte de ambos, mas quase como uma magia capaz paradoxalmente de salvar a nós três. Odiar, não. Odiava sobretudo a mim mesma, me desprezava. Eu estava ali, ali na ilha, o ar agitado pela motoneta me atingia trazendo os cheiros intensos da vegetação de onde a noite estava evaporando. Mas era um estar ali mortificado, dobrado às razões alheias. Eu vivia neles, em surdina. Já não conseguia expulsar as imagens dos abraços, dos beijos na casa vazia. A paixão deles me invadia, me perturbava. Eu amava a ambos e por isso não conseguia amar a mim mesma, me sentir, afirmar uma *minha* necessidade de vida que tivesse a mesma força cega e surda da deles. Me parecia assim.

## 69.

Fui acolhida por Nella e pela família Sarratore com o entusiasmo de sempre. Assumi a máscara mais dócil, a máscara de meu pai quando recolhia gorjetas, a máscara forjada por meus antepassados para se esquivar do perigo, sempre amedrontados, sempre subalternos, sempre agradavelmente solícitos, e passei de mentira a mentira com maneiras simpáticas. Disse a Nella que, se eu me decidira a incomodá-la, não era por escolha, mas por necessidade. Disse que os Carracci tinham hóspedes, que não havia lugar para mim naquela noite. Disse que esperava não ter exagerado ao me apresentar assim, de repente, e que se houvesse algum problema eu voltaria a Nápoles por uns dias.

Nella me abraçou e me revigorou, jurando que minha visita lhe dava um enorme prazer. Recusei ir à praia com os Sarratore, apesar de os meninos protestarem. Lidia insistiu para que eu fosse encontrá-los mais tarde, e Donato declarou que me esperaria para tomarmos um banho juntos. Fiquei com Nella, ajudei-a a arrumar a casa, a fazer o almoço. Durante um tempo, tudo me pesou menos: as mentiras, a imaginação do adultério que estava se consumando, minha cumplicidade, um ciúme que não chegava a se definir, porque me sentia simultaneamente ciumenta de Lila que se dava a Nino, e de Nino que se dava a Lila. Enquanto conversávamos, Nella me pareceu menos hostil aos Sarratore. Disse que marido e mulher tinham alcançado um equilíbrio e, como estavam melhor, davam menos dor de cabeça a ela. Me falou da professora Oliviero: tinha ligado para ela justamente para lhe dizer que eu tinha ido visitá-la e a achara muito cansada, mas mais otimista. Enfim, por algum tempo houve um fluxo tranquilo de informações. Mas bastaram poucas frases, um desvio inesperado, e o peso da situação em que eu me metera voltou com força.

"Ela a elogiou muitíssimo", disse Nella falando de Oliviero, "mas, quando soube que você veio me visitar com duas amigas casadas, me fez um monte de perguntas, especialmente sobre a senhora Carracci."

"O que ela disse?"

"Disse que em toda sua carreira de professora nunca tinha visto uma aluna tão excepcional."

A evocação do antigo primado de Lila me perturbou.

"É verdade", admiti.

Mas Nella fez um trejeito de absoluta discordância, seus olhos se acenderam.

"Minha prima é uma professora excelente", disse, "mas na minha opinião dessa vez ela se enganou."

"Não, ela não se enganou."

"Posso lhe dizer o que eu penso?"

"Claro."

"Você não vai se incomodar?"

"Não."

"Eu não gostei da senhora Lina. Você é muito melhor, muito mais bonita e inteligente. Também falei sobre isso com os Sarratore, e eles concordam comigo."

"Vocês dizem isso porque gostam de mim."

"Não. Fique atenta, Lenu. Sei que vocês são muito amigas, minha prima me disse. E não quero meter o bedelho em assuntos que não me dizem respeito. Mas, para mim, basta uma olhada para julgar as pessoas. A senhora Lina sabe que você é melhor do que ela e, por isso, não gosta tanto de você quanto você gosta dela."

Sorri falsamente cética:

"Ela me quer mal?"

"Não sei. Mas ela sabe fazer mal, traz isso escrito na cara, basta observar a testa e os olhos."

Sacudi a cabeça, reprimi a satisfação. Ah, se tudo fosse assim tão linear. Mas eu já sabia — ainda que não como hoje — que entre nós duas tudo era mais complicado. E brinquei, dei risada, fiz Nella rir. Disse a ela que, à primeira vista, Lila nunca fazia uma boa impressão. Desde pequena parecia um diabo, e de fato era, mas no bom sentido. Tinha uma mente rápida e se saía bem em qualquer coisa em que se aplicasse: se tivesse podido estudar, se tornaria uma cientista como madame Curie ou uma grande romancista como Grazia Deledda, ou até alguém como Nilde Iotti, a esposa de Togliatti. Ao ouvir aqueles dois últimos nomes, oh, minha Nossa Senhora, exclamou Nella, e ironicamente fez o sinal da cruz. Depois deu uma risadinha, e depois outra, e não parou mais, queria me contar no ouvido um segredo muito engraçado que Sarratore lhe dissera. Segundo ele, Lila era de uma beleza quase feia, daquelas que deixam os homens encantados, mas também com medo.

"Medo de quê?", perguntei também em voz baixa. E ela, com voz ainda mais baixa:

"Medo de que o troço deles não funcione, ou que caia, ou que ela tire fora uma faca e o decepe."

Riu, o peito começou a sacudir, os olhos se encheram de lágrimas. Não conseguiu controlar-se por um bom tempo, e logo senti um mal-estar que nunca havia experimentado em sua presença. Não era a risada de minha mãe, a risada indecente da mulher que sabe das coisas. Na de Nella havia algo de casto e simultaneamente debochado, era uma risada de virgem madura que me atingiu e me levou a rir também, mas de modo forçado. Por que uma boa senhora como ela, me perguntei, se diverte dessa maneira? Enquanto isso, me vi envelhecida, com aquela risada de candura maliciosa no peito. Pensei: vou acabar rindo assim também.

## 70.

Os Sarratore chegaram para o almoço. Deixaram um rastro de areia no piso, um cheiro de mar e de suor, uma censura alegre porque os meninos tinham me esperado inutilmente. Pus a mesa, tirei a mesa, lavei os pratos, acompanhei Pino, Clelia e Ciro até as margens de um juncal para ajudá-los a cortar umas varetas e montar uma pipa. Com as crianças me senti bem. Enquanto os pais descansavam, enquanto Nella cochilava numa espreguiçadeira da varanda, o tempo voou, a pipa me absorveu inteiramente, quase não pensei em Nino e Lila.

No fim da tarde fomos todos à praia, até Nella, para fazer a pipa voar. Corri para cima e para baixo na areia, seguida pelos três meninos que ficavam mudos, de boca aberta, quando a pipa parecia decolar e lançavam longos gritos quando a viam tombar no chão após uma repentina pirueta. Tentei várias vezes, mas não consegui fazê-la voar, mesmo com as instruções que Donato me gritava do guarda-sol. Por fim, toda suada, desisti e disse a Pino, Clelia e Ciro: "Peçam a papai". Sarratore chegou arrastado pelos filhos, checou a estrutura das hastes, o papel de seda azul, o fio, depois estudou o vento e começou a correr para trás com pequenos saltos enérgicos, apesar do corpo pesado. Os meninos o seguiram entusiasmados, e eu também me reanimei, recomecei a correr ao lado deles, até que a felicidade que eles expandiam também me contagiou. Nossa pipa continuava subindo cada vez mais alto, voava, não era mais preciso correr, bastava segurar o fio. Sarratore era um bom pai. Mostrou que, com sua ajuda, até Ciro podia controlar o fio, Clelia também, e Pino, até eu. De fato, o passou para mim, mas se pôs às minhas costas, respirando em minha nuca e dizendo: "Assim, muito bem, puxe um pouco, solte" e anoiteceu.

Jantamos e a família Sarratore foi passear no vilarejo, marido, mulher e os três filhos, todos vestidos de festa. Apesar de ter sido insistentemente convidada, preferi ficar com Nella. Arrumamos a casa, ela me ajudou a fazer a cama no mesmo cantinho da cozinha, fomos ao terraço em busca de ar fresco. Não se via a lua, no céu escuro havia algumas nuvens com um inchaço branco. Conversamos sobre como os filhos de Sarratore eram bonitos e inteligentes, depois Nella dormiu. Então, de golpe, o dia, a noite que estava começando caíram sobre mim. Saí de casa na ponta dos pés, desci para os Maronti.

Quem sabe se Michele Solara guardasse para si o que tinha visto. Quem sabe tudo estivesse prosseguindo em paz. Quem sabe Nunzia já estivesse dormindo na casa da estrada do Cuotto e tentava acalmar o genro, que chegara de surpresa com a última embarcação, não encontrara a mulher em casa e estava furioso. Quem sabe Lila tivesse telefonado ao marido e, assegurando-se de que estava em Nápoles, distante, no apartamento do bairro novo, agora estivesse na cama com Nino sem medo nenhum, um casal secreto, pronto para gozar a noite. Cada coisa do mundo estava em suspenso, puro risco, e quem não aceitava arriscar murchava num canto, sem intimidade com a vida. Compreendi de repente por que não conquistei Nino, por que Lila o conquistou. Eu não era capaz de me entregar a sentimentos verdadeiros. Não sabia me deixar arrastar além dos limites. Não possuía aquela potência emotiva que levara Lila a fazer de tudo para gozar aquele dia e aquela noite. Me mantinha recuada, à espera. Já ela tomava as coisas para si, as queria de verdade, se apaixonava, ia para o tudo ou nada e não temia o desprezo, o escárnio, as cusparadas, as surras. Ela enfim merecera Nino porque considerava que amá-lo já era tentar conquistá-lo, e não esperar que ele a quisesse.

Fiz toda a descida escura. Agora havia uma lua entre nuvens ralas, de bordas claras, e a noite estava perfumadíssima, se ouvia o rumor hipnótico das ondas. Na praia tirei os sapatos, a areia era fria, uma luz cinza-celeste se alongava até o mar e depois se expandia por sua planície trêmula. Pensei: sim, Lila tem razão, a beleza das coisas é um truque, o céu é o trono do medo; estou viva, agora, aqui, a dez passos da água, e isso não é nada belo, é aterrorizante; faço parte, com esta praia, com o mar, com a agitação de todas as formas animais, do terror universal; neste momento sou a partícula infinitesimal por meio da qual o assombro de cada coisa toma consciência de si; eu; eu, que escuto o rumor do mar, que sinto a umidade e a areia fria; eu, que imagino Ischia inteira, os corpos enlaçados de Nino e Lila, Stefano dormindo sozinho na casa nova e já não tão nova, as fúrias que favorecem a felicidade de hoje para alimentar a violência de amanhã. Ah, é verdade, tenho muito medo e por isso torço para que tudo acabe logo, que as figuras dos íncubos me devorem a alma. Desejo que dessa escuridão irrompam matilhas de cães raivosos, víboras, escorpiões, enormes serpentes marinhas. Desejo que, enquanto estou sentada aqui, na beira do mar, cheguem do meio da noite assassinos que me estraçalhem o corpo. Sim, sim, que eu seja punida por minha inadequação, que me aconteça o pior, algo de tão devastador que me impeça de enfrentar esta noite, amanhã, as horas e os dias que virão reconfirmando com provas cada vez mais esmagadoras minha constituição inepta. Tive pensamentos assim, pensamentos exaltados de menina humilhada. Me abandonei a eles por não sei quanto tempo. Depois alguém disse: "Lena", e me tocou o ombro com dedos frios. Estremeci, meu coração se contraiu tão gelado que, quando me virei num instante e reconheci Donato Sarratore, a respiração me explodiu da garganta como o gole de uma poção mágica, dessas que nos poemas devolvem a força e a urgência de viver.

## 71.

Donato me disse que Nella tinha acordado, não me encontrara na casa e estava preocupada. Lidia também estava um pouco apreensiva, por isso lhe pedira que viesse me procurar. O único que achava normal que eu não estivesse em casa era ele. Tinha acalmado as duas mulheres, dissera: "Vão dormir, com certeza ela saiu para aproveitar a lua na praia". No entanto, para agradá-las, e por prudência, tinha vindo checar se estava tudo bem. E de fato aqui estou eu, sentada, escutando a respiração do mar e contemplando a divina beleza do céu.

Falei assim, mais ou menos nessas palavras. Ele se sentou a meu lado, murmurou que me conhecia tão bem quanto a si mesmo. Tínhamos a mesma sensibilidade pelas coisas belas, a mesma necessidade de desfrutá-las, a mesma necessidade de buscar as palavras certas para dizer como a noite era suave, como a lua era deslumbrante, como o mar cintilava, como duas almas sabem encontrar-se e reconhecer-se no escuro, no ar perfumado. Enquanto falava, senti com clareza o ridículo de sua voz impostada, a boçalidade de seu poetar, o sentimentalismo atrás do qual se ocultava a ânsia de pôr as mãos em mim. Mas pensei: quem sabe realmente somos feitos do mesmo barro, quem sabe estamos de fato condenados sem culpa a uma mesma e idêntica mediocridade. Assim apoiei a cabeça em seu ombro e murmurei: "Estou com um pouco de frio". E ele prontamente passou um braço em volta da minha cintura, me puxou devagar para perto de si, me perguntou se assim estava melhor.

Respondi: "Sim", num sopro, e Sarratore levantou meu queixo com o polegar e o indicador, encostou levemente os lábios nos meus, perguntou: "E assim?". Então me cobriu de beijos cada vez menos leves, continuando a murmurar: "E assim, e assim, ainda está com frio, está melhor assim, está melhor?". Sua boca era quente e úmida, a acolhi na minha com crescente gratidão, tanto que o beijo se tornou cada vez mais longo, a língua roçou a minha, empurrou-a, afundou em minha boca. Me senti melhor. Me dei conta de que recuperava terreno, que o gelo cedia, se derretia, que o medo se esquecia de si, que as mãos dele cancelavam o frio, mas de leve, como se fosse feito de estratos finíssimos e Sarratore tivesse a habilidade de limá-los com precisão cautelosa, um a um, sem os lacerar, e que até sua boca tivesse essa capacidade, e os dentes, a língua, e por isso ele soubesse muito mais sobre mim do que Antonio jamais conseguira aprender, que soubesse até o que nem eu mesma sabia. Eu tinha um eu oculto — compreendi — que dedos, boca, dentes e língua sabiam extrair. Estrato após estrato, abandonou todo esconderijo, se expôs de modo despudorado, e Sarratore mostrou saber a maneira de evitar que fugisse, que se envergonhasse, soube retê-lo como se fosse a razão absoluta de seu movimento afetuoso, de suas pressões ora suaves ora frenéticas. Durante todo o tempo, não me arrependi nem uma vez de ter aceitado o que estava ocorrendo. Não mudei de ideia e tive orgulho disso, queria que fosse assim, o impus a mim mesma. Fui ajudada, talvez, pelo fato de que Sarratore paulatinamente se esqueceu de seu linguajar floreado, de que, ao contrário de Antonio, não demandou nenhuma atitude minha, não pegou minha mão para que o tocasse, limitando-se a me convencer de que tudo em mim lhe agradava e se aplicando em meu corpo com o zelo, a devoção e o orgulho do macho todo absorto na demonstração de como conhecia a fundo as mulheres. Não o ouvi nem sequer constatar *você é virgem*, provavelmente tinha tanta certeza de minha condição que se surpreenderia do contrário. Quando fui arrastada por uma necessidade de prazer tão exigente e egocêntrica a ponto de apagar não só todo o mundo sensível, mas também o corpo dele, velho a meus olhos, e as etiquetas com que era classificável — *pai de Nino, ferroviário-poeta- -jornalista, Donato Sarratore* —, ele percebeu e me penetrou. Senti que de início o fazia com delicadeza, depois com um choque preciso e decidido, que me causou um rasgo no ventre, uma pontada logo substituída por um ondejar ritmado, uma esfregação, um tranco, um esvaziar-me e preencher-me a golpes de desejo sôfrego. Até que se tirou para fora num arranque, emborcou de costas na areia e emitiu uma espécie de rugido estrangulado.

Ficamos em silêncio, o mar voltou, o céu tremendo, me senti aturdida. Isso impeliu mais uma vez Sarratore a seu lirismo barato, achou que devia reconduzir-me a mim mesma com palavras ternas. Consegui tolerar no máximo um par de frases. Levantei brusca- mente, sacudi a areia dos cabelos, do corpo inteiro, me ajeitei como pude. Quando ele arriscou: "Onde podemos nos encontrar ama- nhã?", respondi a ele em italiano, com uma voz calma e segura de si, que ele estava enganado, não devia me procurar nunca mais, nem em Cetara nem no bairro. E, como ele deu um sorrisinho cético, eu disse que o que Antonio, o filho de Melina, podia fazer com ele era nada em comparação ao que lhe faria Michele Solara, pessoa que eu conhecia bem e a quem bastaria dizer uma palavra para que ele se desse mal. Disse que Michele já não via a hora de quebrar-lhe a cara, porque ele tinha recebido dinheiro para escrever sobre a loja da Piazza dei Martiri e não fizera bem seu trabalho.

Durante todo o percurso de volta continuei ameaçando-o, em parte porque ele voltara à carga com frasezinhas melosas e eu queria que entendesse meus sentimentos com clareza, em parte porque eu estava maravilhada de como o tom de ameaça, que desde pequena eu só exercitara em dialeto, me soasse bem inclusive em língua italiana.

# 72.

Temi encontrar as duas mulheres acordadas, mas ambas estavam dormindo. Não estavam preocupadas a ponto de perder o sono, me consideravam sensata, confiavam em mim. Dormi profundamente.

No dia seguinte acordei alegre e, mesmo quando Nino, Lila e o acontecimento nos Maronti me chegaram aos fragmentos, continuei me sentindo bem. Conversei longamente com Nella, tomei café com os Sarratore, não me desagradou a gentileza falsamente paternal com que Donato me tratou. Nem por um instante pensei que o sexo com aquele homem um tanto inchado, vaidoso e conversador tivesse sido um erro. No entanto, vê-lo ali, à mesa, ouvi-lo e ter consciência de que foi ele quem me desvirginou me causou repulsa. Fui à praia com toda a família, tomei banho com as crianças, deixei atrás de mim um rastro de simpatia. Cheguei a Forio pontualíssima.

Chamei Nino, ele apareceu logo. Recusei-me a subir, um pouco porque devíamos escapar o mais depressa possível, um pouco porque não queria guardar na lembrança imagens dos cômodos que Nino e Lila tinham habitado sozinhos por quase dois dias. Esperei, Lila não chegava. A ansiedade retornou de golpe, imaginei que Stefano tivesse arranjado um jeito de partir de manhã, que estivesse desembarcando algumas horas antes do previsto, que aliás já estivesse indo para casa. Chamei mais uma vez, Nino voltou a aparecer, me fez sinal para aguardar só mais um minuto. Desceram uns quinze minutos depois, se abraçaram e se beijaram demoradamente no portão. Lila correu para mim, mas parou de repente, como se tivesse esquecido alguma coisa, e voltou atrás, o beijou de novo. Desviei o olhar incomodada, e tornou a ganhar força a ideia de que eu era mal constituída, sem uma verdadeira capacidade de envolvimento. Por outro lado, os dois voltaram a me parecer lindíssimos, perfeitos em cada movimento, tanto que gritar: "Lina, se apresse" foi quase desfigurar uma imagem de fantasia. Ela pareceu puxada por uma força cruel, a mão correu lentamente do ombro dele pelo braço até a ponta dos dedos, como num passo de balé. Finalmente ela veio até mim.

Fizemos o trajeto numa carroça motorizada, trocando poucas palavras.

"Tudo bem?"

"Tudo. E você?"

"Bem."

Não falei nada sobre mim; ela, nada sobre si. Mas as razões daquele laconismo eram muito diferentes. Ao que me acontecera eu não tinha nenhuma intenção de dar palavras: era um fato nu, se referia a meu corpo, à sua reatividade fisiológica; que nele, pela primeira vez, tivesse se introduzido uma parte minúscula do corpo de um outro me parecia irrelevante: a massa noturna de Sarratore não me comunicava nada, salvo uma sensação de estranheza, e era um alívio que tivesse se dissipado como um temporal que não chega. Ao contrário, me pareceu evidente que Lila se calava porque não tinha palavras. Senti que se mantinha num estado sem pensamentos ou imagens, como se, afastando-se de Nino, tivesse esquecido nele tudo aquilo de seu, até a capacidade de dizer o que lhe acontecera, o que estava acontecendo. Essa diferença entre nós me deixou melancólica. Tentei vasculhar minha experiência na praia para ver se achava algo de equivalente ao seu alheamento doloroso--feliz. Também me dei conta de que nos Maronti, em Barano, eu não tinha deixado nada, nem mesmo aquele novo eu que se revelara a mim. Tinha levado tudo comigo e por isso não sentia a urgência que, ao contrário, eu lia nos olhos de Lila, em sua boca entreaberta, nos punhos cerrados, a urgência de voltar atrás, de reintegrar-me a quem eu tive de deixar. E, se aparentemente minha condição podia parecer mais sólida, mais compacta, o fato é que, ao lado de Lila, eu me sentia pantanosa, terra demasiado impregnada de água.

# 73.

Ainda bem que só mais tarde li os seus cadernos. Ali havia páginas e páginas sobre aquele dia e aquela noite com Nino, e o que aquelas páginas diziam era exatamente o que eu não tinha a dizer. Lila não escreveu uma palavra sequer que contasse prazeres sexuais, nada que pudesse ser útil para aproximar sua experiência da minha. Em vez disso, falava de amor e o fazia de modo surpreendente. Dizia que, desde o dia do casamento até aqueles dias em Ischia, ela estivera, sem se dar conta, a ponto de morrer. Descrevia minuciosamente uma sensação de morte iminente: baixa de energia, sonolência, uma forte pressão no centro da cabeça, como se entre o cérebro e os ossos do crânio houvesse uma bolha de ar em contínua expansão, a impressão de que tudo se movesse depressa e em fuga, de que a velocidade de cada movimento de pessoas e coisas fosse excessiva e se chocasse com ela, a ferisse, lhe causasse dores físicas na barriga e dentro dos olhos. Dizia que tudo isso era acompanhado de um embotamento dos sentidos, como se a tivessem envolvido em um chumaço e suas feridas não viessem do mundo real, mas de um interstício entre seu corpo e a massa de algodão hidrófilo dentro da qual se sentia embalada. Por outro lado, admitia que a morte iminente lhe parecia tão certa que lhe tirava o respeito por qualquer coisa, sobretudo por si mesma, como se nada mais importasse e tudo merecesse ser destruído. Às vezes era dominada pela fúria de exprimir-se sem nenhuma mediação: exprimir-se pela última vez, antes de se tornar como Melina, antes de atravessar a estrada justo enquanto chegasse um caminhão e ser atropelada, arrastada para longe. Nino havia mudado aquele estado, arrancara-a da morte. E o tinha feito já quando, na casa de Galiani, a convidara para dançar e ela recusara, aterrorizada por aquela oferta de salvação. Depois, em Ischia, dia após dia, ele assumira a potência do salvador, lhe restituíra a capacidade de sentir. Sobretudo ressuscitara nela o senso de si. Sim, tinha ressuscitado. Linhas e linhas e linhas tinham em seu centro o conceito de ressurreição: uma elevação extática, o fim de qualquer vínculo e no entanto o prazer indizível de um novo vínculo, um ressurgimento que era também uma insurgência: ele e ela, ela e ele juntos, a reaprender a vida, exilando seu veneno, reinventando-a como pura alegria de pensar e de viver.

Isso, de modo simplificado. As palavras dela eram muito bonitas, o meu é apenas um resumo. Se ela me tivesse dado seus diários na época, no veículo que nos levava, eu teria sofrido ainda mais, porque teria reconhecido naquela sua plenitude realizada o avesso de meu vazio. Teria compreendido que ela se defrontara com algo que eu acreditava conhecer, que tinha achado que sentia por Nino, e que no entanto desconhecia e talvez nunca viesse a conhecer senão numa forma fraca, esmaecida. Teria compreendido que ela não estava jogando com ligeireza uma partida de verão, mas que, dentro dela, estava crescendo um sentimento violentíssimo, que a arrebataria. Porém, enquanto voltávamos para Nunzia depois de nossas violações, não soube furtar-me ao sentimento habitual e confuso de disparidade, à impressão — recorrente em nossa história — de que eu estava perdendo alguma coisa que ela, ao contrário, estava conquistando. Por isso, a intervalos, senti a necessidade de equilibrar as contas, de lhe dizer como eu tinha perdido a virgindade entre o mar e o céu, à noite, na praia dos Maronti. Poderia não mencionar o nome do pai de Nino, pensei, poderia inventar um marinheiro, um contrabandista de cigarros americanos, e contar a ela o que me aconteceu, dizer como foi bonito. Mas compreendi que falar de mim e do meu prazer não me importava, eu queria fazer meu relato apenas para induzi-la a fazer o dela e saber quanto prazer tinha recebido de Nino e compará-lo com o meu e me sentir — esperava — em vantagem. Por minha sorte intuí que ela nunca o diria, e que somente eu acabaria por me expor, estupidamente. Então fiquei em silêncio, e ela também.

**74.**

Uma vez em casa, Lila recuperou a palavra e, com isso, uma expansividade superexcitada. Nunzia nos acolheu intimamente aliviada por nosso retorno e, mesmo assim, hostil. Disse que não tinha pregado olho, que ouvira rumores inexplicáveis pela casa, que tivera medo dos fantasmas e de assassinos. Lila a abraçou, e Nunzia quase a repeliu.

"E então, se divertiu muito?", perguntou.

"Muitíssimo, quero mudar tudo."

"Quer mudar o quê?"

Lila riu.

"Vou pensar e lhe digo."

"Antes diga a seu marido", retrucou Nunzia com um inesperado tom cortante.

A filha a olhou maravilhada, de uma maravilha satisfeita e talvez meio comovida, como se a sugestão lhe parecesse justa e urgente.

"Sim", ela disse e foi para o quarto, se trancando em seguida no banheiro.

Saiu após um bom tempo, mas ainda de anágua, fazendo-me um gesto para que a acompanhasse até seu quarto. Fui de má vontade. Me fixou com olhos febris e disse frases velozes, numa espécie de ânsia:

"Quero estudar tudo o que ele estuda."

"Ele está na universidade, são coisas complicadas."

"Quero ler os mesmos livros que ele, quero entender bem as coisas que pensa, quero aprender não para a universidade, mas para ele."

"Lila, não banque a doida: a gente combinou que você o veria esta vez e depois chega. O que você tem?, se acalme, Stefano está chegando."

"Na sua opinião, se eu me esforçar muito, vou poder entender as coisas que ele entende?"

Não aguentei mais. O que eu já sabia, e que no entanto me ocultava, ficou muito claro naquele momento: agora ela também via em Nino a única pessoa capaz de salvá-la. Ela se apossara de um velho sentimento meu, se apropriara dele. E, sabendo bem o tipo que ela era, eu não tinha dúvidas: teria abatido qualquer obstáculo e iria até o fim. Respondi com dureza:

"Não. São assuntos difíceis, você está muito atrás em tudo, não lê jornal, não sabe quem está no governo, não sabe nem mesmo quem manda em Nápoles."

"E você sabe essas coisas?"

"Não."

"Ele acha que você sabe, já disse, ele a admira muito."

Fiquei vermelha, murmurei:

"Estou tentando aprender e, quando não sei, faço de conta que sei."

"Mesmo fazendo de conta, pouco a pouco se aprende. Você pode me ajudar?"

"Não, de jeito nenhum, Lila, você não deve fazer isso. Deixe Nino em paz, por culpa sua ele já anda dizendo que quer largar a universidade."

"Ele vai continuar estudando, nasceu para isso. De todo modo, muitas coisas nem ele sabe. Se eu estudar aquilo que ele não sabe, posso lhe explicar quando for preciso, e assim lhe será útil depois. Preciso mudar, Lenu, logo."

Desabafei de novo:

"Você é casada, precisa tirá-lo da cabeça, você não é adequada às exigências dele."

"E quem é adequada?"

Quis feri-la e disse:

"Nadia."

"Ele a deixou por mim."

"Então tudo bem. Não quero mais ouvir sua conversa, vocês dois são loucos, façam o que quiserem."

Fui embora para o meu quarto consumida pelo desgosto.

# 75.

Stefano chegou na hora de sempre. Nós três o recebemos com falsa alegria, e ele foi gentil, mas estava um pouco tenso, como se por trás da face benévola houvesse uma preocupação. Como a partir daquele dia começava seu período de férias, fiquei surpresa de que não tivesse trazido bagagem. Lila não pareceu se dar conta, mas Nunzia percebeu e perguntou: "Você parece com a cabeça meio no ar, Sté. Alguma preocupação? Sua mãe está bem? E Pinuccia? E como vão os sapatos? O que os Solara acharam? Estão contentes?". Ele respondeu que estava tudo certo e jantamos, mas a conversa não engrenou. No início Lila tentou se mostrar de bom humor, mas, como Stefano respondia com monossílabos e sem sinais de afeto, ela se contrariou e não falou mais. Somente eu e Nunzia tentamos de todos os modos evitar que o silêncio se tornasse estável. Quando a fruta foi servida, Stefano disse à esposa com um meio sorriso:

"Você tem ido à praia com o filho de Sarratore?"

Perdi o fôlego. Lila lhe respondeu irritada:

"Às vezes. Por quê?"

"Quantas vezes? Uma, duas, três, cinco, quantas? Lenu, você sabe?"

"Uma vez", respondi, "ele passou dois ou três dias atrás e ficamos na praia todos juntos."

Stefano continuou com o meio sorriso na cara e se voltou para a esposa:

"E você e o filho de Sarratore ficaram tão íntimos que, quando voltam do banho, se dão as mãos?"

Lila o mirou direto na cara:

"Quem lhe disse isso?"

"Ada."

"E quem disse a Ada?"

"Gigliola."

"E a Gigliola?"

"Gigliola viu você, sua idiota. Veio aqui com Michele, vieram encontrar vocês. E não é verdade que você e aquele bosta tomavam banho com Lenuccia, tomavam banho sozinhos e estavam de mãos dadas?"

Lila se levantou, disse com calma:

"Vou sair para um passeio."

"Você não vai a lugar nenhum: fique sentada e responda."

Lila continuou de pé. Disse de improviso, em italiano e com uma ostensiva expressão de cansaço que, no entanto — me dei conta —, era de desprezo:

"Como eu fui estúpida em me casar com você, você não vale nada. Sabe que Michele Solara quer que eu trabalhe na loja dele, sabe que, por esse motivo, Gigliola me mataria se pudesse. E você faz o quê? Acredita nela? Não quero mais ouvir suas bobagens, você se deixa manipular como uma marionete. Lenu, você me acompanha?"

Encaminhou-se para a porta, e eu já estava me levantando, mas Stefano deu um pulo, a agarrou pelo braço e disse:

"Você não vai a lugar nenhum. Precisa me dizer se é verdade ou não que tomou banho sozinha com o filho de Sarratore, se é verdade ou não que vocês andam por aí de mãos dadas."

Lila tentou se soltar, mas não conseguiu. Sibilou:

"Solte meu braço, você me dá nojo."

Neste ponto Nunzia se intrometeu. Censurou a filha, disse que ela não podia se permitir falar assim com Stefano. Mas logo em seguida, com uma energia surpreendente, quase gritou ao genro que ele devia parar com aquilo, que Lila já tinha respondido, que foi por inveja que Gigliola disse aquelas coisas, que a filha do confeiteiro era desleal, que tinha medo de perder o lugar na Piazza dei Martiri, que queria expulsar de lá até Pinuccia e ficar como a única senhora e dona da loja, ela, que de sapatos não entendia nada, ela, que nem doces sabia fazer, enquanto tudo, tudo, tudo era mérito de Lila, inclusive a prosperidade da nova charcutaria, e portanto a filha não merecia ser tratada daquele modo, não, não merecia.

Foi um verdadeiro acesso: o rosto se inflamou, os olhos se arregalaram, a certa altura pareceu sufocar de tanto somar frases sem tomar fôlego. Mas Stefano não escutou nem uma palavra sequer. A sogra ainda falava quando ele puxou Lila para o quarto de casal e lhe gritou: "Agora você vai me responder, já", e, como ela o insultou com palavras ainda mais pesadas e se agarrou à portinha de um móvel para resistir, ele a arrastou com tal força que a portinhola se abriu, o móvel vacilou perigosamente produzindo um barulho de pratos e copos agitados, e Lila quase voou pela cozinha e foi bater contra a parede do corredor que levava ao quarto. Um instante depois o marido tornou a agarrá-la e, segurando-a pelo braço, mas como se fosse uma xícara erguida pela alça, a empurrou para o quarto e fechou a porta atrás de si.

Ouvi a chave girando na fechadura, e aquele ruído me aterrorizou. Naqueles segundos intermináveis, vi com meus próprios olhos que Stefano era realmente habitado pelo fantasma do pai, que de fato a sombra de dom Achille podia inchar as veias de seu pescoço e a ramificação azul sob a pele da fronte. Mas, embora assustada, senti que não podia ficar parada, sentada à mesa, como Nunzia. Grudei na maçaneta da porta e comecei a sacudi-la, a bater o punho contra a madeira, implorando: "Stefano, por favor, não é verdade, deixe Lila em paz. Stefano, não faça mal a ela". Mas ele já estava encerrado dentro da própria raiva, não parava de gritar que queria a verdade e, como Lila não falava, aliás, parecia nem estar mais no quarto, por um momento era como se ele falasse sozinho enquanto se esbofeteava, se esmurrava, quebrava coisas.

"Vou chamar a dona da casa", disse a Nunzia, e corri escada abaixo. Queria perguntar à proprietária se havia outra chave ou se o sobrinho dela estava lá, um homenzarrão que saberia como arrombar a porta. Mas bati inutilmente, a dona não estava e, se estava, não abriu. Enquanto isso os urros de Stefano faziam as paredes vibrar, se expandiam pela estrada, pelo juncal, em direção ao mar, e no entanto pareciam não encontrar outros ouvidos além dos meus, ninguém que aparecesse nas janelas das casas vizinhas, ninguém que acorresse. Apenas se ouviam, mas em tom menor, as súplicas de Nunzia alternadas à ameaça de que, se Stefano continuasse machucando a filha, ela contaria tudo a Fernando e a Rino e, tão certo quanto Deus existe, eles o matariam.

Voltei para cima correndo, não sabia o que fazer. Me joguei com todo o peso do corpo contra a porta, gritei que tinha chamado a polícia, que os guardas estavam chegando. Depois, visto que Lila continuava sem dar sinais de vida, comecei a berrar: "Lila, você está bem? Por favor, Lila, me diga como você está". Somente então escutamos sua voz. Não se dirigia a nós, mas ao marido, gélida:

"Quer saber a verdade, quer? Sim, eu e o filho de Sarratore fomos tomar banho de mãos dadas. Sim, fomos para o alto mar e nos beijamos e nos bolinamos. Sim, deixei que ele me fodesse mil vezes e assim descobri que você é um merda, que não vale nada, que só quer de mim coisas nojentas, que me fazem vomitar. Está bem assim? Está contente?"

Silêncio. Depois daquelas palavras, Stefano não deu um pio, eu parei de bater na porta, Nunzia parou de chorar. Os rumores externos foram voltando, os carros que passavam, alguma voz distante, o bater de asas das galinhas.

Alguns minutos se passaram e foi Stefano quem recomeçou a falar, mas num tom tão baixo que não conseguimos ouvir o que ele dizia. De todo modo, entendi que estava buscando uma maneira de se acalmar: frases breves e desconexas, deixe ver o que você se fez, fique tranquila, pare com isso. A confissão de Lila deve ter lhe parecido tão insuportável que acabara a recebendo como uma mentira. Entendera aquilo como um meio ao qual ela recorrera para machucá-lo, um exagero equivalente a uma bofetada para que ele voltasse a si, frases que queriam dizer mais ou menos: se você ainda não se deu conta dos absurdos de que me acusa, agora sou eu quem vai esclarecer suas ideias, ouça bem.

Para mim, no entanto, as palavras de Lila me pareceram tão terríveis quanto as porradas de Stefano. Percebi que, se me aterrorizava a violência sem limites que ele represava por trás de maneiras gentis e do rosto afável, por outro lado eu não suportava a coragem de Lila, aquela sua audácia temerária que lhe permitia gritar a verdade como se fosse uma mentira. Cada palavra que ela dirigira a Stefano o fizera recobrar o juízo, por considerá-las falsas, e feriram dolorosamente a mim, que conhecia a verdade. Quando a voz do salsicheiro se tornou mais clara, tanto eu quanto Nunzia sentimos que o pior tinha passado, dom Achille estava se retirando de seu filho e o devolvendo a seu lado benévolo, flexível. E Stefano, restituído àquele aspecto que fizera dele um comerciante de sucesso, agora estava perdido, já não entendia o que acontecera com sua voz, com as mãos, os braços. Mesmo que provavelmente a imagem de Lila e Nino de mãos dadas ainda estivesse em sua mente, o que Lila lhe evocara com aquela saraivada de palavras só podia apresentar os traços evidentes da irrealidade.

A porta não se abriu, e a chave só girou na fechadura quando amanheceu. Mas o timbre de Stefano se tornou triste, parecia uma súplica deprimida, e eu e Nunzia esperando do lado de fora por horas, fazendo companhia uma à outra com frases desanimadas, quase imperceptíveis. Sussurros dentro, sussurros fora. "Se eu contar a Rino", murmurava Nunzia, "ele vai matá-lo, com certeza vai matá-lo". E eu sussurrava, como se acreditasse nela: "Por favor, não diga nada a ele". Mas por dentro pensava: depois do casamento, nem Rino nem Fernando moveram um dedo por Lila; sem falar que, desde que ela nasceu, a espancaram todas as vezes que quiseram. E então me dizia: os homens são todos farinha do mesmo saco, só Nino é diferente. Eu suspirava, e o rancor ganhava nova força: agora está mais do que claro que Lila o tomará para si, mesmo sendo casada, e os dois, juntos, vão se livrar desta miséria, enquanto eu ficarei aqui para sempre.

# 76.

Com as primeiras luzes da manhã Stefano saiu do quarto de casal; Lila, não. Falou:

"Preparem as bagagens, vamos embora."

Nunzia não conseguiu se controlar e, furiosa, apontou os prejuízos que ele causara à proprietária, disse que era preciso ressarci-la. Ele respondeu — como se muitas das palavras que ela lhe gritara horas antes tivessem ficado em sua memória e ele sentisse a urgência de pôr os pingos nos is — que sempre tinha pagado e que continuaria pagando. "Esta casa fui eu que paguei", listou com voz baixa, "as férias de vocês fui eu que paguei, tudo o que vocês duas têm, e seu marido, e seu filho, fui eu que dei, por isso não me encham o saco: façam as bagagens e vamos embora."

Nunzia não deu um pio. Logo depois Lila saiu do quarto com um vestido amarelo de mangas compridas e grandes óculos escuros, desses de estrela do cinema. Não nos dirigiu a palavra. Nem no Porto, nem no ferry, nem mesmo quando chegamos ao bairro. Foi para casa com o marido sem nem se despedir.

Quanto a mim, decidi que a partir daquele momento viveria para cuidar apenas de mim, e fiz isso logo depois de voltar a Nápoles, impondo-me uma atitude de absoluto distanciamento. Não procurei Lila, não procurei Nino. Aceitei sem replicar os ataques de minha mãe, que me acusou de ter levado uma vida de madame em Ischia sem pensar que, em casa, havia necessidade de dinheiro. Até meu pai — que não parou de elogiar meu aspecto saudável, a cor dourada de meus cabelos — me espicaçou: assim que minha mãe me agrediu diante dele, imediatamente a apoiou. "Você já é grande", disse, "veja que é preciso ajudar."

De fato, ganhar algum dinheiro era mais que urgente. Eu poderia cobrar de Lila o que ela me prometera como compensação por minha permanência em Ischia, mas, depois de minha decisão de me afastar dela, e sobretudo depois das palavras brutais que Stefano dissera a Nunzia (e, de algum modo, também a mim), não o fiz. Pelo mesmo motivo, rejeitei enfaticamente que ela comprasse meus livros escolares como fizera no ano anterior. Uma vez em que encontrei Alfonso, pedi que lhe dissesse que eu já tinha providenciado os livros para aquele ano e encerrei o assunto.

No entanto, depois de Ferragosto me reapresentei na livraria de Mezzocannone e, em parte porque eu tinha sido uma vendedora eficiente e disciplinada, em parte pelo meu aspecto, que melhorara muito graças ao sol e ao mar, o proprietário me recontratou após alguma hesitação. Entretanto exigiu que eu não me demitisse quando as aulas recomeçassem, mas continuasse trabalhando nem que fosse só de tarde, durante o período de venda dos livros didáticos. Aceitei e passei longas horas na livraria acolhendo professores que, com bolsas cheias, vinham vender por poucas liras os livros recebidos de brinde das editoras, e estudantes que, por ainda menos, vendiam seus livros surrados.

Vivi uma semana de pura angústia porque minha menstruação não chegava. Temi que Sarratore tivesse me engravidado, me desesperei, por fora mostrava boas maneiras, por dentro, terror. Passei noites sem dormir, mas não busquei conselho ou consolo de ninguém, guardei tudo para mim. Finalmente, numa tarde em que eu estava na livraria, fui ao banheiro imundo da loja e descobri o sangue. Foi um dos raros momentos de bem-estar daquele período. A menstruação me pareceu uma espécie de eliminação simbólica e definitiva da irrupção de Sarratore em meu corpo.

Nos primeiros dias de setembro me ocorreu que Nino já devia ter voltado de Ischia, e comecei a temer e a esperar que ele aparecesse pelo menos para um oi. Mas não se fez vivo nem na livraria, nem no bairro. Quanto a Lila, só a vi de relance umas duas vezes, num domingo, enquanto voava de carro pelo estradão ao lado do marido. Aqueles poucos segundos foram suficientes para me deixar com raiva. O que tinha acontecido? Como ela arranjara as coisas? Continuava tendo tudo, se apropriando de tudo: o carro, Stefano, a casa com banheira, telefone e televisão, os belos vestidos, o conforto. Além disso, vai saber que planos ela ia armando no segredo daquela cabeça. Eu a conhecia muito bem e me dizia que ela não desistiria de Nino nem se Nino desistisse dela. Mas tratei de enxotar aqueles pensamentos e respeitar o acordo que fizera intimamente: planejar minha vida sem eles e aprender a não sofrer com isso. Para tanto, me concentrei numa espécie de autoadestramento a reagir pouco ou quase nada. Aprendi a reduzir minhas emoções ao mínimo: se o patrão tentava me tocar, eu o rechaçava sem indignação; se os clientes eram grosseiros, eu fazia cara de paisagem; até com minha mãe consegui me manter sempre controlada. Dizia a mim mesma todos os dias: sou o que sou e não posso senão me aceitar; nasci assim, nesta cidade, com este dialeto, sem dinheiro; vou dar aquilo que posso dar, vou pegar aquilo que posso pegar, vou suportar o que tiver de suportar.

## 77.

Então as aulas recomeçaram. Somente quando entrei na sala em primeiro de outubro me dei conta de que estava no terceiro ano do liceu, que tinha completado dezoito anos, que o tempo de estudos — em meu caso já surpreendentemente longo — estava terminando. Melhor assim. Conversei muito com Alfonso sobre o que faríamos depois do diploma. Ele sabia tanto quanto eu. Prestaremos concursos, ele arriscou, mas na verdade não tínhamos ideias claras sobre o que era um concurso, dizíamos *prestar um concurso, passar num concurso*, mas o conceito era vago: era preciso fazer uma prova escrita, submeter-se a uma entrevista? E o que se ganhava? Um salário?

Alfonso me confessou que, uma vez passando em um concurso qualquer, pensava em se casar.

"Com Marisa?"

"Claro."

Algumas vezes lhe perguntei discretamente de Nino, mas ele não tinha simpatia pelo irmão dela, nem sequer se cumprimentavam. Nunca tinha entendido meu interesse por ele. É feio, dizia, todo torto, só pele e osso. Já Marisa ele achava bonita. Mas acrescentava logo, atento para não me ferir: "Você também é bonita". Ele gostava da beleza e, sobretudo, do cuidado com o corpo. Ele mesmo se cuidava muito, sempre cheirava a barbearia, comprava roupas, fazia levantamento de peso todos os dias. Me contou que se divertira muito na loja da Piazza dei Martiri. Não era como na charcutaria. Ali era possível se vestir com elegância, ou melhor, era imprescindível. Ali era possível falar em italiano, as pessoas eram educadas, tinham estudado. Ali, mesmo quando você se ajoelhava diante dos clientes ou das clientes para ajudá-los a calçar os sapatos, era possível fazê-lo com boas maneiras, como um cavalheiro do amor cortês. Mas infelizmente não havia possibilidade de continuar na loja.

"Por quê?"

"Ah."

De início ele foi vago, e eu não insisti. Depois me contou que agora Pinuccia ficava sempre em casa, porque não queria se cansar, estava com uma barriga enorme e pontuda; de todo modo, quando tivesse o bebê, era óbvio que não teria mais tempo para trabalhar. Em teoria, isso poderia facilitar as coisas para seu lado, os Solara estavam contentes com ele, talvez pudesse se ajeitar na loja logo depois do diploma. Mas não havia nenhuma possibilidade — e nessa altura, de repente, surgiu o nome de Lila. Só de ouvi-lo, meu estômago queimou.

"O que ela tem a ver com isso?"

Soube que ela tinha voltado das férias enlouquecida. Continuava sem conseguir engravidar, os banhos não tinham servido para nada, delirava. Uma vez quebrou todos os vasos de planta que tinha na varanda. Falava que ia à charcutaria e, em vez disso, deixava Carmen sozinha e saía por aí. De noite Stefano acordava e não a encontrava na cama: circulava pela casa, lendo e escrevendo.

Depois de repente sossegara. Ou melhor, tinha concentrado toda sua capacidade de arruinar a vida de Stefano em um único objetivo: fazer com que Gigliola fosse trabalhar na charcutaria nova e que ela mesma assumisse a loja na Piazza dei Martiri.

Fiquei muito surpresa.

"É Michele que a quer na loja", eu disse, "mas ela não quer ir."

"Isso foi antes. Agora ela mudou de ideia, está fazendo o diabo para trabalhar lá. O único obstáculo é que Stefano não concorda. Mas se sabe que, no fim das contas, meu irmão sempre acaba fazendo o que ela quer."

Não fiz mais perguntas, não queria de modo nenhum ser reabsorvida pelas questões de Lila. Mas por um tempo me peguei perguntando: o que ela tem em mente? Por que de uma hora para outra quer ir trabalhar no centro? Depois deixei para lá, tomada por outros problemas: a livraria, o colégio, as sabatinas, os livros didáticos. Alguns eu comprei, mas a maioria eu surrupiei do livreiro sem nenhum escrúpulo. Voltei a estudar firme, especialmente de noite. De fato, durante as tardes, até as férias de Natal — quando me demiti —, estive comprometida com a livraria. E logo em seguida a própria Galiani me arranjou umas aulas particulares, às quais me dediquei muito. Entre colégio, aulas e estudo não houve espaço para mais nada.

Quando no final do mês eu dava o dinheiro que recebia, minha mãe o embolsava sem dizer nada, mas na manhã seguinte se levantava cedo para me preparar o café da manhã, às vezes até com ovo batido, ao qual se dedicava com tanto zelo — enquanto eu ainda estava sonolenta na cama, ouvia o cloc cloc da colher batendo na xícara — que derretia na boca feito um creme, sem nem um grãozinho de açúcar. Quanto aos professores do liceu, parece que não podiam deixar de me considerar a aluna mais brilhante, quase por uma espécie de indolente funcionamento de toda a velha engrenagem escolar. Defendi sem problemas meu papel de primeira da classe e, como Nino terminara a escola, coloquei-me entre os melhores de todo o colégio. Mas não precisei de tempo para notar que Galiani, mesmo sendo muito generosa comigo, me atribuía sabe-se lá que culpa que a impedia de ser cordial como antigamente. Por exemplo, quando lhe devolvi os livros, ela se mostrou irritada porque estavam cheios de areia e os levou embora sem me prometer que emprestaria outros. Por exemplo, não me passou mais seus jornais, e por certo tempo me forcei a comprar *Il Mattino*, mas depois parei, aquilo me entediava, era dinheiro jogado fora. Por exemplo, nunca mais me convidou para a casa dela, embora eu tivesse gostado de reencontrar seu filho, Armando. Entretanto continuou me elogiando publicamente, me dando notas altas, me aconselhando conferências e até filmes importantes, que projetavam numa sala de padres em Port'Alba. Até que uma vez, logo depois das férias de Natal, ela me chamou na saída da escola e fizemos juntas um trecho do trajeto. Perguntou-me sem preâmbulos o que é que eu sabia de Nino.

"Nada", respondi.

"Me diga a verdade."

"É verdade."

Aos poucos fiquei sabendo que, passado o verão, Nino não dera mais nenhuma notícia nem a ela, nem à filha.

"Rompeu com Nadia de modo desagradável", disse com irritação de mãe, "com uma carta de poucas linhas enviada de Ischia, que a fez sofrer muito." Depois se conteve e acrescentou, reassumindo seu papel de professora: "Mas paciência, vocês são jovens, a dor ajuda a crescer".

Fiz sinal que sim, ela me perguntou:

"Ele também a deixou?"

Fiquei vermelha.

"A mim?"

"Vocês não se viram em Ischia?"

"Sim, mas entre nós nunca houve nada."

"Tem certeza?"

"Absoluta."

"Nadia está convencida de que ele a deixou por você."

Neguei com veemência, disse que estava pronta a encontrar Nadia e dizer a ela que entre mim e Nino nunca houve nem haveria nada. Ela ficou contente, me garantiu que contaria à filha. Naturalmente não mencionei Lila, não só porque eu estava decidida a cuidar de minha vida, mas também porque falar sobre isso me deprimia. Tentei desviar o assunto, mas ela voltou a Nino. Disse que circulavam vários boatos sobre ele. Havia quem dissesse que ele não só não prestara os exames de outono, mas que tinha até parado de estudar; e havia quem jurasse que o tinha visto uma tarde na Via Arenaccia, sozinho, completamente embriagado, caminhando aos tropeços e de vez em quando bebendo de uma garrafa. Mas Nino, concluiu, não era simpático a todos, e talvez alguém se divertisse espalhando boatos contra ele. Mas que tristeza se aquilo tudo fosse verdade.

"Com certeza são mentiras", eu disse.

"Tomara. Mas é difícil acompanhar aquele rapaz."

"Sim."

"Ele é muito bom."

"É."

"Se você por acaso souber o que ele anda aprontando, por favor, me avise."

Despedimos-nos, e corri para dar aula de grego a uma menina do ginásio que morava no parque Margherita. Mas foi difícil. No grande aposento em permanente penumbra onde fui acolhida com respeito havia móveis solenes, tapetes com cenas de caça, antigas fotografias de militares de alta patente e vários outros sinais de uma tradição de autoridade e de riqueza que à minha pálida aluna de catorze anos causavam um torpor corporal e intelectual, e em mim provocavam uma sensação de mal-estar. Naquela ocasião precisei lutar sem trégua para manter a vigilância sobre declinações e conjugações. Continuamente a silhueta de Nino me voltava à mente tal como Galiani a evocara: paletó surrado, gravata esvoaçante, as pernas compridas de passo trôpego, a garrafa vazia que, depois de um último trago, ia se quebrar na pedra da Arenaccia. O que acontecera entre ele e Lila depois de Ischia? Contrariamente às minhas previsões, era evidente que ela voltara atrás, tudo tinha terminado, ela recuperara a consciência. Já Nino, não: do jovem estudioso, com uma resposta bem articulada para cada coisa, se transformara em um vagabundo, arrasado pelo mal do amor pela mulher do salsicheiro. Cogitei tornar a perguntar a Alfonso se tinha notícias dele. Pensei em ir eu mesma encontrar Marisa e pedir informações sobre o irmão. Mas logo me obriguei a tirá-lo da cabeça. Vai passar, disse a mim mesma. Ele me procurou? Não. E Lila me procurou? Não. Por que deveria me preocupar com ele, ou com ela, quando eles não se preocupavam comigo? Continuei a lição e segui meu caminho.

## 78.

Depois do Natal fiquei sabendo por Alfonso que Pinuccia tinha dado à luz um menino, que se chamaria Fernando. Fui fazer uma visita pensando que a encontraria na cama, feliz, amamentando o bebê. No entanto ela já estava de pé, em camisola de noite e chinelos, enfezada. Expulsou com maus modos a mãe, que lhe dizia "fique na cama, não se canse", e, quando me levou até o berço, disse sombria: "Eu nunca me saio bem em nada, olha só como é feio, fico assustada só de tocá-lo, só de olhar para ele". E embora Maria, parada na soleira do quarto, murmurasse como uma fórmula sedativa: "O que você está dizendo, Pina, ele é lindo", ela continuou repetindo com raiva: "É feio, é mais feio que Rino, naquela família todos são feios". Depois tomou fôlego e exclamou desesperada, com lágrimas nos olhos: "Culpa minha, escolhi mal o marido, mas quando a gente é muito menina não pensa direito, e olha só o filho que eu fiz, com um nariz achatado que nem o de Lina". Então, sem interrupções, começou a insultar pesadamente a cunhada.

Soube por ela que Lila, a prostituta, há quinze dias mandava e desmandava a seu bel-prazer na loja da Piazza dei Martiri. Gigliola teve que ceder e voltou à confeitaria dos Solara; ela mesma, Pinuccia, tivera que ceder, atrelada ao filho quem sabe até quando; todos tiveram que ceder, principalmente Stefano, como sempre. E agora, todos os dias, Lila inventava uma: ia trabalhar vestida de ajudante de Mike Bongiorno e, se o marido não a acompanhava de carro, deixava-se acompanhar sem problemas por Michele; gastara sabe-se lá quanto em dois quadros que representavam sabe-se lá o quê, e pendurou-os na loja não se sabe com que propósito; comprara um monte de livros e os colocara numa estante, no lugar dos sapatos; montou uma espécie de salão de recepções com sofás, poltronas, pufes e uma copa de cristal onde punha chocolatinhos de Gay Odin à disposição de quem quisesse, grátis, como se estivesse lá não para sentir o chulé dos clientes, mas para bancar a senhora do castelo.

"E não é só isso", disse, "há uma coisa ainda pior."

"O quê?"

"Você sabe o que Marcello Solara fez?"

"Não."

"Lembra os sapatos que Stefano e Rino tinham dado a ele?"

"Aqueles feitos exatamente segundo o desenho de Lila?"

"Sim, uma porcaria de sapato, Rino sempre disse que entrava água neles."

"E então, o que aconteceu?"

Pina me enredou numa história vertiginosa, às vezes confusa, de dinheiro, trapaças, enganos, dívidas. Aconteceu que Marcello, insatisfeito com os novos modelos feitos por Rino e Fernando, e certamente em conluio com Michele, mandara produzir aqueles sapatos não na fábrica Cerullo, mas numa outra, em Afragola. Depois disso, nas vésperas do Natal, os distribuiu com a marca Solara em todas as lojas, especialmente na da Piazza dei Martiri.

"E ele podia fazer isso?"

"Claro, os sapatos eram dele: meu irmão e meu marido, aqueles dois cretinos, deram de presente a ele, e ele pode fazer o que bem quiser."

"E agora?"

"Agora", concluiu, "estão circulando em Nápoles os sapatos Cerullo e os sapatos Solara. E os sapatos Solara estão vendendo muito bem, melhor que os Cerullo. E todo o lucro vai para os Solara. Tanto que Rino está nervosíssimo, porque esperava qualquer concorrência, mas não a dos próprios Solara, os sócios, e ainda por cima com um sapato feito com suas próprias mãos e depois estupidamente jogado fora."

Então me lembrei de Marcello, da vez em que Lila o ameaçara com um trinchete. Era mais lento que Michele, mais tímido. Que necessidade tinha de fazer aquela afronta? Os negócios dos Solara eram numerosíssimos, alguns à luz do sol, outros não, e cresciam a cada dia. Tinham amizades poderosas desde os tempos do avô, faziam e recebiam favores. A mãe deles era agiota e tinha um livro que metia medo em meio bairro, a essa altura talvez até nos Cerullo e nos Carracci. Portanto, para Marcello e para o irmão, os sapatos e a loja da Piazza dei Martiri eram apenas uma das tantas fontes onde a família bebia, e seguramente não das mais importantes. Então por quê?

A história de Pinuccia começou a me incomodar: por trás da fachada do dinheiro, percebi algo de mais mesquinho. O amor de Marcello por Lila tinha terminado, mas a ferida permaneceu aberta e infeccionou. Desfeita qualquer dependência, ele se sentia livre para fazer mal aos que no passado o haviam humilhado. De fato, Pinuccia me disse: "Rino foi com Stefano protestar, mas não adiantou". Os Solara os trataram com arrogância, era gente habituada a fazer o que bem quisesse, por isso o encontro foi praticamente como falar para as paredes. Por fim Marcello mencionou vagamente que ele e o irmão pensavam em fazer toda uma linha Solara que repetisse, com variações, os traços daquele sapato feito como amostra. E depois acrescentou, sem um nexo claro: "Vamos ver como suas novas produções se saem e se vale a pena mantê-las no mercado". Entendeu? Entendi. Marcello queria eliminar a marca Cerullo, substituí-la pela Solara e, assim, causar um grande prejuízo econômico a Stefano. Preciso ir embora do bairro, de Nápoles — disse a mim mesma —, não estou nem aí para suas disputas. No entanto perguntei:

"E Lina?"

Os olhos de Pinuccia lançaram um lampejo feroz.

"O problema é justamente ela."

Lina estava debochando de toda aquela história. Quando Rino e o marido se irritavam, ela os zombava assim: "Foram vocês que deram os sapatos a ele, não eu; foram vocês que fizeram negócios com os Solara, não eu. Se vocês são dois cretinos, o que é que eu posso fazer?". Era hostil, não se sabia de que lado estava, se com a família ou com os dois Solara. Tanto é que, quando Michele insistiu mais uma vez dizendo que a queria na Piazza dei Martiri, ela de uma hora para outra aceitou; e mais, atormentou Stefano até que a deixasse ir.

"E como é que Stefano acabou cedendo?", perguntei.

Pinuccia deu um longo suspiro de irritação. Stefano tinha cedido porque esperava que Lila — já que Michele insistira tanto, e visto que Marcello sempre tivera um fraco por ela — conseguisse ajeitar as coisas. Mas Rino não confiava na irmã, estava assustado, não dormia de noite. O velho sapato que ele e Fernando tinham descartado, e que Marcello mandara fabricar em sua forma original, estava fazendo sucesso, estava vendendo. O que aconteceria se os Solara começassem a tratar diretamente com Lila e ela, escrota que era desde nascença, depois de ter se recusado a desenhar novos sapatos para a família, passasse a desenhá-los para eles?

"Isso não vai acontecer", garanti a Pinuccia.

"Foi ela quem lhe disse?"

"Não, eu não a encontro desde as férias."

"E então?"

"Eu sei como ela é. Lina tem curiosidade por uma coisa e se empenha o mais que pode. Depois, uma vez que a conseguiu, a vontade passa e ela não pensa mais nisso."

"Tem certeza?"

"Tenho."

Maria ficou contente ao ouvir aquelas minhas palavras, e se agarrou a elas para acalmar a filha. "Você ouviu?", ela disse. "Está tudo certo, Lenuccia sabe o que está dizendo."

Mas de fato eu não sabia nada, a parte menos pedante de mim se lembrava bem da imprevisibilidade de Lila, por isso eu não via a hora de ir embora daquela casa. O que eu tenho a ver com isso, pensava, com essas histórias mesquinhas, com a pequena vingança de Marcello Solara, com toda essa luta e essa ânsia por dinheiro, por carros, por casas, por móveis e enfeites e férias? E como depois de Ischia, depois de Nino, Lila pôde voltar a tratar com esses camorristas? Vou tirar meu diploma, vou fazer um concurso, vou passar. Vou-me embora desse nojo, o mais longe possível. Então falei, enternecendo-me diante do menino que agora Maria pegava no colo:

"Como ele é lindo."

79.

Mas não consegui resistir. Adiei longamente e depois acabei cedendo: perguntei a Alfonso se num domingo podíamos dar um passeio, eu, ele e Marisa. Alfonso ficou contente, fomos a uma pizzaria de Via Foria. Perguntei sobre Lidia, sobre os meninos, especialmente sobre Ciro, e então perguntei o que Nino andava fazendo de bom. Ela me respondeu sem interesse, falar do irmão a deixava nervosa. Disse que ele tinha tido um longo período de loucura, e o pai, que ela adorava, havia passado por maus momentos, Nino chegara a partir para cima dele. Nunca se soube qual seria a causa dessa loucura: não queria mais estudar, queria ir embora da Itália. Depois tudo passou de repente: voltou a ser como era antes e estava recomeçando a prestar os exames.

"Então ele está bem?"

"Sei lá."

"Está contente?"

"Na medida em que alguém como ele é capaz de estar contente, sim."

"E só estuda?"

"Você quer saber se ele tem namorada?"

"Não, imagine, só quero saber se ele sai, se se diverte, se sai para dançar."

"E eu sei lá, Lena? Ele está sempre fora. Agora está obcecado com cinema, com romances, com arte, e nas raras vezes em que aparece em casa começa logo a discutir com papai, só para ofendê--lo, para arranjar briga."

Me senti aliviada por Nino ter se recuperado, mas também fiquei triste. Cinema, romances, arte? Como as pessoas mudavam depressa, seus interesses, seus sentimentos. Frases bem organizadas são substituídas por frases bem organizadas, o tempo é um fluxo de palavras coerentes só na aparência, quem mais tem mais acumula. Me senti uma idiota, tinha menosprezado as coisas de que gostava só para me adequar ao que agradava a Nino. Sim, sim, resignar-se àquilo que se é, cada qual pelo seu caminho. Torci apenas para que Marisa não mencionasse que tinha me encontrado e que eu perguntara por ele. Depois daquela noite, não me referi mais a Nino ou a Lila nem com Alfonso.

Me fechei ainda mais em minhas obrigações, comecei a multiplicá-las para ocupar meu dia e minha noite. Naquele ano estudei obsessiva, cavilosamente, e ainda aceitei outra aula particular por bastante dinheiro. Me impus uma disciplina férrea, muito mais dura que aquela à qual me habituara desde a infância. Tempo escandido, uma linha reta que corria desde o amanhecer até a noite funda. No passado havia Lila, um desvio contínuo e feliz rumo a territórios surpreendentes. Agora tudo o que eu era queria extrair de mim. Tinha quase dezenove anos, nunca dependeria de ninguém, e nunca mais sentiria a falta de ninguém.

O terceiro ano de liceu passou num piscar de olhos. Pelejei com a geografia astronômica, com a geometria, com a trigonometria. Foi uma espécie de corrida para saber tudo, quando de fato eu dava por certo que minha insuficiência era constitutiva e, portanto, incancelável. No entanto eu gostava de fazer o possível. Não tinha tempo de ir ao cinema? Assimilava apenas os títulos e as tramas. Nunca tinha ido ao Museu Arqueológico? Passava ali um meio período, às pressas. Nunca tinha visitado a pinacoteca de Capodimonte? Dava um pulo por lá, duas horinhas, e ia embora. Enfim, eu tinha coisas demais a fazer. Que me importavam os sapatos e a loja da Piazza dei Martiri? Nunca mais fui lá.

Às vezes encontrava Pinuccia, acabada, empurrando Fernando no carrinho. Parava um segundo, escutava distraidamente as lamúrias sobre Rino, Stefano, Lila, Gigliola, todo mundo. Às vezes encontrava Carmen, cada vez mais desesperada com a situação na charcutaria nova desde que Lila tinha ido embora, abandonando-a aos abusos de Maria e Pinuccia, e a deixava desabafar por uns minutos sobre a saudade que sentia de Enzo Scanno, como ela contava os dias para que ele voltasse do serviço militar, como seu irmão Pasquale penava entre o trabalho nos canteiros de obra e a militância comunista. Às vezes encontrava Ada, que passara a detestar Lila, ao passo que estava muito contente com Stefano, falava dele com ternura, e não só porque ele aumentara ainda mais seu salário, mas também porque era um grande trabalhador, disponível com todos, e não merecia aquela mulher que o tratava que nem cachorro.

Foi ela quem me disse que Antonio tinha sido dispensado antecipadamente por causa de um terrível esgotamento nervoso.

"Como assim?"

"Você sabe como ele é, já com você dava sinais de esgotamento."

Uma frase ruim, que me feriu, mas tentei não pensar nisso. Num domingo de inverno encontrei Antonio por acaso e quase não o reconheci, de tanto que estava magro. Dei um sorriso esperando que ele parasse, mas ele pareceu nem se dar conta de mim e seguiu adiante. Então o chamei, e ele se virou com um sorriso alheado.

"Oi, Lenu."

"Oi. Estou tão contente de ver você."

"Eu também."

"O que tem feito?".

"Nada."

"Não vai voltar para a oficina?"

"Não há mais vaga."

"Você é bom, vai encontrar emprego em outro lugar."

"Não, se eu não me curar, não vou conseguir nada."

"O que você teve?"

"Medo."

Falou exatamente assim: medo. Em Cordenons, numa noite, enquanto estava de sentinela, se lembrou de uma brincadeira que o pai fazia quando ainda estava vivo e ele era bem pequeno: desenhava com uma caneta olhos e bocas nos cinco dedos da mão esquerda e depois os mexia e falava com eles como se fossem pessoas. Era uma brincadeira tão bonita que só de lembrar ele chorava. Mas naquela noite, durante o turno de guarda, ele teve a impressão de que a mão de seu pai havia entrado na dele e que agora ele tinha dentro dos dedos gente de verdade, miúda, miúda, mas toda bem formada, que ria e cantava. O medo lhe viera por esse motivo. Batera a mão contra a guarita até sangrar, mas os dedos continuaram rindo e cantando, sem parar um segundo. Só ficou bem quando o turno terminou e ele foi dormir. Um pouco de descanso e, na manhã seguinte, não tinha mais nada. Mas permanecera o terror de que a doença na mão voltasse. E de fato voltou, cada vez mais frequente, os dedos passaram a rir e a cantar até de dia. Até que ele pirou, e o levaram ao médico. "Agora passou", disse, "mas sempre pode recomeçar." "Me diga como eu posso ajudar." Pensou um pouco, como se de fato estivesse avaliando uma série de possibilidades. Então murmurou: "Ninguém pode me ajudar." Entendi imediatamente que ele não sentia mais nada por mim, eu saíra definitivamente de sua cabeça. Por isso, depois daquele encontro, peguei o hábito de todo domingo ir até sua janela e chamá-lo. Dávamos um passeio no pátio, falávamos disso e daquilo e, quando ele dizia que estava cansado, nos despedíamos. Às vezes ele descia com Melina, vistosamente maquiada, e passeávamos eu, ele e a mãe. Às vezes nos encontrávamos com Ada e Pasquale e dávamos uma volta mais longa, mas em geral só nós três conversávamos, Antonio ficava mudo. Em suma, isso se tornou um hábito tranquilo. Fui com ele ao enterro de Nicola Scanno, o verdureiro, que morreu de repente com uma pneumonia, e Enzo veio de licença, mas não chegou a tempo de encontrá-lo vivo. Juntos também fomos consolar Pasquale, Carmen e a mãe deles, Giuseppina, quando se soube que o pai, o ex-marceneiro que matara dom Achille, tinha morrido de infarto na prisão. E também estávamos juntos quando recebemos a notícia de que dom Carlo Resta, o vendedor de sabão e outros artigos domésticos, tinha sido assassinado a pauladas dentro de sua lojinha. Falamos longamente sobre isso, todo o bairro comentou, as conversas difundiram verdades e fantasias cruéis, alguém contou que as pauladas não tinham sido suficientes e que lhe meteram uma lima no nariz. Atribuiu-se o crime a um bandido qualquer, alguém que roubara o faturamento do dia. Mas depois Pasquale nos contou que ouvira conversas segundo ele muito mais plausíveis: dom Carlo estava endividado com a mãe dos Solara porque era viciado em baralho e recorria a ela para as dívidas de jogo.

"E daí?", perguntou Ada, que sempre era cética quando o namorado vinha com hipóteses mirabolantes.

"E daí que ele não quis dar o que devia à agiota e então o trucidaram."

"Que nada, você sempre falando bobagens."

É provável que Pasquale estivesse exagerando, mas, em primeiro lugar, nunca se soube quem matou dom Carlo Resta, em segundo, a lojinha foi arrematada justamente pelos Solara, com toda a mercadoria que havia dentro, e por uma ninharia, embora eles tenham deixado a viúva de dom Carlo e o filho mais velho cuidando do negócio.

"Por generosidade", disse Ada.

"Porque é gente de merda", respondeu Pasquale.

Não lembro se Antonio fez comentários sobre esse episódio. Estava esmagado pelo mal-estar, que as conversas de Pasquale de algum modo aguçavam. Tinha a impressão de que a desordem de seu corpo estivesse se alastrando pelo bairro e se manifestasse pelos casos horrorosos que se sucediam.

Para nós, o fato mais terrível aconteceu num domingo tépido, primaveril, quando eu, ele, Pasquale e Ada estávamos no pátio esperando Carmela, que subira para pegar um agasalho em casa. Passaram cinco minutos e Carmen apareceu na janela, gritando para o irmão:

"Pasquá, não estou achando mamãe: a porta do banheiro está trancada por dentro, mas ela não responde."

Pasquale subiu as escadas aos saltos, e nós atrás. Encontramos Carmela ansiosa, em frente à porta do banheiro, e Pasquale bateu constrangido, educadamente, várias vezes, mas de fato ninguém respondeu. Então Antonio disse ao amigo, acenando para a porta: não se preocupe, depois eu conserto, e, agarrando a maçaneta, quase a arrancou fora.

A porta se abriu. Giuseppina Peluso tinha sido uma mulher radiosa, enérgica, trabalhadora, afável, capaz de enfrentar todas as adversidades. Nunca deixara de cuidar do marido preso e, quando ele foi detido — me lembro bem —, acusado de ter assassinado dom Achille Carracci, ela se opôs com todas as forças. Quatro anos atrás, aceitara com refletida adesão o convite de Stefano para passarmos juntos a noite de Ano Novo e foi à festa com os filhos, contente por aquela reconciliação entre as famílias. E ficou feliz quando a filha, graças a Lila, conseguiu um emprego na charcutaria do bairro novo. Mas agora, morto o marido, ela evidentemente se cansara, em pouco tempo se tornara uma mulher frágil, sem a energia de antigamente, só pele e osso. Tinha retirado a luminária do banheiro, um prato metálico pendurado por uma corrente, e amarrara ao gancho fixado no teto o cabo de aço do varal. Depois se pendurou pelo pescoço.

Antonio a viu antes de todos e caiu no choro. Foi mais fácil acalmar os filhos de Giuseppina, Carmen e Pasquale, do que ele. Repetia para mim horrorizado: você viu que ela estava com os pés descalços e que as unhas eram compridas e que em um pé havia esmalte vermelho fresco e no outro não? Eu não tinha percebido, mas ele, sim. Apesar da doença dos nervos, tinha voltado do serviço militar mais convencido que nunca de que sua missão era agir como o macho que se lança ao perigo antes de todos, sem medo, e consegue resolver todos os problemas. Mas era frágil. Depois daquele episódio, durante semanas viu Giuseppina em todos os cantos escuros da casa e ficou ainda pior, de modo que deixei de lado todas as minhas obrigações para ajudá-lo a se acalmar. Foi a única pessoa do bairro que frequentei com certa continuidade, até prestar os exames finais. Quanto a Lila, mal a vi ao lado do marido no enterro de Giuseppina, enquanto abraçava Carmen aos soluços. Ela e Stefano tinham mandado uma grande coroa de flores, em cuja fita roxa se liam as condolências do casal Carracci.

## 80.

Não foi por causa das provas que parei de ver Antonio. As duas coisas acabaram coincidindo, já que justamente naquele período ele veio me procurar, aliviado, para me dizer que tinha aceitado um trabalho oferecido pelos irmãos Solara. A coisa não me agradou, me pareceu mais um sintoma de sua doença. Ele odiava os Solara. Se engalfinhara com eles desde menino para defender a irmã. Ele, Pasquale e Enzo tinham enchido Marcello e Michele de porrada e destruído a Millecento deles. Mas acima de tudo me deixara porque eu tinha ido pedir ajuda a Marcello para livrá-lo do serviço militar. Então por que se dobrava assim? Me deu explicações confusas. Disse que no quartel tinha aprendido que, quando se é soldado raso, deve-se obediência a qualquer um de patente superior. Disse que a ordem é melhor que a desordem. Disse que aprendera como se aproximar de um homem por trás e matá-lo sem que ele nem sentisse sua presença. Compreendi que a doença tinha muito a ver com aquilo, mas que o real problema era a miséria. Tinha ido até o bar e pedido um emprego. E Marcello a princípio o destratou, mas depois lhe ofereceu um x por mês — se expressou assim — só para ficar à disposição, sem uma tarefa específica.

"À disposição?"

"Sim."

"À disposição para quê?"

"Não sei."

"Saia dessa, Antó."

Ele não saiu. E, por causa dessa relação de dependência, acabou brigando tanto com Pasquale quanto com Enzo, que voltara do serviço militar mais taciturno que de costume, e mais inflexível. Com doença ou sem doença, nenhum deles conseguiu perdoar Antonio por aquela escolha. Principalmente Pasquale, que, embora fosse namorado de Ada, chegou a ameaçá-lo dizendo que, cunhado ou não, não queria mais vê-lo.

Fugi depressa daqueles problemas e me concentrei nos exames de maturidade. Enquanto estudava dia e noite, às vezes morta de calor, relembrava o verão passado, especialmente os dias de julho, antes que Pinuccia fosse embora, quando Lila, Nino e eu éramos um trio feliz, ou pelo menos assim me parecia. Rechacei qualquer imagem, e até o eco mais tênue de uma frase: não me permiti distrações.

O exame foi um momento decisivo em minha vida. Redigi em duas horas um tema sobre o papel da Natureza na poética de Giacomo Leopardi, citando, em meio a versos que sabia de cor, paráfrases em belo estilo do manual de história da literatura italiana; mas sobretudo entreguei a prova de latim e de grego quando meus colegas, inclusive Alfonso, mal tinham começado a fazê-la. Isso atraiu para mim a atenção dos examinadores, em particular de uma professora idosa e magérrima, com um *tailleur* rosa e cabelos azuis celestes saídos do salão, que me dirigiu muitos sorrisos. De todo modo, a verdadeira virada se verificou nos exames orais. Fui elogiada por todos os professores, mas quem mais esteve de acordo comigo foi a examinadora de cabelos azuis. Estava admirada com o meu desempenho não só pelo que eu dizia, mas também pela maneira como o dizia.

"A senhorita escreve muito bem", me disse com um sotaque para mim indecifrável, mas de qualquer modo muito distante do de Nápoles.

"Obrigada."

"Considera realmente que nada está destinado a durar, nem mesmo a poesia?"

"É o que pensa Leopardi."

"Tem certeza disso?"

"Sim."

"E a senhorita, o que pensa?"

"Penso que a beleza é uma ilusão."

"Assim como o jardim leopardiano?"

Eu não sabia nada de jardins leopardianos, mas respondi:

"Sim. Como o mar num dia sereno. Ou como um pôr do sol. Ou como o céu à noite. É maquiagem passada sobre o horror. Basta retirá-la, e ficamos sozinhos com nosso assombro."

As frases me saíram bem, pronunciei-as com uma cadência inspirada. De resto, não estava improvisando, eram variações orais do que eu tinha escrito na redação.

"Que faculdade pretende seguir?"

Eu sabia muito pouco ou quase nada de faculdades, a própria acepção do termo era vaga para mim. Me esquivei:

"Vou prestar algum concurso."

"Não vai para a universidade?"

Minhas faces queimaram como se eu não conseguisse esconder uma culpa.

"Não."

"Precisa trabalhar?"

"Sim."

Fui dispensada e voltei a me reunir com Alfonso e os outros. Mas pouco depois a professora me alcançou no corredor, falou longamente de uma espécie de colégio em Pisa onde, em caso de aprovação num exame parecido com aquele que eu tinha feito, se estudava de graça.

"Se a senhorita voltar daqui a dois dias, lhe dou todas as informações necessárias."

Fiquei escutando, mas como quando lhe falam sobre algo que de fato nunca poderá lhe servir. E, quando dois dias depois voltei à escola só por temor de que a professora se ofendesse e me desse uma nota baixa, fiquei surpresa com as informações precisíssimas que ela anotara para mim em uma folha de protocolo. Nunca mais a encontrei, não sei nem como se chama, no entanto devo muitíssimo a ela. Sem deixar em nenhum momento de me tratar por senhorita, passou com naturalidade a um comedido abraço de despedida.

Os exames terminaram, fui aprovada com média nove. Alfonso também se saiu bem, passou com média sete. Antes de deixar para sempre, sem lamentações, o edifício cinza e malcuidado cujo único mérito — a meus olhos — era o de ter sido frequentado também por Nino, entrevi Galiani e fui me despedir dela. Ela me congratulou pelo ótimo resultado, mas sem entusiasmo. Não me sugeriu livros para o verão, não me perguntou o que eu faria agora que tinha obtido o diploma do liceu. Seu tom distante me magoou, eu pensava que as coisas tivessem se ajeitado entre nós. Qual era o problema? Uma vez que Nino tinha deixado a filha e nunca mais aparecera, eu tinha sido posta ao lado dele para sempre, o mesmo bando de jovens de escassa consistência, pouco sérios, inconfiáveis? Habituada como eu era a ser simpática com todos e a conservar em torno de mim aquela simpatia como uma armadura reluzente, fiquei mal, e acredito que o desinteresse dela tenha tido um papel importante na decisão que acabei tomando. Sem falar com ninguém (de resto, com quem eu poderia me aconselhar senão com Galiani?), fiz um pedido de admissão na Escola Normal de Pisa. A partir daquele momento me desdobrei para conseguir dinheiro. Visto que as boas famílias, cujos filhos tinham sido meus alunos durante todo o ano letivo, estavam satisfeitas comigo, e que minha fama de boa professora se espalhara, trabalhei feito louca em agosto com um bom número de novos alunos que em setembro deviam fazer recuperação em latim, grego, história, filosofia e até matemática. No final do mês me vi rica, tinha conseguido juntar setenta mil liras. Dei cinquenta a minha mãe, que reagiu de maneira violenta e quase me arrancou o dinheiro das mãos, metendo-o no sutiã como se estivéssemos não na cozinha de casa, mas andando pela rua, e ela temesse um furto. Escondi que tinha guardado vinte mil liras para mim.

Somente um dia antes da partida comuniquei a minha família que eu precisava ir a Pisa prestar uns exames. "Se eles me aceitarem", anunciei, "vou estudar lá sem gastar uma lira de ninguém." Falei com muita decisão, em italiano, como se não fosse um assunto redutível ao dialeto, como se meu pai, minha mãe e meus irmãos não precisassem e não pudessem compreender o que eu estava a ponto de fazer. De fato, se limitaram a ouvir incomodados, e me pareceu que a seus olhos eu já não fosse quem sou, mas uma estranha que tivesse vindo de visita numa hora inoportuna. Por fim meu pai falou: "Faça o que precisa fazer, mas preste atenção, nós não podemos ajudar", e foi embora dormir. Minha irmã menor perguntou se podia ir comigo. Já minha mãe não disse nada, mas antes de desaparecer deixou sobre a mesa cinco mil liras para mim. Olhei as cédulas demoradamente, sem tocar nelas. Depois, superando meus escrúpulos por estar gastando dinheiro ao correr atrás de meus caprichos, pensei: é dinheiro meu, e peguei.

Pela primeira vez saí de Nápoles, saí da Campânia. Descobri que tinha medo de tudo: medo de errar de trem, medo de precisar mijar e não saber onde fazer, medo de que anoitecesse e eu não conseguisse me orientar numa cidade desconhecida, medo de ser roubada. Meti todo meu dinheiro no sutiã, como minha mãe fazia, e passei horas numa ansiedade alerta, que conviveu simultaneamente com uma sensação crescente de liberdade.

Tudo correu bem. Exceto o exame, a meu ver. A professora de cabelos celestes não me dissera que seria bem mais difícil que as provas finais do liceu. Sobretudo o latim me pareceu complicadíssimo, mas na verdade esse foi apenas o pico mais alto: cada prova se tornou pretexto para uma averiguação ardilosíssima de minhas competências. Falei à toa, balbuciei, fingi várias vezes ter a resposta na ponta da língua. O professor de italiano me tratou como se até o som de minha voz o incomodasse: *vejo que, mais que escrever argumentando, a senhorita escreve borboleteando; vejo, senhorita, que se lança com destemor sobre questões de que ignora completamente os problemas de impostação crítica.* Fiquei deprimida, logo perdi confiança no que dizia. O professor se deu conta e, olhando-me com ironia, pediu que eu falasse de algo que tinha lido recentemente. Ele esperava algo sobre um autor italiano, suponho, mas eu não entendi e me agarrei à primeira tábua que me pareceu segura, ou seja, às conversas que tínhamos tido no verão anterior, em Ischia, na praia de Citara, a propósito de Beckett e de Dan Rooney que, mesmo sendo cego, queria também se tornar surdo e mudo. A expressão irônica do professor aos poucos se transformou numa careta perplexa. Interrompeu-me rapidamente e me passou para o professor de história. Que não deixou por menos. Submeteu-me a uma lista infinita e extenuante de perguntas formuladas com extrema precisão. Até aquele momento eu nunca me sentira tão ignorante, nem em meus piores anos de escola, aquele em que tinha dado uma péssima impressão de mim. Consegui responder a tudo, datas, fatos, mas sempre de modo aproximativo. Assim que ele me pressionava com questões ainda mais específicas, eu cedia. Por fim me perguntou com desgosto:

"Por acaso já leu alguma coisa que não fosse o puro e simples manual escolar?"

Respondi:

"Estudei a ideia de nação".

"Lembra-se do autor do livro?"

"Federico Chabod."

"Vejamos o que compreendeu."

Escutou-me com atenção por alguns minutos e então me dispensou bruscamente, deixando-me a certeza de ter dito tolices.

Chorei muito, como se tivesse perdido em algum lugar, por distração, a parte mais promissora de mim. Depois pensei que me desesperar era uma bobagem, desde sempre eu sabia que não era realmente boa. Lila, sim, era excelente; Nino, sim, era excelente. Eu era apenas presunçosa e tinha sido justamente punida.

Entretanto fiquei sabendo que tinha passado no exame. Eu teria um lugar para mim, uma cama que eu não precisava fazer à noite e desfazer de manhã, uma escrivaninha e todos os livros de que precisasse. Eu, Elena Greco, a filha do contínuo, estava aos dezenove anos prestes a sair do bairro, prestes a deixar Nápoles. Sozinha.

## 81.

Começou uma fuga de dias agitados. Poucos trapos a levar, pouquíssimos livros. As palavras enfezadas de minha mãe: "Se conseguir dinheiro, me mande pelo correio; agora quem vai ajudar seus irmãos nas tarefas? Eles irão mal na escola por culpa sua. Mas vá, pode ir, quem se importa: sempre soube que você se achava melhor que eu e que todo mundo". E depois as palavras hipocondríacas de meu pai: "Estou sentindo uma dor aqui, vai saber o que é, venha para perto do papai, Lenu, que eu não sei se quando você voltar ainda vai me ver vivo". E depois as palavras insistentes de meus irmãos: "Se a gente lhe fizer uma visita, vamos poder dormir com você, podemos comer com você?". E depois Pasquale, que me disse: "Veja lá aonde te leva todo esse estudo, Lenu. Lembre-se de quem você é e de que lado está". E depois Carmen, que não conseguia superar a morte da mãe e estava abatida, me fez um sinal de despedida e desandou a chorar. E depois Alfonso, que ficou pasmo e murmurou: "Eu sabia que você continuaria estudando". E depois Antonio, que, em vez de prestar atenção ao que eu dizia e aonde ia, e ao que estava indo fazer, me repetiu várias vezes: "Agora estou me sentindo muito bem, Lenu, tudo aquilo passou, era o serviço militar que me fazia mal". E depois Enzo, que se limitou a me estender a mão e a apertá-la tão forte que ficou dolorida por dias. E por fim Ada, que só me fez uma pergunta: "Você já contou a Lina, hein, já contou?", e deu um sorrisinho, e insistiu: "Conte, ela vai explodir".

Imaginei que Lila já tivesse sabido por Alfonso, por Carmen, pelo próprio marido — a quem Ada com certeza falara — que eu estava indo para Pisa. Se não veio me dar os parabéns, pensei, é provável que a notícia de fato a tenha perturbado. Por outro lado, admitindo que ela não soubesse de nada, ir de propósito e lhe dar a notícia quando há mais de um ano mal nos cumprimentávamos me pareceu descabido. Não queria jogar na sua cara uma sorte que ela não tinha tido. Então afastei a questão e me dediquei às últimas coisas antes da partida. Escrevi a Nella para lhe contar o que tinha acontecido e pedir o endereço da professora Oliviero, a quem eu queria dar a notícia. Visitei um primo de meu pai, que prometera me dar uma velha mala que ele tinha. Dei uma passada por algumas casas onde eu tinha dado aulas e onde tinha os últimos pagamentos a receber. Pareceu-me uma boa ocasião para dar uma espécie de adeus a Nápoles. Atravessei a Via Garibaldi, subi pelos Tribunali, peguei um ônibus na Piazza Dante. Fui até o Vomero, primeiro na Via Scarlatti, depois na Santarella. Depois desci de funicular até a Piazza Amedeo. Todas as vezes fui recebida com lamentos pelas mães dos alunos, em alguns casos com grande afeto. Além do dinheiro, me ofereceram café e quase sempre uma lembrancinha. Quando meu giro terminou, percebi que estava a pouca distância da Piazza dei Martiri.

Peguei a Via Filangieri, incerta sobre o que fazer. Me voltou à mente a inauguração da sapataria, Lila vestida de grande dama e a ansiedade que a tomara por achar que não tinha mudado de verdade, que não tinha a mesma elegância das jovens daquele bairro. Quanto a mim, pensei, realmente mudei. Me visto sempre com os mesmos trapos, mas tirei o diploma do liceu e estou indo estudar em Pisa. Mudei não na aparência, mas em profundidade. A aparência virá logo, e não será mais aparência.

Aquele pensamento, aquela constatação me deixou contente. Parei na frente de uma ótica, examinei as armações. Sim, eu preciso mudar de óculos, os que eu tenho comem meu rosto, seria melhor uma armação mais leve. Pus os olhos numa armação redonda, círculos grandes e finos. Prender os cabelos. Aprender a me maquiar. Deixei a vitrine e cheguei à Piazza dei Martiri.

Naquele horário muitas lojas estavam com as portas semicerradas, a dos Solara estava três quartos fechada. Olhei ao redor. O que eu sabia dos novos hábitos de Lila? Nada. Quando ela trabalhava na charcutaria nova, não voltava pra casa na hora do almoço, mesmo a casa estando a poucos passos. Ficava na loja comendo alguma coisa com Carmen ou conversando comigo nas vezes em que eu passava depois da escola. Agora que trabalhava na Piazza dei Martiri era ainda mais improvável que voltasse para casa na hora do almoço, um cansaço inútil, além de que o tempo à disposição era insuficiente. Talvez estivesse em algum bar, talvez passeasse à beira-mar com alguma ajudante que certamente tinha. Ou talvez estivesse descansando lá dentro. Bati na porta de metal com a mão aberta. Nenhuma resposta. Bati de novo. Nada. Chamei, ouvi passos lá dentro, a voz de Lila perguntou:

"Quem é?"

"Elena."

"Lenu", ouvi-a exclamar.

Levantou a porta e surgiu na minha frente. Fazia muito tempo que não a encontrava, nem de longe, e me pareceu mudada. Estava com uma camiseta branca e uma saia azul justa, bem penteada e bem maquiada como sempre. Mas o rosto tinha como que alargado e achatado, todo o corpo me pareceu mais largo e mais chapado. Ela me puxou para dentro e tornou a baixar a porta. O ambiente, luxuosamente iluminado, tinha mudado muito, de fato parecia não uma sapataria, mas uma sala de recepções. Falou com um tom tão autêntico que acreditei nela: "Que coisa maravilhosa lhe aconteceu, Lenu, e como estou alegre de você ter vindo se despedir". Naturalmente ela sabia de Pisa. Me abraçou com muita força, me deu dois grandes beijos nas bochechas, os olhos se encheram de lágrimas, repetiu: "Estou alegre de verdade". Então gritou, dirigindo-se à porta do banheiro:

"Venha, Nino, pode sair, é Lenuccia".

Fiquei sem ar. A porta se abriu e Nino de fato apareceu com seu jeito habitual, cabeça baixa, mãos nos bolsos. Mas o rosto estava escavado pela tensão. "Oi", murmurou. Não soube o que dizer e lhe estendi a mão. Ele a apertou sem energia. Então Lila começou a me contar muitas coisas importantes em poucas frases: eles se viam às escondidas havia quase um ano; para o meu bem, tinha decidido não me envolver ainda mais num imbróglio que, se descoberto, teria consequências até para mim; estava grávida de dois meses e prestes a confessar tudo a Stefano: queria deixá-lo.

## 82.

Lila falou com um tom que eu conhecia bem, o tom da determinação, com que se esforçava para expulsar qualquer emoção e se limitava a somar velozmente fatos e comportamentos quase com desdém, como se temesse que, caso se permitisse um simples tremor da voz ou do lábio inferior, tudo perderia as linhas de contorno, se romperia e a arrastaria. Nino ficou sentado no sofá de cabeça baixa, fazendo no máximo uns sinais de concordância. Estavam de mãos dadas.

Disse que aqueles encontros ali na loja, entre mil preocupações, tinham acabado no momento em que ela fizera o exame de urina e descobrira a gravidez. Agora ela e Nino precisavam de uma casa para eles, de uma vida própria. Queria compartilhar com ele amizades, livros, conferências, cinema, teatro, música. "Não suporto mais", disse, "essa vida que levamos separados." Tinha guardado em algum lugar um pouco de dinheiro e estava negociando o aluguel de um pequeno apartamento nos Campi Flegrei, vinte mil liras ao mês. Os dois se entocariam ali, à espera de que o bebê nascesse.

Como? Sem um trabalho? Com Nino precisando estudar? Não consegui me controlar e falei:

"Qual a necessidade de abandonar Stefano? Você é boa em contar mentiras, já disse tantas a ele, pode perfeitamente continuar assim."

Ela me fixou com os olhos apertados. Notei que tinha percebido nitidamente o sarcasmo, o fastio, até o desprezo que aquelas palavras continham por trás da aparência de um conselho amigável. Percebera além disso um brusco movimento de cenho por parte de

Nino, a boca entreaberta como se quisesse dizer alguma coisa, mas que se contivera para evitar discussões. Ela rebateu:

"Contar mentiras me serviu para não morrer assassinada. Mas agora prefiro que me matem a continuar vivendo assim."

Quando me despedi desejando a eles tudo de bom, esperei para o *meu* bem nunca mais encontrá-los.

**83.**

Os anos da Escola Normal foram importantes, mas não para a história da nossa amizade. Cheguei à faculdade cheia de timidez e embaraço. Logo me dei conta de que falava um italiano livresco, que às vezes beirava o ridículo, especialmente quando, bem no meio de um longo período rebuscado, me faltava uma palavra e eu preenchia o vazio italianizando um vocábulo dialetal: comecei a penar para me corrigir. Sabia pouco ou quase nada de convívio social, falava muito alto, mastigava fazendo barulho com a boca: precisei perceber o incômodo dos outros e tentar me controlar. Na ansiedade de me mostrar sociável, interrompia conversas, me pronunciava sobre assuntos que não me diziam respeito e assumia atitudes de muita intimidade: tentei então ser gentil, mas distante. Uma vez uma garota de Roma, depois de eu perguntar não sei o quê, me respondeu fazendo um arremedo de minha cadência, e todas riram. Me senti ferida, mas reagi dando risada e acentuando o fundo dialetal, como se eu mesma debochasse de mim alegremente.

Nas primeiras semanas combati a vontade de voltar para casa e me trancar em minha dócil e habitual modéstia. Mas de dentro dela comecei pouco a pouco a me distinguir e agradar. Agradei a alunas, a alunos, a bedéis e a professores, aparentemente sem esforço. Mas na verdade me esmerei muito. Aprendi a controlar a voz e os gestos. Assimilei uma série de regras e comportamentos escritos e não escritos. Submeti ao mais estrito controle o sotaque napolitano. Consegui demonstrar que era competente e digna de estima, mas sem nunca assumir ares esnobes, fazendo autoironia sobre minha ignorância, fingindo-me surpresa com meus bons resultados. Sobretudo evitei fazer inimigos. Quando alguma das meninas se mostrava hostil, eu concentrava minha atenção nela, era cordial e ao mesmo tempo discreta, solícita, mas com compostura, e não mudava de atitude nem quando ela se tornava afável e vinha me procurar. Fazia o mesmo com os professores. Naturalmente com eles eu tinha mais cautela, mas o objetivo era o mesmo: ganhar seu apreço, sua simpatia e seu afeto. Circulava em torno dos mais intratáveis e austeros com sorrisos serenos e um ar devoto.

Prestei os exames com regularidade, estudando com a costumeira e feroz autodisciplina. Ficava aterrorizada só com a ideia de me sair mal e perder aquilo que desde o início me parecera, apesar das dificuldades, o paraíso na terra: um espaço todo meu, uma cama só para mim, uma escrivaninha, uma cadeira, livros, livros e livros, uma cidade em tudo diferente do bairro e de Nápoles, cercada apenas por gente que estudava e era propensa a discutir o que estudava. Me apliquei com tanta constância que nenhum professor nunca me deu menos de trinta e, no intervalo de um ano, me tornei uma estudante daquelas consideradas promissoras, cujos sinais respeitosos de cumprimento eram correspondidos com cordialidade.

Houve apenas dois momentos difíceis, e ambos nos primeiros meses. Certa manhã a garota de Roma que zombara de mim por causa de meu sotaque me agrediu, gritando comigo na presença de outras estudantes que havia sumido dinheiro de sua bolsa e que ou eu o devolvia imediatamente, ou ela me denunciaria à diretora. Compreendi que não podia reagir com um sorriso conciliador. Dei-lhe uma bofetada violentíssima e a cobri de insultos em dialeto. Todas se assustaram. Eu era uma pessoa tida como alguém que não levava as provocações a sério, e minha reação as desorientou.

HISTÓRIA DO NOVO SOBRENOME  333

A garota de Roma ficou sem palavras, tamponou o nariz que pingava sangue, uma amiga a acompanhou ao banheiro. Poucas horas depois, as duas vieram me procurar e a que me acusara de ladra pediu desculpas, tinha encontrado o dinheiro. Eu a abracei e disse que suas desculpas me pareciam sinceras — e de fato eu achava isso. Eu havia crescido em um meio que, mesmo se eu errasse em alguma coisa, nunca teria me desculpado.

A outra grave dificuldade surgiu em torno da festa de boas-vindas que seria realizada antes das férias de Natal. Era uma espécie de baile de debutantes do qual, na prática, era inevitável participar. Entre as meninas não se falava de outra coisa: os rapazes de Piazza dei Cavalieri viriam, era um grande momento de confraternização entre o setor feminino e o masculino. Eu não tinha nada para vestir. Fez frio naquele outono, nevou muito, e fiquei encantada com a neve. Mas depois descobri como podia ser insuportável o gelo nas ruas, as mãos sem luvas que perdem a sensibilidade, os pés com frieiras. Meu guarda-roupa era composto de dois vestidos de inverno costurados por minha mãe uns dois anos antes, um casaco puído herdado de uma tia, uma grande echarpe azul que eu mesma fizera e um par de sapatos com meia-sola, consertado várias vezes. Eu já tinha um bom tanto de problemas e não sabia como me comportar em relação àquela festa. Pedir ajuda às minhas colegas? A maior parte delas estava mandando fazer um vestido justamente para aquela ocasião, e era provável que, entre as roupas de todo dia, tivessem algo com que eu pudesse me apresentar. Mas depois das experiências com Lila eu não conseguia tolerar a ideia de provar roupas de outras mulheres e descobrir que não caíam bem em mim. Então fingir que estava doente? Estava propensa a essa solução, mas era deprimente: estar em plena saúde, morrendo de vontade de parecer uma Natacha no baile com o príncipe Andrei ou com Kuráguin, e em vez disso ficar sozinha olhando para o teto enquanto me chegavam o eco da música, o rumor das vozes, as risadas. Por fim fiz uma escolha provavelmente humilhante, mas da qual eu tinha certeza de que não me arrependeria: lavei os cabelos, fiz um coque, pus um pouco de batom e coloquei um de meus vestidos, aquele cujo único mérito era ser azul escuro. Fui para a festa e no início me senti incomodada. Mas minha roupa tinha a vantagem de não suscitar invejas, mais ainda, de provocar sentimentos de culpa que encorajavam a solidariedade. De fato, muitas conhecidas benévolas me fizeram companhia, e vários rapazes me convidaram para dançar. Me esqueci logo de minha roupa e até do estado de meus sapatos. Além disso, naquela mesma noite conheci Franco Mari, um rapaz feinho mas muito divertido, de uma inteligência rápida, desinibido e gastador, um ano mais velho que eu. Era de uma família muito rica de Reggio Emilia, militante comunista, mas crítico em relação às tendências socialdemocratas de seu partido. Com ele passei alegremente boa parte de meu escassíssimo tempo livre. Ele me deu de tudo: vestidos, sapatos, um casaco novo, óculos que me devolveram os olhos e todo o rosto, livros de cultura política, que era a cultura que ele mais apreciava. Aprendi com ele coisas horríveis sobre o stalinismo, e fui incentivada a ler os livros de Trótski, graças aos quais se formara uma sensibilidade anti stalinista e a convicção de que na URSS não havia nem socialismo nem muito menos comunismo: a revolução tinha sido interrompida e era preciso recolocá-la em marcha.

Convidada por ele, fiz minha primeira viagem ao exterior. Fomos a Paris, a um congresso de jovens comunistas de toda a Europa. Mas vi pouco de Paris, passamos todo o tempo em ambientes enfumaçados. Da cidade me ficou uma impressão de avenidas muito mais coloridas que as de Nápoles e as de Pisa, a irritação com o som das sirenes da polícia e o espanto pela difusa presença de negros tanto nas ruas quanto nos ambientes em que Franco fez uma longa palestra em francês, muito aplaudida. Quando contei a Pasquale aquela minha experiência política, ele não quis acreditar que eu — *justamente você*, me disse — tivesse feito uma coisa do gênero.

Depois se calou, constrangido, quando lhe exibi minhas leituras declarando-me agora simpatizante do trotskismo.

Por meio de Franco também adquiri vários hábitos que, mais tarde, foram reforçados pelas indicações e pelas falas de alguns professores: usar o verbo estudar, mesmo quando se lia um livro de ficção científica; preparar fichas minuciosíssimas para cada texto estudado; me entusiasmar todas as vezes em que me deparasse com passagens nas quais eram bem narrados os efeitos da desigualdade social. Ele dava muita importância ao que chamava de minha reeducação, e eu me deixei reeducar de bom grado. Mas para minha grande tristeza não consegui me apaixonar. Gostei dele, gostei de seu corpo irrequieto, mas nunca o senti como indispensável. Aquele pouco que eu sentia se exauriu em breve tempo, quando ele perdeu a vaga na Normal: tirou dezenove numa prova e foi mandado embora. Por uns meses nos escrevemos. Ele tentou voltar à Escola, disse que só o fazia para estar perto de mim. Eu o encorajei a prestar um novo exame, fracassou. Nos escrevemos mais umas vezes, depois por muito tempo não soube mais nada dele.

## 84.

Isto, grosso modo, foi o que me aconteceu em Pisa do final de 1963 ao final de 1965. Como é fácil falar de mim sem Lila: o tempo se aquieta, e os fatos salientes correm pelo fio dos anos como bagagens na esteira de um aeroporto; você os apanha, os coloca na página, e está feito.

Mais complicado é dizer o que naqueles mesmos anos aconteceu com ela. Nesse caso a esteira retarda, acelera, faz uma curva brusca, sai da rota. As malas caem, se abrem, seu conteúdo se espalha aqui e ali. Objetos dela vão parar entre os meus, sou forçada, para acolhê-los, a retornar ao relato que me diz respeito (e que no entanto me saíra sem entraves), ampliando frases que agora me soam demasiado sintéticas. Por exemplo, se Lila tivesse ido à Normal em meu lugar, ela por acaso deixaria passar as brincadeiras maldosas? E na vez em que eu dei uma bofetada na garota de Roma, quanto influiu em mim seu modo de se comportar? Como ela fez — mesmo a distância — para varrer minha afabilidade artificial, até que ponto foi ela quem me deu a determinação necessária, até que ponto me ditou até os insultos? E aquela ousadia quando, entre mil temores e escrúpulos, eu puxava Franco para meu quarto, de quem me vinha senão de seu exemplo? E a sensação de descontentamento quando eu percebia nitidamente que não experimentava amor por ele, quando constatava minha frigidez sentimental, de onde irradiava senão, por contraste, da capacidade de amar que ela demonstrara e estava demonstrando?

Sim, é Lila que torna a escrita difícil. Minha vida me leva a imaginar como teria sido a dela se por acaso lhe houvesse cabido aquilo que me coube, que uso ela teria feito de minha sorte. E sua vida se apresenta continuamente na minha, nas palavras que pronunciei, dentro das quais há muitas vezes um eco das suas, naquele determinado gesto que é uma readaptação de um gesto dela, naquele meu *a menos* que é assim por um seu *a mais*, naquele meu *a mais* que é a caricatura de um seu *a menos*. Sem contar o que ela nunca me disse, mas me deixou intuir, o que eu não sabia e depois li em seus cadernos. Assim a narrativa dos fatos precisa acertar as contas com filtros, remissões, verdades parciais, meias mentiras; do que resulta uma extenuante mensuração do tempo passado toda baseada no metro incerto das palavras.

Devo admitir, por exemplo, que os sofrimentos de Lila me escaparam por completo. Como ela tomou Nino para si, como ela com suas artes secretas ficou grávida dele, e não de Stefano, como por amor estava a ponto de cometer um ato inconcebível no ambiente em que tínhamos crescido — abandonar o marido, jogar fora o conforto recém-adquirido, arriscar ser assassinada junto com o amante e o bebê que trazia no ventre —, a considerei feliz, daquela felicidade tempestuosa dos romances, dos filmes e dos quadrinhos, a única que naquela época realmente me interessava, vale dizer, não a felicidade conjugal, mas a felicidade da paixão, uma furiosa confusão entre mal e bem que acontecera com ela, e não comigo.

Eu me enganava. Agora volto atrás, ao instante em que Stefano nos levou embora de Ischia, e sei com certeza que desde quando a embarcação se afastou do cais e Lila se deu conta de que não veria mais Nino de manhã, a esperá-la na praia, que não teria mais discutido, falado e sussurrado com ele, que não nadariam mais juntos, que não se beijariam, abraçariam e amariam, ela foi violentamente marcada pelo sofrimento. Em poucos dias toda sua vida de senhora Carracci — equilíbrios e desequilíbrios, estratégias, batalhas, guerras e alianças, aborrecimentos com os fornecedores e com a clientela, a arte de embromar no peso, a dedicação em acumular dinheiro na gaveta do caixa — se desmaterializou, perdeu realidade. Concreto e verdadeiro era só Nino, e ela que o amava, que o desejava dia e noite, que se agarrava ao marido no escuro do quarto de casal só para se esquecer do outro, nem que por poucos minutos. Um horrível intervalo de tempo. Pois era justamente naqueles minutos que sentia mais forte a necessidade de tê-lo, de modo tão nítido, e com tal exatidão de detalhes, que empurrava Stefano como um desconhecido e se refugiava num canto da cama, chorando e gritando insultos, ou fugia para o banheiro, trancando-se à chave.

## 85.

Num primeiro momento pensou em ir embora de noite e voltar para Forio, mas compreendeu que o marido logo a encontraria. Então pensou em perguntar a Alfonso se Marisa sabia quando o irmão iria voltar de Ischia, mas temeu que o cunhado tocasse no assunto com Stefano e deixou para lá. Achou na lista telefônica o número da casa dos Sarratore e ligou. Donato atendeu. Ela disse que era uma amiga de Nino, ele desconversou com voz irritada e desligou. Em desespero, ela voltou à ideia de retornar à ilha e estava prestes a partir quando, numa tarde do início de setembro, Nino apareceu na soleira da charcutaria lotada, barba comprida e totalmente bêbado. Lila deteve Carmen, que já se preparava para expulsar o jovem vagabundo — a seus olhos, um desconhecido fora de si. "Deixe comigo", disse a ela, e o arrastou para fora. Gestos precisos, voz fria, a certeza de que Carmen Peluso não tinha reconhecido o filho de Sarratore, agora bem diferente do menino que frequentara a escola fundamental com elas.

Agiu depressa. Olhando para ela, parecia a mesma de sempre, a que sabe resolver qualquer problema. De fato, não sabia mais onde estava. As paredes cheias de mercadorias tinham desbotado, a rua tinha perdido toda definição, dissolveram-se as fachadas pálidas dos novos prédios, sobretudo não sentia mais o perigo que estava correndo. Nino, Nino, Nino: percebia apenas a alegria e o desejo. Lá estava ele diante dela, de novo finalmente, e cada traço seu proclamava de modo evidente que tinha sofrido e estava sofrendo e a procurara e a queria, tanto que tentava agarrá-la e beijá-la em plena rua.

Ela o arrastou para sua casa, pareceu-lhe o local mais seguro. Passantes? Não viu nenhum. Vizinhos de casa? Não viu nenhum. Começaram a fazer amor assim que ela fechou a porta do apartamento atrás de si. Não sentia nenhum escrúpulo. Experimentava apenas a exigência de agarrar-se a Nino, imediatamente, segurá-lo, detê-lo. E essa necessidade não se aplacou nem mesmo quando eles sossegaram. O bairro, a vizinhança, a charcutaria, as ruas, os rumores da ferrovia, Stefano, Carmen numa espera quem sabe ansiosa, tudo foi voltando lentamente, mas apenas como objetos a serem arrumados às pressas, evitando não só que fossem um estorvo, mas também cuidando para que, empilhados de qualquer jeito, não desmoronassem de repente.

Nino censurou-a por ter ido embora sem nem lhe avisar, a apertou, a queria mais uma vez. Exigia que fossem embora imediatamente, juntos, mas não sabia dizer para onde. Ela lhe respondia que sim, sim, sim, e compartilhava inteiramente sua loucura, ainda que, à diferença dele, sentisse o tempo, os segundos e os minutos verdadeiros que, escoando, aumentavam enormemente o risco de serem descobertos. Por isso, abandonada junto a ele sobre o assoalho, observava a luminária que pendia do teto justo acima deles como uma ameaça, e, se antes ela só se preocupara em ter Nino imediatamente, e que tudo depois caísse, agora ela refletia sobre como mantê-lo colado a si sem que a luminária se desprendesse do teto, sem que o pavimento se abrisse e ele se precipitasse para sempre de um lado, e ela, de outro.

"Vá embora."

"Não."

"Você é louco."

"Sou."

"Por favor, eu imploro, vá embora."

Por fim o convenceu. Esperou que Carmen lhe dissesse alguma coisa, que os vizinhos fofocassem, que Stefano voltasse da outra charcutaria para espancá-la. Nada disso aconteceu, e ela se sentiu aliviada. Aumentou o salário de Carmen, tornou-se afetuosa com o marido, inventou desculpas que lhe permitissem encontrar Nino às escondidas.

**86.**

No início o maior problema não foi um possível boato que arruinasse tudo, mas ele, o rapaz amado. Não queria outra coisa senão agarrá-la, beijá-la, mordê-la, penetrá-la. Parecia que seu único interesse era poder viver com a boca colada na dela, dentro do corpo dela. E não tolerava separações, ficava em pânico, temia que ela sumisse de novo. Por isso se entorpecia com o álcool, não estudava mais, fumava sem parar. É como se, para ele, não houvesse outra questão no mundo a não ser os dois, e quando recorria às palavras era só para gritar seus ciúmes, para lhe dizer obsessivamente como era intolerável que ela continuasse vivendo com o marido.

"Eu abandonei tudo", murmurava arrasado, "já você não quer abandonar nada."

"E você quer fazer o quê?", ela rebatia.

Nino se calava desconcertado com a pergunta, ou então se enfurecia, como se o estado das coisas o ofendesse. Falava desesperado: "Você não gosta mais de mim."

Mas Lila gostava, gostava mais e mais, mas também queria outras coisas, e depressa. Queria que ele retomasse os estudos, queria que ele continuasse mexendo com sua cabeça como ocorrera no período de Ischia. A prodigiosa menina da escola fundamental, a garotinha que encantara a professora Oliviero, a que escrevera a *Fada azul* tinha ressurgido e ansiava por energia nova. Nino a tinha encontrado no fundo da escuridão em que tinha ido acabar e a puxara para cima. Agora aquela menininha pressionava para que ele voltasse a ser o jovem estudioso de antes e a fizesse crescer até lhe dar forças para varrer de uma vez por todas a senhora Carracci. O que aos poucos ela conseguiu.

Não sei o que aconteceu: Nino deve ter intuído que, para não perdê-la, precisava voltar a ser algo mais que um amante furioso. Ou talvez não, talvez simplesmente tenha se dado conta de que a paixão o estava esvaziando. E Lila a princípio ficou contente: pouco a pouco ele se recompôs, voltou a ser quem ela conhecera em Ischia, o que o tornou ainda mais necessário a ela. Reconquistou não somente Nino, mas também um pouco de suas palavras, de suas ideias. Ele lia Smith insatisfeito, ela também tentava lê-lo; ele lia Joyce ainda mais insatisfeito, ela também se esforçava. Comprou os livros sobre os quais, nas raras vezes em que conseguiam se ver, ele trocava ideias com ela. Queria discuti-los, mas nunca havia meios.

Cada vez mais desorientada, Carmen não compreendia o que Lila tinha de tão urgente para, ora com uma desculpa, ora com outra, se ausentar por horas da charcutaria. Olhava para ela de cenho franzido quando, mesmo nos horários de maior movimento, ela a deixava com o peso dos clientes e parecia não enxergar nem ouvir mais nada, tão absorta que estava na leitura de um livro ou escrevendo em seus cadernos. Era preciso interrompê-la: "Lina, por favor, me ajude". Só então ela erguia os olhos, passava a ponta dos dedos nos lábios e dizia que sim.

Quanto a Stefano, sempre oscilava entre o nervosismo e a concordância. Enquanto discutia com o cunhado, com o sogro, com os Solara, e se amargurava porque os filhos não vinham apesar dos banhos de mar, a mulher ironizava sobre a zona que estava o negócio dos sapatos e se fechava até tarde da noite dentro de romances, revistas, jornais: aquela mania voltara, como se a vida verdadeira já não lhe interessasse. Ele a observava e não entendia, ou não tinha o tempo e a vontade de entender. Depois de Ischia uma parte dele, a mais agressiva, diante daqueles comportamentos ora de recusa, ora de pacífico alheamento, forçava para chegar a um novo embate e a um esclarecimento definitivo. Mas a outra parte, mais prudente, quem sabe assustada, continha a primeira, fazia de conta que não era nada, pensava: melhor assim do que quando enche o saco. E Lila, que captara aquele pensamento, tentava fazer com que ele perdurasse em sua cabeça. À noite, quando ambos voltavam pra casa depois do trabalho, tratava o marido sem hostilidade. Mas, depois do jantar e das conversas, ela se retraía seriamente na leitura, um espaço mental inacessível a ele, habitado apenas por ela e por Nino.

O que esse rapaz se tornou para ela naquele período? Uma ânsia sexual que a mantinha em um estado de permanente fantasia erótica; uma excitação mental que queria estar à altura da dele; sobretudo um abstrato projeto de casal secreto, encerrado numa espécie de refúgio que devia ser em parte uma cabana para os dois corações, em parte um laboratório de ideias sobre a complexidade do mundo, ele, presente e ativo, ela, uma sombra colada em seu calcanhar, aconselhadora prudente, colaboradora devotada. As poucas vezes em que conseguiam estar juntos não por poucos minutos, mas por uma hora, aquela hora se transformava num fluxo inesgotável de trocas sexuais e verbais, um bem-estar pleno que, no momento da separação, tornava insuportável o retorno à charcutaria e à cama de Stefano.

"Não aguento mais."

"Nem eu."

"O que vamos fazer?"

"Não sei."

"Quero ficar sempre com você."

Ou pelo menos — ela acrescentava — por algumas horas todos os dias.

Mas como delimitar para si um tempo constante, seguro? Encontrar Nino em casa era perigosíssimo, vê-lo na rua, ainda mais perigoso. Sem contar que às vezes Stefano ligava para a charcutaria e ela não estava, e dar uma explicação plausível era complicado. Assim, pressionada entre as impaciências de Nino e as reclamações do marido, em vez de recuperar o sentido da realidade e admitir com clareza que estava numa situação sem saída, Lila começou a agir como se o mundo real fosse um cenário ou um tabuleiro, bastando deslocar algumas figuras de fundo e mover certas peças, e eis que o jogo — a única coisa que realmente importava, *o seu* jogo, *o jogo dos dois* — podia continuar sendo jogado. Quanto ao futuro, o futuro se transformou no dia seguinte, e depois mais outro, e depois mais outro. Ou imagens repentinas de massacres e de sangue, muito presentes em seus cadernos. Nunca escrevia *vou morrer assassinada*, mas anotava casos das páginas policiais e às vezes os reinventava. Eram histórias de mulheres assassinadas, e ela insistia na crueldade do assassino, no sangue que se espalhava por todo lado. Acrescentava os detalhes que os jornais não traziam: olhos arrancados das órbitas, danos causados pela faca na garganta ou nos órgãos internos, a lâmina que perfurava os seios, os mamilos decepados, o ventre aberto do umbigo para baixo, a lâmina raspando os genitais. Era como se ela quisesse retirar força da possibilidade realista de uma morte violenta reduzindo-a a palavras, a um esquema governável.

## 87.

Foi naquela ótica de jogo com prováveis desfechos mortais que Lila se intrometeu na disputa entre o irmão, o marido e os irmãos Solara. Valeu-se da convicção de Michele de que ela era a pessoa certa para administrar a situação comercial da Piazza dei Martiri. Parou repentinamente de dizer não a ele e, depois de uma tratativa turbulenta, graças à qual obteve absoluta autonomia e um pagamento semanal bastante considerável, quase como se não fosse a senhora Carracci, aceitou trabalhar na loja de calçados. Não se importou com o irmão, que se sentia ameaçado pela nova marca Solara e via seu movimento como uma traição, nem com o marido, que de início ficou furioso e a ameaçou, mas depois a impeliu a complicadas mediações em seu nome com os dois irmãos a propósito de dívidas contraídas com a mãe deles, de valores a receber e a pagar. Também ignorou as palavrinhas melosas de Michele, que circulava continuamente em torno dela para, sem dar na vista, vigiar a reestruturação da loja e, enquanto isso, pressionava para conseguir novos modelos de sapato diretamente dela, passando por cima de Rino e de Stefano.

Lila tinha intuído há tempos que o irmão e o pai seriam colocados no bolso, que os Solara se apropriariam de tudo, que Stefano só conseguiria sobreviver se tornando cada vez mais dependente de suas transações. Mas, se antes aquela perspectiva a indignava, agora escrevia em seus apontamentos que o assunto a deixava de todo indiferente. Claro, ficava triste por causa de Rino, lamentava que seu papel de pequeno proprietário já estivesse em declínio, especialmente agora que se casara e teria um filho. Mas a seus olhos todos os laços do passado tinham perdido consistência, sua capacidade de afeto tinha tomado um único rumo, cada pensamento seu, cada sentimento agora tinha Nino em seu centro. Se antes era movida pelo desejo de enriquecer o irmão, agora só se movia para agradar a ele.

A primeira vez em que foi à loja da Piazza dei Martiri para pensar no que ia fazer, notou com espanto que, na parede em que ficava o painel com sua foto vestida de noiva ainda havia uma mancha escuro-amarelada do fogo que o destruíra. Aquele vestígio a incomodou. Não gosto de nada disso, pensou, de tudo o que me aconteceu e do que eu fiz antes de Nino. E de repente se deu conta de que naquele espaço, no centro da cidade, por motivos obscuros, tinham acontecido os momentos mais relevantes de sua guerra. Ali, na noite da luta com os rapazes da Via dei Mille, decidira definitivamente que precisava escapar da miséria. Ali se arrependera daquela decisão e desfigurara sua foto com o vestido de noiva, pretendendo que a afronta, por afronta, fosse exibida na loja como uma decoração. Ali tinha descoberto os sinais de que sua gravidez estava por um fio. Ali, agora, o empreendimento dos calçados estava indo a pique, tragado pelos Solara. E ali, por fim, seu casamento acabaria e ela se livraria de Stefano e de seu sobrenome, com tudo o que isso implicaria. Que desleixo, disse a Michele apontando a mancha de queimado. Então saiu até a calçada, foi ver os leões de pedra no centro da praça e sentiu medo.

Enquanto isso, no bairro, a decisão de ir trabalhar na Piazza dei Martiri a isolou ainda mais do que já estava. Uma jovem que tinha feito um bom casamento e, do nada, passara a ter uma vida confortável, uma garota bonita que podia ser patroa na própria casa, na propriedade do marido, por que agora pulava da cama de manhã cedo e ficava longe de casa o dia todo, no centro, dependendo de outros, complicando a vida de Stefano, da sogra, que agora, por culpa sua, precisava voltar a se cansar na charcutaria nova? Especialmente Pinuccia e Gigliola, cada uma a seu modo, despejaram em cima de Lila toda a lama de que eram capazes, e isso já era previsível. Menos previsível foi que Carmen, que adorava Lila por todo o bem que ela lhe fizera, assim que ela deixou a charcutaria lhe retirou todo seu afeto, como se retira uma mão roçada pelos dentes de um animal. Ela não gostou da brusca passagem de amiga-colaboradora a serva nas garras da mãe de Stefano. Sentiu-se traída, abandonada a seu destino, e não soube controlar o ressentimento. Começou até a discutir com o noivo, Enzo, que não aprovava aquela atitude, balançava a cabeça e, com seu modo lacônico, em duas ou três palavras, mais que defender Lila atribuía a ela uma espécie de intangibilidade, o privilégio de ter razões sempre justas e indiscutíveis.

"Tudo o que eu faço não está bom, tudo o que ela faz está bom", se queixava Carmen com irritação.

"Quem disse isso?"

"Você: Lina pensa, Lina faz, Lina sabe. E eu? Eu, que ela me deixou aqui e deu no pé? Mas naturalmente ela fez bem em ir embora, e eu faço mal em me lamentar. Não é verdade? Não é assim que você pensa?"

"Não."

Porém, malgrado o puro e simples monossílabo, Carmen não se convencia e sofria. Intuía que Enzo estava cansado de tudo, inclusive dela, e isso a tornava ainda mais furiosa: desde que o pai dele morrera, desde que voltara do serviço militar, o rapaz fazia o que tinha de fazer, levava a vida de sempre, e no entanto, já durante o período no quartel, começara a estudar à noite para tirar não se sabe que diploma. Agora estava com isso preso na cabeça, rugindo que nem uma fera — por dentro, os rugidos, por fora, o silêncio —, e Carmen não conseguia suportá-lo, mas acima de tudo não podia aceitar que ele só se animasse um pouco quando se falava daquela cretina, e berrava isso a ele, e desandava a chorar, aos gritos:

"Tenho nojo de Lina, ela não está nem aí para ninguém, mas você gosta disso que eu sei. No entanto, se eu me comportasse como ela se comporta, você me quebraria a cara."

Quanto a Ada, há tempos se alinhara com o seu empregador, Stefano, e contra a esposa que o atormentava, e quando Lila foi embora para o centro trabalhar de vendedora de luxo ela se limitou a ser ainda mais pérfida. Falava mal dela a qualquer um, abertamente, sem papas na língua, mas zombava especialmente de Antonio e de Pasquale. "Ela sempre enganou todos vocês, homens", dizia, "porque sabe como levá-los no bico, é uma vadia." Falava exatamente assim, com raiva, como se Antonio e Pasquale fossem os representantes de toda a mediocridade do sexo masculino. Insultava o irmão, que não se alinhava com ela: "Fique calado porque você também recebe dinheiro dos Solara, vocês dois são dependentes da empresa, e eu sei que você se deixa mandar por mulher, ela lhe diz arraste isso, arraste aquilo, e você obedece". E fazia ainda pior com o namorado, Pasquale, com quem divergia cada vez mais, agredindo-o continuamente: "Você está todo sujo, está fedendo". Ele se desculpava, tinha acabado de voltar do trabalho, mas Ada continuava a atacá-lo em qualquer ocasião, tanto que Pasquale acabou cedendo em relação a Lila para não ter dor de cabeça, caso contrário teria que terminar o namoro; se bem que — é preciso dizer — não foi só por isso: até aquele momento ele se enfurecera várias vezes tanto com a namorada quanto com a irmã por terem se esquecido de todos os benefícios que tiveram com a ascensão de Lila, mas quando uma manhã viu nossa amiga numa Giulietta com Michele Solara em direção à Piazza dei Martiri, vestida como uma prostituta de luxo, toda pintada, admitiu que não conseguia entender como é que ela, sem ter uma real necessidade econômica, tinha podido se vender àquele sujeito.

Como de costume, Lila não deu a mínima bola à hostilidade que crescia em torno dela e se dedicou a seu novo trabalho. E as vendas logo começaram a subir. A loja se tornou um local aonde se ia para comprar, sim, mas também pelo gosto de conversar com aquela jovem animada, muito bonita, de fala brilhante, que tinha livros entre os sapatos, que lia aqueles livros, que oferecia chocolatinhos misturados a palavras inteligentes e que, sobretudo, não parecia querer vender calçados à esposa ou às filhas do advogado ou do engenheiro, ao jornalista do *Mattino*, ao jovem ou ao velho gagá que esbanjava tempo e dinheiro no clube, mas apenas acomodá-los no sofá ou nas poltronas para conversar disso e daquilo.

O único estorvo, Michele. Vira e mexe aparecia no horário de trabalho e uma vez lhe disse, com aquele tom sempre irônico, sempre insinuante:

"Você errou de marido, Lina. E eu tinha razão: olha só como você se move bem entre as pessoas que podem vir a nos ser úteis. Eu e você, juntos, em pouco tempo tomaríamos Nápoles e faríamos o que a gente quisesse."

Naquele ponto tentou beijá-la.

Ela o repeliu, ele não levou a mal. Disse debochado:

"Tudo bem assim, eu sei esperar."

"Espere onde quiser, mas não aqui dentro", ela respondeu, "porque, se esperar aqui, eu volto amanhã mesmo para a charcutaria."

Michele diminuiu suas visitas, ao passo que as visitas secretas de Nino aumentaram. Por meses ele e Lila finalmente tiveram uma vida só deles na loja da Piazza dei Martiri, que durava três horas por dia, exceto domingos e feriados religiosos, um período insuportável. O rapaz entrava pela portinha do banheiro a uma em ponto, assim que a vendedora baixava a porta da loja e ia embora, partindo por aquele mesmo caminho às quatro da tarde, antes que a vendedora voltasse. As raras vezes em que houve algum problema — em duas ocasiões Michele chegou com Gigliola e, numa circunstância particularmente tensa, até Stefano apareceu —, Nino se trancou no banheiro e escapou pela porta que dava para o pátio.

Acho que, para Lila, aquele foi um período tumultuoso de teste em vista de uma existência feliz. De um lado, continuava empenhada em recitar o papel da jovem senhora que dava um toque excêntrico ao comércio de sapatos, de outro, lia para Nino, estudava para Nino, refletia por Nino. E mesmo as pessoas de alguma importância com quem ela acabava se familiarizando na loja lhe pareciam sobretudo relações a serem usadas para ajudar a ele.

Foi naquela fase que Nino publicou no *Mattino* um artigo sobre Nápoles que lhe deu uma discreta fama nos ambientes universitários. Eu nem fiquei sabendo, e ainda bem: se tivesse me metido na história deles, como tinha acontecido em Ischia, ficaria marcada tão profundamente que nunca mais me recuperaria. De todo modo, eu não demoraria muito para notar que muitas linhas daquele texto — não as mais informadas, mas umas duas intuições que não demandavam grandes competências, apenas um contato fulminante de coisas muitos distantes entre si — eram de Lila, e que pertencia a ela sobretudo a tonalidade dominante da escrita. Nino jamais teria sabido escrever assim, nem seria capaz disso mais tarde. Somente ela e eu sabíamos escrever daquele jeito.

### 88.

Então ela descobriu a gravidez e decidiu acabar com o imbróglio da Piazza dei Martiri. Num domingo de fins do outono de 1963 ela se recusou a ir ao habitual almoço na casa da sogra e se dedicou à cozinha com muito esmero. Enquanto Stefano passava nos Solara para pegar os doces que levaria à mãe e à irmã a fim de ser perdoado pela deserção, Lila meteu na mala comprada para a viagem de núpcias um pouco de roupa íntima, alguns vestidos, um par de sapatos de inverno, e a escondeu atrás da porta da sala. Depois lavou todas as panelas que tinha sujado, arrumou com capricho a mesa da cozinha, tirou de uma gaveta uma faca para carne e a colocou sobre a pia, coberta por um trapo. Por fim, à espera de que o marido voltasse, abriu a janela para ventilar o cheiro de comida e ficou no parapeito olhando os trens e os trilhos reluzentes. O frio eliminava a mornidão do apartamento, mas não a incomodava, lhe dava energia.

Stefano voltou para casa, os dois se sentaram à mesa. Irritado porque tivera de privar-se da boa cozinha da mãe, não disse uma palavra de elogio pelo almoço e foi mais duro que de costume com o cunhado, Rino, e mais afetuoso que o habitual em relação ao sobrinho. Referiu-se várias vezes a ele como *o filho de minha irmã*, como se a contribuição de Rino tivesse sido irrelevante. Quando passaram aos doces, ele comeu três, ela, nenhum. Stefano limpou cuidadosamente a boca suja de creme e lhe disse:

"Vamos deitar um pouco."

Lila respondeu:

"A partir de amanhã não vou mais à loja."

Stefano logo entendeu que a tarde estava indo por um mau caminho.

"Por quê?"

"Porque não quero mais."

"Você brigou com Michele e Marcello?"

"Não."

"Lina, não fale bobagens, você sabe muito bem que eu e seu irmão às vezes nos desentendemos com aqueles dois, não complique as coisas."

"Não estou complicando nada. Mas não vou mais para lá."

Stefano ficou em silêncio, e Lila percebeu que estava alarmado, que queria desviar o assunto sem aprofundar a questão. O marido temia que ela estivesse a ponto de lhe revelar alguma ofensa por parte dos Solara, uma afronta imperdoável, à qual, uma vez que se tornasse pública, ele precisaria reagir com uma ruptura insanável. Coisa que não podia se permitir.

"Tudo bem", disse a ela quando decidiu falar, "não vá mais lá, volte para a charcutaria."

Ela respondeu:

"Também não quero voltar à charcutaria."

Stefano a olhou perplexo.

"Quer ficar em casa? Perfeito. Foi você quem quis trabalhar, nunca lhe pedi isso. É verdade ou não?"

"É verdade."

"Pois então fique em casa, só vai me dar prazer."

"Também não quero ficar em casa."

Ele esteve prestes a perder a calma, o único meio que conhecia de expulsar a ansiedade.

"Se não pretende ficar nem em casa, pode-se saber que merda você quer?"

Lila respondeu:

"Quero ir embora."

"Embora para onde?"

"Não quero mais ficar com você, vou deixá-lo."

Stefano não teve outra reação senão começar a rir. Aquelas palavras lhe pareceram tão colossais que por uns minutos pareceu aliviado. Deu-lhe um beliscão na bochecha, disse com o meio sorriso de sempre que eles eram marido e mulher, e que marido e mulher não se deixavam, prometeu até que no domingo seguinte a levaria para a costa amalfitana, assim relaxariam um pouco. Mas ela respondeu com calma que não havia razão para continuarem juntos, que tinha se enganado desde o início, que mesmo quando estavam noivos ela só sentira por ele um pouco de simpatia, que agora sabia com clareza que nunca o amara e que ser mantida por ele, ajudá-lo a ganhar dinheiro, dormir juntos eram coisas que não conseguia mais suportar. Ao final dessa fala, recebeu uma bofetada que a fez cair da cadeira. Levantou-se depressa enquanto Stefano se lançava para agarrá-la, correu até a pia, pegou a faca que escondera sob o trapo. Virou-se para ele justamente quando estava para lhe dar outro tapa.

"Faça isso e eu te mato como mataram seu pai", disse.

Stefano se deteve, aturdido por aquela menção ao destino do pai. Murmurou coisas do tipo: "Claro, me mate, faça o que quiser". Fez um gesto de tédio e lhe veio um longo bocejo, um bocejo incontrolável, de boca escancarada, que o deixou com os olhos brilhando. Virou-lhe as costas e, sempre balbuciando frases descontentes — "Vá, vá, eu lhe dei tudo, permiti tudo, e você me agradece assim, eu, que lhe tirei da miséria, que enriqueci seu irmão, seu pai, toda sua família de merda" —, foi até a mesa e comeu mais um doce. Depois saiu da cozinha e se retirou no quarto de dormir, de onde lhe gritou de repente:

"Você nem pode imaginar como eu te amo."

Lila apoiou a faca na pia e pensou: não acredita que o estou deixando; não acreditaria nem mesmo que tenho outro, ele não consegue. No entanto fez força e foi ao quarto para lhe confessar sobre Nino, para dizer que estava grávida. Mas o marido estava dormindo, caíra sobre ele o sono como um manto mágico. Então ela vestiu o casaco, pegou a mala e deixou o apartamento.

**89.**

Stefano dormiu o dia todo. Quando despertou e se deu conta de que a mulher não estava, fingiu que não era nada. Comportava-se assim desde criança, quando o pai o aterrorizava apenas com sua presença, e ele, por reação, se adestrara àquele meio sorriso, aos movimentos lentos e tranquilos, a uma distância ponderada de cada coisa do mundo circunstante, para dominar tanto o pavor quanto o desejo de abrir-lhe o peito com as mãos e rasgá-lo, arrancar-lhe o coração.

Saiu à noite e fez uma coisa arriscada: foi para baixo da janela de Ada, sua vendedora, e, mesmo sabendo que ela devia estar no cinema com Pasquale, chamou-a e chamou-a várias vezes. Ada apareceu entre feliz e assustada. Ficara em casa porque Melina estava delirando mais do que o normal, e Antonio, desde que trabalhava para os Solara, andava sempre por aí, não tinha horários. Mas o namorado estava fazendo companhia a ela. Stefano subiu mesmo assim e, sem fazer nenhuma menção a Lila, passou a noite na casa dos Cappuccio conversando de política com Pasquale e de questões ligadas à charcutaria com Ada. Quando voltou para casa, fez de conta que Lila tinha ido para a casa dos pais e, antes de entrar na cama, barbeou-se com cuidado. Dormiu pesadamente a noite inteira.

Os problemas começaram no dia seguinte. A vendedora da Piazza dei Martiri comunicou a Michele que Lila não tinha aparecido. Michele ligou para Stefano, e Stefano lhe disse que a mulher estava doente. A doença durou vários dias, então Nunzia deu um pulo lá para ver se a filha estava precisando dela. Ninguém abriu, e ela voltou de noite, depois do fechamento das lojas. Stefano tinha acabado de voltar do trabalho e estava na frente da TV, com o volume nas alturas. Praguejou, foi abrir, a fez entrar e se sentar. Assim que Nunzia disse: "Como Lila está?", ele respondeu que ela o havia abandonado, e desandou a chorar.

Ambas as famílias foram às pressas para lá: a mãe de Stefano, Alfonso, Pinuccia com o bebê, Rino, Fernando. Por um motivo ou por outro, todos estavam assustados, mas apenas Maria e Nunzia se preocuparam expressamente com a sorte de Lila e se perguntaram onde ela podia estar. Os outros brigaram entre si por motivos que pouco tinham a ver com ela. Rino e Fernando, que estavam embirrados com Stefano porque ele não fazia nada para impedir o fechamento da fábrica de calçados, o acusaram de nunca ter entendido nada de Lila e de ter agido malíssimo ao mandá-la para a loja dos Solara. Pinuccia se enfureceu e gritou ao marido e ao sogro que Lila sempre tinha sido uma cabeça de vento e que não era ela a vítima de Stefano, mas Stefano a dela. Quando Alfonso sugeriu que era preciso avisar à polícia, perguntar nos hospitais, os ânimos se exaltaram mais ainda, e todos o atacaram como se ele os tivesse ofendido: sobretudo Rino gritou que o menos recomendável era se tornar a piada do bairro. Foi Maria quem disse baixinho: "Talvez tenha ido passar um tempo com Lenu". Aquela hipótese ganhou força. Continuaram preocupados, mas todos fingindo acreditar — exceto Alfonso — que Lila, por culpa de Stefano, dos Solara, tinha ficado deprimida e decidira partir para Pisa. "Sim", disse Nunzia se acalmando, "ela faz sempre assim, basta ter um problema e corre para Lenu." A partir daquele momento todos começaram a se enfurecer por aquela viagem arriscada, ela sozinha, dentro de um trem, distante, sem avisar ninguém. Por outro lado, a hipótese de que Lila estivesse comigo pareceu tão plausível e ao mesmo tempo tão tranquilizadora que logo se tornou um fato certo. Somente Alfonso disse: "Amanhã viajo e vou ver", mas foi logo repreendido por Pinuccia — "Você vai é trabalhar" — e por Fernando, que resmungou: "Vamos deixá-la em paz, vamos esperar que se acalme".

No dia seguinte aquela foi a versão que Stefano passou a dar a qualquer um que perguntasse por Lila: "Foi para Pisa, está hospedada com Lenuccia, precisa repousar". Mas já de tarde Nunzia foi tomada de ansiedade, procurou Alfonso e perguntou se ele tinha meu endereço. Não tinha, ninguém tinha, somente minha mãe. Então Nunzia mandou Alfonso até ela, mas minha mãe, por uma natural hostilidade em relação a todos ou para proteger meus estudos de distrações, o repassou incompleto (é provável que ela mesma o tivesse anotado assim: minha mãe mal escrevia, ambas sabíamos que aquele endereço nunca seria utilizado). De todo modo, Nunzia e Alfonso me escreveram juntos uma carta em que me indagavam com muitos volteios de palavras se Lila estava comigo. Endereçaram o envelope para a Universidade de Pisa, nada mais do que isso, apenas meu nome e sobrenome, e o recebi com muito atraso. Li, fiquei ainda mais furiosa com Lila e Nino, não respondi.

Enquanto isso, já no dia seguinte à assim chamada viagem de Lila, Ada, além de trabalhar na charcutaria antiga, além de cuidar de toda a família e das necessidades do namorado, passou também a arrumar a casa de Stefano e a cozinhar para ele, o que deixou Pasquale de muito mau humor. Os dois brigaram, e ele lhe disse: "Você não é paga para bancar a escrava", e ela respondeu: "Melhor bancar a escrava que perder tempo discutindo com você". Quanto à Piazza dei Martiri, para agradar aos Solara mandaram Alfonso para lá às pressas, o qual se sentiu muito à vontade: saía de manhã cedo como se estivesse indo a um casamento e voltava à noite bastante satisfeito, gostava de passar o dia todo no centro. Já Michele se tornou intratável depois do sumiço de Lila, chamou Antonio num canto e lhe disse: "Ache-a para mim."

Antonio resmungou:

"Nápoles é grande, Miché, e Pisa também, e a Itália também. Por onde começo?"

Michele respondeu:

"Pelo filho mais velho de Sarratore. Depois lançou a ele a mirada que reservava a todos os que a seus olhos valiam menos que zero e falou: "Se ousar falar por aí sobre essa investigação, mando trancá-lo no manicômio de Aversa e você nunca mais sai de lá. Tudo o que souber, tudo o que vir, deve contar só para mim. Entendido?"

Antonio fez sinal que sim.

90.

Que as pessoas, mais ainda que as coisas, perdessem suas margens e se esvaíssem sem forma foi o que mais assombrou Lila ao longo da vida. Ficara aterrorizada com a desmarginação do irmão, que amava mais que qualquer outro parente, e em pânico com a dissolução de Stefano na passagem de noivo a marido. Só fiquei sabendo pelos seus cadernos o quanto a noite de núpcias a tinha marcado, e como temia uma possível perturbação do corpo do marido, sua deformação pelos impulsos internos do desejo ou da raiva ou, ao contrário, das intenções sub-reptícias, das vilezas. Especialmente de noite temia acordar e encontrá-lo deformado na cama, reduzido a excrescências que explodiam por excesso de humor, a carne que pendia descolada, e com ela tudo ao redor, os móveis, todo o apartamento e ela mesma, sua esposa, esmagada, tragada por aquele fluxo imundo de matéria viva.

Quando fechou a porta atrás de si e, como se estivesse dentro de um rastro branco de vapor que a tornava invisível, atravessou o bairro com sua mala, pegou o metrô e chegou aos Campi Flegrei, Lila teve a impressão de ter deixado para trás um espaço mole, habitado por formas já sem definição, e de finalmente se dirigir para uma estrutura capaz de contê-la inteira, inteira, sem que ela e as figuras à sua volta se rompessem. Chegou ao destino por ruas desoladas. Arrastou a mala para o segundo andar de um conjunto popular, até um apartamento de dois cômodos, escuro, malconservado, ocupado por velhos móveis de péssima fatura, um banheiro que só tinha a privada e uma pia. Foi ela quem fez tudo, Nino precisava se preparar para os exames e, além disso, estava trabalhando em um novo artigo para o *Mattino* e na reelaboração do anterior em um ensaio que, recusado por *Cronache meridionali*, recebera a aceitação imediata de uma revista chamada *Nord e Sud*. Tinha achado a casa, tinha contratado o aluguel, tinha pagado três meses antecipados. Agora, assim que entrou, se sentiu tomada de uma grande alegria. Descobriu com surpresa o prazer de ter abandonado quem, ao contrário, parecia ser para sempre, necessariamente, uma parte dela. Prazer, sim, ela escreveu assim. Não sentiu minimamente a perda dos confortos do bairro novo, não percebeu o cheiro de mofo, não viu a mancha de umidade num canto do quarto de dormir, não notou a luz cinzenta que mal entrava pela janela, não se deprimiu com o ambiente que sugeria de pronto o retorno à miséria da infância. Ao contrário, se sentiu como se, por uma magia benévola, tivesse desaparecido de um lugar onde sofria e reaparecido em outro local, que lhe prometia a felicidade. Experimentou, acho, mais uma vez o fascínio de se autoeliminar: basta com tudo o que tinha sido; basta com o estradão, os sapatos, as charcutarias, o marido, os Solara, a Piazza dei Martiri; basta também de mim, da esposa, da mulher, acabada longe, perdida. Tinha conservado de si apenas a amante de Nino, que chegou à noite.

Estava visivelmente emocionado. Ele a abraçou, a beijou, olhou ao redor desorientado. Trancou portas e janelas como se temesse irrupções repentinas. Fizeram amor, pela primeira vez numa cama depois da noite em Forio. Depois ele se levantou, começou a estudar, queixou-se várias vezes da iluminação fraca. Ela também deixou a cama e o ajudou a repassar a matéria. Foram dormir às três da manhã, depois de reverem juntos o artigo para *Il Mattino*, e dormiram abraçados. Lila se sentiu segura, embora lá fora chovesse, os vidros tremessem, a casa lhe fosse estranha. Como era novo o corpo de Nino, longo, delgado, tão distante do de Stefano. Como era excitante seu cheiro. Teve a impressão de estar vindo de um mundo de sombras e de ter chegado a um lugar onde finalmente a vida era verdadeira. De manhã, assim que apoiou os pés no assoalho, precisou correr ao banheiro para vomitar. Fechou a porta para que Nino não ouvisse.

## 91.

A convivência durou vinte e três dias. De hora em hora ela viu crescer o alívio por ter deixado tudo. Não lamentou nenhum dos confortos que tinha desfrutado depois do casamento, não se entristeceu por se separar dos pais, dos irmãos, de Rino, do sobrinho. Nunca se preocupou com o fato de que o dinheiro acabaria. Tinha a impressão de que a única coisa importante era acordar com Nino e dormir com ele, estar ao lado dele quando lia ou escrevia, travar discussões animadas dentro das quais desaguavam as turbulências de sua cabeça. À noite saíam juntos, iam ao cinema ou escolhiam o lançamento de um livro, um debate político, e frequentemente ficavam até tarde, voltavam para casa a pé, bem agarrados um ao outro para se protegerem do frio ou da chuva, se pegando, brincando.

Certa vez foram ouvir um autor que escrevia livros e também fazia filmes; se chamava Pasolini. Tudo o que se referia a ele suscitava um pandemônio, e Nino não gostava dele, torcia a boca, dizia: "É uma bicha, faz mais confusão que outra coisa", tanto é que opôs uma certa resistência, preferia ter ficado em casa estudando. Mas Lila estava curiosa e o arrastou. O encontro seria no mesmo local em que uma vez, quando eu obedecia à professora Galiani, a arrastara para ir comigo. Ela saiu entusiasmada, impeliu Nino até o escritor, queria falar com ele. Mas Nino ficou nervoso e fez de tudo para tirá-la de lá, especialmente quando se deu conta de que, na calçada em frente, havia rapazes gritando insultos. "Vamos embora", falou preocupado, "não gosto dele e também não gosto de fascistas." Mas Lila crescera em meio à pancadaria, não tinha nenhuma intenção de sair de fininho, e assim ele tentava puxá-la para uma ruela e ela se desvencilhava, ria, respondia aos insultos com insultos. Só cedeu a Nino, bruscamente, quando no momento em que ia começar o confronto reconheceu Antonio entre os agressores. Seus olhos e dentes brilhavam como se fossem de metal, mas diferentemente dos outros não gritava. Pareceu-lhe empenhado demais em distribuir porradas para ter notado a presença dela, mas de todo modo o fato estragou sua noite. Na rua houve alguma tensão com Nino: discordavam sobre várias coisas que Pasolini dissera, parecia que tinham ido a lugares diferentes e escutado pessoas diferentes. Mas não foi só isso. Naquela noite ele sentiu saudade do longo e excitante período dos encontros furtivos na loja da Piazza dei Martiri e, ao mesmo tempo, intuiu que alguma coisa em Lila o perturbava. Ela percebeu sua distração entediada e, para evitar mais tensões, não disse que entre os agressores tinha visto um amigo do bairro, o filho de Melina.

Já no dia seguinte Nino se mostrou cada vez menos propenso a levá-la para fora. Primeiro falou que precisava estudar, e era verdade; depois deixou escapar que em várias ocasiões públicas ela era muitas vezes excessiva.

"Em que sentido?"

"Você exagera."

"Ou seja?"

Ele fez uma lista, irritado:

"Faz comentários em voz alta; se alguém lhe pede silêncio você começa a brigar; importuna os conferencistas com perguntas demais. Isso não se faz."

Lila sempre soubera que isso não se fazia, mas tinha se convencido de que agora, com ele, tudo era possível, até superar as distâncias com um pulo, até falar de igual para igual com quem importava. Não tinha sido capaz de entreter gente importante na loja dos Solara? Não foi graças a um dos clientes que ele tinha publicado seu primeiro artigo no *Mattino*? E então? "Você é tímido demais", disse a ele, "ainda não entendeu que é melhor do que eles e que vai fazer coisas bem mais importantes." Depois lhe deu um beijo.

Mas nas noites seguintes, ora com uma desculpa, ora com outra, Nino começou a sair sozinho. E, se por acaso ficava em casa estudando, se queixava dos barulhos produzidos pela vizinhança. Ou então bufava porque precisava ir pedir dinheiro ao pai, que o atormentaria com perguntas do tipo: onde você tem dormido, onde está vivendo, está estudando? Ou, diante daquela capacidade de Lila de articular coisas muito distantes, em vez de se entusiasmar como de costume, ele sacudia a cabeça, ficava nervoso.

Depois de um tempo ele estava tão de mau humor, tão atrasado com os exames, que para continuar estudando parou de ir para a cama com ela. Lila dizia: "Está tarde, vamos dormir", e ele respondia com um tom distraído: "Vá você, depois eu vou". Olhava o relevo de seu corpo debaixo das cobertas e desejava sentir seu calor, mas também tinha medo. Ainda não me formei, pensava, não tenho um trabalho; se eu não quiser jogar minha vida fora, preciso me esforçar muito; em vez disso estou aqui, com essa pessoa casada, que está grávida, que vomita todas as manhãs, que me impede toda disciplina. Quando soube que o *Mattino* não publicaria seu artigo, sofreu muito. Lila o consolou, disse a ele que o mandasse para outros jornais. Mas depois acrescentou:

"Amanhã eu ligo."

Queria telefonar para o redator que tinha conhecido na loja dos Solara e entender o que havia de errado. Ele esbravejou:

"Não ligue para ninguém."

"Por quê?"

"Porque aquele babaca nunca esteve interessado em mim, mas em você."

"Não é verdade."

"É claro que é verdade, não sou cretino, você só me arranja problemas."

"O que você está querendo dizer?"

"Eu não devo cair na sua conversa."

"O que é que eu fiz?"

"Você me confundiu as ideias. Porque você é que nem uma gota d'água: ploc, ploc, ploc. Enquanto não se faz do seu jeito, não para nunca."

"Foi você quem pensou e escreveu o artigo."

"Justamente. Então por que me fez refazê-lo quatro vezes?"

"Foi *você* que quis reescrevê-lo."

"Lina, vamos ser claros: escolha uma coisa que lhe agrade, volte a vender sapatos, volte a vender salames, mas não queira ser o que não é arruinando comigo."

Fazia vinte e três dias que viviam juntos, uma nuvem dentro da qual os deuses os haviam escondido para que pudessem gozar um ao outro sem serem perturbados. Aquelas palavras a atingiram profundamente, e ela disse:

"Suma daqui."

Ele vestiu furioso o casaco sobre a malha e bateu a porta atrás de si.

Lila se sentou na cama e pensou: vai estar aqui de novo em dez minutos; deixou os livros, os apontamentos, a espuma de barbear e a navalha. Depois começou a chorar: como eu pude pensar em viver com ele, que poderia ajudá-lo? É culpa minha: querendo soltar meus pensamentos, acabei o levando a escrever algo errado.

Deitou-se na cama e esperou. Esperou a noite inteira, mas Nino não voltou nem na manhã seguinte, nem depois.

**92.**

O que relato agora, fiquei sabendo por várias pessoas em tempos diversos. Começo por Nino, que deixou a casa dos Campi Flegrei e se refugiou com os pais. A mãe o tratou melhor, bem melhor, que ao filho pródigo. Já com o pai, se desentendeu em menos de uma hora, e voaram insultos. Donato gritou-lhe em dialeto que ou ele ia embora de casa ou ficava, mas o que não podia fazer de jeito nenhum era sumir por um mês sem avisar ninguém e depois voltar só para torrar dinheiro, como se ele mesmo o tivesse ganhado.

Nino se retirou em seu quarto e ficou ruminando muitos pensamentos. Embora já quisesse correr para Lina, pedir desculpas, gritar que a amava, avaliou a situação e se convenceu de que tinha caído numa armadilha, não por culpa sua ou de Lila, mas do desejo. Agora, por exemplo — pensou —, não vejo a hora de voltar para ela, de enchê-la de beijos, assumir minhas responsabilidades; mas uma parte de mim sabe perfeitamente que o que eu fiz hoje, na onda da desilusão, é justo e verdadeiro: Lina não é adequada para mim, Lina está grávida, tenho medo do que está crescendo em sua barriga; por isso não devo voltar de jeito nenhum, preciso procurar Bruno, pedir um dinheiro emprestado, ir embora de Nápoles como Elena fez, estudar noutro lugar.

Refletiu a noite toda e todo o dia seguinte, ora transtornado pela falta de Lila, ora se agarrando a pensamentos frios, que evocavam sua ingenuidade mal-educada, sua ignorância demasiado inteligente, a força com que o arrastava para dentro de ideiazinhas que pareciam grandes intuições, mas eram equívocos.

À noite telefonou para Bruno e, fora de si, saiu para passar na casa dele. Correu debaixo de chuva até a parada do ônibus, em pouco tempo pegou a condução certa. Mas de repente mudou de ideia e desceu na Piazza Garibaldi. Foi de metrô aos Campi Flegrei, não via a hora de abraçar Lila, agarrá-la de pé, imediatamente, assim que entrasse em casa, contra a parede da entrada. Isso agora lhe parecia a coisa mais importante, depois pensaria no que fazer.

Estava um breu, caminhou a passos largos sob a chuva. Nem notou a sombra escura que se aproximava dele. Recebeu um empurrão tão violento que caiu na calçada. A partir daquele momento começou um longo massacre, chutes e socos, murros e pontapés. Quem o golpeava repetia sem parar, mas sem raiva:

"Deixe ela, não a veja nem toque mais nela. Repita: vou deixar ela. Repita: não vejo nem toco mais nela. *Omm'e mmerd*: você gosta, hein, de pegar a mulher dos outros. Repita: eu errei, vou deixar ela."

Nino repetia obediente, mas seu agressor não parava. Desmaiou mais pelo susto do que pela dor.

### 93.

Quem espancou Nino foi Antonio, que no entanto não falou quase nada ao patrão. Quando Michele lhe perguntou se tinha encontrado o filho de Sarratore, respondeu que sim. Quando lhe perguntou com visível ansiedade se aquela pista o levara a Lila, respondeu que não.

Quando perguntou se tinha conseguido notícias dela, disse que era impossível encontrar Lila e que a única coisa que se podia excluir com certeza era que o filho de Sarratore tivesse algo a ver com a senhora Carracci.

Mentia, obviamente. Tinha encontrado Nino e Lila muito rápido, casualmente, na noite em que saíra a trabalho para dar porrada nos comunistas. Tinha arrebentado alguns sujeitos e depois se retirara do combate para seguir os dois que tinham escapado. Descobriu onde moravam, compreendeu que viviam juntos, e nos dias seguintes estudou tudo o que faziam, como viviam. Ao vê-los, experimentara simultaneamente admiração e inveja. Admiração por Lila. Como é possível, pensou, que tenha abandonado a casa, uma casa linda, e deixado o marido, as charcutarias, os automóveis, os sapatos, os Solara, por um estudante sem um tostão, que a mantém num lugar quase pior que o bairro? O que essa garota tem? Coragem? Loucura? Depois se concentrou na inveja por Nino. O que lhe fazia mais mal era que aquele merda seco e feio, de quem eu gostava, também tivesse agradado a Lila. O que o filho de Sarratore tinha? Qual era o trunfo dele? Pensou nisso noite e dia. Tinha sido tomado por uma espécie de fixação doentia que lhe afetava os nervos, especialmente os das mãos, tanto que as entrelaçava continuamente e as apertava como se rezasse. Por fim decidiu que precisava libertar Lila, ainda que naquele momento, talvez, ela não tivesse nenhuma intenção de ser libertada. Porém — disse a si mesmo — as pessoas demoram um tempo até entender o que é bom e o que é mau, e ajudá-las significa justamente fazer por elas o que, num determinado momento de suas vidas, não são capazes de fazer por si. Michele Solara não tinha mandado que ele desse uma surra no filho de Sarratore, isso não: ele lhe omitira o essencial e, portanto, não havia motivo para chegar a tanto; espancá-lo tinha sido uma decisão dele, que tomara em parte porque queria tirá-lo de Lila e assim devolver a ela o que ela incompreensivelmente jogara fora, e em parte por prazer, por uma intolerância que sentia não por Nino, um insignificante, desprezível aglomerado de pele feminina e ossos muito longos e frangíveis, mas pelo que nós duas tínhamos atribuído a ele e continuávamos atribuindo.

Quanto a mim, devo admitir que, quando tempos depois ele me fez esse relato, tive a impressão de entender seus motivos. Fiquei comovida, fiz um afago em seu rosto para consolá-lo dos sentimentos ferozes que experimentara. Ele enrubesceu, se atrapalhou e disse, para me mostrar que não era um bicho: "Depois eu o ajudei". Tinha levantado o filho de Sarratore e o acompanhara meio zonzo até uma farmácia; o abandonara ali, na entrada, e então voltou ao bairro para falar com Pasquale e Enzo.

Os dois decidiram encontrá-lo com enorme má vontade. Não o consideravam mais um amigo, especialmente Pasquale, que no entanto era namorado da irmã dele. Mas Antonio já não se importava com isso, fazia de conta que não era com ele, se comportava como se a hostilidade por ele ter se vendido aos Solara fosse uma birra que não afetava a amizade. Não falou nada sobre Nino, concentrara-se no fato de que tinha encontrado Lila e que era preciso ajudá-la.

"A fazer o quê?", perguntou Pasquale com um tom agressivo.

"A voltar para a casa dela: ela não foi encontrar Lenuccia, está vivendo num lugar de merda nos Campi Flegrei."

"Sozinha?"

"Sim."

"E como é que ela tomou essa decisão?"

"Não sei, não conversei com ela."

"Por quê?"

"Eu a encontrei a pedido de Michele Solara."

"Você é um fascista de merda."

"Não sou nada, apenas fiz um trabalho."

"Muito bem, e agora quer o quê?"

"Eu não disse a Michele que a encontrei."

"E então?"

"Não quero perder o emprego, preciso ganhar algum dinheiro. Se Michele souber que eu disse uma mentira para ele, me demite na hora. Vão buscá-la vocês e a tragam de volta para casa." Pasquale mais uma vez o insultou pesadamente, mas também nesse caso Antonio quase não reagiu. Só ficou nervoso quando o futuro cunhado disse que Lila tinha agido bem ao deixar o marido e todo o resto: se finalmente ela saíra da loja dos Solara, se percebeu que tinha cometido um erro ao se casar com Stefano, certamente não seria ele que iria buscá-la de volta.

"Você quer deixá-la sozinha nos Campi Flegrei?", perguntou Antonio perplexo. "Sozinha e sem um centavo?"

"Por quê? Por acaso nós somos ricos? Lina é adulta, conhece a vida: se fez essa escolha, deve ter seus motivos, vamos deixá-la em paz."

"Mas ela nos ajudou todas as vezes que pôde."

Aquela menção ao dinheiro que Lila lhe dera deixou Pasquale envergonhado. Resmungou coisas genéricas sobre ricos e pobres, sobre a condição das mulheres dentro e fora do bairro, sobre o fato de que, se era o caso de lhe dar algum dinheiro, ele estava pronto a isso. Mas Enzo, que até aquele instante estivera sempre calado, o interrompeu com um gesto irritado e falou a Antonio:

"Me dê o endereço, vou ouvir as intenções dela."

94.

E foi mesmo, no dia seguinte. Pegou o metrô, desceu nos Campi Flegrei, procurou a rua, o portão.

Naquela época, sobre Enzo, eu só sabia que nada, absolutamente nada andava bem: nem as lamúrias da mãe, nem o peso dos irmãos, nem a camorra do mercado de hortifrúti, nem as saídas com a carroça, cujos rendimentos eram cada vez mais escassos, nem as conversas comunistas de Pasquale, nem o noivado com Carmen.

Mas, como tinha um caráter fechado, era difícil ter uma ideia do tipo que ele era. Por Carmen fiquei sabendo que estudava em segredo, queria tirar por conta própria um diploma de perito industrial. Na mesma ocasião — Natal? — Carmen me dissera que desde quando havia voltado do serviço militar, na primavera, só lhe tinha dado uns beijos. Até acrescentou irritada:

"Talvez não seja homem."

Quando um rapaz não nos dava muita atenção, nós garotas dizíamos frequentemente que não era homem. Enzo era, não era? Eu não entendia nada de certos fundos obscuros dos homens, ninguém de nós sabia nada, então para cada manifestação estranha deles recorríamos àquela fórmula. Alguns, como os Solara, como Pasquale, Antonio, Donato Sarratore, até como Franco Mari, meu namorado da Normal, gostavam de nós com as tonalidades mais diversas — agressivas, subalternas, descuidadas, atenciosas —, mas gostavam sem sombra de dúvida. Outros, como Alfonso, como Enzo, como Nino, eram — segundo tonalidades igualmente diversas — de uma compostura distante, como se entre nós e eles houvesse um muro e o esforço de escalá-lo fosse nosso. Enzo, depois do período militar, tinha acentuado essa característica e não só não fazia nada para agradar às mulheres, mas na verdade não fazia nada para agradar a ninguém. Até seu corpo, que já era de baixa estatura, parecia estar ainda menor, como por uma espécie de autocompressão se tornara um bloco compacto de energia. A pele sobre os ossos do rosto tinha se esticado como uma barraca de praia, e reduzira seu andamento ao puro compasso das pernas, nada mais nele se movia, nem os braços, nem o pescoço, nem a cabeça, nem mesmo os cabelos, que eram um casco louro-avermelhado. Quando decidiu ir ver Lila, comunicou a Pasquale e a Antonio não para discutir, mas na forma de um breve esclarecimento capaz de cortar qualquer discussão. E não chegou perplexo aos Campi Flegrei. Achou a rua, achou o portão, subiu as escadas e bateu com determinação na porta certa.

## 95.

Como Nino não voltou depois de dez minutos, nem de uma hora, nem no dia seguinte, Lila ficou uma fera. Não se sentiu abandonada, mas humilhada, e, se intimamente ela mesma admitira não ser a mulher certa para ele, por outro lado achou insuportável que ele, desaparecendo de sua vida depois de apenas vinte e três dias, o tivesse confirmado de maneira brutal. Por raiva, jogou fora tudo o que ele tinha deixado: livros, cuecas, meias, um pulôver, até um toco de lápis. Fez isso, se arrependeu, desandou a chorar. Quando finalmente as lágrimas acabaram, se viu feia, inchada, estúpida, amesquinhada por sentimentos ásperos que Nino, justamente Nino — que ela amava e acreditava ser correspondida —, estava suscitando nela. De repente o apartamento se revelou como de fato era, um espaço esquálido, com paredes atravessadas por todos os barulhos da cidade. Se deu conta do mau cheiro, das baratas que chegavam da porta pelas escadas, das manchas de umidade no teto, e sentiu pela primeira vez a infância que a arrebatava, não a das fantasias, mas a infância das cruéis privações, das ameaças e das surras. Aliás, descobriu de chofre que uma fantasia que tinha nos confortado desde meninas — se tornar rica — se dissipara de sua cabeça. Embora a miséria dos Campi Flegrei lhe parecesse mais negra que a do bairro de nossas brincadeiras, embora sua situação tivesse se agravado por causa da criança que esperava, embora tivesse consumido em poucos dias todo o dinheiro que levara, descobriu que a riqueza não lhe parecia mais um prêmio e uma reparação, mas já não lhe dizia nada. A substituição na adolescência das arcas de nossa infância, repletas de moedas e ouro e pedras preciosas, pelas cédulas gastas, entranhada de cheiros ruins, que se amontoava na gaveta do caixa quando trabalhava na charcutaria ou na caixa de metal colorido da loja na Piazza dei Martiri não funcionava mais, qualquer brilho residual se exaurira. A relação entre o dinheiro e a posse das coisas a decepcionara. Não queria nada nem para si, nem para o filho que iria ter. Ser rica, para ela, significava ter Nino, e, como Nino tinha ido embora, se sentiu pobre de uma pobreza que não havia dinheiro capaz de apagar. E, como não havia remédio para sua nova condição — tinha cometido muitos erros desde pequena, e todos tinham confluído para aquele erro maior: acreditar que o filho de Sarratore não pudesse prescindir dela assim como ela não podia viver sem ele, que eles estivessem fadados a um único e excepcional destino, que a fortuna de se amar duraria para sempre e tiraria a força de qualquer outra necessidade —, se sentiu culpada e decidiu não sair mais, não procurá-lo, não comer, não beber, mas esperar que sua vida e a do bebê perdessem qualquer contorno, qualquer definição possível, e ela não tivesse mais nada na cabeça, nem uma migalha do que a deixava mais amarga, vale dizer, a consciência do abandono.

Então bateram na porta.

Ela pensou que fosse Nino, abriu: era Enzo. Não se decepcionou ao vê-lo. Achou que ele tivesse vindo lhe trazer um pouco de fruta, como tinha feito muitos anos atrás, ainda pequeno, depois que tinha sido derrotado na competição promovida pelo diretor e pela professora Oliviero, depois de a ter acertado com uma pedra, e começou a rir. Enzo considerou a risada um sinal de mal-estar. Entrou, mas deixando a porta aberta por respeito, não queria que os vizinhos pudessem pensar que ela recebia homens como uma prostituta. Olhou ao redor, lançou um olhar ao estado desmazelado dela e, mesmo não vendo o que ainda não se via, ou seja, a gravidez, deduziu que ela precisava mesmo de ajuda. Com seu modo sério, completamente isento de emoções, falou antes que ela conseguisse se acalmar e parar de rir:

"Agora vamos indo."

"Aonde?"

"Para o seu marido."

"Foi ele que o mandou aqui?"

"Não."

"E quem mandou?"

"Ninguém me mandou."

"Não vou."

"Então vou ficar aqui com você."

"Para sempre?"

"Até você se convencer."

"E o trabalho?"

"Já encheu."

"E Carmen?"

"Você é muito mais importante."

"Vou dizer a ela, assim ela te deixa."

"Eu mesmo vou dizer, já decidi."

A partir dali, falou com distanciamento, em voz baixa. Ela respondeu zombando, de modo debochado, como se nenhuma das palavras que diziam fosse verdadeira e só estivessem falando para escárnio de um mundo, de pessoas, de sentimentos que não existiam há tempos. Enzo percebeu e por um instante não disse mais nada. Circulou pela casa, achou a mala de Lila, encheu-a com o que havia nas gavetas, no armário. Lila deixou-o agir porque o considerava não o Enzo de carne e osso, mas uma sombra colorida, como no cinema, que, apesar de falar, era de todo modo um efeito da luz. Fechada a mala, Enzo tornou a encará-la e fez um discurso particularmente surpreendente. Disse em seu modo concentrado e distante:

"Lina, eu gosto de você desde que éramos pequenos. Nunca lhe disse porque você é muito bonita e muito inteligente, já eu sou baixinho, feio e não valho nada. Agora você vai voltar para o seu marido. Não sei por que você o deixou nem quero saber. Só sei que aqui você não pode ficar, você não merece viver nesta imundície. Eu a acompanho até o portão de casa e espero: se ele a tratar mal, eu subo e acabo com ele. Mas ele não vai fazer isso, ao contrário, vai ficar contente por você voltar. Mas vamos fazer um pacto: caso você e seu marido não cheguem a um acordo, eu a levei para ele e eu volto para te buscar. Tudo bem?"

Lila parou de rir, apertou os olhos, o ouviu pela primeira vez com atenção. As relações entre ela e Enzo tinham sido raríssimas até aquele momento, mas nas vezes em que estive presente sempre me causaram surpresa. Havia algo de indefinível entre eles, que nascera na confusão da infância. Em Enzo, acho, ela confiava, sentia que podia contar com ele. Quando o rapaz pegou a mala e se dirigiu para a porta que tinha ficado aberta, hesitou um instante e depois o seguiu.

**96.**

Enzo de fato esperou debaixo das janelas de Lila e Stefano na noite em que a acompanhou e provavelmente, se Stefano tivesse batido nela, ele teria subido e o matado. Mas Stefano não tocou nela, ao contrário, recebeu-a com prazer em uma casa reluzente, toda em ordem. Comportou-se como se a esposa realmente tivesse passado uma temporada comigo em Pisa, mesmo não havendo nenhuma prova de que isso tivesse acontecido de verdade. Por sua vez, Lila não recorreu nem a essa nem a qualquer desculpa. No dia seguinte, ao despertar, disse desinteressadamente: "Estou grávida", e ele ficou tão feliz que, quando ela acrescentou "o menino não é seu", ele desandou a rir com genuína alegria. Como ela repetiu aquela frase com raiva crescente, uma, duas, três vezes, e até tentou acertá-lo com os punhos fechados, ele passou a mimá-la, a beijá-la, murmurando: "Chega, Lina, chega, chega, chega, estou muito contente. Eu sei que a tratei mal, mas agora vamos parar com isso, não me diga mais coisas feias", e seus olhos se encheram de lágrimas felizes.

Lila sabia há tempos que as pessoas dizem mentiras umas às outras para se defender da verdade dos fatos, mas se espantou de que o marido fosse capaz de mentir para si tão alegremente convicto. Por outro lado, já não se importava minimamente nem com Stefano, nem com ela mesma, e depois de ter repetido mais algumas vezes sem nenhuma emoção: "o filho não é seu", se retraiu no torpor da gravidez. Ele prefere adiar a dor, pensou, então tudo bem, faça como achar melhor: se não quer sofrer agora, vai sofrer depois.

Então lhe passou a lista do que queria e do que não queria: não queria mais trabalhar na loja da Piazza dei Martiri nem na charcutaria; não queria ver ninguém, amigos, parentes, sobretudo os Solara; queria ficar em casa sendo esposa e mãe. Ele concordou, convencido de que mudaria de ideia em poucos dias. No entanto Lila realmente se recolheu no apartamento, sem jamais demonstrar curiosidade pelos negócios de Stefano, nem pelos do irmão e do pai, nem pelos assuntos dos parentes dele e também dos seus.

Umas duas vezes Pinuccia apareceu com o filho, Fernando, chamado de Dino, mas ela não lhe abriu a porta.

Uma vez veio Rino, muito nervoso, e Lila o recebeu, ficou ouvindo suas conversas sobre como os Solara tinham ficado furiosos com seu sumiço da loja, sobre como estava indo mal o negócio dos calçados Cerullo, já que Stefano só pensava nas coisas dele e não investia mais. Quando ele finalmente se calou, ela lhe disse: "Rino, você é meu irmão mais velho, é adulto, tem mulher e filho, me faça um favor: viva sua vida sem recorrer sempre a mim". Ele ficou muito mal e foi embora deprimido, depois de se lamentar que todos ficavam cada vez mais ricos, enquanto ele, por culpa da irmã que não se importava com a família, com o sangue dos Cerullo, mas se sentia agora apenas uma Carracci, perigava perder o pouco que tinha conquistado.

Aconteceu que até Michele Solara se incomodou e foi lhe fazer uma visita — nos primeiros tempos, até duas vezes por dia —, em horários que tinha a certeza de que Stefano não estaria. Mas ela nunca abriu a porta, se manteve em silêncio, sentada na cozinha, quase sem respirar, tanto que numa ocasião, antes de ir embora, ele lhe gritou da rua: "Que merda você pensa que é, sua vadia? Você tinha um pacto comigo e não o respeitou!".

Lila só abriu sua casa de boa-vontade para Nunzia e a mãe de Stefano, Maria, que acompanharam sua gravidez com todo o zelo. Ela parou de vomitar, mas continuou com a tez acinzentada. Teve a impressão de estar grossa e inchada mais por dentro que por fora, como se cada órgão tivesse começado a engordar no invólucro do corpo. A barriga lhe pareceu uma bolha de carne que se expandia com a respiração do menino. Teve medo daquela expansão, receou que lhe acontecesse a coisa mais temida desde sempre: romper-se, espalhar-se. Depois sentiu de repente que o ser que trazia dentro de si, aquela absurda modalidade da vida, aquele nódulo em expansão que a certa altura lhe sairia pelo sexo como um boneco de corda, ela o amava, e por meio dele recuperou o senso de si. Assustada com a ignorância, com os erros que podia fazer, começou a ler tudo o que conseguiu encontrar sobre o que é uma gravidez, sobre o que ocorre dentro da barriga, sobre como lidar com o parto. Saiu pouquíssimo naqueles meses. Parou de comprar roupas ou objetos para a casa e adquiriu o hábito de pedir pelo menos dois jornais à mãe e revistas a Alfonso. Era o único dinheiro que gastava. Uma vez que Carmen apareceu para lhe pedir dinheiro, disse que ela pedisse a Stefano, ela não tinha, e a jovem foi embora magoada. Não se importava mais com ninguém, só com o menino.

Aquilo feriu Carmen, que se tornou ainda mais hostil. Já não tinha perdoado Lila por ter interrompido sua aliança na nova charcutaria. Agora não lhe perdoou ter fechado a bolsa. Mas acima de tudo não perdoou que fizesse — como passou a dizer por aí — o que lhe dava na telha: tinha desaparecido, tinha voltado, e continuava bancando a madame, com uma bela casa e agora até um filho prestes a nascer. Quanto mais vadia se é, falava, mais se ganha. Já ela, que labutava de manhã até a noite sem nenhuma satisfação, teve de passar por coisas horríveis, uma atrás da outra. O pai morreu na cadeia. A mãe, daquele modo que não queria nem lembrar. E agora Enzo também. Ele a esperara uma noite na frente da charcutaria e lhe dissera que não se sentia disposto a continuar o noivado. Apenas isso, poucas palavras como de costume, nenhuma explicação. Ela foi correndo chorar com o irmão, e Pasquale se encontrou com Enzo para pedir explicações. Mas Enzo não deu nenhuma, e agora não se falavam mais.

Quando voltei de Pisa para as férias da Páscoa e encontrei-a nos jardins, desabafou comigo. "Eu sou uma cretina", chorou, "que o esperei durante todo o tempo do serviço militar. Eu sou uma cretina, que trabalho de manhã até a noite por uma mixaria." Disse que estava cansada de tudo. E, sem nenhum nexo evidente, passou a cobrir Lila de insultos. Chegou até a lhe atribuir uma relação com Michele Solara, que tinha sido visto várias vezes nos arredores da casa Carracci. "Chifres e grana", vociferou, "é assim que aquela vai em frente."

No entanto, nenhuma palavra sobre Nino. Milagrosamente o bairro não ficou sabendo nada sobre aquela história. Foi Antonio que, justo naqueles dias, me contou que tinha dado uma surra em Nino e mandado Enzo resgatar Lila; mas contou apenas para mim, e tenho certeza de que nunca falou sobre aquilo com mais ninguém. Quanto ao resto, fiquei sabendo alguma coisa por Alfonso: interrogado insistentemente, me disse que tinha ouvido de Marisa que Nino tinha ido estudar em Milão. Graças a eles, quando encontrei Lila casualmente no sábado de aleluia andando no estradão, experimentei um prazer sutil ao pensar que eu sabia mais do que ela sobre os fatos de sua própria vida, e pelo que sabia era fácil deduzir que de pouco lhe serviu ter tirado Nino de mim.

Estava com uma barriga já bem grande, parecia uma excrescência do corpo magérrimo. Tampouco o rosto exibia a beleza viçosa das mulheres grávidas, ao contrário, estava mais feio, esverdeado, a pele esticada sobre os grandes zigomas. Ambas tentamos fingir naturalidade.

"Tudo bem?"

"Tudo."

"Posso tocar sua barriga?"

"Pode."

"E aquela questão?"

"Qual?"

"A de Ischia."

"Acabou."

"Que pena."

"O que você tem feito?"

"Estudado. Tenho um lugar só para mim e todos os livros de que preciso. Também tenho uma espécie de namorado."

"Uma espécie?"

"Pois é."

"Como ele se chama?"

"Franco Mari."

"E o que ele faz?"

"Estuda também."

"Como esses óculos ficaram bem em você."

"Foi presente de Franco."

"E esse vestido?"

"Dele também."

"É rico?"

"É."

"Fico contente. E como vão os estudos?"

"Me esforço bastante; se não, me mandam embora."

"Tome cuidado."

"Eu tomo cuidado."

"Sorte sua."

"Ah."

Disse que o bebê devia nascer em julho. Tinha um médico que era aquele mesmo que lhe recomendara os banhos de mar. Um médico, não a obstetra do bairro. "Tenho medo pelo menino", disse, "não quero fazer o parto em casa." Tinha lido que era melhor dar à luz numa clínica. Sorriu, tocou a barriga. Depois soltou uma frase pouco clara:

"Só estou ainda aqui por isso."

"É bom sentir o menino dentro?"

"Não, me dá repulsa, mas o carrego com prazer."

"Stefano ficou com raiva?"

"Ele prefere acreditar no que lhe convém."

"Ou seja?"

"Que por um tempo eu estive meio louca e fugi para ficar com você em Pisa."

Fiz de conta que não sabia de nada, fingi espanto:

"Em Pisa? Eu e você?"

"Pois é."

"E se ele me perguntar? Devo dizer que foi assim?"

"Faça como quiser."

Nos despedimos prometendo que nos escreveríamos. Mas nunca nos escrevemos, e não fiz nada para ter notícias do parto. De vez em quando irrompia um sentimento que eu afastava logo para impedir que se tornasse consciente: queria que lhe acontecesse alguma coisa, que o menino não nascesse.


97.


Naquele período sonhei frequentemente com Lila. Uma vez ela estava na cama com uma camisola toda rendada, de cor verde, com tranças que na realidade ela nunca fizera, carregando nos braços uma menina vestida de rosa e falando continuamente com voz sofrida: "Façam uma foto, mas só de mim, da menina não". Noutra vez, me recebia alegre e depois chamava a filha, que tinha meu nome. "Lenu", ela dizia, "venha cumprimentar a tia." Mas então aparecia uma gorda gigantesca, muito mais velha que nós, e Lila me obrigava a despi-la, lavá-la, trocar a fralda e os panos. Ao despertar, tentei buscar um telefone e ligar para Alfonso para saber se o menino tinha nascido bem, se ela estava contente. Mas ou tinha que estudar, ou tinha provas, e acabava me esquecendo. Quando em agosto me livrei de ambas as incumbências, ocorreu que não voltei para casa. Escrevi umas mentiras a meus pais e fui com Franco a Versilia, onde a família dele tinha um apartamento. Pela primeira vez pus um biquíni: cabia todo na palma da mão, e me senti ousada.

Foi no Natal que soube por Carmen como o parto de Lila tinha sido difícil.

"Ela quase morreu", disse, "tanto é que, no final, o médico teve que abrir a barriga, se não o menino não nascia."

"Ela teve um menino?"

"Sim."

"E está bem?"

"Ele é lindo."

"E ela?"

"Está mais larga."

Soube que Stefano queria dar ao filho o nome do pai, Achille, mas Lila se opusera, e os gritos entre marido e mulher, que não se ouviam há tempos, ecoaram por toda a clínica, a ponto de as enfermeiras os repreenderem. Por fim o menino recebeu o nome de Gennaro, isto é, Rino, como o irmão de Lila.

Escutei sem dizer uma palavra. Me sentia triste e, para enfrentar a tristeza, me impus uma atitude distante. Carmen fez questão de notar:

"Eu falo, falo, e você não diz uma palavra, me faz sentir como um telejornal. Está se lixando para nós?"

"Claro que não."

"Você ficou bonita, mudou até a voz."

"Eu tinha uma voz feia?"

"Tinha a mesma voz que a gente."

"E agora?"

"Agora menos."

Fiquei no bairro dez dias, de 24 de dezembro de 1964 a 3 de janeiro de 1965, mas não fui fazer nenhuma visita a Lila. Não queria ver o filho, tinha medo de reconhecer na boca, no nariz, no desenho dos olhos e das orelhas alguma coisa de Nino. Em minha casa agora me tratavam como se eu fosse uma pessoa de respeito, que se dignara a passar para uma visita apressada. Meu pai me observava satisfeito. Sentia seu olhar de contentamento em mim, mas, se lhe dirigia a palavra, ele se embaraçava. Não me perguntava o que eu estudava, para que servia, que trabalho eu faria em seguida, e não porque não desejasse saber, mas por medo de não compreender minhas respostas. Já minha mãe se movia raivosa pela casa, e eu, ao ouvir seu passo inconfundível, pensava em quanto temera me tornar como ela. Mas — ainda bem — eu tinha me distanciado muito, e ela sentia, me queria ali. Mesmo agora, quando falava comigo, é como se eu fosse culpada por coisas ruins: em cada circunstância eu percebia em sua voz uma nuance de reprovação, mas, diferente do que ocorria no passado, não quis que eu pusesse os pratos, que tirasse a mesa, que lavasse o chão. Também houve um certo incômodo com meus irmãos. Eles se esforçavam para falar italiano comigo e muitas vezes corrigiam seus próprios erros, envergonhados. Mas com eles eu tentava mostrar que era a mesma de sempre, e aos pouquinhos se convenceram.

À noite eu não sabia como passar o tempo, os amigos de antigamente não formavam mais um grupo. Pasquale estava em péssimas relações com Antonio e o evitava de todas as maneiras. Antonio não queria encontrar ninguém, em parte porque não tinha tempo (era continuamente mandado para cá e para lá pelos Solara), em parte porque não sabia sobre o que falar: não podia conversar sobre seu trabalho e não tinha uma vida privada. Ada, depois da charcutaria, ou ia cuidar da mãe e dos irmãos, ou estava cansada, deprimida e ia dormir, tanto é que quase não encontrava mais Pasquale, o que o deixava muito nervoso. Carmen agora odiava tudo e todos, talvez até a mim: odiava o trabalho na charcutaria nova, os Carracci, Enzo, que a abandonara, o irmão, que se limitara a romper com Enzo e não lhe quebrara a cara. Sim, Enzo. Finalmente Enzo — que agora estava com a mãe, Assunta, acometida de uma horrível doença e, quando não estava trabalhando para ganhar o dia se dedicava a ela, até de noite, e no entanto, sem que se soubesse, conseguiu tirar o diploma de perito industrial —, Enzo nunca se fazia notar. Fiquei surpresa com a notícia de que ele conseguira aquela coisa dificílima que era se diplomar estudando em casa. Quem diria, pensei. Antes de voltar a Pisa, me esforcei e o convenci a dar um passeio. Dei muitos parabéns pelo resultado obtido, mas ele se limitou a uma expressão minimi-zadora. Tinha reduzido seu vocabulário a tal ponto que somente eu falei, ele não disse quase nada. A única frase de que me lembro, a pronunciou antes de nos separarmos. Eu não tinha mencionado Lila até aquele momento, nem sequer uma palavra. No entanto, como se tivéssemos falado sobre ela o tempo todo, ele disse de repente:

"De todo modo, Lina é a melhor mãe do bairro."

Aquele *de todo modo* me deixou de mau humor. Eu nunca tinha atribuído a Enzo uma sensibilidade particular, mas naquela ocasião me convenci de que, enquanto caminhava a meu lado, ele tivesse *ouvido* — ouvido como se eu declamasse em voz alta — a longa lista silenciosa de culpas que eu atribuía à nossa amiga, quase como se meu corpo a escandisse com raiva sem que eu percebesse.

## 98.

Por amor ao pequeno Gennaro, Lila voltou a sair de casa. Colocava o menino todo vestido de azul ou de branco no carrinho desconfortável e monumental que o irmão lhe dera de presente, gastando os olhos da cara, e passeava sozinha com ele pelo bairro novo. Assim que Rinuccio chorava, ela ia até a charcutaria e o amamentava entre a comoção da sogra, os cumprimentos enternecidos das clientes e a irritação de Carmen, que trabalhava de cabeça baixa sem dizer palavra. Lila alimentava o menino assim que ele se queixava. Gostava muito de senti-lo agarrado a si, de perceber o leite que escorria dela para ele esvaziando agradavelmente seu seio. Era o único laço que lhe dava bem-estar, e confessava em seus cadernos que temia o momento em que o menino se afastaria dela.

Quando os dias bonitos começaram, já que no bairro novo só havia ruas calcinadas e um ou outro arbusto ou arvorezinha mirrada, ela começou a ir até os jardinzinhos em frente à igreja. Todo mundo que passava por ali parava para apreciar e elogiar o menino, fazendo a felicidade da mãe. Se precisava trocá-lo, ia até a charcutaria antiga, onde, assim que entrava, as clientes faziam muitos mimos a Gennaro. Já Ada, com seu avental limpíssimo, batom nos lábios finos, o rosto pálido, os cabelos arrumados, os modos imperativos até em relação a Stefano, se comportava cada vez mais abertamente como criada-proprietária e, ocupada como andava, fazia de tudo para que se notasse que ela, o carrinho e o bebê eram um estorvo. Mas Lila fazia pouco caso. Ficava mais perturbada com a indiferença escorbútica do marido, na intimidade distraído, mas não hostil ao menino, e em público, diante das clientes que imitavam vozes infantis cheias de ternura e o queriam pegar no colo ou beijar, nem sequer olhava para ele, aliás, ostentava desinteresse. Lila ia para o fundo da loja, lavava Gennaro, vestia-o depressa e voltava para os jardins. Ali examinava o filho enternecida, procurando em seu rostinho os sinais de Nino e se perguntando se o que ela não conseguia ver estaria sendo vislumbrado por Stefano.

Mas logo não pensava mais nisso. Em geral os dias passavam por ela sem lhe causar nenhuma emoção. Cuidava sobretudo do filho, a leitura de um livro durava semanas, duas ou três páginas ao dia. Nos jardinzinhos, se o pequeno dormia, de vez em quando ela se deixava distrair pelos ramos das árvores que germinavam brotos novos e escrevia algo em seu caderno surrado.

Uma vez se deu conta de que a poucos passos, ali na igreja, havia um funeral, e foi espiar com o menino: descobriu que era o funeral da mãe de Enzo. Viu que estava palidíssimo, empertigado, mas não foi dar condolências. Uma outra vez em que estava sentada num banco com o carrinho ao lado, inclinada sobre um grosso volume de capa verde, parou diante dela uma velha magérrima apoiada numa bengala, as faces que pareciam chupadas até a garganta pela própria respiração.

"Adivinhe quem sou."

Lila teve dificuldade de reconhecê-la, mas por fim os olhos da mulher lhe recordaram num lampejo a imponente professora Oliviero. Pôs-se de pé emocionada, fez que ia abraçá-la, mas ela se retraiu incomodada. Então Lila lhe mostrou o menino, disse com orgulho: "Se chama Gennaro", e, como todos elogiavam o filho, esperou que a professora também o fizesse. Mas Oliviero ignorou totalmente o pequeno e pareceu interessada apenas no pesado livro que sua ex-aluna segurava na mão, um dedo entre as páginas para marcar o local.

"O que é?"

Lila ficou nervosa. A professora tinha mudado no aspecto, na voz, em tudo, exceto nos olhos e no tom brusco, o mesmo de quando lhe dirigia uma pergunta da cátedra. Então ela também se mostrou pouco mudada e respondeu entre indolente e agressiva:

"O título é *Ulisses*."

"Fala da *Odisseia*?"

"Não, fala de como a vida de hoje é terra a terra."

"E o que mais?"

"Nada. Diz que nossa cabeça está cheia de tolices. Que somos carne, sangue e ossos. Que uma pessoa vale tanto quanto outra. Que só queremos comer, beber e foder."

Diante daquela última palavra, a professora a censurou como na escola, e Lila reagiu debochada, riu, de modo que a velha ficou ainda mais sisuda e lhe perguntou como era o livro. Ela respondeu que era difícil e que não entendia tudo.

"Então por que lê?"

"Porque alguém que eu conheci o estava lendo. Mas ele não gostava."

"E você?"

"Eu, sim."

"Mesmo sendo difícil?"

"Sim."

"Não leia livros que não consegue entender, isso lhe faz mal."

"Há tantas coisas que fazem mal."

"Você não está contente?"

"Assim, assim."

"Você era destinada a grandes coisas."

"E eu as fiz: me casei e tive um filho."

"Disso todos são capazes."

"Eu sou como todos."

"Você se engana."

"Não, a senhora é que se engana, sempre se enganou."

"Você era mal-educada na infância e é mal-educada agora."

"Vê-se que comigo a senhora não acertou."

Oliviero a olhou com atenção, e Lila leu em seu rosto o pavor do erro. A professora estava tentando reencontrar em seus olhos a inteligência que vira quando era menina, queria a confirmação de que não tinha errado. Ela pensou: devo apagar imediatamente do rosto qualquer sinal que lhe dê razão, não quero que me faça uma ladainha pelo meu desperdício. Mas enquanto isso se sentiu exposta a um enésimo exame e, contraditoriamente, temeu pelo resultado. Está descobrindo que sou estúpida, disse a si com o coração batendo cada vez mais forte, está descobrindo que toda minha família é estúpida, que são estúpidos meus antepassados e que serão estúpidos meus descendentes, que Gennaro será estúpido. Ficou despeitada, pôs o livro na bolsa, empunhou a alça do carrinho e murmurou nervosa que precisava ir. Velha maluca, achava que ainda podia lhe bater com a régua. Deixou a professora nos jardins, miúda, agarrada à empunhadura da bengala, devorada por um mal a que não queria ceder.

**99.**

Foi então que ficou obcecada por estimular a inteligência do filho. Não sabia que livros comprar e pediu a Alfonso que perguntasse aos livreiros. Alfonso lhe trouxe um par de volumes, aos quais Lila se dedicou com afinco. Em seus cadernos encontrei apontamentos sobre como lia textos complexos: avançava com dificuldade página a página, mas depois de um tempo perdia o sentido, pensava em outra coisa; no entanto impunha ao olho que continuasse deslizando pelas linhas, os dedos passavam a página automaticamente e, ao final, tinha a impressão de que, mesmo não tendo entendido, as palavras tivessem igualmente entrado em sua cabeça trazendo pensamentos. A partir daquele momento relia todo o livro e, ao ler, corrigia os pensamentos ou os ampliava, até que o texto não lhe servisse mais, e então procurava outros.

O marido voltava para casa à noite e a encontrava sem ter preparado o jantar, brincando com o menino com jogos que ela mesma inventava. Ele se zangava, mas ela — como já acontecia há tempos — não tinha reações. Parecia não o escutar, quase como se a casa fosse habitada apenas por ela e pelo filho, e, quando se levantava e ia cozinhar, o fazia não porque Stefano estivesse com fome, mas porque a fome tinha batido nela mesma.

Foi naqueles meses que, após um longo período de tolerância recíproca, suas relações tornaram a piorar. Uma noite Stefano gritou que estava cheio dela, do menino, de tudo. Em outra ocasião, disse que se casara jovem demais, sem entender o que estava fazendo. Mas na vez em que ela lhe respondeu: "Nem eu sei o que estou fazendo aqui, vou pegar o menino e vou embora", ele, em vez de gritar então vá, perdeu a calma como não perdia há tempos e bateu nela na frente do filho, que a fixava do cobertor sobre o assoalho, um tanto zonzo com o barulho. Com o nariz pingando sangue e Stefano lhe gritando insultos, Lila se voltou para o filho, rindo, e lhe disse em italiano (há tempos só lhe falava em italiano): "Papai está brincando, estamos nos divertindo".

Não sei por que, mas a certa altura passou a cuidar também do sobrinho Fernando, que agora todos chamavam de Dino. É possível que tudo tenha começado porque ela precisava pôr Gennaro em contato com outro menino. Ou talvez não, talvez porque tenha tido escrúpulos em se dedicar apenas ao filho e tenha achado justo cuidar também do sobrinho. Já Pinuccia, mesmo que continuasse a considerar Dino a prova viva do desastre de sua vida e a gritar frequentemente com ele, às vezes o maltratando: "Quer parar, quer parar? O que você quer de mim, quer me deixar louca?", se opôs decididamente a que ela o levasse para casa e o submetesse a brincadeiras misteriosas com o pequeno Gennaro. Disse com raiva: "Pense em criar seu filho que eu penso no meu, e em vez de perder tempo vá cuidar de seu marido, se não vai perdê-lo". Mas aí apareceu Rino.

Era uma fase péssima para o irmão de Lila. Brigava continuamente com o pai, que queria fechar a fábrica de calçados porque estava cansado de trabalhar só para enriquecer os Solara e, sem entender que era preciso seguir adiante de qualquer jeito, lamentava sua velha oficina. Brigava continuamente com Marcello e Michele, que no entanto o tratavam como um rapazinho petulante e, quando o assunto era dinheiro, tratavam diretamente com Stefano. Brigava sobretudo com este último, gritos e ofensas, porque o cunhado não lhe dava mais um centavo e, segundo ele, agora estava em tratativas secretas para decidir a passagem de todo o negócio de sapatos para as mãos dos Solara. Brigava com Pinuccia, que o acusava de a ter convencido de que ele era sabe-se lá o que, e no entanto era uma marionete que se deixava conduzir por todo mundo, pelo pai, por Stefano, por Marcello e Michele. Por isso, quando entendeu que Stefano implicava com Lila por ela ser muito mais mãe que esposa, e que Pinuccia não queria confiar o menino à cunhada nem sequer por uma hora, começou por provocação a levar pessoalmente o menino para a irmã. E, como na fábrica havia cada vez menos trabalho, pegou o hábito de ficar às vezes por horas no apartamento do bairro novo observando o que Lila fazia com Gennaro e com Dino. Ficou encantado com a paciência maternal dela, com a maneira como as crianças se divertiam, com o modo como seu filho, que em casa sempre chorava ou ficava entorpecido no cercadinho como um filhote melancólico, com Lila se tornava ágil, veloz, parecia feliz.

"O que você faz com eles?", perguntava admirado.

"Eu os estimulo a brincar."

"Meu filho também brincava antes."

"Aqui ele brinca e aprende."

"Por que você perde tanto tempo com isso?"

"Porque li que tudo o que somos se decide agora, nos primeiros anos de vida."

"E o meu está crescendo bem?"

"Não está vendo?"

"Sim, estou, é mais esperto que o seu."

"O meu é menor."

"Você acha que Dino é inteligente?"

"Todas as crianças são, basta ensiná-las."

"Então ensine a ele, Lina, não se canse logo como costuma fazer. Faça com que ele se torne inteligentíssimo."

Mas aconteceu que uma noite Stefano voltou antes do habitual, e particularmente nervoso. Encontrou o cunhado sentado no chão da cozinha e, em vez de se limitar a fechar a cara por causa da bagunça, do desinteresse da mulher, da atenção dispensada às crianças, e não a ele, disse a Rino que aquela era sua casa, que o ver às voltas todos os dias perdendo tempo não lhe agradava, que a fábrica estava indo para o brejo justamente por ele ser tão preguiçoso, que os Cerullo não eram confiáveis, enfim, que ou você vai embora imediatamente ou eu o expulso a pontapés.

Houve um pandemônio. Lila gritou que ele não podia falar assim com seu irmão, Rino jogou na cara do cunhado tudo o que até aquele momento só havia insinuado ou que guardava para si por cautela. Voaram ofensas pesadas. Os dois meninos, abandonados na confusão, passaram a arrancar os brinquedos um do outro aos gritos, especialmente o menor, que era subjugado pelo maior. Rino berrou a Stefano, o pescoço inchado, as veias saltadas como cabos elétricos, que era fácil bancar o patrão com os bens que dom Achille roubara de meio bairro, e acrescentou: "Você não é ninguém, você é só um merda, seu pai, sim, sabia ser bandido, você nem isso sabe".

Houve um momento terrível, ao qual Lila assistiu aterrorizada. De repente Stefano agarrou Rino pelos flancos com ambas as mãos como um bailarino de dança clássica com sua parceira e, embora fossem da mesma altura e mesma compleição, embora Rino se debatesse, urrasse e cuspisse, ergueu-o com uma força descomunal e o arremessou contra a parede. Imediatamente depois pegou-o pelo braço e o arrastou pelo chão até a porta, abriu-a, recolocou-o de pé e o atirou escada abaixo, mesmo Rino tentando reagir, mesmo Lila tendo despertado e se agarrado a ele, implorando que se acalmasse.

Não acabou aí. Stefano voltou para trás furioso e ela entendeu que queria fazer com Dino o mesmo que tinha feito com o pai, lançando-o como uma coisa pelas escadas. Então voou em cima dele, pelos ombros, e puxou e arranhou sua cara, gritando: "É uma criança, Sté, é uma criança". Ele ficou imóvel e disse devagar: "Estou de saco cheio de tudo, não aguento mais".

## 100.

Teve início um período complicado. Rino parou de ir à casa da irmã, mas Lila não quis deixar de cuidar de Rinuccio e Dino, e assim pegou o hábito de ir ela mesma à casa do irmão, mas escondida de Stefano. Pinuccia aceitava de malgrado, enfezada, e Lila a princípio buscou lhe explicar o que estava tentando fazer: exercícios de reatividade, brincadeiras de adestramento, chegou até a confidenciar que gostaria de envolver todas as crianças pequenas do bairro. Mas Pinuccia simplesmente lhe respondeu: "Você é uma louca, e não estou nem aí para as tontices que você faz. Quer pegar o menino para você? Quer matá-lo, quer comê-lo como as bruxas? Faça isso, eu não o quero nem nunca quis, seu irmão foi a desgraça de minha vida, e você é a desgraça da vida de meu irmão". Então gritou: "Aquele pobre coitado faz muito bem em lhe meter chifres".

Lila não reagiu.

Não perguntou o que significava aquela frase, ao contrário, fez um gesto involuntário, um desses gestos que se fazem para enxotar uma mosca. Pegou Rinuccio e, embora insatisfeita de privar-se do sobrinho, não voltou mais.

Mas na solidão de seu apartamento descobriu que tinha medo. Não se importava minimamente que Stefano pagasse alguma prostituta, aliás ficava até contente, não precisava suportá-lo à noite quando se aproximava dela. Mas depois daquela frase de Pinuccia começou a se preocupar pelo menino: se o marido estivesse com outra mulher, se a desejasse todo dia e toda hora, podia ficar louco e expulsá-la de casa. Até aquele momento a possibilidade de uma ruptura definitiva do casamento lhe parecera uma redenção, agora, ao contrário, temia perder a casa, os meios, o tempo, tudo o que lhe permitia criar o menino do melhor modo.

Começou a não dormir direito. Talvez os ataques de Stefano não fossem apenas o sintoma de um desequilíbrio constitucional, o sangue ruim que fazia saltar pelos ares a capa de comportamento cordial: talvez estivesse realmente apaixonado por outra, como ocorrera entre ela e Nino, e não suportasse continuar na gaiola do casamento, da paternidade, até das charcutarias e dos outros negócios. Lila refletia, mas não sabia o que fazer. Sentiu que devia enfrentar a situação, nem que fosse só para controlá-la, e no entanto protelava, desistia, contava com que Stefano desfrutasse sua amante e a deixasse em paz. No fim das contas, pensava, basta resistir uns dois anos, o suficiente para o menino crescer e se formar.

Organizou seus dias de modo que ele sempre encontrasse a casa em ordem, o jantar pronto, a mesa posta. Porém, depois daquela cena com Rino, ele não voltou mais à antiga docilidade, estava sempre carrancudo, sempre preocupado.

"O que é que não vai bem?"

"O dinheiro."

"Somente o dinheiro?"

Stefano se enfurecia:

"O que significa *somente*?"

Para ele não havia outro problema na vida a não ser o dinheiro. Depois do jantar fazia contas e esbravejava o tempo todo: a charcutaria nova não faturava mais como antes; os dois Solara, especialmente Michele, se comportavam com os sapatos como se tudo fosse deles e não houvesse mais a necessidade de dividir os lucros; sem dizer nada a ele, a Rino e a Fernando, encomendavam a fabricação dos velhos modelos Cerullo a sapateiros da periferia por poucos trocados, enquanto mandavam desenhar os novos modelos Solara por artesãos que, na verdade, se limitavam a variar levemente os de Lila; desse modo a pequena empresa do sogro e do cunhado estava de fato afundando, arrastando também a ele, que tinha investido no negócio.

"Entendeu?"

"Entendi."

"Então veja se não enche o saco."

Mas Lila não se convencia. Tinha a impressão de que o marido ampliava habilmente problemas reais, mas de velha data, só para ocultar as verdadeiras e novas razões de seus desequilíbrios e da hostilidade cada vez mais explícita em relação a ela. Atribuía-lhe culpas de todo tipo, principalmente a de ter complicado as relações com os Solara. Uma vez gritou a ela:

"O que você fez com aquele escroto do Michele, se pode saber?"

E ela respondeu:

"Nada."

E ele:

"Não pode ser, a cada discussão ele saca você da cartola, mas ferra é comigo: veja se fala com ele e tenta entender o que ele quer, caso contrário, vou ter de quebrar a cara de vocês dois."

E Lila, de pronto:

"E se ele quiser me comer, o que faço, deixo ele me comer?"

Um instante depois se arrependeu de ter gritado assim com ele — em certas ocasiões, o desprezo prevalecia sobre a prudência —, mas agora já estava feito, e Stefano lhe deu uma bofetada. A bofetada contou pouco, nem foi com a mão cheia como de costume, atingiu-a com a ponta dos dedos. Pesou mais o que ele lhe disse logo em seguida, desgostoso:

"Você lê, estuda, mas é vulgar: não suporto essas como você, me dão nojo."

A partir daquele momento, passou a voltar cada vez mais tarde. No domingo, em vez de dormir até o meio-dia como de costume, saía cedo e desaparecia pelo dia inteiro. Se ela fizesse o mínimo aceno a problemas concretos do cotidiano da família, ele se aborrecia. Por exemplo, quando começou o calor do verão, ela se preocupou com as férias no mar para Rinuccio e perguntou ao marido como poderiam se organizar. Ele lhe respondeu:

"Você vai pegar um ônibus até Torregaveta."

Ela arriscou:

"Não seria melhor alugar uma casa?"

Ele:

"Para quê? Para você bancar a cachorra o dia inteiro?"

Saiu, voltou tarde da noite.

Tudo se esclareceu dali a pouco. Lila foi ao centro com o menino, procurava um livro que tinha visto citado em outro livro, mas não o encontrou. Gira daqui e dali, foi até a Piazza dei Martiri para perguntar a Alfonso, que continuava à frente da loja com satisfação, se poderia procurá-lo para ela. Topou com um jovem muito bonito, extremamente bem-vestido, um dos rapazes mais lindos que ela já tinha visto, chamado Fabrizio. Não era cliente, era um amigo de Alfonso. Lila parou para conversar com ele e descobriu que ele sabia um monte de coisas. Discutiram intensamente sobre literatura, história de Nápoles, sobre como se ensina às crianças, assunto sobre o qual Fabrizio era muito informado — trabalhava com isso na universidade. Alfonso ficou escutando em silêncio durante todo o tempo, e quando Rinuccio começou a se queixar foi ele quem o acalmou. Depois chegaram uns clientes, e Alfonso se dedicou a eles. Lila conversou mais um pouco com Fabrizio, fazia um bom tempo que não experimentava o prazer de uma conversa que lhe estimulasse a cabeça. Quando o jovem teve de ir embora, beijou-a nas bochechas com entusiasmo infantil, depois fez o mesmo com Alfonso, dois grandes estalos. Gritou para ela da soleira:

"Foi uma conversa maravilhosa."

"Para mim também."

Lila ficou melancólica. Enquanto Alfonso prosseguia seu trabalho com as clientes, lembrou-se das pessoas que tinha conhecido naquele lugar e de Nino, a porta abaixada, a penumbra, as conversas prazerosas, ele entrando furtivamente à uma em ponto e desaparecendo depois do amor, às quatro. Pareceu-lhe um tempo imaginado, uma fantasia bizarra, e olhou ao redor incomodada. Não sentiu saudades daquele período, não sentiu saudades de Nino. Sentiu apenas que o tempo havia passado, que aquilo que tinha sido importante não era mais, que o cipoal na cabeça continuava e não queria se desatar. Pegou o menino e se preparou para ir embora, quando Michele Solara entrou.

Cumprimentou-a com entusiasmo, brincou com Gennaro, disse que era idêntico a ela. Convidou-a ao bar, ofereceu-lhe um café, decidiu acompanhá-la ao bairro de carro. Quando já estavam no automóvel, lhe disse:

"Deixe seu marido, imediatamente, hoje mesmo. Eu fico com você e com seu filho. Comprei uma casa no Vomero, na Piazza degli Artisti. Se quiser, vamos agora mesmo para lá, você vai ver, peguei a casa pensando em você. Ali você pode fazer o que quiser: ler, escrever, inventar coisas, dormir, rir, conversar e estar com Rinuccio. Eu só quero poder olhar para você e ficar ouvindo."

Pela primeira vez na vida Michele se expressou sem seu tom gozador. Enquanto guiava e falava, lançou a ela olhares oblíquos e ansiosos para conferir sua reação. Lila fixou o tempo todo a pista à sua frente, tentando enquanto isso tirar a chupeta da boca de Gennaro, que segundo ela a usava demais. Mas o menino afastava sua mão com energia. Quando Michele se calou — não o interrompeu em nenhum momento —, ela perguntou:

"Já terminou?"

"Sim."

"E Gigliola?"

"O que Gigliola tem a ver com isso? Basta você me dizer sim ou não, e depois veremos."

"Não, Miché, a resposta é não. Não quis seu irmão e também não quero você. Primeiro, porque nem você nem ele me agradam; e segundo, porque vocês pensam que podem fazer tudo e pegar tudo sem nenhum respeito."

Michele não reagiu logo, resmungou alguma coisa sobre a chupeta, do tipo: dê logo a ele, não o faça chorar. Depois disse taciturno:

"Pense bem, Lina. Pode ser que já amanhã você se arrependa e venha implorar a mim."

"Duvido."

"É mesmo? Então me escute bem."

Revelou-lhe o que todos já sabiam ("Até sua mãe, seu pai e aquele idiota do seu irmão, mas não lhe falam nada por comodidade"): Stefano era amante de Ada, e não há pouco tempo. A coisa tinha começado antes mesmo das férias em Ischia. "Quando você estava na praia", disse, "ela ia todas as noites para sua casa." Com a volta de Lila, os dois tinham parado por um tempo. Mas não conseguiram resistir: recomeçaram, se deixaram de novo, voltaram a ficar juntos quando ela sumiu do bairro. Recentemente Stefano tinha alugado um apartamento no Rettifilo, os dois se encontravam lá.

"Acredita em mim?"

"Acredito."

"E então?"

Então o quê. Lila não ficou muito surpresa com o fato de seu marido ter uma amante ou de a amante ser Ada, mas com o absurdo de cada palavra ou gesto dele quando fora buscá-la em Ischia. Voltaram-lhe à memória os berros, a surra, a partida. Disse a Michele: "Sinto nojo de você, de Stefano, de todo mundo."

## 101.

Lila de repente se sentiu com a razão, e isso a apaziguou. Naquela mesma noite pôs Gennaro na cama e esperou que Stefano voltasse. Ele chegou pouco depois de meia-noite e encontrou-a sentada à mesa da cozinha. Lila ergueu o olhar do livro que estava lendo, disse que sabia de Ada, que sabia desde quando durava e que não lhe importava nada. "O que você fez comigo, eu fiz com você", escandiu sorrindo, e repetiu — quantas vezes lhe tinha dito isso no passado, duas, três? —

que Gennaro não era seu filho. Concluiu que ele podia fazer o que achasse melhor, ir dormir onde e com quem quisesse. "O essencial", gritou repentinamente, "é que você não toque mais em mim."

Não sei o que tinha em mente, talvez quisesse apenas esclarecer as coisas. Ou talvez esperasse de tudo. Esperava que ele confessasse cada detalhe, que depois a massacrasse, que a expulsasse de casa, que a obrigasse — a ela, a esposa — a ser a servente da amante. Estava preparada para qualquer agressão possível, e para a prepotência de quem se sente dono e tem dinheiro para comprar tudo. Em vez disso, não foi possível chegar a nenhuma palavra que lançasse luz e decretasse o fracasso de seu casamento. Stefano negou. Disse austero, mas calmo, que Ada era apenas a atendente de sua charcutaria, que qualquer boato que circulasse a esse respeito não tinha nenhum fundamento. Depois se enfureceu e gritou que, se dissesse mais uma vez aquela barbaridade sobre seu filho, Deus é testemunha de que ele a mataria: Gennaro era o retrato dele, idêntico, e todos diziam isso, era inútil continuar a provocá-lo sobre aquele ponto. Por fim — e isto foi o mais surpreendente — declarou, como tinha feito outras vezes no passado, sem variar as fórmulas, o amor que sentia por ela. Disse que a amaria para sempre, porque era sua mulher, porque tinham se casado diante do padre e nada podia separá-los. Quando se aproximou para beijá-la e ela o rejeitou, ele a ergueu, a levou para o quarto onde estava o berço do menino, arrancou tudo o que ela estava vestindo e a penetrou à força, enquanto ela suplicava em voz baixíssima, reprimindo os soluços: "Rinuccio vai acordar, está nos vendo, está nos ouvindo, por favor, vamos para outro lugar".


## 102.

A partir daquela noite Lila perdeu grande parte das pequenas liberdades que lhe restavam. Stefano se comportou de modo totalmente contraditório. Visto que a mulher já estava a par de sua relação com Ada, deixou de lado qualquer cautela: frequentemente não voltava para dormir em casa; um domingo sim e outro não, passeava de carro com a amante; naquele agosto passou inclusive as férias com ela, foram até Estocolmo de conversível, embora oficialmente Ada tivesse ido a Turim, hospedada na casa de uma prima que trabalhava na Fiat. Mas nesse meio tempo ele explodiu numa forma doentia de ciúme: não queria que a esposa saísse de casa, obrigava-a a fazer as compras por telefone e, se Lila saía por uma horinha com o menino para pegar um ar, interrogava-a sobre quem tinha encontrado e com quem conversara. Estava se sentindo mais marido que nunca, e se mantinha vigilante. Era como se temesse que sua própria traição a autorizasse a traí-lo. O que fazia com Ada em seus encontros no Rettifilo lhe agitava a imaginação e o induzia a fantasias minuciosas, nas quais Lila fazia até mais com seus amantes. Temia ser ridicularizado por uma possível infidelidade dela, enquanto se vangloriava da sua.

Não sentia ciúme de todos os homens, tinha sua hierarquia. Lila entendeu logo que ele se preocupava especialmente com Michele, por quem se sentia trapaceado em tudo e mantido em condição de permanente subalternidade. Embora ela nunca lhe tivesse dito nada sobre a vez em que Solara tinha tentado beijá-la, ou de quando lhe propusera que se tornasse sua amante, Stefano tinha intuído que tirar-lhe a mulher por ultraje era um movimento importante para finalmente o arruinar nos negócios. Mas, por outro lado, justamente a lógica dos negócios implicava que Lila se mostrasse ao menos um pouco cordial. Consequentemente, qualquer coisa que ela fizesse não estava bom. Às vezes pressionava-a de modo obsessivo: "Você viu Michele, falou com ele, ele pediu que desenhasse novos sapatos?". Às vezes gritava: "Você não deve nem dizer oi àquele merda, está claro?". E abria suas gavetas, vasculhava em busca de provas sobre sua natureza de vadia.

Para complicar ainda mais a situação, se intrometeram primeiro Pasquale, depois Rino.

Obviamente Pasquale soube por último, até depois de Lila, que sua namorada era amante de Stefano. Ninguém lhe disse nada, viu com os próprios olhos quando, num fim de tarde de um domingo de setembro, os dois saíam de um portão do Rettifilo abraçados. Ada lhe dissera que tinha algo a fazer com Melina e por isso não podiam se encontrar. Ele estava sempre ocupado, seja com o trabalho, seja com os compromissos políticos, e dava pouca importância àquelas esquivas e subterfúgios da namorada. Vê-los juntos foi uma dor terrível, complicada pelo fato de que, enquanto seu impulso imediato teria sido trucidar os dois, a formação de militante comunista o proibia de fazer isso. Nos últimos tempos Pasquale se tornara secretário da seção de bairro do partido e, embora no passado, assim como todos os rapazes com quem tínhamos crescido, diante daquilo ele a rotulasse de vagabunda, agora — que se mantinha informado, lia o *l'Unità*, estudava opúsculos, presidia debates na seção — não se sentia mais capaz de fazê-lo, ao contrário, se esforçava para considerar as mulheres em princípio não inferiores aos homens, com nossos sentimentos, nossas ideias, nossas liberdades. Assim, constrito entre a fúria e as amplas visões, na noite seguinte, ainda sujo do trabalho, foi até Ada e disse a ela que sabia de tudo. Ela se mostrou aliviada e admitiu ponto por ponto, chorou, pediu perdão. Quando ele perguntou se ela tinha feito aquilo por dinheiro, respondeu que amava Stefano e que somente ela sabia que pessoa boa, generosa e gentil ele era. O resultado foi que Pasquale deu um murro na parede da cozinha dos Cappuccio e voltou para casa chorando, os nós dos dedos doloridos. Depois disso, conversou com Carmen a noite inteira, os dois irmãos sofreram juntos, um por culpa de Ada, a outra por culpa de Enzo, que ela não conseguia esquecer. As coisas só ficaram realmente mal quando Pasquale, mesmo tendo sido traído, decidiu que devia defender a dignidade tanto de Ada quanto de Lila. Como primeiro passo, quis esclarecer as coisas e foi falar com Stefano, a quem fez um discurso complicado cujo sumo era que ele devia deixar a mulher e começar um concubinato regular com a amante. Depois foi até Lila e a censurou por deixar Stefano espezinhar seus direitos de esposa e seus sentimentos de mulher. Uma manhã — eram seis e meia — Stefano o abordou justamente quando saía para o trabalho e lhe ofereceu amigavelmente dinheiro para que não importunasse mais ele, a mulher e Ada. Pasquale pegou o dinheiro, o contou e o jogou para o ar, dizendo: "Trabalho desde pequeno, não preciso de você", e então, como se pedisse desculpas, acrescentou que precisava ir, se não ficaria tarde e o demitiriam. Mas quando já estava longe mudou de ideia, se virou e gritou ao salsicheiro que estava recolhendo as cédulas espalhadas na rua: "Você é pior do que aquele porco fascista do seu pai". Os dois se atracaram, trocaram terríveis porradas e precisaram separá-los, caso contrário se matariam.

Rino também trouxe aborrecimentos. Não tolerou que a irmã tivesse parado de se esforçar para fazer de Dino uma criança muito inteligente. Não tolerou que o cunhado não só não lhe desse um centavo, mas tivesse até o atacado. Não tolerou que se tornasse de domínio público a relação entre Stefano e Ada, com todas as consequências humilhantes para Lila. E reagiu de modo inesperado. Visto que Stefano batia em Lila, começou a bater em Pinuccia. Visto que Stefano tinha uma amante, procurou uma amante para si. E assim deu início a uma perseguição da irmã de Stefano especular à que Stefano submetia sua irmã.

Isso lançou Pinuccia em desespero: lágrimas e mais lágrimas, súplicas, implorava que ele parasse. Mas nada. Aterrorizando até Nunzia, Rino perdia totalmente a luz da razão assim que a mulher abria a boca e gritava com ela: "Quer que eu pare? Quer que eu me acalme? Então vá até seu irmão e diga que ele precisa deixar Ada, que deve respeitar Lina, que devemos ser uma família unida e que me deve dar o dinheiro que ele e os Solara me ferraram e continuam ferrando". O efeito foi que Pinuccia passou a fugir frequentemente e de bom grado de casa, toda estropiada, e correr à charcutaria do irmão para soluçar diante de Ada e das clientes. Stefano a levava aos fundos da loja, e ela listava todas a exigências do marido, mas concluía: "Não dê nada a esse bosta, venha logo para casa e acabe com ele".

## 103.

A situação estava mais ou menos nesse pé quando voltei ao bairro para as férias de Páscoa. Morava em Pisa havia dois anos e meio, era uma aluna muito brilhante, e voltar a Nápoles nas férias se tornara para mim um peso a que me submetia para evitar discussões com meus pais, principalmente com minha mãe. Bastava o trem entrar na estação e eu já ficava nervosa. Temia que algum incidente me impedisse de voltar à Normal no fim das férias: uma doença grave que me obrigasse a uma internação no caos de um hospital, algum acontecimento terrível que me obrigasse a parar de estudar porque a família precisaria de mim.

Tinha chegado em casa fazia poucas horas. Minha mãe tinha acabado de me fazer um relato maldoso sobre as tristes peripécias de Lila, de Stefano, de Ada, de Pasquale, de Rino, da fábrica de calçados que estava para fechar, dos tempos em que num ano você tinha dinheiro, se achava sabe-se lá o quê, comprava um conversível, e no ano seguinte precisava vender tudo, acabava no livro vermelho da senhora Solara e parava com aquela pose toda. De repente ela parou a ladainha e me disse: "Sua amiga achava que tinha chegado sabe-se lá onde, o casamento de princesa, o carro grande, a casa nova, e no entanto hoje você é muito melhor e muito mais bonita que ela". Então fez uma careta para reprimir a satisfação e me entregou um bilhete que obviamente ela já tinha lido, embora fosse para mim. Lila queria me ver, estava me convidando para um almoço no dia seguinte, Sexta-Feira Santa.

Não recebi apenas esse convite, foram dias movimentados. Pouco depois Pasquale me chamou do pátio e, como se eu tivesse descido do Olimpo, e não da casa escura de meus pais, quis me expor suas ideias sobre a mulher, me dizer quanto sofria, conhecer minha opinião sobre como estava se comportando. O mesmo fez Pinuccia à noite, furibunda tanto com Rino quanto com Lila. O mesmo fez inesperadamente Ada, na manhã seguinte, queimando de ódio e sentimento de culpa.

Assumi com os três um tom distante. Recomendei tranquilidade a Pasquale, a Pinuccia, que se preocupasse sobretudo com o filho, a Ada, que tentasse entender se sentia um amor verdadeiro. Mas, apesar da superficialidade das palavras, devo dizer que quem mais chamou minha atenção foi ela. Enquanto falava, fixei-a como se fosse um livro. Era a filha de Melina, a louca, irmã de Antonio. Em seu rosto reconheci a mãe, muitos traços do irmão. Tinha crescido sem pai, exposta a todos os riscos, habituada a penar no trabalho. Tinha lavado as escadas de nossos prédios por anos, ao lado de Melina, cuja cabeça de repente variava. Os Solara a levaram no carro quando era uma menina, e eu podia imaginar o que tinham feito. Então me pareceu normal que tivesse se apaixonado por Stefano, patrão gentil. Ela o amava, me confirmou, os dois se amavam. "Diga a Lina", murmurou com olhos brilhantes de paixão, "que não se controla o coração e que, se ela é a esposa, eu sou aquela a quem Stefano deu e dá tudo, toda a atenção e todo o sentimento que um homem pode ter, em breve também filhos, e por isso ele é meu, não pertence mais a ela."

Compreendi que queria pegar para si tudo o que pudesse, Stefano, as charcutarias, o dinheiro, a casa, os carros. E pensei que era um direito seu combater aquela batalha; alguns mais, outros menos, todos a combatiam. Só tentei acalmá-la porque estava palidíssima, os olhos em fogo. E fiquei contente de ouvir o quanto ela me era grata, senti prazer em ser consultada como um oráculo, em distribuir conselhos em um bom italiano que confundia tanto ela quanto Pasquale e Pinuccia. Aí está, pensei com sarcasmo, para que servem as provas de história, a filologia clássica, a glossologia e os milhares de fichas com que me adestro ao rigor: para acalmá-los por algumas horas. Me consideravam acima das partes, isenta de maus sentimentos e de paixões, esterilizada pelos estudos. E eu aceitei o papel que me haviam designado sem aludir às minhas angústias, às minhas audácias, às vezes em que, em Pisa, pus tudo em risco deixando Franco entrar em meu quarto ou indo eu ao quarto dele, às férias que passamos sozinhos em Versilia, vivendo juntos como se fôssemos casados. Fiquei contente comigo.

Porém, enquanto se aproximava a hora do almoço, o prazer foi dando lugar ao mal-estar, e fui ver Lila sem vontade. Temia que ela achasse um jeito de restaurar num piscar de olhos a velha hierarquia, fazendo-me perder a confiança em minhas escolhas. Temia que me fizesse ver no pequeno Gennaro os traços de Nino, para me lembrar de que o brinquedo que deveria ter sido meu coubera afinal a ela. Mas não foi assim, a princípio. Rinuccio — assim o chamava quase sempre — me comoveu imediatamente: era um lindo menino moreno, e Nino ainda não tinha despontado em seu rosto e no corpo, tinha traços que lembravam Lila e até Stefano, como se o tivessem gerado os três. Quanto a ela, senti-a frágil como raramente a tinha visto. Assim que me viu, os olhos brilharam e todo o corpo tremeu, precisei abraçá-la forte para acalmá-la.

Me dei conta de que, para não fazer feio comigo, se penteara depressa, depressa passara um pouco de batom e vestira uma roupa de raiom cinza-perolado da época do noivado, e calçava sapatos de salto. Ainda era bonita, mas como se os ossos do rosto tivessem se tornado maiores, os olhos, menores, e sob a pele não circulasse mais sangue, mas um líquido opaco. Estava magérrima, senti seus ossos ao abraçá-la, a roupa aderente evidenciava o ventre inchado.

De início fingiu que tudo estava bem. Ficou contente ao ver meu entusiasmo com o menino, gostou de como eu brincava com ele, quis me mostrar as coisas que Rinuccio sabia dizer e fazer. De um modo ansioso, que eu nunca vira nela, começou a despejar em mim a terminologia tirada das leituras desordenadas que tinha feito. Citou autores de que eu nunca tinha ouvido falar, forçou o filho a se exibir em exercícios que ela mesma tinha inventado para ele. Notei que ela adquirira uma espécie de tique, um esgar da boca: a abria de repente e depois apertava os lábios como para conter a emoção induzida pelas coisas que estava dizendo. Com frequência o esgar era associado a um avermelhamento dos olhos, uma luminosidade rósea que a contração dos lábios prontamente ajudava — como um dispositivo movido a mola — a reabsorver no fundo da cabeça. Várias vezes me repetiu que, caso se dedicassem assiduamente a cada criança pequena do bairro, no intervalo de uma geração tudo estaria mudado, não haveria mais os excelentes e os incapazes, os bons e os ruins. Depois olhou o filho e caiu de novo no choro. "Ele acabou com meus livros", disse entre as lágrimas, como se fosse Rinuccio que o tivesse feito, e os mostrou para mim, rasgados, divididos em duas metades. Demorei a entender que o culpado não era o pequeno, mas o marido. "Ele agora vasculha sempre minhas coisas", murmurou, "não quer que eu tenha nem um pensamento meu e, se descobre que lhe escondi nem que seja uma coisa insignificante, me espanca." Subiu numa cadeira, pegou do topo do armário do quarto de dormir uma caixa de metal e a entregou a mim. "Aqui está tudo o que aconteceu com Nino", disse, "e muitos pensamentos que me passaram pela cabeça nesses anos, e até coisas minhas e suas que nunca nos dissemos. Leve embora, tenho medo de que ele encontre e resolva ler. Mas não quero, não são coisas para ele, não são coisas para ninguém, nem mesmo para você."

## 104.

Peguei a caixa de malgrado e pensei: onde a escondo, o que faço com isso? Sentamos à mesa. Me espantei de que Rinuccio comesse sozinho, que se servisse com seus pequenos talheres de madeira, que, passada a timidez inicial, falasse comigo em italiano sem estropiar as palavras, que a cada pergunta minha respondesse no tom, com precisão, e por sua vez me fizesse perguntas. Lila deixou que eu conversasse com seu filho, não comeu quase nada, fixou o prato absorta. Por fim, quando eu estava para ir embora, disse:

"Não me lembro de nada de Nino, de Ischia, da loja de Piazza dei Martiri. No entanto eu tinha a impressão de gostar mais dele que de mim. Agora não me interesso nem sequer em saber o que aconteceu com ele, para onde ele foi."

Pensei que ela estava sendo sincera e não lhe disse nada do que eu sabia.

"As empolgações", emendei, "têm isso de bom: depois de um pouco elas passam."

"Você está contente?"

"Bastante."

"Que belos cabelos você tem."

"Ah."

"Preciso de outro favor seu."

"Diga."

"Preciso ir embora desta casa antes que Stefano, sem nem se dar conta, acabe comigo e com o menino."

"Assim você me deixa preocupada."

"Tem razão, me desculpe."

"Diga o que eu devo fazer."

"Procure Enzo. Diga a ele que eu tentei, mas não consegui."

"Não estou entendendo."

"Não é importante entender: você vai voltar para Pisa, tem suas coisas lá. Só diga isso a ele e pronto: *Lina tentou, mas não conseguiu*."

Me acompanhou até a porta com o menino no braço. Disse ao filho:

"Rino, se despeça da tia Lenu."

O menino sorriu e deu tchau com a mão.

## 105.

Antes de partir fui procurar Enzo. Como no momento em que lhe falei *Lina me pediu que lhe dissesse que ela tentou, mas não conseguiu* não passou nem sequer uma sombra de emoção em seu rosto, pensei que a mensagem o tivesse deixado indiferente. "Está muito mal", acrescentei. "Por outro lado, não sei o que se pode fazer." Ele comprimiu os lábios e assumiu uma expressão grave. Nos despedimos.

No trem abri a caixa de metal, mesmo tendo jurado que não o faria. Havia oito cadernos. Desde as primeiras páginas comecei a passar mal. Uma vez em Pisa, o mal-estar cresceu nos dias seguintes, nos meses. Cada palavra de Lila me diminuiu. Cada frase, até aquelas escritas quando ainda era uma menina, parecia esvaziar as minhas não da infância, mas de agora. E no entanto cada página acendeu em mim pensamentos próprios, ideias próprias, páginas próprias, como se até aquele momento eu tivesse vivido num torpor estudioso, mas inconclusivo. Aprendi de cor aqueles cadernos e, no fim das contas, eles me fizeram sentir o mundo da Normal — as amigas e os amigos que me estimavam, o olhar afetuoso dos professores que me encorajavam a fazer sempre mais — parte de um universo demasiado protegido e, por isso mesmo, demasiado previsível se comparado àquele tempestuoso que, nas condições de vida do bairro, Lila tinha sido capaz de explorar com suas linhas apressadas, em páginas amarrotadas e manchadas.

Cada esforço meu do passado me pareceu sem sentido. Me assustei, durante meses estudei mal. Eu estava só, Franco Mari tinha perdido a vaga na Normal, não conseguia me livrar da impressão de insignificância que me atingira. A certa altura me pareceu evidente que em breve eu tiraria uma nota ruim e também seria mandada de volta para casa. Por isso, numa noite do final de outono, sem um plano preciso, saí levando a caixa de metal. Parei na ponte Solferino e a atirei no Arno.

## 106.

O último ano em Pisa mudou a ótica com que eu tinha vivido os três primeiros. Peguei um desamor ingrato pela cidade, pelos colegas, pelos professores, pelas provas, pelos dias gelados, pelas reuniões políticas nas noites tépidas sob o Batistério, pelos filmes do cinefórum, por todo o espaço urbano, sempre o mesmo: o Timpano, o Lungarno Pacinotti, Via xxiv Maggio, Via San Frediano, Piazza dei Cavalieri, Via Consoli del Mare, Via San Lorenzo, percursos idênticos e todavia estranhos, mesmo quando o padeiro me dizia oi e a jornaleira falava do tempo, estranhos nas vozes que no entanto desde logo me esforcei em imitar, estranhos na cor das pedras e das plantas e das placas e das nuvens ou do céu.

Não sei se isso aconteceu por causa dos cadernos de Lila. O certo é que logo depois de os ter lido, e muito antes de jogar fora a caixa que os continha, me desencantei. Passou a impressão inicial de me encontrar no meio de uma batalha intrépida. Passaram as palpitações a cada exame e a alegria por ter tirado a nota máxima. Passou o prazer de reeducar minha voz, meus gestos, a maneira de vestir e de caminhar, como se competisse pelo prêmio de melhor fantasia, da máscara encaixada tão bem que era *quase* um rosto.

De repente me dei conta daquele *quase*. Eu tinha conseguido? Quase. Me desgarrara do bairro, de Nápoles? Quase. Tinha amigas e amigos novos, que vinham de ambientes cultos, muitas vezes bem mais cultos do que aquele ao qual pertenciam a professora Galiani e seus filhos? Quase. De exame em exame eu tinha me tornado uma estudante bem acolhida pelos professores pensativos que me arguiam? Quase. Por trás do *quase* tive a impressão de ver como as coisas estavam. Eu tinha medo. Tinha medo como no primeiro dia em que chegara a Pisa. Temia quem sabia ser culto sem o quase, com desenvoltura.

Na Normal eram muitos. Não se tratava apenas de estudantes que superavam os exames de modo brilhante, fosse em latim, grego ou história. Eram jovens — quase todos homens, assim como os professores de destaque e os nomes ilustres que passaram pela instituição — que se destacavam porque conheciam sem esforço aparente o uso presente e futuro de seu ímpeto de estudar. Sabiam por origem familiar ou por uma orientação instintiva. Sabiam como se fazia um jornal ou uma revista, como se organizava uma editora, o que era uma redação radiofônica ou televisiva, como nascia um filme, quais eram as hierarquias universitárias, o que estava além das fronteiras de nossos vilarejos ou cidades, além dos Alpes, além do mar. Conheciam os nomes de quem importava, as pessoas a serem admiradas e desprezadas. Já eu não sabia nada, para mim qualquer um que imprimisse o nome num livro ou jornal era um deus. Se alguém me dizia com admiração ou azedume: aquele é Fulano, aquele é filho de Sicrano, aquela é a sobrinha de Beltrano, eu me calava ou fazia de conta que estava a par. Intuía, claro, que eram sobrenomes *realmente* importantes, mas nunca os tinha escutado, não sabia o que tinham feito de relevante, ignorava o mapa do prestígio. Por exemplo, eu me apresentava preparadíssima para a prova, mas se o professor de repente me perguntasse: "Sabe de que obras deriva a autoridade com base na qual eu ensino esta matéria na universidade?", não saberia o que responder. Já os outros estavam a par. Por isso eu me movia entre eles temendo falar e fazer coisas erradas.

Quando Franco Mari se apaixonou por mim, aquele medo se atenuou. Ele me instruía, aprendi a me mexer seguindo seu rastro. Franco era muito alegre, atento aos outros, atrevido, audacioso. Se sentia tão seguro de ter lido os livros certos e, portanto, de estar certo, que falava sempre com autoridade. Aprendi a me expressar na intimidade e mais raramente em público me apoiando em seu prestígio. E eu era boa nisso, ou pelo menos estava me tornando. Apoiada em suas certezas, às vezes eu conseguia ser mais atrevida que ele, às vezes mais eficaz. Porém, mesmo fazendo muitos progressos, continuei com a preocupação de não estar à altura, de dizer coisas erradas, de revelar o quanto eu era ignorante e inexperiente justo nas coisas que todos sabiam. E assim que Franco — contra a vontade dele — saiu de minha vida, o medo voltou a ficar forte. Tive então a prova do que no fundo no fundo eu já sabia. Sua riqueza, sua boa educação, o prestígio de jovem militante de esquerda muito conhecido entre os estudantes, a sociabilidade, até sua coragem quando intervinha com discursos bem calibrados contra pessoas poderosas dentro e fora da universidade tinham conferido a ele uma aura que, na condição de sua noiva, namorada ou companheira, automaticamente se estendera a mim, quase como se o puro e simples fato de que me amasse fosse a certificação pública de minhas qualidades. Mas a partir do momento em que perdera sua vaga na Normal seus méritos desvaneceram, não se irradiaram mais sobre mim. Os estudantes de boa família tinham parado de me convidar para passeios e festas dominicais. Alguns voltaram a zombar de mim por causa de meu sotaque napolitano. Tudo o que ele me presenteara tinha saído de moda, envelhecera em meu corpo. Eu tinha compreendido desde o início que Franco, sua presença em minha vida, tinha ocultado minha real condição, mas não a havia mudado, eu não tinha conseguido me integrar de fato. Estava entre os que se esforçavam dia e noite, que obtinham ótimos resultados, que eram até tratados com simpatia e estima, mas que nunca sustentariam com postura adequada a alta qualidade daqueles estudos. Eu sempre teria medo: medo de dizer a frase errada, de usar um tom excessivo, de estar vestida inadequadamente, de revelar sentimentos mesquinhos, de não ter pensamentos interessantes.

## 107.

Devo dizer que foi um período deprimente também por outros motivos. Na Piazza dei Cavalieri todos sabiam que eu ia de noite ao quarto de Franco, que estivera sozinha com ele em Paris, em Versilia, e isso me dera uma fama de garota fácil. É complicado explicar quanto penei para me adequar à ideia de liberdade sexual que Franco defendia com entusiasmo, eu mesma escondia isso para que ele me achasse liberada e sem preconceitos. E não podia repetir por aí as ideias que ele me transmitira como um evangelho, ou seja, que as virgens pela metade eram a pior espécie de mulher, pequenas burguesas que preferiam dar o cu a fazer as coisas como se deve. Nem podia contar que eu tinha uma amiga em Nápoles que aos dezesseis anos já era casada, que aos dezoito arranjara um amante, que engravidara dele, que voltara para o marido, que vai saber o que ainda aprontaria, que enfim ir para a cama com Franco me parecia uma ninharia se comparado às turbulências de Lila. Tive que aceitar as piadas pérfidas das garotas, as sórdidas dos rapazes, seus olhares insistentes em meus seios grandes. Tive que rechaçar com modos rudes os modos rudes com que alguns se ofereceram para substituir meu ex-namorado. Tive que me resignar a que, diante de minhas recusas, os pretendentes respondessem com palavras vulgares. Seguia em frente de dentes travados e me dizia: vai acabar.

Depois aconteceu que, numa tarde, em um café de Via San Frediano, na frente de muitos estudantes, um de meus cortejadores rejeitados me gritou sério, enquanto eu saía com duas colegas: "Nápoles, não se esqueça de me devolver o pulôver azul que esqueci com você". Risadas, e saí sem replicar. Mas logo percebi que estava sendo seguida por um rapaz que eu já tinha notado nos cursos por causa de seu aspecto engraçado. Não era nem um jovem intelectual soturno como Nino nem um rapaz descontraído como Franco. Usava óculos, era timidíssimo, solitário, tinha uma juba embaraçada de cabelos pretíssimos, um corpo decididamente pesado, pés tortos. Me seguiu até o colégio e por fim me chamou:

"Greco."

Quem quer que fosse, conhecia meu sobrenome. Parei por educação. O jovem se apresentou: Pietro Airota, e me fez um discurso embaraçado, muito confuso. Disse que se envergonhava por seus colegas, mas que também detestava a si mesmo porque tinha sido vil e não interferira.

"Interferir para fazer o quê?", perguntei irônica, mas também espantada de que alguém como ele, curvo, de óculos espessos, aqueles ridículos cabelos, o ar e a linguagem de quem está sempre sobre os livros, se sentisse no dever de bancar o paladino de França como os rapazes do bairro.

"Para defender seu bom nome."

"Não tenho um bom nome."

Balbuciou algo que me pareceu um misto de desculpas e de despedida e foi embora.

No dia seguinte fui eu que o procurei, passei a me sentar ao lado dele nas aulas, fizemos longas caminhadas juntos. Ele me surpreendeu: assim como eu, já tinha começado a trabalhar na tese, assim como eu, a estava fazendo em literatura latina; mas à diferença de mim não falava "tese", dizia "trabalho"; e uma ou duas vezes lhe escapou "livro", um livro que estava levando a cabo e que publicaria logo depois do diploma. Trabalho? Livro? O que ele estava dizendo? Apesar de ter vinte e dois anos seu tom era grave, recorria continuamente a citações cultíssimas, se comportava como se já tivesse uma cátedra na Normal ou em alguma outra universidade.

"Você vai mesmo publicar a tese?", perguntei a ele certa vez, incrédula.

Me olhou igualmente espantado:

"Se for boa, sim."

"E todas as teses boas são publicadas?"

"Por que não?"

Ele estudava os ritos báquicos, eu, o quarto livro da *Eneida*. Murmurei:

"Talvez Baco seja mais interessante que Dido."

"Tudo é interessante se você sabe trabalhar bem."

Nunca falamos de coisas do dia a dia, nem da possibilidade de que os EUA dessem armas nucleares para a Alemanha Ocidental, nem se Fellini era melhor que Antonioni, como eu me habituara a fazer com Franco, mas só de literatura latina e literatura grega. Pietro tinha uma memória prodigiosa: sabia conectar textos distantes entre si e os recitava como se os tivesse diante dos olhos, mas sem pedantismo, sem presunção, quase como se fosse a coisa mais óbvia entre duas pessoas que se dedicam aos nossos estudos. Quanto mais o frequentei mais me dei conta de que era realmente notável, notável como eu jamais seria, porque ali onde eu era apenas cautelosa por medo de dar mancada, ele mostrava uma espécie de tranquila disposição ao pensamento ponderado, à afirmação nunca irrefletida.

Depois de duas ou três vezes que passeei com ele pelo Corso Italia ou entre o Duomo e o Camposanto, vi que tudo voltava a mudar em torno de mim. Numa manhã uma garota que eu conhecia me disse com amigável antipatia:

"O que você faz com os homens? Conquistou até o filho de Airota?"

Eu não sabia quem era Airota pai, mas o fato é que voltei a ouvir o tom respeitoso na boca dos colegas de curso e fui de novo convidada a festas e bares. A certa altura tive até a suspeita de que se dirigiam a mim porque eu andava com Pietro, já que normalmente ele ficava na dele. Comecei a fazer perguntas aos outros, todas para tentar entender que méritos tinha o pai de meu novo amigo. Descobri que ensinava literatura grega em Gênova, mas que também era uma figura proeminente do partido socialista. Essa notícia me deixou menos animada, tive medo de dizer ou de já ter dito frases ingênuas ou equivocadas na presença de Pietro. Enquanto ele continuava me falando de sua tese-livro, eu, por temor de dizer tolices, falava cada vez menos da minha.

Num domingo ele chegou esbaforido à faculdade, queria que eu almoçasse com sua família, pai, mãe e irmã, que tinha vindo encontrá-lo. Fiquei ansiosa, tentei me apresentar o mais bonita possível. Pensei: vou errar os subjuntivos, me acharão desajeitada, são gente muito fina, devem ter um carro enorme com motorista, o que vou dizer, devo estar com cara de tonta. Mas assim que os vi me acalmei. O professor Airota era um homem de estatura mediana dentro de uma roupa cinza bem amarrotada, tinha um rosto largo com sinais de cansaço e usava grandes óculos: quando tirou o chapéu, vi que era completamente calvo. Adele, sua esposa, era uma mulher magra, não bonita, mas fina, elegante sem exibicionismo. O carro era idêntico ao Millecento dos Solara antes de comprarem a Giulietta e, como descobri, quem o tinha guiado de Gênova a Pisa não era um chofer, mas Mariarosa, a irmã de Pietro, graciosa, olhos inteligentes, que logo me abraçou e me beijou como se fôssemos amigas há tempos.

"Foi você quem dirigiu de Gênova até aqui?", perguntei.

"Sim, eu gosto de dirigir."

"Foi difícil tirar a habilitação?"

"Que nada."

Tinha vinte e quatro anos e trabalhava como assistente da cátedra de história da arte na Universidade de Milão, estudava Piero della Francesca. Sabia tudo de mim, quer dizer, tudo o que ficara sabendo por seu irmão, meus interesses de estudo e só. As mesmas coisas que sabiam o professor Airota e sua esposa, Adele.

Passei com eles uma bela manhã, me deixaram à vontade. Diferentemente de Pietro, o pai dele, a mãe e a irmã tinham uma conversa muito variada. Durante o almoço, no restaurante do hotel onde estavam hospedados, o professor Airota e a filha tiveram, por exemplo, escaramuças afetuosas sobre temas políticos que eu tinha pescado de Pasquale, de Nino e de Franco, mas sobre os quais eu sabia substancialmente muito pouco ou nada. Palavras do tipo: vocês se deixaram cair na armadilha do interclassismo; você diz armadilha, eu digo mediação; mediação em que só vencem os democratas-cristãos, sempre; a política de centro-esquerda é difícil; se é difícil, voltem a ser socialistas; o estado está em crise e precisa urgentemente ser reformado; vocês não estão reformando nada; em nosso lugar, o que vocês fariam?; a revolução, a revolução, a revolução; a revolução se faz tirando a Itália da Idade Média: sem nós, socialistas, no governo, os estudantes que falam de sexo na escola estariam na cadeia, assim como os que distribuem folhetos pacifistas; quero ver como vocês vão se acertar com a Otan; sempre fomos contra a guerra e contra todos os imperialismos; vocês governam com os democratas-cristãos e continuam antiamericanos?

Assim, frases rápidas: um exercício polêmico que evidentemente dava prazer a ambos, talvez um hábito familiar de velha data. Reconheci neles, pai e filha, o que eu nunca tive e que — agora compreendi — nunca teria. O que era? Eu não era capaz de dizer com precisão: talvez o adestramento para sentir intimamente minhas questões sobre o mundo; a capacidade de percebê-las como cruciais, e não pura informação a ser exibida numa prova, de olho numa boa nota; uma forma mental que não reduzisse tudo a uma batalha individual, minha, no esforço de me afirmar. Mariarosa era gentil, o pai também; ambos tinham tons compassados, sem sequer uma sombra dos excessos verbais de Armando, o filho de Galiani, ou de Nino; e no entanto injetavam calor em fórmulas políticas que noutras ocasiões tinham me parecido frias, distantes de mim, utilizáveis apenas para não fazer feio. Provocando-se mutuamente, passaram sem interrupção dos bombardeios no Vietnã do Norte às revoltas estudantis nesse e naquele campus, aos mil focos de luta anti-imperialista na América Latina e na África. E a filha agora parecia mais informada que o pai. Quanta coisa Mariarosa conhecia, falava como se tivesse fontes de primeira mão, tanto que Airota a certa altura olhou a mulher ironicamente e Adele disse a ela:

"Você é a única que ainda não escolheu o doce."

"Vou querer a torta de chocolate", respondeu, interrompendo com uma careta engraçada.

Olhei para ela admirada. Dirigia o carro, vivia em Milão, ensinava na universidade, dava testa ao pai sem irritação. E eu? Estava assustada com a ideia de abrir a boca e, ao mesmo tempo, humilhada pelo meu silêncio. Não consegui me conter e disse a meia-voz:

"Depois de Hiroshima e Nagasaki, os americanos deveriam ser processados por crime contra a humanidade."

Silêncio. Toda a família pôs os olhos em mim. Mariarosa exclamou muito bem, me estendeu a mão, e eu a apertei. Me senti encorajada e logo borbulhei de palavras, fragmentos de velhas proposições memorizadas em tempos diversos. Falei de planificação e racionalização, de precipício social-democrata-cristão, de neocapitalismo, do que é uma estrutura, de revolução, de África, Ásia, escola materna, de Piaget, de conivências da polícia e do judiciário, de podridão fascista em cada articulação do estado. Fui confusa, apressada. Meu coração batia forte, esqueci com quem eu estava e onde me encontrava. No entanto senti à minha volta um clima crescente de consenso e fiquei feliz por ter me exposto, tive a impressão de ter me saído bem. Também gostei que ninguém daquela pequena e simpática família me tenha perguntado, como ocorria frequentemente, de onde eu vinha, o que meu pai fazia, e minha mãe. Era eu, eu, eu.

Continuei com eles conversando durante a tarde. E à noite passeamos todos juntos, antes de ir jantar. A cada passo o professor Airota encontrava gente que conhecia. Dois professores da universidade com suas esposas também pararam para cumprimentá-lo muito calorosamente.

## 108.

Mas já no dia seguinte não me senti bem. O tempo passado com os parentes de Pietro me deram mais uma prova de que o esforço da Normal era um equívoco. Não bastava o mérito, era preciso algo mais, e eu nem tinha isso nem saberia aprendê-lo. Que vergonha aquela cambulhada de palavras ansiosas, sem rigor lógico, sem calma, sem ironia, como ao contrário sabiam fazer Mariarosa, Adele, Pietro. Eu tinha assimilado a obstinação metódica da pesquisadora que submete à verificação até as vírgulas, isso sim, e dava demonstração disso nos exames, ou na tese que estava escrevendo. Mas de fato eu continuava sendo uma despreparada sem cultura, não possuía a couraça para avançar com passo tranquilo como eles faziam. O professor Airota era um deus imortal que dera a seus filhos armas encantadas antes da batalha. Mariarosa era invencível. Pietro, perfeito em sua plenitude superculta. E eu? Eu só podia ficar ao lado deles, brilhar graças a sua luz.

Fui tomada pela ansiedade de perder Pietro. Fui atrás dele, grudei, me afeiçoei. Mas esperei inutilmente que se declarasse. Uma noite o beijei na bochecha, e ele finalmente me beijou na boca. Começamos a nos encontrar em lugares apartados, à noite, esperando um pouco de escuro. Eu o bolinava, ele me bolinava, nunca quis me penetrar. Tive a impressão de ter voltado aos tempos de Antonio, no entanto a diferença era enorme. Havia a emoção de sair à noite com o filho de Airota e ganhar força por meio dele. De vez em quando pensava em ligar para Lila de um telefone público: queria dizer a ela que tinha esse novo namorado e que quase certamente nossas teses de graduação seriam publicadas, se tornariam de fato livros como os livros verdadeiros, com a capa, o título, o nome. Queria lhe dizer que não estava excluída a hipótese de que tanto ele quanto eu viéssemos a ensinar na universidade, a irmã dele, Mariarosa, era professora aos vinte e quatro anos. Queria também lhe dizer: você tem razão, Lila, quando lhe ensinam bem as coisas desde cedo, ao crescermos fazemos menos esforço em tudo, você se torna alguém que parece já ter nascido sabendo. Mas no fim desisti. Telefonar a ela para quê? Para ficar ouvindo em silêncio os casos dela? Ou, se me deixasse falar, para lhe dizer o quê? Eu sabia perfeitamente que comigo nunca aconteceria o que com certeza iria acontecer com Pietro. Sabia acima de tudo que ele logo desapareceria, assim como Franco, e que no fim das contas era melhor assim, porque eu não o amava, ficava com ele nas ruelas escuras e nos campos só para sentir menos medo.

## 109.

Perto das férias de Natal de 1966 tive um resfriado fortíssimo. Telefonei para uma vizinha de casa dos meus pais — finalmente agora no bairro velho muitos já tinham o aparelho — e avisei que não iria para as férias. Depois afundei em dias desolados de febre muito alta e tosse, enquanto a faculdade se esvaziava e ficava cada vez mais silenciosa. Não comia nada, tinha dificuldade até de beber. Certa manhã em que eu me deixara levar por uma letargia extenuante, escutei vozes altas, em meu dialeto, como quando no bairro as mulheres brigavam de uma janela a outra. Do fundo mais negro de minha cabeça me veio o passo conhecido de minha mãe. Não bateu, escancarou a porta e entrou carregada de bolsas.

Algo inimaginável. Tinha saído do bairro poucas vezes, no máximo para ir ao centro. Fora de Nápoles, que eu saiba, ela nunca tinha estado. No entanto entrara num trem, viajara de noite e viera despejar em meu quarto iguarias natalinas preparadas antecipadamente só para mim, frases briguentas em voz altíssima, ordens que deviam, como por magia, me restabelecer e me fazer viajar com ela naquela noite: porque ela precisava partir, em casa tinha outros filhos e meu pai.

Mais que a febre, foi ela quem me debilitou. Temi que a diretora aparecesse, de tanto que ela gritava e deslocava móveis, arrumava coisas sem cautela. A certo ponto tive a impressão de que ia desmaiar, fechei os olhos esperando que não me seguisse no escuro nauseante para o qual eu me sentia arrastada. Mas ela não se deteve diante de nada. Sempre em movimento pelo quarto, solícita e agressiva, me falou de meu pai, dos irmãos, dos vizinhos, dos amigos e, naturalmente, de Carmen, Ada, Gigliola e Lila.

Eu tentava não escutar, mas ela me perseguia dizendo: *entendeu o que ela fez, entendeu o que aconteceu?*, e me sacudia tocando meu braço ou um pé enterrado sob os cobertores. Descobri que, no estado de fragilidade devido à doença, eu estava mais sensível que de costume a tudo o que não suportava nela. Me irritei — e deixei claro — com o fato de, a cada palavra, ela querer demonstrar que todas as amigas de minha idade tinham fracassado terrivelmente, se comparadas a mim. "Pare com isso", murmurei. E ela nada, repetia continuamente: *já você.*

Mas o que mais me feriu foi notar por trás de seu orgulho de mãe o temor de que, de um momento para outro, tudo mudasse e eu de novo perdesse pontos, não lhe dando mais a ocasião de se vangloriar. Confiava pouco na estabilidade do mundo. Por isso me alimentou à força, enxugou meu suor, me obrigou a checar a febre não sei quantas vezes. Tinha medo de que eu morresse e a privasse de minha existência-troféu? Temia que, não tendo mais forças, eu cedesse e de algum modo andasse para trás, tivesse que voltar para casa sem nenhuma glória? Falou obsessivamente de Lila. Insistiu tanto que de repente intuí o quanto ela a tinha em consideração desde pequena. Ela também, minha mãe também, pensei, se deu conta de que Lila é melhor do que eu e agora está surpresa de que eu a tenha deixado para trás, acredita e não acredita, tem medo de perder o lugar de *mãe mais felizarda do bairro.* Olha como é combativa, olha quanta presunção tem nos olhos. Notei a energia que expandia em torno de si e pensei que o passo claudicante lhe demandara mais forças do que o normal para sobreviver, até lhe impor a ferocidade com que se movia dentro e fora da família. Já meu pai era o quê? Um homenzinho fraco, adestrado para ser subserviente e a estender a mão com discrição para embolsar pequenas gorjetas: com certeza jamais conseguiria superar todos os obstáculos e chegar lá dentro daquele edifício austero. Mas ela conseguira.

Quando foi embora e o silêncio voltou, de um lado me senti aliviada, de outro, por culpa da febre, fiquei comovida. Pensei nela sozinha, indagando a cada passante se estava na direção certa para a estação ferroviária, ela, a pé, com sua perna machucada, numa cidade desconhecida. Jamais gastaria em um ônibus, tinha o cuidado de não desperdiçar nem sequer cinco liras. Mas de todo modo conseguiria: compraria a passagem certa e tomaria os trens corretos, viajando à noite em assentos desconfortabilíssimos ou em pé, até Nápoles. Lá, em mais uma longa caminhada, rumaria até o bairro para voltar a lustrar e a cozinhar, e cortaria em pedaços a enguia, e prepararia a salada de acompanhamento, e o caldo de galinha, e os *struffoli*, sem repousar nem um instante, raivosa, mas dizendo para se confortar em alguma parte de sua mente: "Lenuccia é melhor que Gigliola, que Carmen, que Ada, que Lina, que todas".

## 110.

Segundo minha mãe, foi por culpa de Gigliola que a situação de Lila se tornou ainda mais insuportável. Tudo começou num domingo de abril, quando a família de Spagnuolo, o confeiteiro, convidou Ada para o cinema da paróquia. Depois, já na noite seguinte, após o fechamento das lojas, Gigliola passou na casa dela e disse: "O que você está fazendo aí sozinha? Venha ver televisão na casa de meus pais e traga Melina também". Uma coisa puxa outra, a convenceu também a sair à noite com Michele Solara, seu noivo. Foram muitas vezes à pizzaria: Gigliola, o irmão menor, Michele, Ada e Antonio. A pizzaria ficava no centro, em Santa Lucia. Michele guiava, Gigliola se sentava toda bonita a seu lado e nos bancos de trás iam Lello, Antonio e Ada.

Antonio não gostava da ideia de passar o tempo livre com seu patrão e no início tentou dizer a Ada que tinha outros compromissos. Porém, quando Gigliola mencionou que Michele se irritara bastante com aquela recusa, enterrou a cabeça nos ombros e a partir de então obedeceu. A conversa quase sempre se limitava às duas jovens, Michele e Antonio não trocavam uma só palavra, aliás, frequentemente Solara deixava a mesa e ia bater papo com o dono da pizzaria, com quem tinha vários negócios. O irmão de Gigliola comia a pizza e se aborrecia quietamente.

O tema preferido das duas garotas era o amor entre Ada e Stefano. Falavam dos presentes que ele lhe dera e continuava dando, da viagem maravilhosa a Estocolmo em agosto do ano anterior (quantas mentiras Ada tivera de dizer ao coitado do Pasquale), de como na charcutaria ele a tratava melhor do que se fosse a dona. Ada se enternecia, falava e falava. Gigliola ficava ouvindo e de vez em quando dizia coisas do tipo:

"A Igreja, se quiser, pode anular um casamento."

Ada interrompia e franzia o cenho:

"Eu sei, mas é difícil."

"Difícil, mas não impossível. É preciso recorrer à Sagrada Rota."

"O que é isso?"

"Não sei exatamente, mas a Sagrada Rota pode passar por cima de tudo."

"Tem certeza?"

"Foi o que li."

Ada ficou felicíssima com aquela inesperada amizade. Até aquele momento vivera sua história calada, muda, entre muitos medos e remorsos. Agora descobria que falar sobre o assunto lhe fazia bem, lhe dava boas razões, cancelava a culpa. O que estragava seu alívio era apenas a hostilidade do irmão, e de fato, ao voltarem para casa, não paravam de brigar. Uma vez Antonio esteve a ponto de enchê-la de tapas e lhe gritou:

"Mas por que diabo você conta seus casos a todo mundo? Não vê que assim está fazendo papel de vagabunda, e eu, de cafetão?"

Ela lhe disse com o tom mais hostil de que era capaz:

"Sabe por que Michele Solara sai para jantar com a gente?"

"Porque é meu patrão."

"Ah, com certeza."

"Então por quê?"

"Porque eu estou com Stefano, que é alguém importante. Se eu esperasse você, eu ainda era a filha de Melina e continuaria sendo."

Antonio perdeu o controle e disse:

"Você não *está* com Stefano, você é a *puta* de Stefano".

Ada desandou a chorar.

"Não é verdade, Stefano só gosta de mim."

Uma noite as coisas ficaram ainda piores. Estavam em casa, tinham acabado de jantar. Ada lavava os pratos, Antonio fixava o vazio, a mãe cantarolava uma velha canção enquanto varria o chão com energia excessiva. A certa altura Melina passou sem querer a vassoura sobre os pés da filha e foi terrível. Havia uma crença — não sei se ainda existe — segundo a qual, caso se passasse a vassoura nos pés de uma solteira, ela nunca mais se casaria. Ada viu seu futuro num relâmpago. Deu um pulo para trás como se tivesse sido roçada por uma barata, e o prato que segurava nas mãos voou sobre o assoalho.

"Você varreu meus pés", gritou deixando a mãe boquiaberta.

"Não foi de propósito", disse Antonio.

"Foi de propósito, sim. Vocês não querem que eu me case, está ótimo que eu fique aqui penando, vocês querem me manter aqui a vida toda."

Melina tentou abraçar a filha dizendo não, não, não, mas Ada a rechaçou brutalmente, tanto que a mulher recuou, bateu contra uma cadeira e se estatelou no chão entre os cacos do prato quebrado.

Antonio correu para ajudar a mãe, mas agora Melina gritava de medo, medo do filho, da filha, das coisas ao redor. Ada por sua vez gritava mais que ela e dizia:

"Vocês vão ver que eu me caso, e depressa, porque se Lila não sair por conta própria eu mesma vou arrancá-la de lá, e até da face da terra."

Naquela altura Antonio saiu de casa batendo a porta. Mais desesperado que de hábito, nos dias seguintes tentou esquivar-se daquela nova tragédia em sua vida, buscou fazer-se de surdo-mudo, evitou passar em frente à charcutaria velha e, se por acaso cruzava com Stefano Carracci, olhava para o outro lado antes que lhe aumentasse a vontade de descer-lhe a porrada. Sentia dores de cabeça, já não entendia o que era certo ou errado. Tinha sido correto não entregar Lila a Michele? Tinha sido correto dizer a Enzo que a trouxesse de volta para casa? Se Lila não tivesse voltado para casa a situação de sua irmã teria mudado? Tudo acontece por acaso, raciocinava, sem o bem e sem o mal. Mas naquele ponto o cérebro se obstruía e, na primeira oportunidade, quase para se libertar de sonhos ruins, voltava a brigar com Ada. Gritava: "Mas ele é um homem casado, sua idiota: tem um filho pequeno, você é pior do que a mãe, não tem senso das coisas". Então Ada corria para Gigliola e desabafava: "Meu irmão é maluco, meu irmão quer me matar."

Foi assim que, numa tarde, Michele chamou Antonio e o mandou fazer um longo trabalho na Alemanha. Ele não discutiu, ao contrário, obedeceu de bom grado e partiu sem se despedir nem da irmã nem de Melina. Dava por certo que em terra estrangeira, entre gente que falava como os nazistas no cinema da igreja, o esfaqueariam, lhe dariam um tiro, e estava contente. Considerava mais insuportável continuar assistindo de mãos atadas ao sofrimento da mãe e de Ada a morrer assassinado.

A única pessoa que quis encontrar antes de entrar num trem foi Enzo. Ele estava muito ocupado: naquele período estava tentando vender tudo, o burro, a carroça, o negocinho da mãe, uma horta à beira da ferrovia. Queria dar parte do que conseguisse a uma tia solteira que se oferecera para cuidar dos irmãos menores.

"E você?", perguntou Antonio.

"Estou procurando emprego."

"Quer mudar de vida?"

"Quero."

"Faz bem."

"É uma necessidade."

"Já eu sou o que sou."

"Bobagem."

"É assim, mas tudo bem. Agora preciso viajar e não sei quando volto. Por favor, de vez em quando você poderia dar uma olhada em minha mãe, minha irmã, nos meninos?"

"Se eu continuar no bairro, sim."

"A gente errou, Enzú, não era o caso de ter trazido Lina para casa."

"Pode ser."

"É uma zona, nunca se sabe o que é preciso fazer."

"É."

"Tchau."

"Tchau."

Nem sequer apertaram as mãos. Antonio chegou à Piazza Garibaldi e tomou o trem. Fez uma longuíssima, insuportável viagem, noite e dia, com muitas vozes raivosas lhe correndo pelas veias. Sentiu-se exausto depois de poucas horas, os pés formigavam, não viajava desde que tinha voltado do serviço militar. De vez em quando descia para pegar um pouco de água do bebedouro, mas tinha medo de que o trem tornasse a partir. Mais tarde me contou que se sentira tão deprimido na estação de Florença que chegou a pensar: paro aqui e vou procurar Lenuccia.

111.

Com a partida de Antonio, a ligação entre Gigliola e Ada ficou fortíssima. Gigliola sugeriu o que a filha de Melina já tinha em mente há tempos, ou seja, que ela não devia mais esperar, a situação matrimonial de Stefano precisava ser rompida. "Lina deve sair daquela casa", disse a ela, "e você deve entrar: se esperar demais, o encantamento acaba e você perde tudo, até o emprego na charcutaria, porque aí ela vai recuperar terreno e obrigar Stefano a demitir você." Gigliola chegou a confidenciar que falava por experiência, que ela estava com o mesmíssimo problema em relação a Michele. "Se eu esperar que ele se decida a casar comigo", sussurrou, "acabo ficando velha; por isso não lhe dou trégua: ou nos casamos até a primavera de 1968, ou me separo dele, e vá se foder."

Foi assim que Ada passou a emaranhar Stefano numa rede de genuíno e viscoso desejo, que o fazia se sentir um homem especial, e enquanto isso lhe murmurava entre beijos: "Você precisa se decidir, Sté, ou fica comigo ou com ela; não digo que você deva botá-la no olho da rua com o menino, ele é seu filho, você tem obrigações; mas faça como hoje estão fazendo tantos atores e pessoas importantes: dê a ela um pouco de dinheiro e pronto. Todos no bairro já sabem que eu sou sua verdadeira mulher, então quero ficar sempre, sempre, sempre com você."

Stefano respondia que sim e a apertava forte na caminha desconfortável do Rettifilo, mas depois não fazia muita coisa, exceto voltar para casa e gritar com Lila, ora porque não havia meias limpas, ora porque a tinha visto enquanto falava com Pasquale ou algum outro.

Nessa altura Ada começou a se desesperar. Num domingo de manhã encontrou Carmen, que lhe falou em tom muito recriminador das condições de trabalho nas duas charcutarias. Palavra vai, palavra vem, começaram a cuspir veneno sobre Lila, que ambas, por motivos diferentes, consideravam a origem de todos os seus males. Por fim Ada não resistiu e contou sua situação sentimental, perdendo de vista que Carmen era a irmã de seu ex-namorado. E Carmen, que não via a hora de também entrar na rede das fofocas, escutou com grande prazer, interferiu várias vezes para atiçar fogo, tentou com seus conselhos fazer todo o mal possível a Ada, que tinha traído Pasquale, e a Lila, que a tinha traído. Mas, devo dizer, prescindindo dos rancores, havia o prazer de lidar com uma pessoa — sua amiga de infância —

que se encontrara nada menos que no papel de amante de um homem casado. E embora nós, meninas do bairro, desde pequenas quiséssemos nos tornar esposas, de fato, ao crescer, quase sempre simpatizávamos com as amantes, que nos pareciam personagens mais animadas, mais combativas e sobretudo mais modernas. Por outro lado, esperávamos que, adoecendo gravemente e morrendo a legítima esposa (em geral uma mulher muito pérfida, ou de todo modo infiel há tempos), a amante deixaria de sê-lo e coroaria seu sonho de amor se tornando esposa. Em suma, estávamos do lado da infração, mas só para que se reafirmasse o valor da regra. Consequentemente, mesmo entre muitos conselhos sub-reptícios, Carmen acabou aderindo com entusiasmo à história de Ada, experimentou emoções verdadeiras e um dia lhe disse com toda a franqueza: "Você não pode continuar assim, deve expulsar aquela cretina, se casar com Stefano, lhe dar filhos seus. Pergunte aos Solara se eles conhecem alguém da Sagrada Rota".

Ada imediatamente associou os conselhos de Carmen aos de Gigliola e certa noite, na pizzaria, se dirigiu diretamente a Michele: "Você tem acesso a essa Sagrada Rota?"

Ele respondeu irônico:

"Isso eu não sei, posso perguntar, sempre se acha um amigo. Mas agora cuide de pegar o que é seu, isso é a coisa mais urgente. E não se preocupe com nada: se alguém quiser lhe fazer mal, mande-o me procurar."

As palavras de Michele foram muito importantes, Ada se sentiu apoiada, nunca em sua vida sentira tanta aprovação em torno de si. Mas nem a insistência de Gigliola, nem os conselhos de Carmen, nem aquela inesperada promessa de proteção por parte de uma autoridade masculina de grande peso, ou mesmo a raiva porque, em agosto, Stefano não quisera fazer uma viagem ao exterior como no ano precedente, mas tinham apenas ido algumas vezes ao Sea Garden, foram suficientes para levá-la ao ataque. Foi necessário um autêntico fato novo e concreto: a descoberta de que estava grávida.

A gravidez deixou Ada furiosamente feliz, mas guardou a notícia para si, não falou nem sequer com Stefano. Numa tarde tirou o avental, deixou a charcutaria como para pegar um pouco de ar e foi para a casa de Lila.

"Aconteceu alguma coisa?", perguntou perplexa a senhora Carracci, abrindo-lhe a porta.

Ada respondeu:

"Não aconteceu nada que você já não saiba."

Entrou e lhe disse de tudo, na presença do menino. Começou calma, falou de atores e até de ciclistas, se definiu uma espécie de dama branca, mas mais moderna, e aludiu à Sagrada Rota para demonstrar que até a Igreja e Deus, em certos casos em que o amor é muito forte, dissolvem os matrimônios. Como Lila ficou ouvindo sem jamais a interromper, coisa que Ada nunca teria esperado — ao contrário, esperava que ela dissesse pelo menos meia palavra para fazê-la espumar sangue de tanta pancada —, ficou nervosa e começou a andar pelo apartamento, primeiro para lhe mostrar que tinha estado várias vezes naquela casa e a conhecia perfeitamente, depois, para lhe jogar na cara: "Olha que nojo, os pratos sujos, a poeira, meias e cuecas ainda pelo chão, não é possível que aquele coitadinho tenha de viver assim". Por fim, tomada de um frenesi incontrolável, passou a recolher os panos sujos pelo chão do quarto gritando: "A partir de amanhã eu venho pôr tudo em ordem. Você não sabe nem fazer a cama, olhe aqui, Stefano não suporta que o lençol seja dobrado assim, ele me disse que já lhe explicou mil vezes, e você nada". Nesse ponto parou de golpe, confusa, e disse em voz baixa:

"Você tem de ir embora, Lina, porque se não for eu mato o menino."

Lila só conseguiu responder:

"Você está se comportando como sua mãe, Ada."

Estas foram as palavras. Agora imagino sua voz: nunca foi capaz de tons comovidos, como sempre, deve ter falado com gélida maldade, ou distanciamento. No entanto, anos depois me contou que, ao ver Ada em sua casa naquele estado, se lembrou dos urros de Melina, a amante abandonada, quando a família Sarratore tinha deixado o bairro, e reviu o ferro de passar voando da janela e quase matando Nino. Lá estava a longa chama do sofrimento, que então a impressionara bastante, ardendo de novo em Ada; só que agora não era a mulher de Sarratore que a alimentava, mas ela, Lila. Um horrível jogo de espelhos que, na época, escapou a todas nós. Mas não a ela, e por isso é provável que, em vez de irritação, em vez de sua costumeira determinação em fazer mal, ela tenha experimentado amargura e piedade. O fato é que tentou segurar sua mão e falou:

"Sente-se, vou lhe preparar um chá de camomila."

Mas em cada palavra de Lila, da primeira à última, e sobretudo naquele gesto, Ada só viu um insulto. Retraiu-se num choque, revirou os olhos de modo impressionante, mostrando a parte branca do globo, e quando reapareceram as pupilas gritou:

"Você está dizendo que eu sou louca? Que sou louca como minha mãe? Pois então tome muito cuidado, Lina. Não me toque, saia da frente e prepare a camomila para você. Enquanto isso eu limpo esta porcaria de casa."

Varreu, lavou os assoalhos, refez a cama e durante todo o tempo não disse mais nada.

Lila a acompanhou com o olhar, temendo que se rompesse como um corpo artificial sujeito a uma aceleração excessiva. Depois pegou o menino e saiu, perambulou demoradamente pelo bairro novo falando com Rinuccio, indicando-lhe as coisas, nomeando-as, inventando fábulas. Mas fez isso mais para controlar a angústia do que para entreter o menino. Só voltou para casa quando, de longe, viu Ada sair pelo portão e correr como se estivesse atrasada.

**112.**

Quando Ada voltou ao trabalho sem fôlego, agitadíssima, Stefano lhe perguntou carrancudo, mas calmo: "Onde você esteve?". Ela respondeu diante das clientes à espera de serem atendidas: "Colocando em ordem sua casa, estava um nojo". E, voltando-se para o público do outro lado do balcão: "Na cômoda havia tanta poeira que era possível escrever em cima."

Stefano não disse nada, decepcionando as clientes. Quando a loja esvaziou e deu o horário de fechamento, Ada limpou e varreu, sempre vigiando o amante com o canto do olho. Nada, ele fazia as contas sentado no caixa, fumando cigarros americanos de cheiro intenso. Uma vez apagada a última bituca, pegou a barra para descer a porta, mas a abaixou pelo lado de dentro.

"O que você está fazendo?", perguntou Ada alarmada.

"Vamos sair pela porta dos fundos."

Depois disso bateu na cara dela tantas vezes, primeiro com a palma, depois com o dorso, que ela se apoiou no balcão para não desmaiar. "Como você se atreveu a ir à minha casa?", disse a ela com a voz engasgada pela vontade de não gritar. "Como você se permitiu incomodar minha mulher e meu filho?". Por fim se deu conta de que seu coração estava explodindo e tentou se acalmar. Era a primeira vez que batia nela. Murmurou tremendo: "Não faça isso nunca mais", e foi embora deixando-a sangrando na loja.

No dia seguinte Ada não foi trabalhar. Machucada como estava, se apresentou na casa de Lila, e Lila, quando viu os hematomas que tinha no rosto, a fez entrar imediatamente.

"Você me faz uma camomila?", disse a filha de Melina.

Lila fez.

"O menino é lindo."

"É."

"Idêntico a Stefano."

"Não."

"Tem os mesmo olhos e a mesma boca."

"Não."

"Se você precisa ler seus livros, faça isso. Eu cuido da casa e de Rinuccio."

Lila a fixou, dessa vez quase divertida, e então disse:

"Faça o que quiser, mas não se aproxime do menino."

"Não se preocupe, não vou fazer nada a ele."

Ada começou a trabalhar: arrumou, lavou as roupas, estendeu-as ao sol, cozinhou o almoço, preparou o jantar. A certa altura parou, encantada com a maneira como Lila brincava com Rinuccio.

"Quantos anos ele tem?"

"Dois anos e quatro meses."

"É pequeno, você o força demais."

"Não, ele faz o que pode fazer."

"Eu estou grávida."

"O quê?"

"Isso mesmo."

"De Stefano?"

"Claro."

"E ele sabe?"

"Não."

Naquele momento Lila compreendeu que seu casamento estava por um fio, mas, como sempre lhe acontecia nos instantes em que percebia uma reviravolta iminente, não sentiu nem desgosto, nem angústia, nem preocupação. Quando Stefano chegou, encontrou a mulher lendo na sala de estar, Ada brincando na cozinha com o menino, o apartamento cheirando a limpo e brilhando como um único e grande objeto precioso. Notou que a surra não tinha adiantado, ficou branco, perdeu o fôlego.

"Vá embora", disse a Ada em voz baixa.

"Não."

"O que você meteu na cabeça?"

"Que vou ficar aqui."

"Você quer me deixar doido?"

"Quero, assim seremos dois."

Lila fechou o livro, pegou o menino sem dizer nada e se retirou para o quarto onde, tempos antes, eu tinha estudado e onde agora Rinuccio dormia. Stefano sussurrou à amante:

"Assim você me desgraça. Não é verdade que você gosta de mim, Ada, você quer que eu perca toda a clientela, quer me reduzir à miséria, e sabe que a situação já não é boa. Por favor, me diga o que quer e eu lhe dou."

"Quero estar sempre com você."

"Sim, mas não aqui."

"Aqui."

"Aqui é minha casa, tem Lina, tem Rinuccio."

"A partir deste momento tem eu também: estou grávida."

Stefano se sentou. Ficou em silêncio olhando a barriga de Ada em pé diante dele, como se estivesse atravessando seu vestido, a roupa de baixo, a pele, como se visse o menino já formado, um ser vivo já pronto, prestes a saltar sobre ele. Depois bateram na porta.

Era um garçom do bar Solara, um rapaz de dezesseis anos recém-contratado. Disse a Stefano que Michele e Marcello queriam encontrá-lo com urgência. Stefano se recuperou e, no momento, considerou aquele chamado uma salvação, tendo em vista a tempestade que enfrentava em casa. Disse a Ada: "Não saia daqui". Ela sorriu para ele, fez sinal que sim. Saiu e foi de carro encontrar os Solara. Em que confusão eu me meti, pensou. O que devo fazer? Se meu pai estivesse vivo me arrebentaria as pernas com uma barra de ferro. Mulheres, dívidas, a caderneta vermelha da senhora Solara. Algo não tinha dado certo. Lina. Ela o tinha arruinado. Que merda Marcello e Michele querem a esta hora, com tanta urgência?

HISTÓRIA DO NOVO SOBRENOME  425

Queriam — como descobriu — a charcutaria antiga. Não disseram, mas o deixaram intuir. Marcello se limitou a falar de um outro empréstimo que estavam dispostos a lhe conceder. Porém, disse, os calçados Cerullo devem passar definitivamente para nós, basta com aquele preguiçoso do seu cunhado, não é de confiança. E é preciso uma garantia, um ativo, um imóvel, pense nisso. Logo em seguida foi embora, disse que tinha um compromisso. Naquela altura Stefano ficou cara a cara com Michele. Discutiram longamente para ver se era possível salvar a fabriqueta de Rino e de Fernando, se era possível dispensar aquilo que Marcello chamara de garantia. Mas Michele balançou a cabeça e disse:

"Precisamos de garantias, os escândalos não fazem bem aos negócios."

"Não estou entendendo."

"Mas eu estou. De quem é que você gosta mais, de Lina ou de Ada?"

"Não é problema seu."

"Não, Sté, quando se trata de dinheiro, seus problemas são meus problemas."

"E o que você quer que eu lhe diga? Somos homens, você sabe como funciona. Lina é minha esposa, Ada é outra coisa."

"Quer dizer que você gosta mais de Ada?"

"Sim."

"Então ajeite a situação e depois conversamos."

Passaram-se dias e dias terríveis antes que Stefano achasse um meio de se safar daquele imbróglio. Brigas com Ada, brigas com Lila, o trabalho abandonado, a charcutaria antiga muitas vezes fechada, o bairro que observava, fixava na memória e ainda se recorda. O belo casal de noivos. O conversível. Passa Soraya com o xá da Pérsia, passam John e Jacqueline. No final Stefano se resignou e disse a Lila:

"Encontrei um lugar muito fino, adequado para você e para Rinuccio."

"Como você é generoso."

"Irei duas vezes por semana para encontrar o menino."

"Por mim você nem precisa mais vê-lo; aliás, não é seu filho."

"Você é uma estúpida, quer me forçar a lhe quebrar a cara?"

"Quebre minha cara quando quiser, já fiz o calo. Mas pense em seu filho que eu penso no meu."

Ele bufou, se enfureceu, tentou de fato acertá-la. Por fim disse: "O local é no Vomero."

"Onde?"

"Vamos lá amanhã e você vai ver. É em Piazza degli Artisti."

Lila se lembrou num instante da proposta que Michele lhe fizera tempos atrás: *"Comprei uma casa no Vomero, na Piazza degli Artisti. Se quiser, vamos agora mesmo para lá, você vai ver, peguei a casa pensando em você. Ali você pode fazer o que quiser: ler, escrever, inventar coisas, dormir, rir, conversar e estar com Rinuccio. Eu só quero poder olhar para você e ficar ouvindo"*. Balançou a cabeça, incrédula, e disse ao marido:

"Você é mesmo um *omm'e mmerd.*"


**113.**


Agora Lila está entrincheirada no quarto de Rinuccio, pensando no que fazer. Para a casa da mãe e do pai não volta nunca mais: o peso de sua vida lhe pertence, não quer tornar a ser filha. Com o irmão não pode contar: Rino está fora de si, implica com Pinuccia para se vingar de Stefano e começou a brigar até com a sogra, Maria, porque está desesperado, sem mais um tostão, cheio de dívidas. Conta apenas com Enzo: confiou e confia nele, embora nunca tenha dado as caras; aliás, parece até ter sumido do bairro. Raciocina: ele me prometeu que me tiraria daqui. Mas às vezes acha que não vai manter a promessa, teme que lhe cause problemas. Não se preocupa com um eventual confronto com Stefano, o marido já renunciou a ela, e além disso é covarde, mesmo tendo a força de uma besta feroz. No entanto teme Michele Solara. Não hoje, não amanhã, mas quando nem eu me lembre mais dele, aí aparecerá na minha frente e, se eu não me dobrar, vai me fazer pagar caro, e vai fazer pagar caro quem quer que me tenha ajudado. Por isso é melhor ir embora sem envolver ninguém. Preciso encontrar um trabalho, qualquer um, de modo a ganhar o suficiente para matar a fome do menino e lhe dar um teto.

Só de pensar no filho ela perde as forças. O que foi parar na cabeça de Rinuccio: imagens, palavras. Preocupa-se com as vozes descontroladas que chegaram até ele. Quem sabe se ouviu a minha enquanto o carregava na barriga. Quem sabe como ela ficou gravada em seus nervos. Se sentiu amado, se sentiu rejeitado, notou minha agitação. Como se protege um filho. Alimentando-o. Amando-o. Ensinando-lhe as coisas. Servindo de filtro para cada sensação que possa mutilá-lo para sempre. Perdi seu verdadeiro pai, que não sabe nada sobre ele e nunca o amará. Stefano, que não é o pai e no entanto chegou a amá-lo um pouco, nos vendeu pelo amor de outra mulher e de um filho mais verdadeiro. O que acontecerá com este menino. Rinuccio já sabe que, quando vou para outro cômodo, ele não me perde, continuo a estar aqui. Se sai bem com objetos e fantasmas de objetos, com o fora e com o dentro. Sabe comer sozinho com a colherinha e o garfo. Manipula coisas e formas, transforma-as. Da palavra passou para a frase. Em italiano. Não diz mais ele, diz eu. Reconhece as letras do alfabeto e as compõe de modo a escrever o nome. Ama as cores. É alegre. Mas toda essa fúria. Me viu ser insultada e espancada. Me viu quebrar coisas e ofender. Em dialeto. Não posso mais ficar aqui.

**114.**

Lila só saía sorrateiramente do quarto quando Stefano não estava, nem Ada. Preparava comida para Rinuccio, beliscava algo ela mesma. Sabia que o bairro estava fofocando, que as vozes corriam. Num fim de tarde de novembro o telefone tocou.

"Daqui a dez minutos estarei aí."

Conseguiu reconhecê-lo pela voz e, sem grande surpresa, respondeu:

"Tudo bem". E então: "Enzo".

"Sim."

"Você não é obrigado a fazer isso."

"Eu sei."

"Os Solara estão envolvidos."

"Que se fodam os Solara."

Chegou exatamente dez minutos depois. Subiu, ela colocara as coisas dela e do menino em duas malas e deixara sobre o criado-mudo do quarto todas as joias, inclusive o anel de noivado e a aliança.

"É a segunda vez que vou embora", disse a ele, "mas desta vez não volto atrás."

Enzo olhou em torno, nunca tinha estado naquela casa. Ela o puxou por um braço:

"Stefano pode chegar de repente, às vezes faz isso."

"E qual o problema?", disse ele.

Tocou em objetos que lhe pareciam caros, um vaso de flores, um cinzeiro, a prataria reluzente. Folheou um caderninho onde Lila anotava o que precisava comprar para o menino e para a casa. Então lhe lançou um olhar indagador, perguntou a ela se estava segura da escolha. Disse que tinha encontrado trabalho numa fábrica em San Giovanni a Teduccio e alugara uma casa lá, de três cômodos, a cozinha um tanto escura. "Mas tudo o que Stefano lhe deu", acrescentou, "você não terá mais: eu não posso lhe dar." Por fim observou:

"Talvez você tenha medo por não estar convencida."

"Estou convencida", disse ela, pegando Rinuccio no colo com um gesto de impaciência, "e não tenho medo de nada. Vamos." Ele se demorou mais um pouco. Destacou uma folha do caderninho de despesas e escreveu algo. Deixou a folha sobre a mesa.

"O que você escreveu?"

"O endereço em San Giovanni."

"Por quê?"

"Não estamos brincando de esconde-esconde."

Pegou finalmente as malas e começou a descer as escadas. Lila trancou a porta à chave e a deixou na fechadura.

## 115.

Eu não sabia nada de San Giovanni a Teduccio. Quando me disseram que Lila tinha ido morar naquele lugar com Enzo, a única coisa que me veio à mente foi a fábrica de Bruno Soccavo, o amigo de Nino, uma empresa que produzia embutidos e ficava justo naquela zona. A associação de ideias me incomodou. Havia tempos eu não pensava mais no verão em Ischia: foi a ocasião para eu perceber que a fase feliz daquelas férias tinha se apagado, ao passo que o lado desagradável se expandira. Descobri que cada som de então, cada perfume me repugnava, mas o que na minha memória, surpreendentemente, me pareceu mais insuportável, a ponto de me provocar longos choros, foi a noite nos Maronti com Donato Sarratore. Somente a dor pelo que estava acontecendo entre Lila e Nino podia ter me levado a considerá-la prazerosa. À distância de tanto tempo, me dei conta de que aquela primeira experiência de penetração, no escuro, sobre a areia fria, com aquele homem banal que era o pai do jovem que eu amava, tinha sido degradante. Senti vergonha, e essa vergonha se somou a outras vergonhas de natureza diferente, que eu estava experimentando.

Trabalhava noite e dia na tese, atormentava Pietro lendo em voz alta o que eu tinha escrito. Ele era gentil, balançava a cabeça, pescava de memória em Virgílio e noutros autores latinos passagens que pudessem ser úteis para mim. Eu anotava cada palavra que saía de sua boca e trabalhava, mas de mau humor. Oscilava entre sentimentos opostos. Buscava ajuda e me sentia humilhada ao pedi-la, ficava agradecida e ao mesmo tempo hostil, detestava principalmente que fizesse de tudo para que sua generosidade não pesasse sobre mim. O que me dava mais ansiedade era estar ao lado dele, antes dele, depois dele, submetendo minha pesquisa ao assistente que nos acompanhava, um homem de seus quarenta anos, sério, atento, às vezes até sociável. Via que Pietro era tratado como se já tivesse uma cátedra, e eu, como uma normal aluna brilhante. Muitas vezes eu desistia de falar com o docente por raiva, por arrogância, por temor de precisar me dar conta de minha inferioridade constitutiva. Preciso fazer melhor que Pietro, pensava, ele sabe muito mais coisas que eu, mas é opaco, não tem fantasia. Seu modo de proceder, o modo que gentilmente tentava me sugerir, era demasiado cauteloso. Assim eu desfazia meu trabalho, recomeçava, perseguia uma ideia que me parecia impensada. Quando voltava a procurar o professor, sim, era ouvida, era elogiada, mas sem gravidade, como se meu esforço fosse apenas um jogo bem jogado. Logo compreendi que Pietro Airota tinha um futuro, e eu, não.

A isso se somou, certa vez, minha ingenuidade. O assistente me tratou com amizade e disse:

"Você é uma estudante de enorme sensibilidade. Pensa em ensinar depois de se formar?"

Achei que estivesse falando de ensinar na universidade e tive um tremor de alegria, senti meu rosto queimar. Disse que adorava tanto o ensino quanto a pesquisa, disse que gostaria de continuar trabalhando no quarto livro da *Eneida*. Ele percebeu imediatamente o mal-entendido e se envergonhou. Amontoou frases genéricas sobre o prazer de estudar durante toda a vida e me aconselhou um concurso que haveria no outono, poucas cátedras em disputa nos institutos de magistério.

"Temos necessidade", me exortou subindo de tom, "de ótimos docentes que formem ótimos professores."

Simples assim. Vergonha, vergonha, vergonha. Essa pretensão que crescera dentro de mim, essa ambição de ser como Pietro. A única coisa que eu tinha em comum com ele eram as pequenas trocas sexuais quando a noite chegava. Ele arfava, se esfregava em mim, não pedia nada que eu não lhe concedesse espontaneamente.

Empaquei. Por um período não consegui trabalhar na tese, olhava as páginas dos livros sem enxergar as linhas. Ficava na cama olhando para o teto, me perguntando sobre o que fazer. Desistir justo no final, voltar para o bairro. Tirar o diploma, ensinar na escola média. Professora. Sim, mais que a Oliviero. No nível da Galiani. Ou talvez não, um pouco menos. Professora Greco. No bairro seria considerada personagem de destaque, a filha do contínuo que desde pequena sabia tudo. Somente eu, que tinha conhecido Pisa, os professores importantes, e Pietro, Mariarosa, o pai deles, saberia com clareza que não tinha ido muito longe. Um grande esforço, muitas esperanças, belos momentos. Sentiria saudades por toda a vida dos tempos com Franco Mari. Como tinham sido lindos aqueles meses, os anos com ele. Na época eu não tinha percebido a importância, e agora me entristecia. A chuva, o frio, a neve, os cheiros da primavera ao longo do Arno e nas ruazinhas floridas da cidade, o calor que nos transmitiam. Escolher uma roupa, os óculos. O prazer dele em me modificar. E Paris, a viagem excitante em terra estrangeira, os cafés, a política, a literatura, a revolução que logo chegaria, ainda que a classe operária estivesse se integrando. E ele. O quarto dele à noite. Seu corpo. Tudo terminado, e eu me virava nervosa na cama sem conseguir dormir. Estou mentindo para mim, pensava. Tinha sido realmente tão bom assim? Sabia bem que, mesmo então, havia a vergonha. E incômodos, humilhações, desgosto: aceitar, suportar, se forçar. Será possível que nem os momentos felizes de prazer resistam a um exame rigoroso? Sim. A escuridão dos Maronti logo se alongou até o corpo de Franco e depois até o corpo de Pietro. Evitei as lembranças.

A partir de certo momento encontrei Pietro cada vez menos, com a desculpa de que estava atrasada e perigava não concluir a tese no prazo. Numa manhã comprei um caderno quadriculado e comecei a escrever em terceira pessoa sobre o que me acontecera aquela noite na praia, em Barano. Depois, sempre em terceira pessoa, escrevi sobre o que me acontecera em Ischia. Depois contei um pouco sobre Nápoles e o bairro. Depois mudei nomes, lugares e situações. Depois imaginei uma força obscura escondida na vida da protagonista, uma entidade que tinha a capacidade de soldar o mundo a sua volta com as cores do maçarico: uma calota azul-violácea onde tudo ia às maravilhas, espalhando centelhas, mas que logo se dessoldava, cindindo-se em fragmentos cinza e desprovidos de sentido. Demorei vinte dias escrevendo aquela história, um lapso de tempo em que não vi ninguém, saía apenas para andar e comer. No final reli algumas páginas, não gostei e deixei de lado. Entretanto me senti mais tranquila, como se a vergonha tivesse passado de mim para o caderno. Voltei a circular, terminei a tese às pressas, retomei os encontros com Pietro.

Sua gentileza e sua solicitude me comoveram. Quando se formou, sua família compareceu em peso, e também muitos amigos pisanos dos pais. Me dei conta, surpresa, de que não sentia mais hostilidade por aquilo que aguardava Pietro, pelo propósito de sua vida. Ao contrário, fiquei feliz de que tivesse um destino tão bonito e fui grata a toda a família por ter me convidado à festa depois da formatura. Especialmente Mariarosa se desdobrou em atenções comigo. Discutimos acaloradamente sobre o golpe de estado fascista na Grécia.

Me formei na sessão seguinte. Evitei comunicar a meus pais, temi que minha mãe se sentisse na obrigação de vir me festejar. Me apresentei aos professores com um dos vestidos que Franco me dera, o que me parecia ainda aceitável. Depois de muito tempo me senti de fato contente comigo. Pouco antes dos vinte e três anos eu era nada menos que bacharel, tinha um diploma em letras com distinção e louvor. Meu pai não tinha passado do quinto ano fundamental, minha mãe parara no segundo, nenhum de meus antepassados, pelo que pude saber, jamais soubera ler ou escrever correntemente. Que prodigioso esforço eu tinha feito.

Além de algumas colegas de curso, Pietro veio comemorar comigo. Lembro que fazia muito calor. Após os rituais estudantis de sempre, voltei ao quarto para me refrescar um pouco e deixar o volume da tese. Ele me esperou embaixo, queria me levar para jantar. Me olhei no espelho, tive a impressão de estar bonita. Peguei o caderno com a história que eu tinha escrito e o coloquei na bolsa.

Era a primeira vez que Pietro me levava a um restaurante, Franco costumava fazer isso várias vezes e me ensinara tudo sobre a disposição dos talheres, sobre as taças. Ele me perguntou:

"Estamos noivos?"

Sorri e disse:

"Não sei."

Tirou do bolso um embrulho e me deu. Murmurou:

"Durante todo este ano eu achei que sim. Mas, se você tiver uma opinião contrária, considere um presente de formatura."

Abri o embrulho e apareceu uma caixinha verde. Dentro havia um anel de brilhantes.

"É lindo", disse.

Coloquei-o no dedo, coube perfeitamente. Pensei nos anéis que Stefano tinha dado a Lila, bem mais caros que aquele. Mas era a primeira joia que eu ganhava, Franco tinha me dado muitos presentes, mas nunca joias, a única joia que eu tinha era o bracelete de prata de minha mãe.

"Estamos noivos", disse a ele, me inclinando sobre a mesa e lhe dando um beijo na boca. Ele ficou vermelho e murmurou:

"Tenho um outro presente."

Me passou um envelope, eram as provas de sua tese-livro. Que rapidez, pensei com afeto e até um pouco de alegria.

"Também tenho um presentinho para você."

"O que é?"

"Uma bobagem, mas eu não saberia que outra coisa realmente minha eu poderia lhe dar."

Tirei o caderninho da bolsa e o entreguei a ele.

"É um romance", esclareci, "um *unicum*: cópia única, única tentativa, única rendição. Não vou escrever nunca mais." Acrescentei rindo: "Há até umas páginas meio ousadas".

Ele me pareceu perplexo. Agradeceu, apoiou o caderno na mesa. Imediatamente me arrependi do meu gesto. Pensei: é um estudioso sério, tem grandes tradições nos ombros, está para publicar um ensaio sobre os ritos báquicos que será a base de sua carreira; culpa minha, não o devia ter constrangido com uma historiazinha nem batida à máquina. No entanto, mesmo naquele caso não senti nenhum incômodo: ele era ele, eu era eu. Disse que tinha me inscrito em um concurso para os institutos de magistério, disse que voltaria a Nápoles, disse rindo que nosso noivado teria uma vida difícil, eu numa cidade do Sul, ele, numa do Norte. Mas Pietro ficou sério, já tinha em mente tudo, me expôs seu projeto: dois anos para se estabilizar em uma universidade e depois se casaria comigo. Marcou até a data: setembro de 1969. Quando saímos, ele esqueceu o caderno na mesa. Eu notei brincalhona: "E meu presente?". Ele se atrapalhou e correu para pegá-lo.

Passeamos demoradamente, nos beijamos, nos abraçamos à beira do Arno, perguntei a ele entre séria e zombeteira se ele queria escapar para o meu quarto. Negou com a cabeça, voltou a me beijar com paixão. Havia bibliotecas inteiras entre ele e Antonio, mas se pareciam.

## 116.

Vivi a volta para Nápoles como quando se tem um guarda-chuva defeituoso que um golpe de vento fecha em nossa cabeça de repente. Cheguei ao bairro em pleno verão. Gostaria de ter procurado logo um trabalho, mas minha condição de recém-formada tornava impensável que eu circulasse em busca dos pequenos empregos de antes. Por outro lado, estava sem dinheiro e era humilhante pedir a meu pai ou minha mãe, que já tinham se sacrificado bastante por mim. Logo fiquei nervosa. Tudo me irritava, as ruas, as feias fachadas dos prédios, o estradão, os jardinzinhos, embora a princípio cada pedra, cada cheiro me comovesse. Se Pietro encontrar outra, se eu não passar no concurso, o que vou fazer? Não é possível que eu fique para sempre prisioneira deste lugar e desta gente.

Meus pais e meus irmãos estavam orgulhosíssimos de mim, mas, como eu percebia, não sabiam por que motivo: para que eu servia, por que tinha voltado, como faziam para demonstrar à vizinhança que eu era a glória da família? Olhando bem, eu só estava complicando a vida deles, lotando ainda mais o pequeno apartamento, tornando mais árdua a organização das camas à noite, atravancando um espaço que já não me previa. Além disso, estava sempre de olhos grudados num livro, em pé, sentada em um canto, em outro, um monumento inútil aos estudos, uma pessoa esnobemente pensativa que todos se obrigavam a não perturbar, mas sobre quem se perguntavam: que intenções ela tem?

Minha mãe resistiu um tempo antes de me perguntar pelo meu noivo, cuja existência ela deduzira mais pelo anel que eu trazia no dedo que por minhas confidências. Queria saber o que fazia, quanto ganhava, quando se apresentaria na casa acompanhado dos pais, onde eu viveria depois de casada. A princípio lhe dei poucas informações: era um professor universitário, por enquanto não ganhava nada, estava publicando um livro considerado muito importante por outros docentes, nos casaríamos em dois anos, a família dele era de Gênova, era provável que eu fosse morar naquela cidade ou onde ele conseguisse uma vaga. Porém, pelo modo como me olhava atenta, como voltava a me fazer sempre as mesmas perguntas, tinha a impressão de que não me escutava, presa demais a seus preconceitos. Eu estava noiva de um sujeito que não viera e não vinha pedir minha mão, que vivia longíssimo, que ensinava, mas sem receber, que publicava um livro, mas não era famoso? Ficou nervosa como de hábito, apesar de agora não fazer mais cenas. Tentava conter sua discordância, talvez nem se sentisse mais capaz de comunicá-la a mim. De fato, a própria língua se tornara um sinal de estranhamento. Eu me expressava de modo complexo demais para ela, mesmo me esforçando para falar em dialeto, e quando me dava conta e simplificava as frases, a simplificação as tornava artificiais e por isso mesmo confusas. Além disso, o esforço que eu fizera para apagar de minha voz o sotaque napolitano não tinha convencido os pisanos, mas estava convencendo a ela, meu pai, meus irmãos, todo o bairro. Na rua, nas lojas, na entrada do prédio as pessoas me tratavam com um misto de respeito e deboche. Por trás, começaram a me chamar de *a pisana*.

Naquele período escrevi longas cartas a Pietro, que me respondia com cartas ainda mais longas. No início esperei que ele fizesse pelo menos uma menção a meu caderno, depois eu mesma me esqueci. Não nos falávamos nada de concreto, e ainda guardo essas cartas: não há nem sequer um detalhe útil para reconstituir a vida cotidiana da época, qual era o preço do pão ou de uma entrada de cinema, quanto ganhava um contínuo ou um professor. A gente se concentrava, sei lá, em um livro que ele tinha lido, num artigo interessante para os nossos estudos, sobre alguma elucubração dele ou minha, sobre certas turbulências dos estudantes nas universidades, em temas da neovanguarda sobre os quais eu não sabia nada, mas que ele surpreendentemente conhecia bem e que o divertiam a ponto de levá-lo a escrever: "Faria com prazer um livrinho com papéis amassados, desses em que você começa uma frase, não funciona e joga no lixo. Estou recolhendo alguns, gostaria de mandá-lo imprimir assim como está, amarfanhado, com a ramificação casual das dobraduras que se cruzam com frases esboçadas, interrompidas. Talvez a única literatura hoje possível seja de fato essa". Esta última anotação me chocou. Suspeitei — me lembro — de que aquele fosse seu modo de me comunicar que tinha lido meu caderno e que o presente literário que eu lhe dera parecera a ele um produto vencido.

Naquelas semanas de calor extenuante o cansaço de anos me envenenou o corpo, e me senti sem energia. Recolhi aqui e ali informações sobre o estado de saúde da professora Oliviero, torci para que estivesse bem, que eu pudesse encontrá-la e tirar de sua satisfação pelo meu bom desempenho nos estudos um pouco de força. Soube que a irmã tinha vindo buscá-la e a levara para Potenza. Me senti muito só. Cheguei a sentir falta de Lila, dos nossos embates turbulentos. Me veio a vontade de procurá-la e medir a distância que agora havia entre nós. Mas me limitei a uma cavilosa investigação sobre o que se pensava dela no bairro, sobre os comentários que circulavam a seu respeito.

Procurei primeiramente Antonio. Não estava, diziam que tinha ficado na Alemanha, alguns até falavam que se casara com uma alemã linda, de um louro platinado, cheia, os olhos azuis, e que era pai de gêmeos.

Então falei com Alfonso, fui várias vezes encontrá-lo na loja da Piazza dei Martiri. Ele se tornara realmente um homem bonito, parecia um refinadíssimo fidalgo, exprimia-se em um italiano muito acurado, com estudadas inserções dialetais. Graças a ele a loja dos Solara ia de vento em popa. O salário era satisfatório, tinha alugado uma casa em Ponte di Tappia e não sentia falta do bairro, dos irmãos, do cheiro e da gordura das charcutarias. "No próximo ano me caso", me anunciou sem muito entusiasmo. A relação com Marisa tinha durado, se consolidara, só bastava dar o passo final. Saí algumas vezes com eles, estavam bem juntos, ela havia perdido a antiga vivacidade cheia de palavras e agora parecia sobretudo atenta a não dizer coisas que pudessem contrariá-lo. Não lhe perguntei sobre seu pai, a mãe, os irmãos. Não perguntei nem de Nino, nem ela me disse nada, como se também tivesse saído para sempre de sua vida. Vi também Pasquale e Carmen: ele sempre fazia serviços de pedreiro aqui e ali, em Nápoles e na província, e ela continuava trabalhando na charcutaria nova. Mas o que logo quiseram me comunicar era que ambos tinham novos amores: Pasquale estava namorando às escondidas com a primeira filha, novíssima, da dona do armarinho; Carmen estava noiva do frentista do estradão, um bom homem de uns quarenta anos que a amava muito.

Também fui encontrar Pinuccia, que estava quase irreconhecível: desmazelada, nervosa, magérrima, resignada com a própria sorte, tinha marcas de surras que Rino continuava lhe dando para se vingar de Stefano, e traços ainda mais vistosos de uma infelicidade sem saída, toda dentro dos olhos e nas rugas profundas em torno da boca.

Por fim tomei coragem e fui ver Ada. Imaginei encontrá-la mais desfeita que Pina, humilhada em seu papel de concubina. No entanto vivia na casa que tinha sido de Lila e estava linda, parecia serena, tinha recentemente dado à luz uma menina chamada Maria. Mesmo durante a gravidez não parei de trabalhar, ela disse orgulhosa. E vi com meus olhos que era a verdadeira dona das duas charcutarias, corria de uma para outra, se ocupava de tudo.

Cada um dos meus amigos de infância me disse algo sobre Lila, mas Ada me pareceu a mais informada. Acima de tudo foi quem me falou dela com mais compreensão, quase com simpatia. Estava feliz, feliz com a menina, com o conforto, com o trabalho, com Stefano, e me pareceu que estivesse sinceramente agradecida a Lila por toda aquela felicidade. Exclamou admirada:

"Eu fiz coisas de louca, reconheço. Mas Lina e Enzo se comportaram de maneira ainda mais maluca. Se mostraram tão desinteressados de tudo, até de si mesmos, que meteram medo em mim, em Stefano e até naquele escroto do Michele Solara. Sabe que ela não levou nada? Sabe que me deixou todas as joias? Sabe que deixaram escrito num pedaço de papel o local onde iam morar, o endereço exato, número, tudo, como se dissessem: venham nos procurar, façam o que quiserem, não estamos nem aí".

Pedi o endereço, anotei. Enquanto eu escrevia, ela me disse:

"Se encontrá-la, diga que não sou eu que impeço Stefano de ver o menino: é ele que anda muito ocupado e, mesmo que lamente, não tem podido ir. Diga também que os Solara não se esquecem de nada, especialmente Michele. Diga que não confie em ninguém."

## 117.

Enzo e Lila se transferiram para San Giovanni a Teduccio numa Seicento usada que ele havia comprado recentemente. Durante todo o percurso não trocaram uma palavra, mas combateram o silêncio falando ambos com o menino, Lila como se dirigisse a um adulto, Enzo, com monossílabos do tipo bem, que, sim. Ela conhecia pouquíssimo San Giovanni. Certa vez tinha ido até lá com Stefano, pararam no centro para um café e tivera uma boa impressão. Mas Pasquale, que estava sempre por ali seja como pedreiro, seja como militante comunista, uma vez lhe falara de lá muito descontente, descontente como trabalhador e como militante. "É um lixo", dissera, "um esgoto: quanto mais se produz riqueza, mais cresce a miséria, e não conseguimos mudar nada, apesar de sermos fortes." Mas Pasquale era sempre muito crítico em relação a tudo e, por isso, pouco confiável. Enquanto a Seicento avançava pelas ruas irregulares, por edifícios arruinados e grandes prédios de construção recente, preferiu se convencer de que estava levando o menino a um gracioso vilarejo perto do mar e só pensou no que pretendia dizer — por clareza, por honestidade — a Enzo assim que chegassem.

Mas de tanto pensar acabou não dizendo nada. "Mais tarde", disse a si mesma. Assim chegaram ao apartamento que Enzo tinha alugado, no segundo andar de um prédio novo e no entanto já deteriorado. Os cômodos estavam semivazios, ele disse que tinha comprado o indispensável, mas que a partir do dia seguinte providenciaria todo o necessário. Lila o tranquilizou, tinha feito até demais. Somente quando parou diante da cama de casal decidiu que era hora de falar. Disse-lhe com um tom afetuoso:

"Eu o estimo demais, Enzo, desde quando éramos pequenos. Admiro muito uma coisa que você fez: começou a estudar sozinho, tirou um diploma, e eu sei quanta disciplina isso exige, eu nunca a tive. Você também é a pessoa mais generosa que conheço, ninguém teria feito o que você está fazendo por Rinuccio e por mim. Mas não posso dormir com você. Não é porque nos vimos sozinhos no máximo duas ou três vezes. Não é nem sequer porque você não me agrada. É que não tenho mais sensibilidade, sou como essa parede ou essa mesinha. Por isso, se conseguir viver na mesma casa comigo sem me tocar, bem; se não conseguir, eu entendo e amanhã de manhã vou procurar outro lugar. Mas leve em conta que serei sempre agradecida pelo que fez por mim."

Enzo ficou ouvindo sem a interromper em nenhum momento. Por fim disse, apontando a cama de casal:

"Fique você aqui, eu me ajeito na cama dobrável."

"Prefiro a cama dobrável."

"E Rinuccio?"

"Vi que há outra caminha."

"Ele dorme sozinho?"

"Dorme."

"Você pode ficar quanto quiser."

"Tem certeza?"

"Absoluta."

"Não quero coisas ruins, que estraguem nossa amizade."

"Não se preocupe."

"Me desculpe."

"Está bem assim. Se por acaso sua sensibilidade voltar, você sabe onde estou."


**118.**

A sensibilidade não voltou, ao contrário, cresceu nela a sensação de estranhamento. O ar pesado dos cômodos. Os panos sujos. A porta do banheiro que não fechava bem. Imagino que San Giovanni deva ter lhe parecido um abismo à beira do bairro. Querendo se pôr a salvo, não prestou atenção onde punha os pés e caiu num buraco profundo.

Rinuccio logo passou a preocupá-la. O menino, normalmente sereno, começou a fazer manha todos os dias, chamando Stefano e acordando à noite, chorando. Os cuidados da mãe e seu modo de fazê-lo brincar o acalmavam, sim, mas não o fascinavam mais, ao contrário, começaram a contrariá-lo. Lila inventava novas brincadeiras, acendia o olhar do menino, ele a beijava, queria pôr a mão em seus peitos, dava gritos de felicidade. Mas depois a rejeitava, brincava sozinho ou cochilava num cobertor estendido no assoalho. E na rua se cansava depois de dez passos, dizia que sentia dor em um joelho, queria ser carregado no colo e, se ela se recusava a pegá-lo, se atirava no chão aos berros.

A princípio Lila resistiu, depois, aos poucos, começou a se dar por vencida. Como à noite ele só se acalmava quando ela o deixava ir para sua cama, passou a permitir que dormisse com ela. Quando saíam para fazer compras, carregava-o no colo mesmo ele sendo um menino bem nutrido, pesado: de um lado as sacolas, de outro, ele. Voltava exausta.

Logo redescobriu o que era a vida sem dinheiro. Nada de livros, nada de revistas e jornais. Tudo o que tinha trazido para Rinuccio já não cabia mais nele, porque o menino crescia a olhos vistos. Ela mesma tinha pouquíssimas coisas para vestir. Mas fazia de conta que não era nada. Enzo trabalhava o dia todo, lhe dava o dinheiro necessário, mas ganhava pouco e ainda por cima precisava mandar dinheiro para os parentes que estavam cuidando de seus irmãos. Assim conseguiam mal e mal pagar o aluguel, a luz e o gás. Mas Lila não parecia preocupada. O dinheiro que tinha tido e que tinha consumido eram, em seu imaginário, uma coisa só, identificada com a miséria da infância, destituído de substância seja quando existia, seja quando não havia. Parecia muito mais preocupada com o possível desbaratamento da educação que tinha dado ao filho e se esforçava para que ele voltasse a ser enérgico, vivaz, disponível como tinha sido até pouco antes. Mas Rinuccio agora parecia estar bem somente quando ela o deixava na área do prédio brincando com o filho da vizinha. Ali ele brigava, se enlameava, ria, comia porcaria, se mostrava feliz. Lila o observava da cozinha, de onde ficava de olho nele e em seu amiguinho, ambos enquadrados pela porta das escadas. Ele é esperto, pensava, é mais esperto que o outro, que é até um pouco mais velho: talvez eu precise aceitar que não o posso manter numa redoma de vidro, que lhe dei o necessário, mas que de agora em diante ele seguirá por conta própria, que agora ele precisa bater, arrancar as coisas dos outros, se sujar.

Um dia, Stefano apareceu no térreo. Tinha saído da charcutaria e decidira ir ver o filho. Rinuccio o recebeu com alegria, os dois brincaram um pouco. Mas Lila se deu conta de que o marido estava se entediando, não via a hora de ir embora. Antigamente parecia que não era capaz de viver sem ela e o menino; mas agora lá estava ele, olhando o relógio, bocejando, quase com certeza só viera porque tinha sido mandado pela mãe ou até por Ada. Quanto ao amor, ao ciúme, tudo passara, não sentia mais nada.

"Vou levar o menino para dar um passeio."

"Olha que ele quer sempre ir no colo."

"Vou levá-lo no colo."

"Não, faça-o caminhar."

"Faço como quiser."

Saíram, voltou meia hora depois, disse que precisava correr para a charcutaria. Jurou que Rinuccio não tinha se queixado em nenhum momento, não pedira para ser levado no colo. Antes de sair, disse a ela:

"Viu que aqui a conhecem como senhora Cerullo?"

"É o que sou."

"Só não te matei e te mato porque você é a mãe de meu filho. Mas você e aquele cretino de seu amigo estão se arriscando feio."

Lila riu, o provocou, disse:

"Você só sabe bancar o valentão com quem não pode quebrar sua cara, seu merda."

Depois compreendeu que o marido tinha aludido a Solara e lhe gritou do patamar, enquanto descia as escadas:

"Diga a Michele que se ele aparecer aqui por perto eu lhe cuspo na cara."

Stefano não respondeu e sumiu na rua. Voltou, acho, no máximo outras quatro ou cinco vezes. Na última vez em que encontrou a mulher, gritou furioso:

"Você é a vergonha de sua família. Nem sua mãe quer mais te ver."

"Se vê que nunca souberam a vida que eu levava com você."

"Eu tratei você como uma rainha."

"Então prefiro ser mendiga."

"Se você tiver outro filho, vai ter de abortar, porque ainda está com meu sobrenome e não quero que conste como meu filho."

"Não vou ter outros filhos."

"Por quê? Decidiu não foder mais?"

"Vá tomar no cu."

"De todo modo já avisei."

"Seja como for, Rinuccio não é seu filho e tem seu sobrenome."

"Vagabunda, se você repete isso sempre então quer dizer que é verdade. Não quero nunca mais ver você, nem ele."

Na verdade, ele nunca acreditou nisso. Mas fez de conta que sim, por oportunismo. Preferiu que a tranquilidade vencesse sobre o caos emotivo que ela lhe causava.

## 119.

Lila contou detalhadamente a Enzo as visitas do marido. Ele ficou ouvindo com atenção e quase não fez comentários. Continuava contido em todas as suas manifestações. Não lhe falou nada sobre o trabalho que fazia na fábrica nem se estava bem ou não. Saía de manhã às seis, voltava às sete da noite. Jantava, brincava um pouco com o menino e escutava o que ela lhe dizia. Assim que Lila falava das necessidades urgentes de Rinuccio, no dia seguinte ele voltava com o dinheiro necessário. Nunca lhe disse para pedir que Stefano contribuísse nos gastos com o filho, não lhe disse que procurasse um trabalho. Limitava-se a observá-la como se vivesse apenas para chegar àquelas horas noturnas e se sentar com ela na cozinha para ouvi-la falar. A certa altura se levantava, dizia boa noite e se fechava no quarto de dormir.

Depois aconteceu que Lila teve um encontro com consequências significativas. Numa tarde ela saíra sozinha, deixando Rinuccio com a vizinha de casa. Ouviu uma buzina insistente às suas costas. Era um carro de luxo, alguém lhe acenava da janelinha com a mão.

"Lina."

Ela olhou com atenção. Reconheceu o rosto de lobo de Bruno Soccavo, o amigo de Nino.

"O que você está fazendo aqui?", perguntou.

"Eu moro aqui."

A princípio não lhe disse quase nada de si, na época eram coisas difíceis de explicar. Não mencionou Nino, e ele fez o mesmo.

Mas perguntou se tinha se formado, e ele falou que tinha decidido abandonar os estudos.

"Você se casou?"

"Que nada."

"Namorando?"

"Um dia sim, outro não."

"E o que tem feito?"

"Nada, tem gente que se cansa por mim."

Quase por brincadeira teve a ideia de perguntar:

"Você me daria um emprego?"

"A você? E para quê?"

"Para trabalhar."

"Quer fazer salames e mortadelas?"

"Por que não?"

"E seu marido?"

"Não tenho mais marido. Mas tenho um filho."

Bruno a examinou com atenção para entender se estava falando sério. Pareceu desorientado, se esquivou. "Não é um belo trabalho", disse. Depois falou muito sobre problemas de casal, de sua mãe que brigava sempre com o pai, de um amor fortíssimo que ele mesmo tivera recentemente por uma mulher casada, mas ela o deixara. Uma falação anômala para Bruno, que a convidou para um bar e continuou falando de si. Por fim, quando Lila disse que precisava ir, lhe perguntou:

"Você deixou seu marido de verdade? E tem mesmo um menino?"

"Sim."

Ele franziu o cenho e rabiscou algo num guardanapo.

"Procure esse senhor, você pode encontrá-lo de manhã a partir das oito. E mostre isto a ele."

Lila sorriu constrangida:

"O guardanapo?"

"Sim."

"É suficiente?"

Ele fez sinal que sim, subitamente intimidado pelo tom zombeteiro dela. Murmurou:

"Aquele verão foi maravilhoso".

Ela disse:

"Para mim também."


## 120.

Só soube de tudo isso depois. Gostaria de ter ido imediatamente ao endereço que Ada me deu, mas comigo também aconteceu uma coisa decisiva. Numa manhã li sem muito interesse uma longa carta de Pietro e, no final da última folha, topei com poucas linhas em que ele me comunicava que tinha dado meu texto (o chamava assim) para sua mãe ler. Adele o achara tão bom que mandara datilografá-lo e o passara a uma editora de Milão para a qual fazia traduções há anos. Os editores gostaram e agora queriam publicá-lo.

Era o final de uma manhã de outono, me lembro da luz cinzenta. Eu estava sentada à mesa da cozinha, a mesma em que minha mãe estava passando roupa. O velho ferro de passar esfregava o pano com energia, a madeira vibrava sob meus cotovelos. Olhei aquelas linhas demoradamente. Falei devagar, em italiano, só para me convencer de que a coisa era real: "Mamãe, aqui está dito que vão publicar um romance que eu escrevi". Minha mãe parou, levantou o ferro do tecido, o apoiou na vertical.

"Você escreveu um romance?", perguntou em dialeto.

"Acho que sim."

"Escreveu ou não?"

"Escrevi."

"Vão pagar?"

"Não sei."

Saí e corri para o bar Solara, onde era possível fazer chamadas interurbanas com certa comodidade. Depois de várias tentativas — Gigliola me gritava do balcão: "Vá, fale" —, Pietro atendeu, mas precisava trabalhar e estava com pressa. Disse que sobre aquele assunto não sabia mais do que já tinha me escrito.

"Você leu o livro?", perguntei agitada.

"Li."

"Mas não disse uma palavra."

Resmungou algo sobre a falta de tempo, os estudos, as obrigações.

"O que achou?"

"É bom."

"Só bom?"

"Bom. Fale com minha mãe: eu sou um filólogo, não um literato."

Me deu o número da casa dos pais.

"Não me sinto à vontade de telefonar, fico constrangida."

Notei um certo nervosismo, algo raro nele, que sempre era muito gentil. Disse:

"Você escreveu um romance, assuma as responsabilidades."

Eu quase não conhecia Adele Airota, tinha estado com ela apenas quatro vezes e trocamos somente poucas frases cerimoniosas. Durante todo aquele tempo eu achei que ela fosse uma mãe de família culta e abastada, e só naquela ocasião comecei a me dar conta de que tinha um trabalho, que era capaz de exercer algum poder. Telefonei ansiosa, a empregada atendeu e passou a ligação para ela. Cumprimentou-me com cordialidade, mas me tratou de modo formal, e eu fiz o mesmo. Disse que na editora todos estavam muito seguros do valor do livro e, pelo que se sabia, já tinha sido feito um esboço de contrato.

"Contrato?"

"Claro. Você se comprometeu com outros editores?"

"Não. Mas nem cheguei a reler o que escrevi."

"Você fez uma redação só, de jato?", me perguntou vagamente irônica.

"Sim."

"Posso lhe garantir que está pronto para publicação."

"Ainda preciso trabalhar nele."

"Confie em mim: não mexa numa vírgula, ele tem sinceridade, naturalidade e um mistério da escrita que só os livros de verdade têm." Tornou a me cumprimentar, embora acentuando a ironia. Disse que, como eu sabia, tampouco a *Eneida* tinha sido revista. Atribuiu a mim um longo tirocínio de escritora, perguntou se tinha outras coisas na gaveta, se mostrou surpresa quando lhe confessei que era a primeira coisa que escrevia. "Talento e sorte", exclamou. Me confidenciou que de repente se abrira um vazio no campo da editoria, e meu romance tinha sido considerado não só excelente, mas também providencial. Pensavam em publicá-lo na primavera.

"Tão cedo assim?"

"Não está de acordo?"

Me apressei a dizer que estava.

No final Gigliola, que estava atrás do balcão e tinha escutado a conversa, me perguntou curiosa:

"O que está acontecendo?"

"Não sei", respondi e saí depressa.

Circulei pelo bairro levada por uma felicidade incrédula, as têmporas latejando. Minha resposta a Gigliola não tinha sido um modo antipático de não lhe dar trela, eu realmente não sabia. O que era aquele anúncio inesperado: poucas linhas de Pietro, frases num interurbano, nada de fato real? E o que era um contrato, incluía pagamento, previa direitos e deveres, corria o risco de me meter em algum problema? Daqui a uns dias vou descobrir que mudaram de ideia, pensei, não vão mais publicar o livro. Vão reler minha história, quem disse que era boa vai dizer que é fútil, quem não tinha lido vai se enfurecer com quem estava propenso a publicá-la, todos cairão em cima de Adele Airota, e a própria Adele Airota mudará de ideia, se sentirá humilhada, vai atribuir a mim a culpa pelo papelão, vai convencer o filho a me deixar. Passei em frente à sede da velha biblioteca do bairro: há quando tempo não pisava lá. Entrei, estava vazia, cheirava a poeira e tédio. Perambulei distraidamente pelas estantes, toquei em livros desconjuntados sem nem olhar título e autor, só para roçá-los com os dedos. Papel velho, fios retorcidos de algodão, letras do alfabeto, tinta. Volumes, palavra vertiginosa. Procurei *Mulherzinhas*, encontrei. Será possível que estava mesmo para acontecer? Será possível que eu, justo eu, tivera a sorte de realizar o que Lila e eu tínhamos planejado fazer juntas? Daqui a poucos meses haveria papel impresso, costurado, colado, todo cheio de palavras minhas, e na capa o nome, Elena Greco, eu, ponto de ruptura numa longa cadeia de analfabetos, de semianalfabetos, sobrenome obscuro que agora se carregaria de luz pela eternidade. Daqui a uns anos — três, cinco, dez, vinte — o livro acabaria naquelas prateleiras, na biblioteca do bairro onde eu tinha nascido, seria catalogado, as pessoas o pegariam emprestado para saber o que a filha do contínuo tinha escrito. Ouvi a descarga do vaso, esperei que o professor Ferraro aparecesse, o mesmo de quando eu era uma menina diligente: o rosto magro talvez mais enrugado, o cabelo escovinha branquíssimo, mas sempre cheio sobre a testa estreita. Aí estava alguém que poderia apreciar o que estava acontecendo comigo, que justificaria plenamente minha cabeça a mil, a pulsação feroz nas têmporas. Mas do banheiro saiu um desconhecido, um homenzinho redondo de seus quarenta anos.

"Precisa pegar algum livro?", me perguntou. "Seja rápida, porque estou para fechar."

"Estou procurando o professor Ferraro."

"Ferraro se aposentou."

Seja rápida, preciso fechar.

Fui embora. Justamente agora que eu estava virando escritora não havia ninguém em todo o bairro capaz de dizer: que coisa extraordinária você conseguiu fazer.

# 121.

Eu não imaginava que ganharia dinheiro. No entanto recebi a minuta do contrato e descobri que, certamente graças ao apoio de Adele, a editora me assegurava um adiantamento de duzentas mil liras, cem na assinatura e cem na entrega. Minha mãe ficou sem fôlego, não podia acreditar. Meu pai falou: "Preciso de meses para ganhar todo esse dinheiro". Ambos começaram a se gabar pelo bairro e fora dele: nossa filha ficou rica, é escritora, vai se casar com um professor da universidade. Renasci, parei de estudar para o concurso da escola. Assim que o dinheiro chegou, comprei um vestido, maquiagem, fui pela primeira vez na vida a um salão de beleza e viajei para Milão, cidade que eu não conhecia.

Na estação tive dificuldade de me orientar. No final peguei o metrô certo e cheguei ansiosa ao endereço da editora. Dei mil explicações ao porteiro que nem tinha me perguntado nada, ao contrário, enquanto eu falava ele continuou lendo o jornal. Subi de elevador, bati, entrei. Fiquei extasiada com o apuro. Sentia a cabeça repleta de tudo o que eu tinha estudado e que queria exibir para demonstrar que, apesar de ser uma mulher, apesar de se perceber minha origem, eu era uma pessoa que tinha conquistado o direito de publicar aquele livro, e agora, aos vinte e três anos, nada, nada, nada meu podia ser posto em questão.

Fui acolhida com gentileza, levada de escritório em escritório. Falei com o redator que estava cuidando de meu manuscrito, um homem de idade, calvo, mas com um rosto muito agradável. Raciocinamos juntos por umas duas horas, ele me elogiou muito, citou várias vezes Adele Airota com grande respeito, mostrou as alterações que me aconselhava, me deixou uma cópia do texto e de suas anotações. Ao se despedir, disse com um tom grave: "A história é bonita, uma história de hoje muito bem articulada e escrita de modo sempre surpreendente; mas o ponto não é este: é a terceira vez que leio seu livro e a cada página há algo de poderoso, que não consigo entender de onde vem". Fiquei vermelha, agradeci. Ah, o que eu tinha sido capaz de fazer, e como tudo era rápido, como eu agradava e me fazia amar, como sabia falar de meus estudos, de onde os tinha feito, de minha tese sobre o quarto livro da *Eneida*: rebatia com precisão elegante as observações elegantes, imitando perfeitamente os tons da professora Galiani, dos filhos dela, de Mariarosa. Uma funcionária graciosa e agradável chamada Gina me perguntou se eu precisava de um hotel e, quando acenei que sim, me reservou um na Via Garibaldi. Para meu grande espanto, descobri que tudo era por conta da editora, cada centavo que eu gastaria para comer, até os bilhetes de trem. Gina me pediu que apresentasse uma nota das despesas, eu receberia um reembolso, e mandou lembranças a Adele. "Ela me ligou", disse, "aprecia muito a senhora."

No dia seguinte parti para Pisa, queria dar um abraço em Pietro. No trem avaliei uma a uma as notas do redator e, satisfeita, vi meu livro com os olhos de quem o elogiava e se esforçava para torná-lo ainda melhor. Cheguei ao destino muito contente comigo. Meu noivo me conseguiu um pernoite na casa de uma velha assistente de literatura grega, que eu também conhecia. À noite me levou para jantar e, de surpresa, me mostrou meu datiloscrito. Ele também tinha uma cópia e tinha feito umas notas, as repassamos juntos uma por uma. Tendiam ao seu habitual rigor e diziam respeito sobretudo ao léxico.

"Vou pensar", eu disse, agradecendo a ele.

Depois do jantar nos afastamos numa campina. Depois de uma enervante esfregação no frio, às voltas com capotes e malhas de lã, me pediu para limar acuradamente as páginas em que a protagonista perdia a virgindade na praia. Respondi perplexa:

"Mas é um momento importante."

"Você mesma disse que são páginas um tanto ousadas."

"Na editora não fizeram objeções."

"Devem falar em seguida."

Fiquei nervosa, disse que também refletiria sobre aquilo e no dia seguinte parti para Nápoles de mau humor. Se as páginas daquele episódio impressionavam Pietro, que era um jovem de muitas leituras, que tinha escrito um livro sobre os ritos báquicos, o que diriam minha mãe e meu pai, meus irmãos, o bairro sobre aquelas mesmas páginas? No trem me concentrei no texto, levando em conta as observações do redator, de Pietro, e o que pude eliminar eliminei. Queria que o livro fosse bom, que não desagradasse ninguém. Duvidava que um dia escreveria outro.

**122.**

Assim que entrei em casa tive uma péssima notícia. Minha mãe, certa de que era um direito seu olhar minha correspondência quando eu estivesse ausente, tinha aberto uma encomenda postal vinda de Potenza. No pacote encontrara alguns de meus cadernos da escola fundamental e um bilhete da irmã da professora Oliviero. Lia-se no bilhete que a professora Oliviero tinha morrido serenamente vinte dias antes. Nos últimos tempos se lembrara frequentemente de mim, e deixou instruções para que me restituíssem alguns cadernos do fundamental que tinha conservado por recordação. Me comovi mais que minha irmã Elisa, que chorava desconsolada havia horas. A coisa irritou minha mãe, que primeiro gritou com a filha menor e depois, para que eu, sua filha mais velha, ouvisse bem, comentou em voz alta: "Aquela cretina sempre se achou mais mãe do que eu".

Durante todo o dia pensei em Oliviero, em como ficaria orgulhosa se soubesse de minha formatura com nota máxima, do livro que estava para publicar. Quando todos foram dormir, me fechei na cozinha silenciosa e folheei os cadernos um depois do outro. Como a professora tinha me instruído bem, que bela grafia me tinha dado. Pena que a mão adulta a tivesse reduzido, que a velocidade tivesse simplificado as letras. Sorri com os erros de ortografia assinalados com traços veementes, com os *bom*, os *ótimo*, que escrevia capciosamente ao lado quando topava com uma bela formulação ou a solução correta para um problema difícil, com as notas sempre altas que me dava. Tinha de fato sido mais mãe que minha mãe? De uns tempos para cá eu não estava mais segura disso. Mas tinha conseguido imaginar para mim um caminho que minha mãe não era capaz de imaginar e me forçara a trilhá-lo. Por isso eu lhe era agradecida.

Estava pondo o pacote de lado para ir dormir quando notei que, no meio de um dos cadernos, havia um fascículo magro, umas dez folhas quadriculadas presas por um alfinete e dobradas. Senti um vazio repentino no peito, reconheci *A fada azul*, o conto que Lila tinha escrito muitos anos antes, quantos?, treze, quatorze. Como eu tinha gostado da capa colorida com pastéis, as letras bem desenhadas do título: na época eu o tinha considerado um livro de verdade e senti inveja. Abri o fascículo na página central. O alfinete enferrujara, tinha desenhado o papel de marrom. Percebi com surpresa que a professora tinha escrito ao lado de uma frase: *belíssimo*. Então tinha lido? Então tinha gostado? Virei as páginas uma depois da outra, estavam cheias dos seus *excelente*, *bom*, *muito bom*. Fiquei com raiva. Velha bruxa, pensei, por que não nos disse que tinha gostado, por que negou a Lila essa satisfação? O que a levou a batalhar pela minha educação, e não pela dela? A recusa do sapateiro em deixar a filha fazer o exame de admissão era suficiente para justificá-la? Que frustrações você despejou sobre ela? Então me pus a ler *A fada azul* desde o início, correndo pela tinta pálida, pela grafia tão parecida com a minha de então. Mas já na primeira página comecei a sentir dor no estômago e logo me cobri de suor. E somente no final admiti aquilo que eu tinha percebido já nas primeiras linhas. As paginazinhas infantis de Lila eram o coração secreto do meu livro. Quem quisesse saber o que lhe dava calor e de onde nascia o fio robusto mas invisível que amarrava suas frases deveria remontar àquele fascículo de criança, dez paginazinhas de caderno, o alfinete enferrujado, a capa colorida de modo vivo, o título, e nem sequer uma assinatura.

# 123.

Não dormi a noite toda, esperei que amanhecesse. A longa hostilidade em relação a Lila se dissolveu, de repente o que eu tinha tirado dela me pareceu muito mais do que ela jamais pôde tirar de mim. Decidi ir imediatamente a San Giovanni a Teduccio. Queria lhe devolver *A fada azul*, mostrar a ela meus cadernos, folheá-los juntas, compartilhar o prazer dos comentários da professora. Mas acima de tudo sentia a necessidade de fazê-la se sentar a meu lado e lhe dizer: veja como somos afinadas, uma em duas, duas em uma, e provar a ela com o rigor que eu achava ter assimilado na Normal, com a tenacidade filológica que aprendera com Pietro, como seu livro de menina tinha lançado raízes profundas em minha cabeça a ponto de desenvolver ao longo dos anos um outro livro, diferente, adulto, meu e no entanto imprescindível do seu, das fantasias que tínhamos elaborado juntas no pátio das nossas brincadeiras, ela e eu em continuidade, formadas, deformadas, reformadas. Desejava abraçá-la, beijá-la e dizer: Lila, de agora em diante, não importa o que aconteça a mim ou a você, não devemos nos perder nunca mais.

Mas foi uma manhã dura, tive a impressão de que a cidade fizesse de tudo para se interpor entre mim e ela. Peguei um ônibus lotadíssimo que ia no sentido da Marina, viajei espremida de modo insuportável por corpos miseráveis. Subi em outro ônibus ainda mais lotado, errei a direção. Desci um trapo, descabelada, remediei o erro depois de uma longa espera e muita raiva. Aquele pequeno deslocamento por Nápoles me esgotou. De que serviam os anos de ginásio, de liceu, de Normal dentro daquela cidade? Para chegar a San Giovanni tive necessariamente que regredir, quase como se Lila tivesse ido morar não em uma rua, em uma praça, mas num riacho do tempo passado, antes que fôssemos para a escola, um tempo negro, sem norma e sem respeito. Recorri ao dialeto mais violento do bairro, insultei, fui insultada, ameacei, fui sacaneada, respondi por minha vez sacaneando, uma arte torpe na qual eu era adestrada. Nápoles me servira muito em Pisa, mas Pisa não servia em Nápoles, era um estorvo. As boas maneiras, a voz e o aspecto cuidados, o monte de coisas na cabeça e na língua que eu tinha aprendido nos livros eram sinais imediatos de fraqueza que me transformavam numa presa segura, daquelas que não se debatem. Nos ônibus e nas ruas rumo a San Giovanni acabei pondo em conexão a velha capacidade de suspender a docilidade no momento oportuno com a arrogância de meu novo estado: tinha um diploma com nota máxima e louvor, tinha almoçado com o professor Airota, estava noiva de seu filho, tinha um pouco de dinheiro depositado nos Correios, em Milão tinha sido tratada com respeito por pessoas de valor; como essa gente de merda se permitia? Senti em mim uma potência que já não sabia acomodar-se ao *faça de conta que nada* com que geralmente era possível sobreviver no bairro e fora dele. Quando no aperto dos passageiros senti várias vezes em meu corpo as mãos dos homens, me atribuí o sacrossanto direito à fúria e reagi com gritos de desprezo, disse palavras impronunciáveis como as que minha mãe e sobretudo Lila sabiam dizer. Exagerei a tal ponto que, quando desci do ônibus, estava certa de que alguém saltaria comigo e me mataria.

Não aconteceu nada, mas mesmo assim me afastei com raiva e com medo. Tinha saído de casa até arrumada demais, agora me sentia moída por fora e por dentro.

Tentei me recompor, me disse: calma, já está quase chegando. Me dirigi a passantes pedindo informações. Segui pelo Corso San Giovanni a Teduccio com o vento gelado na cara, me pareceu um canal amarelado de paredes desfiguradas, aberturas negras, imundície. Perambulei confundida por informações cordiais e tão cheias de detalhes que se tornavam inúteis. Finalmente encontrei a rua, o portão. Subi pelos degraus sujos, atrás de um forte cheiro de alho e vozes de crianças. Uma mulher muito gorda com uma malha verde apareceu numa porta já aberta, me viu e gritou: "Está procurando quem?". "Carracci", disse. Mas ao vê-la perplexa me corrigi logo:

"Scanno", o sobrenome de Enzo. E ainda, em seguida: "Cerullo". Só então a mulher repetiu *Cerullo* e disse, levantando um braço enorme: "Mais pra cima". Agradeci, continuei subindo, enquanto ela se inclinava no parapeito e, olhando para o alto, gritava: "Titi, tem uma procurando Lina, está subindo".

Lina. Aqui, na boca de estranhas, neste lugar. Só então me dei conta de que a Lila que eu tinha em mente era aquela que eu encontrara na última vez, no apartamento do bairro novo, dentro da ordem que, embora carregada de angústia, agora parecia o próprio cenário de sua vida, os móveis, a geladeira, a televisão, o menino cuidadíssimo, ela mesma com seu aspecto certamente cansado, mas de todo modo ainda de jovem senhora abastada. Naquele momento, eu não sabia nada de como ela vivia, o que fazia. A conversa se interrompera no abandono do marido, no fato inacreditável de que tinha deixado uma bela casa e dinheiro e partira com Enzo Scanno. Não sabia do encontro com Soccavo. Por isso eu tinha saído do bairro com a certeza de que a encontraria em uma casa nova, entre livros abertos e jogos educativos para o filho, ou no máximo momentaneamente fora para as compras. E mecanicamente tinha posto — por preguiça, para não sentir mal-estar — aquelas imagens dentro de um topônimo, San Giovanni a Teduccio, depois dos Granili, nos fundos da Marina. Por isso subi com aquela expectativa. Pensei: consegui, finalmente cheguei. Assim me aproximei de Titina, uma mulher jovem com uma menina no colo que chorava quieta, soluços leves, canais de muco que lhe desciam sobre o lábio superior das narinas avermelhadas de frio, e outros dois meninos grudados na saia, um de cada lado.

Titina dirigiu o olhar para a porta em frente, fechada.

"Lina não está", disse hostil.

"E Enzo?"

"Também não."

"Levou o menino para passear?"

"A senhora quem é?"

"Me chamo Elena Greco, sou uma amiga."

"E não reconhece Rinuccio? Rinu, você já viu essa senhora?" Deu um piparote num dos meninos que estava a seu lado, e só então o reconheci. O menino sorriu para mim e disse em italiano: "Oi, tia Lenu. Mamãe volta de noite, às oito."

Peguei-o nos braços, o beijei, elogiei como estava bonito e como falava bem.

"Ele é incrível", admitiu Titina, "nasceu professor."

A partir daquele momento suspendeu qualquer hostilidade em relação a mim, quis que eu entrasse na casa. No corredor escuro trombei em algo que certamente pertencia aos meninos. A cozinha estava em desordem, tudo imerso numa luz acinzentada. Na máquina de costurar ainda havia pano sob a agulha, ao redor e no chão, mais tecidos de várias cores. Com um repentino embaraço Titina tentou pôr um pouco de ordem, depois desistiu e me preparou um café, mas continuando com a filha nos braços. Eu pus Gennaro em meus joelhos e lhe fiz perguntas bobas, às quais ele respondeu com esperta resignação. Enquanto isso a mulher me informou sobre Lila e Enzo.

"Ela", disse, "faz salames na Soccavo."

Fiquei surpresa, só então me lembrei de Bruno.

"Soccavo, o dos embutidos?"

"Sim, Soccavo."

"Eu o conheço."

"Não é gente boa."

"Conheço o filho."

"Avô, pai e filho, tudo a mesma merda. Fizeram dinheiro e depois se esqueceram de quando andavam com remendos na bunda."

Perguntei de Enzo. Disse que trabalhava com locomotores, usou essa expressão, e entendi logo que achava que ele e Lila eram casados, definiu Enzo com simpatia e respeito como "o senhor Cerullo".

"Quando Lila volta?"

"De noite."

"E o menino?"

"Fica comigo, come, brinca, faz tudo aqui."

Então a viagem não tinha terminado: eu me aproximava, Lila se distanciava. Perguntei:

"Quanto tempo demoro para ir a pé até a fábrica?"

"Vinte minutos."

Titina me deu indicações que anotei numa folha. Enquanto isso Rinuccio perguntou educado: "Posso ir brincar, tia?". Esperou que eu dissesse sim, disparou no corredor para o outro menino e logo os ouvi gritar um insulto pesado em dialeto. A mulher me lançou um olhar constrangido e gritou da cozinha, em italiano:

"Rino, não se dizem nomes feios, olha que vou aí e lhe dou umas palmadas nas mãozinhas."

Sorri para ela, me lembrei de minha viagem de ônibus. Palmadinhas na minha mão também, pensei, estou na mesma situação de Rinuccio. Como a briga no corredor não parava, precisamos intervir. Os dois meninos estavam trocando pancadas entre o barulho de coisas arremessadas e urros ferozes.

## 124.

Cheguei à zona da fábrica Soccavo por um caminho de terra batida, entre refugos de todo tipo, um fio de fumaça preta no céu gelado. Já antes de avistar o muro circundante percebi um cheiro de gordura animal misturado a lenha queimada que me nauseou. O vigia disse debochado que não se faziam visitas a amiguinhas em horário de trabalho. Pedi para falar com Bruno Soccavo. Mudou de tom, murmurou que Bruno quase nunca aparecia na fábrica. Telefone para a casa dele, repliquei. Ficou embaraçado, disse que não podia incomodá-lo sem motivo. "Se o senhor não telefonar", respondi, "vou procurar um aparelho e faço isso eu mesma." Me olhou torto, não sabia o que fazer. Passou um sujeito de bicicleta, freou, lhe disse algo obsceno em dialeto. Ao vê-lo o vigia pareceu aliviado. Desandou a conversar com o outro como se eu não existisse.

No centro do pátio ardia uma fogueira. Passei ao lado do fogo, a labareda cortou o ar frio por alguns segundos. Alcancei uma construção baixa, amarela, empurrei uma porta pesada, entrei. O cheiro de gordura, que já era violento do lado de fora, me pareceu insuportável. Cruzei com uma jovem evidentemente irritada que ajeitava os cabelos com gestos agitados. Disse a ela *por favor*, ela seguiu adiante de cabeça baixa, deu três ou quatro passos, parou.

"O que é?", perguntou com grosseria.

"Procuro uma pessoa chamada Cerullo."

"Lina?"

"Sim."

"Procure no ensacamento."

Perguntei onde era, não me respondeu, foi embora. Empurrei outra porta. Recebi um bafo quente que tornou o cheiro de gordura ainda mais nauseabundo. O ambiente era grande, havia tanques cheios de uma água leitosa dentro da qual boiavam entre vapores corpos escuros movidos por sombras lentas, curvas, operários imersos até os quadris. Não vi Lila. Perguntei a um tal que, deitado no pavimento de lajotas que era um pântano, estava trabalhando para consertar um tubo:

"Sabe onde posso encontrar Lina?"

"Cerullo?"

"Cerullo."

"Na trituração."

"Me disseram no ensacamento."

"Então por que me pergunta, se já sabe?"

"Onde fica a trituração?"

"Seguindo reto à sua frente."

"E o ensacamento?"

"À direita. Se não a encontrar ali, veja na descarnagem. Ou nas câmaras. Eles a transferem sempre."

"Por quê?"

Deu um sorriso torto.

"Ela é sua amiga?"

"É."

"Então deixa pra lá."

"Me diga."

"Não vai se ofender?"

"Não."

"É uma pé no saco."

Segui as indicações, ninguém me parou. Trabalhadores e trabalhadoras me pareceram encerrados numa indiferença feroz, até quando riam ou gritavam insultos entre si pareciam distantes de suas próprias risadas, das vozes, da imundície que manipulavam, do mau cheiro. Desemboquei entre operárias em avental azul que trabalhavam a carne, toucas na cabeça: as máquinas produziam um rumor de ferragens e um squash de matéria mole, triturada, empastada. Mas Lila não estava lá. E não a encontrei nem mesmo onde enfiavam pasta rosada com cubos de banha nas tripas, nem onde, com faquinhas afiadas, descarnavam, despelavam, talhavam usando lâminas com um frenesi perigoso. No entanto a encontrei nas câmaras. Saiu de um frigorífico envolta numa espécie de névoa branca. Levava nas costas, ajudada por um tipo de baixa estatura, um bloco rosado de carne congelada. Depositou o peso num carrinho e fez que ia retornar ao gelo. Vi imediatamente que uma de suas mãos estava enfaixada.

"Lila."

Voltou-se com cautela, me fixou incerta. "O que você está fazendo aqui dentro?", disse. Tinha olhos febris, as faces estavam mais encavadas que de hábito, no entanto parecia grande, alta. Também ela vestia um avental azul, mas sobre uma espécie de capote comprido, e trazia nos pés sapatos de militar. Queria abraçá-la, mas não ousei: temia, não sei por que, que se desfizesse entre meus braços. Mas foi ela quem me apertou por instantes longuíssimos. Senti sobre ela o tecido úmido que emanava um cheiro ainda mais agressivo que o fedor do ambiente. "Venha", disse, "vamos sair daqui", e gritou para o homem que trabalhava com ela: "Dois minutos". Então me puxou para um canto.

"Como você me encontrou?"

"Eu entrei."

"E a deixaram passar?"

"Disse que procurava você e que era uma amiga de Bruno."

"Ótimo, assim vão se convencer de que faço boquetes no filho do patrão e vão me deixar um pouco em paz."

"O que você está falando?"

"Funciona assim."

"Aqui dentro?"

"Em todo lugar. Você se formou?"

"Sim. Mas me aconteceu uma coisa ainda melhor, Lila. Escrevi um romance e vão publicá-lo em abril."

Sua tez estava acinzentada, parecia sem sangue, e no entanto se inflamou. Vi o rubor subir por sua garganta, pelas bochechas, até a borda dos olhos, tanto que ela os apertou como se temesse que a chama lhe queimasse as pupilas. Depois pegou em minha mão e a beijou primeiro no dorso, depois na palma.

"Estou contente por você", murmurou.

Mas no momento não dei muita importância ao efeito do gesto, fiquei espantada com o inchaço das mãos e as feridas, cortes antigos e novos, um ainda fresco no polegar da esquerda, inflamado nas bordas, e imaginei que sob a bandagem da direita houvesse um talho ainda mais profundo.

"O que aconteceu?"

Retraiu-se imediatamente, pôs a mão no bolso.

"Nada. Descarnar acaba com os dedos."

"Você trabalha nisso?"

"Eles me colocam onde bem entendem."

"Fale com Bruno."

"Bruno é o pior merda de todos. Aparece aqui só para ver qual de nós ele pode comer na maturação."

"Lila."

"É a verdade."

"Você está mal?"

"Estou ótima. Aqui nas câmaras eles até me dão dez liras a mais por hora pela insalubridade do frio."

O homem chamou.

"Ceru, já passaram os dois minutos."

"Estou indo", ela disse.

Murmurei:

"A professora Oliviero morreu."

Deu de ombros e disse:

"Estava mal, tinha de acontecer."

Acrescentei depressa, porque vi que o homem estava ficando nervoso ao lado do carrinho:

"Ela me devolveu *A fada azul*."

"O que é *A fada azul*?"

Olhei para entender se era verdade que não se lembrava e me pareceu sincera.

"O livro que *você* escreveu quando tinha dez anos."

"Livro?"

"Era assim que a gente chamava."

Lila apertou os lábios, sacudiu a cabeça. Estava alarmada, temia problemas no trabalho, mas na minha frente agia como se pudesse fazer o que quisesse. Preciso ir, pensei. Ela falou:

"Passou um monte de tempo de lá para cá", e estremeceu.

"Está com febre?"

"Não."

Procurei o fascículo na bolsa, o passei a ela. Pegou, o reconheceu, mas não mostrou nenhuma emoção.

"Eu era uma menina presunçosa", resmungou.

Me apressei em contradizê-la:

"O conto", disse a ela, "ainda hoje é belíssimo. Eu o reli e descobri que sempre o tive em mente sem me dar conta. É dele que vem meu livro."

"Dessa estupidez?". Riu forte, nervosa. "Então quem o publicou é doido."

O homem gritou para ela:

"Estou esperando, Ceru."

"Não enche o saco", respondeu ela.

Meteu no bolso o fascículo e me pegou pelo braço. Andamos em direção à saída. Pensei em como tinha me arrumado para ela e como tinha sido cansativo chegar àquele lugar. Tinha imaginado choros, confidências, reflexões, uma bela manhã de confissões e reconciliação. No entanto aqui estamos, caminhando de braços dados, ela encapotada, suja, marcada, eu travestida de senhorita de boa família. Disse-lhe que Rinuccio era lindo e muito inteligente. Elogiei sua vizinha de casa, perguntei sobre Enzo. Ficou contente de que eu achasse o menino bem, elogiou por sua vez a vizinha. Mas o que a entusiasmou foi a menção a Enzo: ela se iluminou, ficou falante.

"Ele é gentil", disse, "é bom, não tem medo de nada, é inteligentíssimo e estuda à noite, sabe um monte de coisas."

Nunca a ouvira falar assim de ninguém. Perguntei:

"O que ele estuda?"

"Matemática."

"Enzo?"

"Sim. Leu uma coisa sobre computadores eletrônicos, ou viu uma propaganda, não sei, e se apaixonou. Diz que um computador não é como se vê no cinema, todo cheio de lampadazinhas coloridas que se acendem e apagam fazendo bip. Diz que é uma questão de linguagens."

"Linguagens?"

Ela armou um olhar afilado que eu conhecia bem.

"Não linguagens para escrever romances", disse, e fiquei perturbada com o tom depreciativo com que pronunciou a palavra romances, me perturbou a risadinha que se seguiu. "São linguagens de programação. À noite, depois que o menino pega no sono, Enzo começa a estudar."

Tinha o lábio inferior ressecado, rachado pelo frio, o rosto consumido pelo cansaço. Mas com que orgulho pronunciara: começa a estudar. Compreendi que, malgrado a terceira pessoa do singular, não foi apenas Enzo que se apaixonou por aquela coisa.

"E você faz o quê?"

"Faço companhia a ele: como está muito cansado, sozinho acaba dormindo. Mas juntos ele se anima, um diz uma coisa, outro diz outra. Você sabe o que é um diagrama de blocos?"

Balancei a cabeça. Então seus olhos ficaram pequenininhos, ela soltou meu braço e começou a falar, me arrastando para dentro de sua nova paixão. No pátio, entre o cheiro da fogueira e o de gorduras animais, da carne, dos nervos, essa Lila encapotada, mas também fechada num avental azul, as mãos cortadas, despenteada, palidíssima, sem sombra de maquiagem, recuperou vida e energia. Falou da redução de qualquer coisa à alternativa verdadeiro-falso, citou a álgebra booleana e muitas outras coisas das quais eu não sabia nada. No entanto, como sempre, suas palavras conseguiram me sugestionar. Enquanto falava, vi a casa paupérrima à noite, o menino dormindo no outro quarto; vi Enzo sentado na cama, dobrado pelo cansaço nos locomotores de sabe-se lá que fábrica; vi ela mesma, depois da jornada nos tanques de cozimento, ou na descarnagem, ou nas câmaras frigoríficas a vinte graus negativos, sentada com ele sobre as cobertas. Vi ambos na luz formidável do sacrifício do sono, ouvi suas vozes: faziam exercícios com os diagramas de blocos, se exercitavam em limpar o mundo do supérfluo, esquematizavam as ações de cada dia segundo apenas dois valores de verdade: zero e um. Palavras obscuras no cômodo miserável, sussurradas para não acordar Rinuccio. Compreendi que eu tinha chegado lá cheia de soberba e me dei conta de que — de boa-fé, claro, com afeto — fizera toda aquela longa viagem sobretudo para lhe mostrar o que ela havia perdido e o que eu havia conquistado. Mas ela percebera isso desde o momento em que eu tinha aparecido em sua frente e agora, arriscando-se a atritos com os colegas de trabalho e multas, estava reagindo e me explicando que de fato eu não tinha vencido coisa nenhuma, que no mundo não havia nada a ser vencido, que sua vida era cheia de aventuras diversas e insensatas assim como a minha, e que o tempo simplesmente deslizava sem nenhum sentido, e era bom encontrar-se de vez em quando só para ouvir o som disparatado do cérebro de uma ecoando no som disparatado do cérebro da outra.

"Você gosta de viver com ele?", perguntei.

"Gosto."

"Vão ter filhos?"

Fez uma careta de falso divertimento.

"Não estamos juntos."

"Não?"

"Não, não tenho vontade."

"E ele?"

"Está esperando."

"Talvez o sinta como um irmão."

"Não, eu gosto dele."

"E então?"

"Não sei."

Paramos ao lado do fogo, ela apontou o vigia.

"Tome cuidado com aquele ali", disse, "quando você sair, é capaz de acusá-la de ter roubado uma mortadela só para a revistar e esfregar as mãos em seu corpo."

Nos abraçamos, nos beijamos. Disse a ela que a procuraria de novo, que não queria perdê-la, e estava sendo sincera. Ela sorriu, murmurou: "Sim, também não quero te perder". E senti que também estava sendo sincera.

Me afastei muito agitada. Sentia por dentro a dificuldade de deixá-la, a velha convicção de que sem ela nada de realmente importante jamais me aconteceria, e no entanto sentia a necessidade de ir embora para não ter mais no nariz o fartum de gordura que seu corpo exalava. Depois de uns passos rápidos não resisti e me virei para me despedir mais uma vez. Pude vê-la parada ao lado da fogueira, sem forma feminina naquele seu uniforme, enquanto folheava o fascículo de *A fada azul*. De repente o jogou no fogo.

## 125.

Não disse a ela nem sobre o que meu livro falava, nem quando chegaria às livrarias. Não lhe falei sequer sobre Pietro, do plano de nos casarmos daqui a dois anos. Sua vida me esmagou, demorei dias para restituir contornos nítidos e espessura à minha. O que me restituiu definitivamente a mim mesma — mas qual mim mesma? — foram as provas do livro: cento e trinta e nove páginas, papel grosso, as palavras do caderno que eu preenchera com minha grafia tornadas agradavelmente estranhas graças aos caracteres impressos.

Passei horas felizes lendo, relendo, corrigindo. Fora fazia frio, um vento gelado se infiltrava pelas esquadrias desconexas. Estava sentada na mesa da cozinha com Gianni e Elisa, que estudavam. Minha mãe mourejava à nossa volta, mas com surpreendente cautela, para não perturbar.

Em pouco tempo fui de novo a Milão. Daquela vez me concedi um táxi pela primeira vez na vida. O redator calvo, ao final de um dia de trabalho todo dedicado a sopesar as últimas correções, me disse: "Vou chamar um táxi para você", e eu não soube dizer não. Assim aconteceu que, quando fui de Milão a Pisa, na estação olhei ao redor e pensei: por que não, vamos bancar a madame outra vez. E a tentação se reapresentou quando voltei a Nápoles, no caos da Piazza Garibaldi. Gostaria de chegar ao bairro de táxi, sentada confortavelmente no assento de trás, um motorista a meu serviço que, uma vez na entrada do prédio, abriria a porta para mim. Entretanto voltei para casa de ônibus, não me senti à vontade. De todo modo eu devia ter algo que me tornava diferente, porque, quando cumprimentei Ada passeando com a menina, ela me olhou distraidamente e seguiu em frente. Mas depois se deteve, voltou atrás e me disse: "Como você está bem, não tinha reconhecido, você virou outra".

Num primeiro momento fiquei contente, mas depois desanimei. Que vantagem haveria em se transformar numa outra? Queria continuar como eu era, vinculada a Lila, ao pátio, às bonecas perdidas, a dom Achille, a tudo. Era a única maneira de sentir intensamente o que estava acontecendo comigo. Por outro lado, é difícil resistir às modificações, e naquele período, independentemente de mim, mudei mais que nos anos de Pisa. Na primavera o livro saiu: muito mais que o diploma, foi ele que me deu uma nova identidade. Quando mostrei um exemplar a minha mãe, a meu pai, a meus irmãos, eles o passaram em silêncio, mas sem o folhear. Fixavam a capa com sorrisos duvidosos, me pareceram agentes de polícia diante de um documento falso. Meu pai falou: "É meu sobrenome", mas sem satisfação, como se de repente, em vez de estar orgulhoso de mim, tivesse descoberto que eu tinha roubado uns trocados de seu bolso.

Depois os dias passaram e saíram as primeiras resenhas. Li cada uma delas com ansiedade, ferida por qualquer tom de crítica, mesmo que leve. Li em voz alta para toda a família as mais benevolentes, meu pai se iluminou. Elisa disse debochada: "Você deveria assinar Lenuccia, Elena é um nojo".

Naqueles dias agitados minha mãe comprou um álbum de fotografias e começou a pôr ali tudo o que escreviam de bom sobre mim. Numa manhã me perguntou:

"Como se chama seu noivo?"

Ela sabia, mas tinha algo em mente e, para me comunicar, decidiu partir dali.

"Pietro Airota."

"Então você vai se chamar Airota."

"Sim."

"E se fizer outro livro, na capa vai aparecer Airota?"

"Não."

"Por quê?"

"Porque gosto de Elena Greco."

"Eu também", me disse.

Mas nunca me leu. E não me leu meu pai, nem Peppe, nem Gianni, nem Elisa; no início nem o bairro leu meu livro. Certa manhã veio um fotógrafo, ficou duas horas comigo, primeiro nos jardinzinhos, depois no estradão, depois na entrada do túnel, tirando fotos. Mais tarde apareceu uma delas no *Mattino*, esperei que os passantes me parassem na rua, que me lessem por curiosidade. No entanto ninguém, nem mesmo Alfonso, Ada, Carmen, Gigliola, Michele Solara — que não era de todo estranho ao alfabeto como o irmão Marcello —, ninguém me disse na primeira ocasião: seu livro é bom ou, sei lá, seu livro é ruim. Apenas me cumprimentavam efusivamente e seguiam adiante.

Tive de lidar pela primeira vez com leitores em uma livraria de Milão. O encontro — logo descobri — tinha sido fortemente pressionado por Adele Airota, que estava acompanhando à distância o percurso do livro e veio de Gênova só para a ocasião. Passou no hotel para me buscar, me fez companhia durante toda a tarde, procurou me acalmar com discrição. Eu tinha um tremor nas mãos que não passava, tropeçava nas palavras, sentia a boca amarga. Acima de tudo estava zangada com Pietro, que tinha ficado em Pisa, sempre ocupado. Já Mariarosa, que morava em Milão, apareceu animada antes do encontro, depois tinha um compromisso.

Fui à livraria assustadíssima. A saleta estava lotada, entrei de olhos baixos. Estava para desmaiar de emoção. Adele cumprimentou muitos dos presentes, eram amigos e conhecidos. Sentou-se na primeira fila, me lançou olhares encorajadores, se virou de tanto em tanto para conversar com uma senhora da mesma idade, sentada atrás dela. Até aquele momento eu só tinha falado em público duas vezes, forçada por Franco, e o público era composto de seis ou sete companheiros que sorriam compreensivos. A situação agora era diferente. Tinha diante de mim uns quarenta estranhos de ar fino e cultivado, que me fixavam em silêncio, com um olhar sem simpatia, em grande parte constrangidos a estar ali pelo prestígio dos Airota. Queria me levantar e fugir correndo.

Mas o ritual começou. Um velho crítico, professor universitário muito estimado na época, falou todo o bem possível sobre meu livro. Não entendi nada de sua fala, só pensei no que eu deveria dizer. Me retorcia sobre a cadeira, tinha dor de barriga. O mundo tinha ido embora, em desordem, e eu não conseguia encontrar em mim a autoridade para trazê-lo de volta e reordená-lo. Entretanto fingi desenvoltura. Quando chegou minha vez, falei sem saber bem o que estava dizendo, falei para não ficar em silêncio, e gesticulei demais, exibi excessiva competência literária, ostentei demais minha cultura clássica. Depois caiu o silêncio.

O que estavam pensando de mim as pessoas à minha frente? Como estava avaliando minha fala o crítico e professor a meu lado? E Adele, por trás de seu ar de senhora condescendente, estava se arrependendo de ter me apoiado? Quando olhei para ela me dei conta imediatamente de que eu estava implorando com os olhos o conforto de um sinal de concordância e me envergonhei. Enquanto isso o professor a meu lado tocou meu braço como para me acalmar e convidou o público a intervir. Muitos olharam embaraçados os próprios joelhos, o piso. O primeiro a falar foi um senhor maduro, de óculos grossos, muito conhecido dos presentes, mas não de mim. Só

470 ELENA FERRANTE

de escutar sua voz Adele fez uma expressão de fastio. O homem falou longamente sobre a decadência da editoria, que agora perseguia mais o lucro que a qualidade literária; então passou à conivência mercantil dos críticos e das páginas de cultura dos jornais; por fim se concentrou em meu livro, primeiro ironicamente, depois, citando as páginas mais ousadas, com um tom ostensivamente hostil. Fiquei vermelha e, mais que responder, balbuciei coisas genéricas, fora do tema. Até que parei exausta e fixei o tampo da mesa. O professor-crítico me encorajou com um sorriso, um olhar, achando que eu quisesse prosseguir. Quando se deu conta de que eu não tinha essa intenção, indagou seco:

"Mais alguém?"

No fundo se ergueu uma mão.

"Por favor."

Um jovem alto, de cabelos encaracolados e compridos, barba muito preta e cheia, falou de modo desdenhosamente polêmico sobre a intervenção precedente e, de vez em quando, até da apresentação feita pelo bom homem a meu lado. Disse que vivíamos num país provincianíssimo, onde toda ocasião era boa para se lamentar, mas enquanto isso ninguém arregaçava as mangas e reorganizava as coisas tentando fazê-las funcionar. Depois passou a louvar a força modernizadora de meu romance. Eu o reconheci sobretudo pela voz, era Nino Sarratore.

# HISTÓRIA DO NOVO SOBRENOME:
# O SEGREDO DA ESCRITA

MAURÍCIO SANTANA DIAS

Muitos anos atrás, minha mãe me deu para ler um texto que eu tinha escrito na infância, e que ela guardara numa gaveta. A leitura me abateu a tal ponto que tive de desviar imediatamente o olhar. A folha continha a descrição pontual daquilo que então me pareceu constituir com clareza o centro secreto de meu pensamento.

Giorgio Agamben, *Coisas que vi, ouvi, aprendi...*

Quando em 2015 aceitei o convite para traduzir a tetralogia de Elena Ferrante, já havia lido dois livros da autora que tinham me impressionado bastante: *Um amor incômodo* e *Dias de abandono*. Neles havia uma inquietação radical com a vida, com as relações familiares e as dificuldades do cotidiano, com o mundo do trabalho, a solidão, angústias e neuroses, enfim, toda uma psicopatologia muito própria de nossos dias. E aquilo tudo era escrito de um modo aparentemente simples e despretensioso, sem grandes artifícios literários ou inovações técnicas, mas que parecia conduzir o leitor direto aos meandros da experiência subjetiva.

As mil e setecentas páginas de *A amiga genial* se mostrariam uma aventura diferente. Para além do mergulho psicológico nas personagens, quase sempre femininas, às voltas com os eternos conflitos entre mães e filhas, mulheres e maridos, vida doméstica e vida laboral, a tetralogia napolitana expandia seus horizontes para histórias simultaneamente particulares – a amizade de décadas entre Lenu e Lila – e coletivas, que partiam de um bairro periférico de Nápoles para abarcar a história da Itália desde o final da Segunda Guerra até os primeiros anos do século XXI. Era como uma viagem ao cerne das coisas, ao centro da experiência vital, perto do coração selvagem. No entanto, a ambição do projeto só ficou inteiramente clara para mim depois que traduzi este *História do novo sobrenome*, quando as vidas paralelas das meninas Elena Greco e Raffaella Cerullo começam a se afastar por caminhos que se bifurcam e entrecruzam: de um lado, Elena (Greco, Ferrante) sai de Nápoles para estudar na Universidade Normal de Pisa e, depois, se tornar a escritora que irá narrar a história da amiga e dos que cresceram com ela; de outro, o percurso de Raffaella Cerullo, que logo se casa (aos dezesseis anos, como tantas meninas daquela época e de hoje) e passa a se chamar Raffaella Carracci – o "novo sobrenome" do título –, permanecendo a vida inteira em Nápoles e, mais especificamente, no bairro popular e operário em que ambas as amigas tinham nascido.

Nesse sentido, entendo que *A amiga genial*, primeiro volume que dá título à série e que se encerra com a cena de casamento de Raffaella Cerullo, pode ser lido como uma *pré-história* ou prólogo de um vasto romance de formação – tragédia ou épica de pés descalços – que busca reconstituir uma vida por completo: é nele que a narradora, Elena Greco, apresenta a matéria que irá contar, articulando *a posteriori* fatos ocorridos num tempo muito distante, que remonta à sua infância e à dos personagens que fizeram parte de seu percurso. Nesse primeiro momento da tetralogia, a percepção das coisas se dá pela exacerbação das fantasias infantis, pelo pânico diante de figuras assombrosas como Dom Achille, "o ogro" dos contos de fada, pela relação visceral entre Lila e Lenu, elas mesmas personagens de uma fabulação quase mágica, cheia

473

de acontecimentos estranhos, inquietantes e violentos. À medida que as personagens vão passando da infância para a adolescência, há um progressivo desencantamento do mundo, em que as possibilidades antes infinitas vão se reduzindo a poucas alternativas: continuar os estudos ou trabalhar, casar e constituir família ou buscar uma vida independente, permanecer no bairro e na cidade natal ou sair para o mundo, repetir uma história secular ou inventar uma nova história para si? Esses dilemas assediam as duas amigas, que fazem escolhas muito diferentes: seja como for, uma é como a sombra da outra, seu duplo, o gênio, o *daimon*, como diziam os gregos.

*História do novo sobrenome* marca precisamente esta cisão, a passagem da infância para a vida adulta, a saída da casa paterna para a casa do marido – sempre sob a ótica feminina. Ao contrário do que podem sugerir as capas das edições italianas e brasileiras da tetralogia, não há nada idílico em nenhum desses dois momentos: tanto o ambiente da casa natal quanto o da nova são marcados por uma extrema violência, ambas oriundas de uma estrutura familiar patriarcal. No caso de Raffaella Carracci, o casamento se revela desde já como uma relação entre dominador e dominada, em que prevalece o sentimento de posse do marido em relação à esposa, que deve se conformar ao papel que sempre foi atribuído às mulheres até então, ou seja: procriar, ser recatada e "do lar". E a princípio parece que Lila vai acabar submetida a esse novo papel, que o sobrenome Carracci lhe impõe aos olhos do bairro e dos hábitos arraigados. Mas quem já conheceu a inteligência e a força de Lila, traçada minuciosamente no prólogo da série, logo desconfia que essa nova ordem é uma bomba pronta para explodir.

*História do novo sobrenome* narra as etapas necessárias a essa explosão. Como tantas mulheres que se tornaram adultas nos anos 1960, Lila tenta disfarçar aos olhos de todos – que fingem acreditar – os espancamentos e abusos que o marido, antes tão afável, lhe inflige cotidianamente. Os hematomas são camuflados por enormes óculos escuros, maquiagem pesada, xales e chapéus. Naquele meio, naquela época – mas não só –, o relacionamento abusivo era a regra. No caso específico da senhora Carracci, era o preço a ser pago para ascender socialmente e ter uma "vida respeitável", a possibilidade de sair da casa pobre da infância para um apartamento novo, com os confortos domésticos e até uma banheira onde ela pudesse submergir e se esquecer de sua condição miserável.

O casamento de Lila também marca um primeiro afastamento das amigas: enquanto uma tenta se acostumar à rotina de casada e gasta ostensivamente todo o dinheiro que a nova situação lhe permite, a outra continua na casa dos pais, dividida entre os estudos no liceu (que equivale ao nosso ensino médio) e as primeiras descobertas sexuais, feitas com um namorado do bairro por quem ela não nutre nenhuma paixão. O que move a adolescente Elena Greco é o desejo de acumular cultura, sair do bairro, ascender pelo acesso à cultura, se parecer com a família da professora Galiani, quem sabe se tornar escritora ou também professora. Parte importante desse projeto é o amor que ela cultiva por Nino Sarratore, ex-morador do bairro e filho do poeta-ferroviário, aluno esquivo e "brilhante", que logo se destaca no meio estudantil, o que estimula ainda mais a paixão de Lenu por ele. Nessa altura, as amigas de infância parecem destinadas a trilhar caminhos distintos, mas ambos condizentes com um script preestabelecido: o da mulher casada e o da professora solitária. Mas *A amiga genial* é feita da imprevisibilidade e precariedade das escolhas humanas, que sempre oscilam segundo o acaso e as pulsões incontroláveis dos viventes. O equilíbrio que se estabelece em determinado momento é logo subvertido, lançando personagens e eventos numa nova desordem. A expressão máxima desse desconcerto é a experiência de *desmarginação*, que atinge Lila ainda no primeiro livro da tetralogia e que vai acompanhá-la por toda a vida. Entretanto, não é apenas ela quem se *desmargina*: é o próprio mundo que parece sair dos eixos e entrar numa fase histórica – a nossa – em que qualquer coisa pode acontecer, até mesmo a extinção coletiva.

Um dos episódios mais emblemáticos dessa virada – uma das tantas – é quando Lila, ajudada por Lenu, trabalha sobre uma ampliação de sua foto de casada a ponto de estilhaçar a própria imagem numa montagem cubista. Depois de muito tempo, a imaginação criativa das duas amigas entra em ebulição e produz uma obra que materializa, em primeiro plano, a destruição do papel de mulher casada e, em segundo plano, a própria experiência inquietante da *desmarginação*. A partir daí tudo se precipita, até que a vida de ambas se ponha às avessas. Nas férias daquele mesmo verão, Lila convida Lenu a passar algumas semanas em uma casa de praia alugada em Ischia, ilha onde muitos napolitanos da classe média costumam veranear. Lenu estava trabalhando em tempo parcial numa livraria, para ajudar em casa, mas aceita o convite da amiga porque sabe que Nino também estará em Ischia naquele mês. Nos encontros na praia, que reúnem em um mesmo grupo duas mulheres casadas e uma solteira (Lenu) e dois jovens estudantes, Nino e Bruno Soccavo (filho do dono do frigorífico), Lila pode mais uma vez exibir os talentos que já conhecemos. Embora tenha deixado a escola aos 12 anos para trabalhar na sapataria do pai (quase todos os personagens do primeiro e segundo volumes são operários ou pequenos comerciantes, e o trabalho ocupa função central na tetralogia), Lila, como ficamos sabendo no prólogo da *História do sobrenome*, nunca deixou de ler, escrever e sentir curiosidade por tudo.

É assim que ela passa a surrupiar os livros que Lenu tinha levado para ler nas férias, mas não leu, entre os quais a peça *Dias felizes*, de Samuel Beckett. Seu entusiasmo a leva a fazer comentários "ingênuos" e brilhantes sobre as personagens de Beckett, o que por sua vez encanta Nino Sarratore, que passará a seduzir Lila. A paixão entre os dois se consuma, e este será o começo do fim do casamento, a saída da nova casa e o abandono do sobrenome Carracci. Estamos, sem nos dar conta, imersos no universo inquietante de Beckett, Joyce, Leopardi, traduzidos numa espécie de folhetim contemporâneo. Nas noites na praia, entre a conversa animada dos amigos, Lila "traduz" o infinito leopardiano em uma passagem que merece ser reproduzida aqui:

> Naquela mesma noite, depois do telefonema para Stefano, fomos os quatro dar um passeio na praia e depois nos sentamos na areia fria, nos deitamos para ver as estrelas, Lila apoiada nos cotovelos, Nino com a cabeça em sua barriga, eu com a cabeça na barriga de Nino, Bruno com a cabeça em minha barriga. Fixamos os olhos nas constelações e usamos lugares-comuns para louvar a arquitetura portentosa do céu. Não todos, Lila não. Ela ficou calada e, quando esgotamos o catálogo do admirado assombro, disse que o espetáculo da noite lhe dava medo, não via ali nenhuma arquitetura, mas apenas cacos de vidro soltos ao acaso num betume azul. (p. 266)

Aí também se manifesta de modo evidente a distinta inteligência das amigas: em Lila, tudo é assimilado de um golpe, numa intuição fulminante, que recusa os lugares-comuns da cultura letrada e livresca. Leopardi não é o poeta-pensador do século XIX, autor do "Infinito", poema central da lírica italiana e europeia: em Lila, Leopardi é pura *experiência* do mundo. Já Lenu, como a formiga da fábula, persegue laboriosamente a cultura letrada nos longos anos de estudo, destacando-se a ponto de ser admitida na Normal de Pisa, uma das universidades mais prestigiosas da Itália. Para isso, ela precisa rasurar o dialeto napolitano, se apropriar da língua italiana padrão, falar e escrever no registro culto às vezes afetado dos ambientes acadêmicos, não sem sofrer uma série de preconceitos por parte de colegas da faculdade que debocham de seu sotaque e de sua origem de classe. Mas ela também é forte, obstinada, e não se dobra.

Numa costura narrativa muito hábil, Ferrante faz com que sua protagonista (e alter ego) tenha de responder justamente a uma questão sobre Leopardi em seu processo de admissão em Pisa. Reproduzo aqui a passagem, que dialoga com a citação anterior:

> A verdadeira virada se verificou nos exames orais. Fui elogiada por todos os professores, mas quem mais esteve de acordo comigo foi a examinadora de cabelos azuis. Estava admirada com o meu desempenho não só pelo que eu dizia, mas também pela maneira como o dizia.
>
> "A senhorita escreve muito bem", me disse com um sotaque para mim indecifrável, mas de qualquer modo muito distante do de Nápoles.
>
> "Obrigada."
>
> "Considera realmente que nada está destinado a durar, nem mesmo a poesia?"
>
> "É o que pensa Leopardi."
>
> "Tem certeza disso?"
>
> "Sim."
>
> "E a senhorita, o que pensa?"
>
> "Penso que a beleza é uma ilusão."
>
> "Assim como o jardim leopardiano?"
>
> Eu não sabia nada de jardins leopardianos, mas respondi:
>
> "Sim. Como o mar num dia sereno. Ou como um pôr do sol. Ou como o céu à noite. É maquiagem passada sobre o horror. Basta retirá-la, e ficamos sozinhos com nosso assombro." (pp. 323-324)

Nas páginas finais desta *História*, quando Lila já deixou a casa do marido levando o filho pequeno, e Lenu está prestes a publicar seu primeiro romance ("autobiográfico") após ter defendido uma tese sobre o livro IV da *Eneida* de Virgílio (em que Dido é abandonada por Eneias), há um reencontro das amigas que abre novas perspectivas para os volumes seguintes.

Assim como o retrato cubista acaba pegando fogo misteriosamente, *A fada azul*, história que Lila escrevera na infância e que estaria na origem da escrita de Elena – "As paginazinhas infantis de Lila eram o coração secreto do meu livro" –, é lançada à fogueira acesa no pátio do frigorífico infernal onde agora a ex-senhora Carracci trabalha e sofre novos abusos.

Depois de reler o livro para redigir este prefácio, a tetralogia me pareceu ganhar em tamanho. Se fosse para sintetizar numa frase, e as sínteses são sempre perigosas, diria que *A amiga genial* é mais um enorme esforço e dispêndio de energia que a literatura faz na tentativa de dar ordem ao "que não tem governo nem nunca terá, ao que não tem juízo".

*Maurício Santana Dias é livre-docente de Letras Modernas e Estudos da Tradução na Universidade de São Paulo. Por seus trabalhos, já recebeu os prêmios "Paulo Rónai" da Biblioteca Nacional, "Prêmio Jabuti de Tradução" e "Prêmio Nacional de Tradução" do governo italiano.*

ESTE LIVRO, COMPOSTO NA FONTE FAIRFIELD,
FOI IMPRESSO EM PAPEL LUX CREAM 60G/M², NA GRÁFICA COAN,
TUBARÃO, BRASIL, JUNHO DE 2025.